COLLECTION
L'IMAGINAIRE

Raymond Guérin

L'apprenti

Texte intégral

Gallimard

Raymond Guérin est né en 1905 à la Taverne Dumesnil, à Montparnasse, gérée par son père à qui l'on apporta à trois heures du matin, parmi les consommateurs, le nouveau-né à admirer. Il a vécu à Paris jusqu'en 1914 et c'est en partie avec ses souvenirs de cette époque qu'il a écrit *Quand vient la fin.* Il fit ensuite toutes ses études secondaires à Poitiers.

Il revint ensuite à Paris où son père lui fit faire un stage dans plusieurs grands palaces. C'est là qu'il a trouvé matière de son roman *L'apprenti.*

Raymond Guérin s'est ensuite installé agent d'assurances à Bordeaux. Après avoir été mobilisé en 1939, il est resté prisonnier dans un camp de représailles, dans le pays de Bade, et c'est de là qu'il a rapporté *Les poulpes.*

Il est mort en 1955.

à Marcel Arland

Première partie

I

C'était le plein de juillet.

Mince de lueur! Ça devait se voir au moins à cinquante kilomètres à la ronde, cette nuit rose qui crépitait sur Paris. Juste au-dessus des lumières. Qu'est-ce donc qu'on entendait au loin? Un bruit sourd. Comme si ça avait provenu d'un incendie énorme et lointain. La rumeur de la nuit dans la ville. Les taxis, pris de panique! Ces coups de corne lugubres. Dégringolaient la rue de Rome. Tous dans le même sens. Un toboggan. Pas besef de passants à cette heure! Solitaires. Silencieux. Grisâtres. Ruminant quoi? Batignolles ou Saint-Lazare?

Monsieur Hermès avançait lentement. Là, à droite, ça grondait dans l'étroite et profonde tranchée. Un train qui n'en finissait pas de s'étirer. Avec de gros nuages de fumée qui débordaient. Et la loco qui sifflait comme ça, à la mort. D'angoisse ou d'impatience? Si on pouvait se déchausser sans être vu! Depuis ce matin qu'il avait ça aux pieds! Ça cuisait. Comme s'il avait marché sur de la braise. Et pas un poil de vent. Rien. Presque plus dur qu'à Portville, ici, l'été. Dans trois semaines son anniversaire. Dix-neuf ans. Comme son ami Buddy Gard, comme Paolo ou Cro-Magnon, ses copains. Ils auraient pu fêter ça ensemble. Au kummel. Comme d'habitude. Et il était là, dans la nuit, seul, sortant du boulot, regagnant sa crèche. Merde alors! Tu ne seras jamais qu'un propre à rien! lui avait mille fois affirmé Monsieur Papa, son père, emporté par la colère. Oui, pas mal, ce costar bleu à filets rouges. Pas assez étroits, tout de même, les falzars. Tout du bourgeois, quoi. Y avait que le chapiau qui était mimi. C'était ce vieux Paolo qui lui avait appris à le modeler, en aplatissant le fond, en roulant les bords. Quant à la canne... On est gandin ou on ne l'est pas. Depuis qu'ils avaient quitté le bahut, des cannes, ils en portaient presque tous. Des grosses, à manche carré. Ou bien, comme la sienne, avec le manche dans une gaine en peau de porc. Ce qui l'agaçait, c'était ce faux col qui remontait tout le temps. Tous les dix mètres, il était obligé d'y porter la main. On aurait dit un tic d'idiot.

Il n'en avait que trop conscience. C'était la faute aussi à cette lavallière de soie bleue à pois blancs qu'il n'arborait pas avec toute la conviction désirable, et qui ne serrait pas assez. Qu'est-ce qu'elle avait celle-là ? L'avait dévisagé, ma parole ! Une femme seule, l'air pas pressé. Une grue ? D'un tour de reins, il décolla de son dos sa chemise encore trempée de sueur. A cette heure, dans ce noir, pas moyen de se reluquer dans les glaces des devantures. Baissaient leurs rideaux de fer, les boutiquiers. Peur des voleurs. Au coin de la rue de Constantinople, il tâta du pied le rebord du trottoir. Paraît que les chats y voient mieux la nuit. C'était pas son cas. L'air bête et la vue basse. Un taxi le frôla. Aurait pu jouer les écarteurs. C'était Paolo qui était fortiche à ce petit jeu-là. Une sorte de griserie à friser le danger. Ça devait être ça que ressentaient les toreros dans l'arène.

Quand Monsieur Hermès franchit le seuil de la maison meublée, presque en face de la gare du pont Cardinet, dans la rue Dulong, il regarda sa montre à la lueur du quinquet qui éclairait tristement le couloir. Il était près de dix heures. Monsieur Hermès descendit une marche, poussa une porte vitrée, ornée d'un brise-bise plissé, et entra dans une petite pièce aux murs chocolat qui servait à la fois de salon d'attente et de loge.

La pièce, quoique éclairée, était vide. Par une autre porte vitrée, entr'ouverte, Monsieur Hermès entendit des bruits de voix animées. Il renifla. Il renifla une odeur mêlée d'huile de ricin, de tabac fumé et de pipi de chat. Ce n'était pas tellement désagréable. Il prit sa clef à son clou. C'était une petite clef vulgaire, de métal terne, à l'anneau de laquelle pendait une médaille de cuivre où le chiffre 19 avait été découpé. Avant de monter, Monsieur Hermès jeta un regard sur les casiers à lettres. Au-dessus de chacun brillait une plaque ovale émaillée portant, peint en noir, un numéro de chambre. Le casier 19 était vide. Le contraire eût étonné Monsieur Hermès. Il ne recevait jamais de courrier. Même pas de ses parents. Il était pour ainsi dire fâché avec eux. Ça s'était fait quand ils l'avaient arraché à ses études pour le placer en stage dans cette horrible hôtel. Mais ça aurait pu se faire cent fois déjà avant. Pour un oui, pour un non. Il ricana méchamment. Quant aux copains de Portville, c'était lui-même qui avait cessé de leur répondre. Ça ne lui disait rien de leur raconter dans quelle panade il était. Jamais ses pieds ne lui avaient fait aussi mal que ce soir. En feu, ils étaient. Tous ces gens qui recevaient des lettres ! D'où venaient-elles, ces lettres ? Ta chérie qui t'aime... Et parfumées ! Que de papier perdu ! Il avança la main pour en voler. Il les lirait en cachette dans sa chambre. Après, il les déchirerait et les jetterait dans les cabinets. Ni vu ni connu. Il était seul. Aucun risque. Laisse donc, le jeu n'en vaut pas la chandelle. Un autre soir peut-être. Il y renonça. Il avait besoin d'uriner. Il se balança quelques instants sur ses jambes. Il allait encore mouiller son caleçon. Mais il aimait se retenir. Sûr, ça ferait une petite tache jaune de plus. Qu'est-ce qu'elle devait penser la blanchisseuse ? Peut-être que ça l'excitait, la garce, de renifler ça ? Y en a qui prétendent que ça fait du mal de se retenir. Des bêtas ! Se retenir de chier, ça c'était autre chose. Ça constipait. Pourtant Monsieur Hermès aimait ça aussi. Quand il sentait que l'envie le prenait, il la prolongeait. Il restait debout, immobile, et se mettait à lire n'importe quoi, tout ce qui lui tombait sous la main, petites annonces, catalogues ou prospectus. Il s'engagea dans le couloir. Il ne pensait plus aux lettres. Bon Dieu que ses pieds lui faisaient mal ! Il s'enferma dans les cabinets, urina. Un grand bien-être l'envahit. Machinalement il relut les graffiti sur le mur qui lui faisait face. Marrant le plaisir que ces inconnus prenaient à rédiger ça. Pas mal fait d'ailleurs ! Oui, il appréciait l'ironie, insolite peut-être mais authentique, de ces apostrophes obscènes, de ces distiques érotiques ou scatologiques, enluminés de dessins inspirés par un catéchisme de cœurs bavards et de sexes, de femmes nues et de bonshommes barbus. *A Estelle pour la vie! Chiez dur, chiez mou.* Cré nom de Dieu! *Chiez donc dans le trou.* Ce couplet bien tourné le fit rire. Il s'entendit rire, gêné. Il frissonna. Il eut peur d'avoir été entendu. Il pivota sur ses talons. La targette était bien poussée. Personne n'était entré à son insu. Il se reboutonna, ouvrit la porte, la laissa retomber, s'aventura dans l'escalier blafard.

Comme son pas résonnait dans la cage! Il essaya de faire plus attention. Les marches de bois grincèrent. Sur le palier du deuxième étage, comme il passait contre la porte du 14, des rires étouffés. Il arrêta sa marche, tendit l'oreille. Non, il n'y avait plus rien. On s'était tu. Monsieur Hermès fut déçu et reprit son ascension. Maintenant, sa main tremblait légèrement sur la rampe. Le souvenir de ces rires. Cela avait tout d'un coup réveillé en lui des pensées, animé des images dont il était plus particulièrement assailli dans les murs de la maison meublée. Dehors, dans la rue, là-bas même, à l'Hôtel, il y échappait plus facilement. Les femmes font attention quand elles savent qu'on les regarde. Parfois seulement une midinette qui tirait son bas sous un porche ou une autre qui se laissait prendre la bouche dans le métro devant tout le monde. Ça ne portait pas à conséquence. Mais là, dans cette cage d'escalier, dans ces couloirs presque toujours déserts et silencieux, sous cet éclairage trouble, parcimonieux, avec toutes ces portes closes derrière lesquelles vivaient des femmes seules ou des couples, sa gorge se serrait. Sans qu'il songeât à s'en défendre, la curiosité l'empoignait et le torturait. C'était derrière ces portes closes que des femmes se dévêtaient, qu'elles faisaient l'amour, c'était là qu'elles étaient comme on ne pouvait jamais les voir ailleurs. C'était donc là qu'il pouvait les surprendre, dans ce qu'elles avaient de plus secret, au moment où elles faisaient l'abandon de leur pudeur. Ce besoin fou entrait en lui comme une faim. Chaque soir il en était ainsi.

Toutefois, dès qu'il fut chez lui, Monsieur Hermès, avant toute chose, s'enferma soigneusement, s'assit sur son lit et se déchaussa. Depuis ce matin, six heures, qu'il était debout! Ses pauvres pieds! Pas étonnant que les loufiats eussent les pieds plats! Lui qui avait voulu préparer Polytechnique, commis de restaurant! Quel salaud son père! C'était un drôle de tour qu'il lui avait joué. Il ne le lui pardonnerait jamais. L'hôtellerie, le plus beau des métiers : je t'en fous! Au bout d'une perche! Les mains toutes brûlées, la chemise toujours mouillée et les pieds en marmelade. Oh! oui, surtout les pieds. Dessus, dessous, partout, ça lui faisait mal, et par endroits ses chairs étaient à vif. « T'as la peau trop tendre », disait Simpson. Et cette vache de Palisseau : « T'avais qu'à commencer à douze ans, comme moi. Te frappe pas. C'est le métier qui entre. » Une odeur forte, boucanée, lui monta au nez. Ses chaussettes noires étaient humides et là où l'humidité avait séché, le coton était comme empesé. Il remua rageusement ses orteils. Les chaussettes collaient à sa peau comme un pansement. Il releva le bas de ses pantalons, défit ses jarretelles, mit ses pieds nus. Ils étaient gonflés, rougeâtres, marqués de traces noires surtout autour des ongles. Il y passa ses doigts. Il sentait, sous leur pression, les traces s'agglutiner en corpuscules graisseux qui tombaient à mesure sur le plancher. Après ça, ses doigts furent imprégnés d'une forte odeur acide. C'était une mauvaise odeur mais il ne pouvait renoncer à la respirer. Il acheva rapidement de se dévêtir.

Ce moment était le seul de la journée où il pouvait enfin se détendre. Ça lui rappela les dimanches d'autrefois, après un match de rugby, dans les vestiaires fumants, quand il se dépouillait de son équipement souillé de boue pour passer sous la douche. C'était la même lassitude, le même plaisir à s'affaisser sur soi-même, à se dire que c'était fini. Mais maintenant toute cette lassitude, tout ce plaisir étaient poissés d'angoisse. Quand il fut complètement nu, il se leva. Bien que la chambre fût exiguë, toute en longueur, avec un pauvre tapis râpé qui s'étendait de la porte à la fenêtre, il la parcourut deux ou trois fois, à petits pas timides, en se tenant les couilles d'une main et en les malaxant distraitement. Il tira le bidet caché sous le lavabo, l'emplit d'eau au moyen d'un broc et fit tremper ses pieds l'un après l'autre avec béatitude. Ses pieds mouillés laissaient une trace sur le linoléum marron que la chaleur évaporait rapidement comme le sable d'une plage boit l'eau de la mer. Dans la poche de son veston jeté sur le lit, le papier jaune de *L'Auto* attirait son regard. Mais il lui aurait fallu se relever. Greluche lui avait dit ce soir que Nurmi avait failli se faire battre par Ritola dans la finale du 5 000, à Colombes. Il était trop bien ainsi. Il se laissait engourdir par la sensation de fraîcheur que l'eau faisait monter en lui. Depuis le matin il avait positivement rêvé à cet instant. Il grimaça à l'idée du lendemain, à ce recommencement perpétuel du lendemain. Le matin, ses chaussettes étaient encore plus puantes et plus durcies, surtout à l'endroit des raccommodages et cette odeur de cuir ranci par la sueur qui se dégageait du box noir de ses chaussures! Il laissa son regard errer placidement autour de lui, sur ces murs anonymes tapissés de fleurs jaunes et grises.

C'était une chambre misérable et laide. Bien que Monsieur Hermès y habitât depuis plusieurs semaines, elle était restée sans âme et ne semblait avoir jamais été vivante. Elle était garnie d'un lit bateau plaqué contre le mur et recouvert d'une courtepointe de reps grossier, d'une armoire à glace acajou, d'une table guéridon sur laquelle il avait posé ses quelques livres, — *Arènes Sanglantes*, de Blasco Ibañez, *Les Désenchantées*, de Pierre Loti, *Jocelyn*, de Lamartine, *L'Histoire de la Littérature Française*, de Lanson, une pile de pièces publiées par *La Petite Illustration* et tout le théâtre d'Edmond Rostand, — autour du manuscrit de la pièce qu'il était en train d'écrire : *La Joie du Cœur*. Si seulement il n'avait pas perdu le stylo que sa mère lui avait offert pour son deuxième bachot, il n'aurait pas été obligé de se servir d'un crayon! L'ameublement était complété par une chaise et par un gros fauteuil apode aux ressorts cassés. Dans un coin, Monsieur Hermès avait posé sa malle, une minuscule malle peinte en gris et en noir qui datait d'un demi-siècle et qui avait servi pendant ce même demi-siècle à ses parents. Aux murs, deux chromos représentant des scènes de l'Empire romain : *La Mort de César* et *Pollice Verso* d'après Gérome. Devant la fenêtre, comme pour refuser l'air, des rideaux de velours rouge, déteints et troués, essayaient de se faire tolérer. La fenêtre était ouverte sur la nuit.

Monsieur Hermès essuya soigneusement ses pieds. Où trouver l'argent pour faire taper son manuscrit ? Après tout, ce serait original un manuscrit au crayon. Il jeta l'eau sale qui fit dans le trou du lavabo de vilains glouglous, rangea le bidet, enfila son pantalon de pyjama, chaussa ses mules de cuir. C'était des cadeaux de Madame Elvas, cette folle d'Alice Elvas qu'il avait connue l'été précédent à San Sebastien. Que dirait-elle, si elle le voyait aujourd'hui ? Marrant qu'il lui ait fait illusion ! Elle l'avait pris pour un fils à papa parce qu'il était descendu comme elle à l'*Hôtel d'Angleterre,* sur la Concha. Quelle cinglée ! Venir de Lisbonne pour voir des toros ! Au fond, elle s'en foutait éperdument des toros. C'étaient les matadors qui l'attiraient. Cette façon indécente qu'elle avait eue de tendre son décolleté vers Emilio Mendez en lui réclamant une photo dédicacée. La putain de sa mère ! Du moins, elle lui avait fait de jolis cadeaux tout le temps de leur liaison. Ça lui permettait de garder au fond de sa petite malle les affreuses chemises de nuit, festonnées de rouge, qu'affectionnait Madame Mère. Sa garce de mère, on aurait dit qu'elle s'ingéniait à le déguiser. Combien de temps encore le contraindrait-elle à porter les vieilleries, à finir d'user les costumes et les caleçons de Monsieur Papa ? Tout de même, avec le pyjama et les mules d'Alice, il avait une petite allure. Il bomba le torse. Dans la glace de l'armoire, sa silhouette se reflétait. Il avait le torse un peu mince et, cette année, assez pâle. Pour mieux le mettre en valeur, comme ça, pour s'amuser, il prit la pose d'un nageur qui va plonger, puis d'un boxeur ramassé sur sa garde, les épaules basses, les bras légèrement écartés, le thorax dilaté. Il se trouva plutôt beau. Gêné par cette constatation, il se recula et s'installa à la fenêtre.

Au-dessus de lui, la lueur rosâtre de Paris grésillait. Il n'apercevait pas d'étoiles ni de lune, mais le ciel semblait voilé, comme une fleur énorme et grasse, piquetée, tachetée de millions, de milliards de poussières mobiles. C'était comme une mer des Sargasses interplanétaire et sourde. Et toujours, au loin, là-bas, derrière ces toits, au-delà de l'horizon borné des maisons de la rue, ce grondement multiple, agaçant, circulaire, de la vie nocturne. Malgré la chaleur intense de la nuit, Monsieur Hermès frissonna encore. Ce grondement l'emportait dans une rêverie amère et fabuleuse. C'était comme s'il avait vu tout d'un coup devant lui, des façades dramatiques de cinémas et de théâtres avec l'or rose et l'or rouge de leurs violents éclairages au néon et d'où partaient des appels de sonneries qui ressemblaient à ces grêles tintements perdus des gares de campagne. Les terrasses des cafés étaient bondées de consommateurs impassibles et passifs. Les boulevards grouillaient de promeneurs repus ou de maniaques en quête. Des corps partout, allant et venant. Des visages par-dessus. Des visages d'hommes et de femmes. Les hommes avaient un air avantageux, conquérant, souvent stupide ou obstiné. Leurs mains semblaient pleines de faux billets de banque. Ils fumaient. Ils prononçaient des phrases qui faisaient rire les femmes. Les femmes, on ne savait pas si elles riaient par dérision ou par veulerie. Peu importait d'ailleurs. Tous ces visages transparents et clairs trouaient la nuit et l'espace et venaient ainsi jusqu'à lui. Il ne pouvait s'empêcher de fixer ces yeux trop grands, ces paupières pâles ou sombres comme des laques, ces lèvres vivantes comme des sexes, palpitantes comme des branchies, ces faces camuses, ces profils grotesques. Il sentait l'odeur de ces chevelures éclaboussées de reflets, défaites avant d'avoir été fouaillées. Et il tremblait parce qu'il se savait seul.

Dans la nuit, les trains, autour de Paris, continuaient de gémir. Monsieur Hermès se redressa. Puis il soupira profondément. Sa fatigue se dissipait. Mais à mesure qu'elle se dissipait, à mesure qu'il reprenait conscience, une sorte de malaise voluptueux lui montait du ventre. Il y reconnaissait le réveil d'obscurs désirs. Il ne s'échappait jamais tout entier. Il était toujours esclave d'une partie de lui-même. Tantôt de son corps. Tantôt de son esprit. Tantôt c'était son corps qui se plaignait, qui renâclait et tantôt son esprit. C'était toujours quand il était seul, quand il était seul et qu'il était enfermé dans une pièce, qu'il chavirait. Pourquoi ne pouvait-il trouver le repos ? Pourquoi ces perpétuels tiraillements de l'inquiétude ou de la chair ? Les autres, ceux de l'Hôtel, les Pactot ou les Dominique, les Simpson ou les Palisseau, étaient toujours de plain-pied. Ils adhéraient sans difficulté à leur propre personnage. Il n'aurait pas été malaisé de deviner où ils avaient achevé leur soirée. Toucher des cartes graisseuses au fond d'un bar de quartier, débiter des insanités, risquer des caresses faciles et grossières, voilà qui leur suffisait. Bon Dieu! ils étaient tous des petits saints! Des petits saints avec des œillères, de l'ouate dans les oreilles et de l'eau dans le cerveau. On avait l'impression qu'ils craignaient de commettre un crime. Tout, plutôt que de se voir vivre! Le boulot, la rigolade, et au « page » pour dormir. Pas de retours en arrière, pas de cas de conscience, pas d'interrogations. La belle vie, en un mot!

Monsieur Hermès quitta la fenêtre, vint se placer devant la petite glace à cadre de bambou qui surmontait le lavabo. Cette existence était si fâcheusement déprimante! D'un geste machinal il passa sa main sur la peau fatiguée de ses joues. Comme son poil poussait vite! Autrefois il se rasait seulement tous les deux jours. Maintenant, avec ces chaleurs, c'était impossible. Les maîtres d'hôtel n'auraient pas fini de gueuler. Oui, c'est pour le coup qu'on les entendrait. Ça les faisait jouir sans doute de penser qu'à cause d'eux il fallait se lever une demi-heure plus tôt chaque matin. Ça leur allait bien de faire du zèle! Jusqu'à Monsieur Dominique qui se râpait la couenne deux fois par jour. Pour sûr, il voulait enlever une cliente! Pourtant, une demi-heure de plus au lit, ça comptait. Non, ils ne comprenaient rien à la vie ces cons-là! Je vous demande un peu : à quoi ça les avançait de faire les marioles? Hermès se fit une grimace, puis une autre. Il en avait tout un répertoire : le traître de mélodrame, le chinois, l'idiot de village, Bamboula roi nègre ou la morue du coin. La glace, assez durement éclairée par l'ampoule murale, lui renvoyait l'image d'un visage long, sans éclat véritable, ombré par deux grands yeux marron aux sourcils fournis. Sa bouche était large, bien dessinée, sensuelle et parfois sarcastique. Les cheveux étaient d'un blond assez clair, taillés en une sorte de brosse. Mais ce qui frappait le plus, c'était ces creux de maigreur maladive sous les pommettes.

Monsieur Hermès aimait son visage comme un frère. Il le contemplait plusieurs fois, chaque jour, comme une toujours nouvelle énigme. C'était comme ça qu'il avait pris l'habitude de se faire des grimaces. Histoire de se persuader qu'il avait le visage mobile. Des journalistes prétendaient qu'on pouvait avoir sa chance au cinéma si on savait rendre tous les sentiments avec son visage. Etre photogénique! Ce qui chiffonnait Monsieur Hermès, c'était d'avoir les oreilles en contrevent. Ça, il n'avait pas à se plaindre. Sa mère l'avait assez mis en garde. Il ne se souvenait même plus à partir de quel âge il avait commencé à les replier sur elles-mêmes. Quand il lisait ou écrivait, c'était plus fort que lui. Il fallait qu'il sente dans le creux de ses oreilles le contact frais et charnu des lobes. Plus il les écrasait, plus c'était fameux. A force, elles avaient dû prendre le pli. C'était comme pour son nez. « Il a mon nez », disait Madame Mère. Elle était fière de son nez. Elle prétendait que c'était ce qu'elle avait de mieux. Malheureusement, Monsieur Hermès avait tout fait aussi pour abîmer le sien. Il le prenait entre ses doigts et le collait sur sa lèvre supérieure, humant mieux ainsi l'odeur de sa peau. C'était une odeur épatante, jamais la même et qui lui plaisait, surtout quand il avait un rhume de cerveau ou qu'il était resté dans une pièce où l'on avait beaucoup fumé. Ce que c'était compliqué la vie ! Peut-être qu'il vieillirait un jour ? Pas une ride encore. Mais seulement quand il fronçait les sourcils, là, à la naissance du front, un pli en forme de fleur de lis se creusait.

En face, de l'autre côté de la rue, des fenêtres s'étaient éclairées. Monsieur Hermès eut peur d'avoir été vu se regardant. Turellement, il n'avait pas honte, mais il détestait être exposé à la curiosité d'autrui, lui cependant si curieux des autres. Il avança la main gauche, éteignit. On n'y voyait pas plus que dans un four. Puis les yeux de Monsieur Hermès s'habituèrent à l'obscurité. Une faible clarté, venue des réverbères et du ciel, lui permit de se déplacer en tâtonnant. Il éprouva tout de suite un grand sentiment de sécurité. Il était toujours à l'aise dans l'ombre. Il pouvait voir et il savait qu'il ne pouvait pas être vu. Cependant, la curiosité l'emporta. Il se laissa attirer par la clarté. Qu'y avait-il derrière les fenêtres d'en face ? Quelle misère que sa vue fût si mauvaise ! Ses parents n'avaient rien fait pour le faire soigner. Maintenant, il était sans doute trop tard. Bientôt il lui faudrait porter des lunettes. Peut-être qu'il deviendrait aveugle, un jour ? Ça ne devait pas être aussi atroce qu'on le prétendait. Aveugle, il n'aurait plus ni soucis, ni responsabilités. Ses vieux seraient bien obligés de le faire vivre. Ils prendraient quelqu'un pour veiller sur lui, pour le conduire. Il se ferait expliquer les choses. On lui avait raconté que les aveugles avaient les autres sens plus développés. Le monde extérieur ne lui parviendrait plus que par ses bruits et ses odeurs. Il exigerait mille sensations nouvelles de son toucher. Avec un peu d'imagination... Mais rien ne bougeait de l'autre côté. Pourtant les rideaux n'étaient pas si épais. Dans le tiroir de sa table, Monsieur Hermès avait des jumelles de théâtre. Il s'en servait souvent depuis que sa vue avait baissé. Aux arènes, au stade, au théâtre et même maintenant au cinéma. C'était un peu ridicule sans doute. Mais dans le noir... Et puis il n'y avait rien de tel pour faire le voyeur à grande distance. Pourtant ce soir il avait la flemme. Il se sentait un peu triste, aussi. Il s'accota au mur et reprit sa rêverie. Qu'était-il dans ce Paris immense et dédaigneux ? Il n'y connaissait que des gens insignifiants, incapables de le sortir de là. Il se sentait perdu dans cette fourmilière, livré à lui-même, à la merci d'un pépin. Aller solliciter des relations de Monsieur Papa ? Ça lui coupait les jambes rien que d'y penser. Faire anti-chambre dans les salons d'attente lui flanquait la colique. C'était comme un mélange de peur et d'humiliation. Affron-ter la vie, prendre le taureau par les cornes, attaquer les choses de front, autant de formules qui le vannaient. Est-ce que c'était de sa faute s'il se sentait lâche et timoré ? Du moins ça lui enlevait son peu de courage. Qu'ils aillent se faire foutre avec leurs idées toutes faites ! Si ça ne devait pas s'arranger tout seul, eh bien tant pis ! S'il mourait cette nuit, sa mort ne changerait rien à l'ordre établi. Qui remarquerait sa disparition ? Ah ! si, là-bas, cette sale vache de Rigal, le premier maître d'hôtel, le réclamerait à l'heure du service. Il gueulerait encore comme un putois parce qu'on ne l'aurait pas prévenu à temps. Oui, on le chercherait pendant une minute ou deux, en tempêtant. Ça lui servirait d'oraison funèbre. Puis on se passerait de lui. Avant midi, il serait remplacé, oublié, rayé des contrôles. C'était donc tout sim-ple. Mais il n'avait pas envie de mourir. Pas la moindre envie. Au contraire, il sentait en lui un impérieux besoin de vivre. Se dire qu'il avait encore devant lui un nombre infini d'années. Ne pas en voir le bout. Ça suffisait pour croire qu'il n'était trop tard pour rien.

L'été, l'été des plaines, à travers la grande nuit, souffla sur la ville sa première fraîcheur. Ainsi chaque nuit. C'était doux, sur son torse nu. On aurait dit une caresse indécise et interminable. Il lui semblait que cet air léger allait le purifier des mauvaises odeurs de cuisine dont il se croyait imprégné. Chez sa grand-mère, à Fontanières, elles sentaient rudement bon les fleurs chaudes des prés ! Odeurs de trèfle, de sainfoin, de luzerne. Odeurs acides des vignes, odeurs douces des cerisiers. Qu'en restait-il ici ? En traversant tant de banlieues et tant de quartiers d'usines, l'air de la nuit les avait perdues en route. Un autobus stoppa brutalement au coin de la rue. Des pas résonnèrent sur l'asphalte. Le ciel était toujours immobile, dans l'expectative. La vie continuait, confuse et souple comme une bête. Il devait être au moins onze heures. Demain, il ne pourrait pas encore se tirer du lit. Il ne songeait pas à se coucher. Il semblait attendre quelque chose. Quelque chose qui lui viendrait des autres. Il vivait si isolé qu'il finissait par n'avoir plus de vie personnelle. Il s'extirpa une morve gluante du nez, la roula dans ses doigts jusqu'à ce qu'elle eût acquis une certaine consistance et pris la forme d'une boulette. Alors il la jeta.

On marchait dans le bout du couloir que sa chambre fermait comme un cul-de-sac. La porte de la chambre voisine et la sienne étaient contiguës. Les pas s'arrêtèrent devant les deux portes. Venait-on chez lui ? Son cœur se mit à battre. La police ? Un pochard ? Une chercheuse d'aventures ? Il ricana. Il avait trop d'imagination. Mais aussi, pourquoi ne lui arrivait-il jamais rien ? Il quitta la fenêtre, s'enfonça dans les ténèbres à peine rougeoyantes de sa chambre. Il écouta. Plusieurs personnes parlaient à voix basse. Le garçon de nuit. Les autres voix lui étaient inconnues. Il y avait une voix d'homme. Il y avait aussi une voix de femme.

Monsieur Hermès sourit nerveusement. Enfin ! Ça allait commencer. Quels étaient-ils ceux-là ? Des habitués ? Des nouveaux ? Avec de grandes précautions qui dénotaient une vieille expérience, il s'approcha de sa porte et y colla son oreille. Il tremblait légèrement des jambes et des mains, comme s'il avait eu froid. Il retenait sa respiration, se contraignait à une inertie minérale. Il avait eu le nez creux d'éteindre. Les autres pouvaient penser que le 19 dormait ou n'était pas rentré. Pourquoi parlaient-ils en même temps ? Il n'y avait pas moyen de comprendre. Mais ce n'était pas contrariant. Il connaissait le topo par cœur. Le moment n'était pas encore venu.

A côté la porte s'ouvrit. Encore quelques paroles. On tourna un commutateur. Puis la porte se referma bruyamment. Les pas du garçon déclinèrent dans le couloir, furent absorbés par le silence. Le déclic de la minuterie fonctionna. Il devait de nouveau faire noir dans la cage de l'escalier, dans le couloir.

Dans la chambre, la femme et l'homme parlaient. Monsieur Hermès avait plaqué son oreille contre la cloison. Il ne bougeait pas. Mais qui eût pu voir son visage à cet instant, l'aurait vu durcir par une animation intense, sous le coup de l'émotion grave du plaisir. Il essayait de saisir ce qu'on disait. Il n'y parvenait pas. Bon Dieu ! comme ils avaient des voix sourdes. Il s'enfonça férocement l'index dans l'oreille, et l'agita pour aérer mieux le tympan. Dans ce silence fragile, entretenu par le murmure des deux voix lasses, le rire de la femme éclata. Ça se précisait. Monsieur Hermès, comme frappé, recula d'un pas, respira un grand coup, puis reprit sa faction. L'eau, maintenant, coulait. Le lit craqua. L'eau coulait toujours. Les voix se firent plus fortes. Enfin, derechef, il y eut le bruit d'un commutateur qu'on tournait. La femme rit d'un rire plus nerveux, saccadé, comme si elle avait eu à se défendre de quelque chose. L'homme aussi se mit à rire. Le lit craqua encore. Monsieur Hermès, le souffle coupé, les muscles tendus, écoutait. Il n'entendait plus que des chuchotements insignifiants. Il se redressa, fit une moue de déception, fut sur le point de se coucher, alla jusqu'au lavabo et là, sans se presser, but un peu d'eau dans son verre à dents.

Quelques minutes avaient passé. Monsieur Hermès s'était remis à écouter. Maintenant, ça paraissait sérieux. Monsieur Hermès restait figé dans une position incommode, attentif au moindre murmure. Un murmure en effet s'élevait dans la chambre d'à côté, à demi recouvert par les grincements du lit. Des images s'imposèrent à Monsieur Hermès. Une certaine image surtout. Encore une qui y allait sur le billard, la salope ! Et ta sœur ? Mais bientôt, sur ce fond, et très distincte, une plainte grandit. C'était la femme. Elle se plaignait doucement, régulièrement, comme un faucheur donnant son coup de faux dans l'herbe de son pré, comme un menuisier penché sur son rabot. Le respect humain? Les contingences? Aux orties, aux orties! Il n'y avait plus de temps ni d'espace. Paris même n'existait plus pour cette femme. Ni cette chambre. Ni ceux qui pourraient l'entendre crier. Ni même ces cloisons déjà pourtant si indiscrètes. Savoir si elle se souciait seulement de l'homme qui était sur son ventre? Toutes les mêmes! Il n'y avait que leur satané plaisir qui comptait. Prendre son pied. Seule, dans la nuit, seule avec elle-même, ouverte à une autre chair qu'elle sentait sans la reconnaître. Quelle différence avec lui dans tout cela? Solitaire à un, ou à deux, ça ne changeait pas grand-chose. Simple affaire de goûts. Un peu agaçant tout de même d'entendre si près de soi cette marée impersonnelle et inexorable! Et l'autre con qui y allait de bon cœur, lui aussi! Etendue, écartelée, telle qu'elle aurait pu être sur la terre nue et en proie à une sorte de délire, même si de ses mains elle caressait la chevelure et le torse de l'homme, même si de ses lèvres elle cherchait les lèvres tremblantes de l'homme, même si, du fond de son ventre, elle sollicitait d'autres mouvements de l'homme, cela ne la liait pas à l'homme. C'était pour son propre compte qu'elle se plaignait.

Une grande vérité était dans cette plainte. Une vérité qui se faisait mieux jour à mesure que la plainte montait, qu'elle devenait plus pressante, plus aiguë, plus désespérée. En même temps, aussi, elle se précipitait. Sans souci du voisinage, la femme criait maintenant à la fin de chaque râle. Cela allait s'amplifiant comme le bruit d'un soufflet de forge, comme la respiration d'un comateux, comme l'appel déchiré d'une femme en gésine. Elle prononçait des mots indistincts, mouillés, des mots d'être à bout de souffle, des mots de petite fille câlinée au bord de son sommeil, des mots d'agonisant sur le champ de bataille. Et soudain, cela s'enfla dans un bizarre sanglot, un sanglot qui n'en finissait pas d'atteindre son paroxysme et qui se brisa en vagues molles, qui s'amortit dans le silence. Monsieur Hermès tremblait. Sa respiration était rauque, sa langue sèche, ses mains nouées, son désir raidi. Cependant il ne bougeait pas. Il se sentait ankylosé et s'effrayait de la lucidité cruelle, inhumaine, avec laquelle son cerveau avait réagi.

Le silence avait complètement repris possession de la nuit. Un train roula sur les voies. De nouveau on parlait dans la chambre. Doucement. Paresseusement. C'était comme une plainte d'un autre genre, non plus tendue, non plus grave, mais plutôt naïve, une sorte de « miam miam ». Monsieur Hermès n'y tint plus. Ils avaient dû rallumer. Voir, oui, voir, maintenant ! Demain, les emmerdements, demain ! Justement l'eau coulait de l'autre côté. C'était le moment. Il y eut encore un rire frileux de la femme, une exclamation...

Sur la pointe des pieds, Monsieur Hermès s'approcha de sa porte. Les lames du parquet : il savait celles qui grinçaient. Il mit la main sur le loquet, le souleva millimètre par millimètre. Tout en continuant à le maintenir, il tira la porte à lui. Le couloir était sombre. On le prendrait pour qui, s'il était surpris ? Bah ! ce n'était pas la première fois. Suffisait d'être prudent. Il s'aventura. Tout semblait reposer dans l'immeuble. Sous la porte voisine passait un filet de lumière. Parbleu ! Voilà ce qu'il ne fallait pas manquer. C'était trop rare. La plupart de ces imbéciles passaient leur temps dans le noir, ou n'allumaient que pour se rhabiller. Autant dire qu'on était volé. Tandis qu'avec de la lumière... Pourvu que ceux-là aussi... Avec une scientifique lenteur, Monsieur Hermès vint se placer contre l'autre porte. Puis il inspecta les lieux. Rien n'avait bougé. Dans des chambres voisines peut-être, d'autres couples... Impossible de courir plusieurs lièvres à la fois. Un tiens vaut mieux que deux tu l'auras. Il se mit en position. Le trou de la serrure était largement dégagé. Heureusement ils n'avaient pas pensé à y remettre la clef. Monsieur Hermès sourit. Dans le lit défait, découvert, sur le drap, un homme nu, allongé, fumait. Le lit était à peu près tout ce qu'on pouvait voir de la chambre. Mais on le voyait bien. Dans certaines chambres la vue était moins bonne. On ne pouvait voir qu'un coin de mur ou que la fenêtre. Rien du lit. Parfois tout de même, la glace de l'armoire arrangeait tout. Néanmoins, il n'y avait pas mieux que le 18. A cause de la proximité. En cas de danger la retraite était commode. Un pas à faire et on se bouclait chez soi.

Oui, dans le lit, l'homme nu était étendu et seul. Le visage de Monsieur Hermès se crispa dans l'attente. La femme ne tarderait pas à venir rejoindre l'homme. Il l'entendait, dans

la partie invisible de la chambre. Elle chantonnait doucement. Et son chant machinal se mêlait à celui d'une eau
clapotante.

Quelques minutes passèrent encore. Puis une ombre mas-
qua le trou un instant. La femme était revenue dans le
champ. Elle monta sur le lit, s'agenouilla près de l'homme
qui la regardait faire. Elle se pencha...

La minuterie fonctionna. La cage de l'escalier, le couloir
s'éclairèrent. Manqué! Quelqu'un montait, pesamment, lentement, comme accablé par le poids inutile d'une trop longue
journée. Quel idiot! Monsieur Hermès prit le temps d'écouter. Ensuite, mais alors seulement, il battit en retraite sur la
pointe des pieds, rentra dans les ténèbres de sa chambre, se
dissimula derrière sa porte sans la refermer. Il écoutait,
impatient. Les pas s'arrêtèrent à l'étage au-dessous. Une
porte claqua. Fausse alerte. De nouveau, l'obscurité dans le
couloir, le silence. Monsieur Hermès se pencha vers le trou.

La femme était étendue de tout son long entre les jambes
de l'homme, ventre contre ventre. Qu'avait-elle fait tout à
l'heure? Dommage! Elle était très blanche de peau; d'un
blanc mat et pur. Comme l'homme. Elle était menue et fine.
Sur ses épaules reposaient ses cheveux défaits, d'épais
cheveux très noirs et ondulés. L'homme aussi était brun de
poil. Il ne faisait aucun mouvement. Il restait les bras en
croix, la tête sur l'oreiller, l'air indifférent ou railleur selon
les paroles qu'il prononçait de temps en temps, d'une voix
marle.

La femme parlait davantage. Il y avait dans son timbre de
jolies inflexions, des inflexions sourdes, passionnées. Elle
avait posé ses bras sur la poitrine de l'homme et, avec ses
mains, elle caressait cette poitrine velue, mi-maternelle, mi-
libertine. Elle était beaucoup plus petite que l'homme.
Petite, et souple. Pour becqueter les lèvres de l'homme, elle
devait s'étirer jusqu'à elles, tendre sa gorge avec une émouvante paresse animale. Alors, l'homme lui étreignait la taille
dans ses mains larges. Quand elle se soulevait, elle montrait
un ventre étroit d'adolescent, presque creux et d'un grain
parfait. Ou bien, elle jouait du bout des jambes comme un
nageur et, dans la lumière claire de la chambre, ses deux

jambes, où n'apparaissait aucune marque de poils, de cicatrices ou de jarretières, étaient d'une pureté indécente.

Monsieur Hermès, le visage toujours grave et recueilli, ne perdait rien de cette indolente folâtrerie. Quels étaient-ils ces deux-là ? Lui, un ouvrier ? Ses mains étaient assez soignées cependant. Il y avait en lui quelque chose de rude, de grossièrement poli. Mais aussi une grâce toute virile. Il devait la rosser à l'occasion et elle devait aimer ça. Il avait l'air sûr de son pouvoir. On sentait que ce n'était pas la première qui faisait ça avec lui. Elle aussi avait un côté vulgaire. Mais quoi donc ? Son corps mince, étroit, ses mains pâles, ses seins légers... Bizarre qu'elle soit là, dans cette chambre de passe, à poil ! Avec ses airs de sainte nitouche !

Monsieur Hermès se redressa un instant. Les muscles du cou lui faisaient mal. Il remua la tête pour les détendre. Puis il se baissa de nouveau. A son étonnement, un étonnement qui l'immobilisa dans sa position fatigante de voyeur, la femme se remuait maintenant, imperceptiblement, sur l'homme qui l'avait prise. Comme une barque sur la mer calme. Monsieur Hermès sentait la moiteur de ses paumes sur les genoux de son pantalon de pyjama. Ils remettaient ça. Pourvu qu'ils n'aillent pas éteindre. S'ils se doutaient qu'il les épie ? Peut-être que ça leur chatouillerait les sens. Et s'il entrait à l'improviste comme s'il s'était trompé de porte ? La tête qu'ils feraient ! Ça leur couperait tous leurs effets. Cependant rien ne valait le trou de serrure. Quand la femme commença à gémir, Monsieur Hermès fut déçu, oui : presque déçu. Cela avait monté trop vite. La femme creusait et gonflait ses reins comme une chèvre. L'homme, sur le dos, restait inerte, souriant. Il tenait les seins de la femme dans ses mains, comme des poires qu'il aurait voulu cueillir. Il semblait l'attendre. Mais, très vite, la femme ne fut plus qu'une chair qui roule, qui se brise sous le déferlement d'une force liquide et qui sombre. Elle battait l'air de la tête, les cheveux fous, comme irritée. Elle cria. Elle cria de plus en plus fort. Elle avait perdu tout contrôle. Possédée, elle ne se possédait plus. Elle se débattait furieusement contre une résistance qui s'acharnait en elle. Elle s'était finalement dressée sur ses bras graciles, comme crucifiée, raidie, douloureusement raidie dans un spasme qui irradiait son visage.

25

Puis elle hoqueta, des bulles de salive autour des lèvres. Et, les cheveux collés par la sueur sur les tempes, elle hurla tout d'un coup dans la nuit telle une égorgée, avant de s'abattre sur le corps de l'homme.

Monsieur Hermès n'avait pas songé à regarder l'homme jusque-là. Il le regrettait. Quelque chose avait changé aussi en ce dernier. Plus du tout le visage ironique de tout à l'heure. Il avait les joues creusées, des joues creusées d'athlète épuisé par la course et des yeux immenses, cernés, troubles, qui ne regardaient plus rien. Il écrasait contre lui dans une sorte d'étreinte impuissante le corps gisant de la femme. La femme semblait bien morte. Un de ses bras pendait, tragique. On ne voyait plus son visage, noyé sous la chevelure. Mais Monsieur Hermès l'entendait qui se plaignait, qui continuait à se plaindre quand même, à geindre comme une jeune fille qui a eu une crise de nerfs après un trop grand chagrin.

Ce n'était pas souvent que Monsieur Hermès assistait à un pareil cirque. Il était à la fois bouleversé et brisé. Des jambes en coton, la bouche pâteuse. Le sentiment qu'il était ivre. Nom de nom d'un foutre, rien que pour des moments comme ça, la vie valait d'être vécue. Les petits prétentieux ! Ils en faisaient des histoires avec leurs coucheries. Mais il n'y avait rien au monde de comparable au plaisir qu'il venait de prendre. Ils se croyaient très favorisés, sans doute. Ils devaient se dire : hein, nous au moins nous ne gâchons pas notre vie ; nous sommes des amants ; et un peu là ! La grande passion quoi ! Les folles étreintes ! Tous les bonheurs du lit ! Mais qu'est-ce que c'était tout ça, à côté de ce qu'il avait éprouvé, lui ? Baiser une femme, c'était à la portée du premier venu. Mais ça ? Cette prise en flagrant délit du plaisir d'autrui ? N'était-ce pas prodigieux ? Eux, tout à leur obsession, ils ne s'étaient pas vus. Des acteurs. Mais comme inconscients. Il avait un peu de mépris à leur endroit. La plus belle femme du monde ne peut donner que ce qu'elle a. Mais lui, à celle-ci, il venait de voler ce qu'elle n'avait jamais pu donner même à son amant. Vraiment, les couples se contentaient de peu. Tandis que faire le voyeur permettait un renouvellement quotidien et chaque fois plus pimenté du plaisir. L'inconvénient, c'était que ça épuisait. Surtout après toute une journée de travail. Les nerfs à bout, l'esprit battant la campagne, à la fois fébrile et liquéfié. Il vit encore une seconde la femme et l'homme prostrés, leurs corps unis, figés dans le même repos. Il grava en lui cette dernière image. Et il rentra brusquement dans sa chambre où il faisait noir.

Il alla à la fenêtre. Paris continuait à vivre mystérieusement dans la nuit de l'été, sous le même ciel rouge. Monsieur Hermès regarda l'heure. Il était plus de minuit. Il n'avait pas sommeil cependant. Il avait la sensation que toute sa lassitude s'en était allée. En lui, le sang du désir battait son flot. Monsieur Hermès savait ce qui allait suivre, ce qui allait suivre inexorablement. En dépit de ses raisons. En dépit de ses promesses à lui-même. Mais c'était ça, justement, qui était bon. Se retenir au bord du plaisir. S'y refuser d'abord, en sachant bien qu'on y succomberait en fin de compte. Non, il ne devait pas. Pas ce soir. Il l'avait déjà fait hier. Laisser passer quelques jours. Des cuisses de coq à force de se vider. Les lèvres pâles. Demain, il serait encore à plat... Oui, tout ça c'était très joli, mais est-ce que ça pouvait compter ? La chair était là, exigeante. Il en était sûr : ça allait être tellement merveilleux, surtout après ce qu'il venait de voir. Céder, céder à son désir, lâcher la corde, à Dieu vat ! Ça devait être ça que les filles ressentaient quand elles se faisaient peloter avant de... Elles feignaient d'opposer une résistance aux mâles. Et même, au fond d'elles-mêmes, les dents serrées, elles appelaient sûrement à leur secours les mises en garde que leur avaient mille fois répétées leurs mères. Le pucelage, le gosse, les mauvaises maladies. Mais elles savaient bien qu'elles finiraient par y passer. Plus de volonté, plus rien. Tant pis ! Et pour lui, maintenant, il en était bien ainsi. Plus du tout question de résister davantage. C'était à la fois écœurant et délicieux. C'était toujours ainsi, écœurant et délicieux. A se demander si une femme lui avait jamais procuré un tel affolement des sens.

Allons, plus besoin de tergiverser. Agir. Et vite. Monsieur Hermès verrouilla soigneusement sa porte, et dans l'ombre, se mit nu avec une certaine impatience. Il sentit tout de suite, sur sa peau, le doux frisson de la nuit qui entrait par la fenêtre restée grande ouverte. Sa peau était si douce sous ses mains. Surtout à l'endroit du ventre, dans le creux de la taille, le long des hanches, partout où il n'y avait pas de poils. Quelle chair ferme et lisse il avait! Il n'avait touché qu'une peau de femme semblable dans sa vie. Et c'était une peau ambrée, tiède, soyeuse. Mais est-ce qu'il n'était pas une femme, lui aussi? Oui, c'était bien ça! Il était une femme. Une femme qui allait se donner et faire l'amour. Chaque fois, son imagination l'aidait à opérer ce dédoublement. Il en avait si bien pris l'habitude que ça en devenait automatique. Un plus profond frisson le parcourut tout entier. D'un geste brusque il découvrit le lit. Le lit était bien tendu et frais. Monsieur Hermès s'allongea. Là, sur le ventre, sans bouger, d'abord. Il était bien. Il avait enfoui sa tête dans l'oreiller moelleux qu'il tenait des deux mains comme un corps qu'il aurait étreint. Il n'y avait plus maintenant qu'à s'abandonner à des images lascives, qu'à prononcer des mots libertins et la jouissance viendrait toute seule sans qu'il ait seulement besoin de toucher son sexe. C'était ça qui était le plus excitant et le plus curieux en même temps. Pourquoi avait-il cette si grande facilité à jouir de cette façon? Pas ordinaire, tout de même! Il suffisait qu'il soit là, couché et qu'il s'imagine être une femme pour que ça vienne... Alors, ma foi! sa mémoire n'avait plus qu'à lui laisser imaginer qu'il était telle femme qu'il avait rencontrée dans la rue, le jour même, ou s'il n'en avait pas rencontré de son goût ce jour-là, telle autre femme qu'il avait aperçue auparavant, voire telles jeunes filles qu'il avait pu connaître, voire enfin telles actrices de théâtre ou de cinéma qu'il avait pu voir jouer ou dont il avait pu admirer la photo dans des magazines. Ainsi, il n'avait plus qu'à se prêter à lui-même les noms connus ou supposés de ses héroïnes ou de ses inconnues, devenant tour à tour, nuit après nuit, Marguerite, Gloria, Madeleine, Lily, Berthe, Anna, Margaret, Stacia ou Raquel. Parfois aussi, pendant des semaines, pendant des mois, il restait préoccupé par la même créature, étant chaque nuit cette même créature et vivant pour elle, à sa place, chaque nuit, des aventures charnelles différentes. Dans son esprit, se formait ainsi tout un canevas qui, certes, n'avait guère de rapports avec la réalité possible, mais ce n'en était que plus amusant. Dans le réel de la vie, on était toujours empoisonné par les contraintes. Tandis que là, plus d'entraves. Une liberté totale. Cette créature, il pouvait la choisir à son gré, riche ou pauvre, pudibonde ou dépravée, femme du monde ou putain, tantôt déjà femme mûre, tantôt jeune fille encore niaise, tantôt grasse et charnue, tantôt de cette maigreur flexible et souple qui n'était pas moins excitante, tantôt brune, tantôt blonde, tantôt mal élevée, tantôt trop bien, tantôt rencontrée dans un bouge, tantôt femme de ministre, tantôt vivant à Paris et fréquentant les bars à la mode, trompant son mari dans des garçonnières, se laissant conduire par une amie dans une maison de passe, tantôt vivant à la campagne ou au bord de la mer avec tout ce que ces situations nouvelles pouvaient offrir de suggestions émoustillantes, les jambes sans bas, les robes légères, la transpiration, la jeune beauté d'un garçon de ferme, l'amour dans un fenil ou dans le creux d'une meule de paille, les promiscuités nocturnes des cabines d'un yacht ou l'étreinte d'un marin hâlé sur le sable.

Depuis quelque temps il s'intéressait à une jeune personne qu'il avait choisie à ses débuts, à peine âgée de quinze ans, encore vierge, faite à l'image même de cette belle comédienne visible sur tous les écrans et qui s'appelait Lily.

Il avait donc été Lily à quinze ans, Lily goussotant avec des petites copines de son âge, Lily perdant son pucelage, Lily se mettant à coucher avec n'importe qui, Lily, quoique richissime, se faisant entretenir par un vieux monsieur, devant lequel, pour mieux l'affrioler, elle se faisait enfiler par un boxeur nègre, Lily travaillant pour un souteneur en cachette de sa mère, Lily prenant un plaisir malsain à rendre poitrinaire un de ses cousins qu'elle passait ses après-midi à pomper, Lily reniflant de la coco, Lily ruinant un homme marié et père de famille par ses dépenses, Lily faisant des partouzes avec le maître d'hôtel de sa mère et finissant d'ailleurs par coucher avec sa mère même, Lily faisant tourner la tête à son papa par des déshabillés galants et devenant sa maîtresse, Lily tournant des films obscènes pour bordels, Lily enfin, décidée au mariage, fiancée puis mariée à un comte quadragénaire et, comtesse continuant dans les adultères les plus variés et avec une santé malgré tout resplendissante ses petits et ses grands dévergondages, en ne manquant pas toutefois de s'en confesser à un prêtre austère mais jeune qui ne pouvait pas faire moins que de succomber à son tour.

Il en était là. Lily avait une trentaine d'années maintenant. Elle était plus belle que jamais. C'était à elle qu'il venait de repenser ce soir. C'est elle qu'il était en somme, là. Elle s'était amourachée d'un garçon rencontré à la piscine. Il l'avait emmenée danser quelque part. Elle savait bien qu'elle allait coucher avec lui tout à l'heure. Déjà, elle se collait à lui pour mieux l'exciter. Elle avait si peu de choses sur elle. Afin que nul n'en ignore! Et coquette avec ça! Et parce qu'elle sentait le sexe du garçon contre elle, en dansant : « Taisez-vous! On va nous remarquer. » Bien entendu, l'autre ne se laissait pas intimider pour si peu. Enlacé à elle, le visage dans ses cheveux, il lui mordillait la nuque. « Vous êtes fou! Non, non, je ne veux pas. Allons nous asseoir. » Mais il la tenait de plus en plus étroitement. Alors, à quoi bon s'obstiner? On n'est pas de bois. Et elle, d'un air plaintif de biche aux abois : « Oh! allons-nous-en d'ici! Je n'y tiens plus. Vous m'avez énervée. Emmenez-moi où vous voudrez. » Et voici qu'à présent elle était nue avec lui dans cette chambre. Ce n'était pas raisonnable. Pour qui allait-il la prendre? Elle n'aurait pas dû. Mais il avait des caresses si grisantes, si ensorcelantes... Mon Dieu! que dirait son mari s'il la voyait avec ce garçon? Pour mieux mettre ses jambes en valeur, elle avait gardé ses bas. Des bas bien tirés par un porte-jarretelles de dentelle noire. Sous son bas gauche, elle portait une chaînette d'or à la cheville. Ça faisait plus gousse. Et pas de danger non plus qu'elle enlève ses escarpins. Elle s'en moquait bien de salir le divan. Avant tout, avoir du sex-appeal! Quelle salope elle était! D'ailleurs, plus besoin de lui résister davantage au beau garçon! Il était rudement fringant tout d'un coup! « Eh bien oui, prends-moi! Il arrivera ce qu'il arrivera. Je suis à toi. Je ferai tout ce que tu voudras. Fais-moi bien jouir, mon chéri. Et mon mari qui ne se doute de rien! J'ai honte. » Toujours ce frisson exquis de la nuit sur son dos nu. Et cet oreiller où il faisait si bon enfoncer sa tête. « Ah! mon amour. Ma Lily! » Ses cheveux sentaient le miel. Elle le couvrait de baisers. « Mon gosse! Viens sur moi à ton tour. » Oui, c'était elle qui était sur lui maintenant. Elle ne s'était pas fait prier. Elle commençait à se remuer. Elle se laissait pénétrer. C'était divin ! « Va plus vite, chéri, encore plus vite. Je suis ta petite garce. Laisse mon mari tranquille. Rien qu'à toi. Je ferai la putain pour toi, si tu veux. Je quitterai tout. Tu me mettras en maison. Ah ! ta queue, ta belle petite queue ! » Le plaisir montait. Que le contact du drap et de son ventre était doux ! Faire durer interminablement ces instants ; que cela ne cesse jamais... C'était merveilleux ! Mais il était emporté. Il ne pouvait plus se retenir. Trop tard ! Alors, des mots, encore des mots et des images pour en finir. « Tu me trouves belle, n'est-ce pas ? Tu aimes ma peau ? Et ma bouche ? Ta main, sur mes fesses. Encore ! Encore ! Tu m'enculeras, dis ? J'aime tellement me faire enculer. Je serai ta petite enculée. Je le ferai avec un autre, devant toi, si ça te plaît. Oui, une putain, une sale petite putain, voilà ce que je suis. » Mais, plus de mots, même, plus d'images, maintenant, plus rien. Plus la peine ! Lily allait jouir. Lily jouissait. « Mon chéri ! » Et de râler ! Est-ce qu'on pouvait l'entendre à côté ? Mais non, toujours plus forts les râles. Toujours plus crispées les mains griffant l'oreiller. Oh ! les larmes lui en venaient aux yeux. Allait-il défaillir ? S'évanouir ? Il était tendu de tout son être. Homme ou femme, vraiment, il ne savait plus. Et le plaisir l'inonda enfin, un plaisir fulgurant qui venait embraser le bas de son ventre.

Maintenant, Monsieur Hermès n'avait plus de conscience. Il n'était plus qu'une bête repue, qu'un corps au cerveau vide. Sur place, il s'enfonçait lentement dans la torpeur d'un sommeil bienheureux. Il entendait seulement, contre son cou, le sang de ses artères se calmer. Il était bien. Il était léger, détendu, béat. Il n'y avait plus de lendemain qui comptât, d'inquiétudes, de sentiments d'infériorité ou de haine. Tout avait été balayé. Le monde était neuf. La vie, telle qu'on pouvait la désirer.

Combien de temps Monsieur Hermès s'abandonna-t-il à cette somnolence ? Il en fut brusquement arraché par un bruit de porte qui claque et des voix chuchotantes. Il se dressa sur un bras. Les occupants de la chambre voisine sortaient Il devait être près d'une heure du matin. Ils étaient venus seulement pour faire l'amour. Ils avaient pris une chambre seulement pour s'aimer. Le mari devait être en voyage. Peut-être un cheminot ? La femme allait rentrer chez elle. « A demain, mon chéri. Ne t'inquiète pas : je dirai que j'ai été au cinéma. » Comme elles savaient bien mentir ! Comme elles aimaient ça ! Peut-être marié, lui aussi ? Les mêmes mensonges. Tous, autant qu'ils étaient, aussi dégueulasses que lui, dans le fond. Mais, hypocrites, en plus. Ce besoin de sauver la face en singeant la grande passion ! Comme si ça les trompait eux-mêmes ! Dans trente ans, ils se consoleraient d'être vieux en pensant à cette liaison d'aujourd'hui ou à d'autres, et ils se persuaderaient qu'ils avaient vécu. C'était pas marrant, la vie. Et même pas le courage de regarder froidement en face leurs petites saloperies. Toujours le mensonge de l'immaculée conception interposé entre eux et leurs instincts. Il entendait le garçon de nuit qui rinçait le bidet, qui retapait le plumard. Aux suivants ! Peut-être d'autres, dans un moment. Tout aussi convaincus. Dans les mêmes draps. Sur le même bidet. Les mêmes mots. Les mêmes positions. Les mêmes râles. La même chose demain, après-demain, toutes les nuits, dans cette chambre comme dans les autres chambres de la maison meublée, partout, dans toutes les villes possibles, sur toute la surface de la terre. Ils devaient bien rigoler les garçons de nuit ! C'était pas à eux qu'on pouvait la faire ! Pas dupes du tout des simagrées de Madame et de Monsieur. Cet air furtif, coupable ou non coupable, mais détaché de Madame et de Monsieur qui arrivaient pour faire ça. « Avez-vous une chambre ? » — « Pour la nuit ? » — « Euh !... C'est-à-dire... » Le regard méprisant sur les mains sans bagages (même pas de baise-en-ville, le plus souvent), les mains qui, tout à l'heure... Pour qui prenaient-ils le garçon de nuit ? Si seulement il consentait à baisser les yeux ! C'en était gênant. Pourtant ils passaient outre. Tous le feu au cul. Et cette façon de crâner, qu'ils avaient, Madame et Monsieur, au moment du petit pourboire ? Comme s'ils venaient seulement de zieuter les étoiles. Monsieur Hermès eut une nausée.

Il reprenait pied dans la réalité. Elle n'était pas belle. Toute la vie, toute la vie laide et lépreuse revenait et, avec elle, la lucidité, la terrible lucidité. Dégrisé ! Monsieur Hermès eut frais. Son ventre était humide, son drap mouillé. Quelle saleté. Il bougea. Aïe ! Un point douloureux dans les reins. Tendance au lumbago. Il se leva, prit une serviette, s'essuya. Puis il se lava à grande eau pour chasser cette odeur fade, entêtante, qui emplissait la chambre, qui venait de lui et du lit. Après il se recoucha tristement, lourdement, avec dégoût. Il n'avait plus sommeil. Il était énervé, comme tout à l'heure, avant..., mais c'était un énervement d'une autre sorte. C'était un énervement sombre, sans issue, qui engendrait des pensées moroses.

Longtemps, dans les ténèbres, Monsieur Hermès remua ces pensées. Ça tournait autour de ce qu'il venait de faire, de ce qu'il avait déjà fait si souvent, presque tous les jours, depuis tant d'années, de ce qu'il savait qu'il ferait encore certainement. Bon Dieu ! il ne pouvait pourtant pas nier la puissance de cette volupté solitaire. Mais elle le laissait insatisfait. Pourquoi avait-il pris cette habitude ? D'où cela lui venait-il ? Il n'y comprenait rien. Mais, après tout, ce n'était tout de même pas de sa faute. Il ne s'était jamais touché. Il avait horreur de ça. Au lycée, il n'avait été le chéri d'aucun grand et, grand à son tour, il n'avait pas eu de chéri. Coucher avec un garçon ? Pouah ! Il n'aimait que les femmes. Il ne pensait qu'à elles. Un petit vicieux, peut-être : mais un vicieux à femmes, en tout cas. Il les désirait toutes. Des envies perpétuelles de les trousser dès qu'elles étaient tant soit peu désirables. Curieux, donc, qu'il s'en tienne à son petit manège ? Qu'il aille se passionner en somme, pour cette deuxième existence, parfaitement secrète, qu'il menait la nuit, en marge de son existence avouée et véritable ? L'une n'avait pas moins d'importance que l'autre à ses yeux, mais comme la première requérait plus d'attention et d'invention, il n'était pas étonnant qu'il parût si distrait et si absent de la seconde. Le monde réel n'était pas, pour lui, celui où il vivait au milieu de ses semblables, mais celui, tellement mieux accordé à ses désirs, qu'il retrouvait dès qu'il était au lit, seul, dans sa chambre close. Toutefois, il se disait parfois qu'il aurait pu être un amant à la hauteur. Pourquoi était-il aussi timide ? Il ne savait jamais quoi dire aux femmes. N'osait même pas les aborder. Il avait peur qu'elles se moquent de lui, qu'elles le giflent ou qu'elles ameutent les passants. Toutes celles avec lesquelles il avait couché, il devait bien s'avouer qu'elles avaient fait les premiers pas. Près d'elles, il devenait gauche, sentimental, platonique. Ce qui ne l'empêchait pas, dès qu'il était seul dans sa chambre... Alors, il n'avait plus aucun respect pour elles. Il les pliait à tous ses caprices. Etait-ce une maladie ? Tenait-il ça de ses parents ? Non, sans doute. Mais ils y étaient peut-être tout de même pour quelque chose. Il avait été plus d'une fois surpris par sa mère, autrefois. Les drames qu'elle avait faits ! Peut-être qu'un médecin aurait pu l'éclairer ? Il ne se rendait pas bien compte s'il aurait désiré changer. Ce qui l'intriguait surtout ç'aurait été de savoir pourquoi il était ainsi. Et s'il était le seul au monde de son espèce ? Dans un sens, ça chatouillait agréablement son orgueil. Mais s'il y réfléchissait mieux, il n'y avait aucune raison pour. Resterait-il ainsi toute sa vie ? Pouvoir trouver les mêmes plaisirs avec une femme. Ça ne devait pas être impossible. Sa solitude. Y renoncer. Devenir comme les autres. Une femme à soi. En tomber amoureux. En faire aussi une amoureuse. Mon chéri ! Là, elle serait là, sur son épaule. Elle lui parlerait doucement. Tu es merveilleux ! Et puis dormir. Est-ce qu'il rêvait ?

Insensiblement, l'organisme de Monsieur Hermès s'apaisait. Tout devenait plus confus dans son esprit. Il s'endormit tout d'un coup, d'un sommeil lourd et sans rêves dont seule, le lendemain matin, la clarté du jour le tira.

II

Au coin de la rue Cardinet et de la rue de Rome, Monsieur Hermès attendait son autobus. C'était le matin. Paris s'éveillait. Le ciel bleu était pommelé de gris et de rose. Les bruits de la nuit avaient fait place à des bruits joyeux, allègres, familiers. Ramasseurs d'ordures, laitiers expéditifs, terrasses qui s'ouvraient, filles qui battaient des tapis à des fenêtres, concierges armées de balais durs sur des trottoirs mouillés, triporteurs zigzaguant. C'était plein aussi d'odeurs vivantes. Ça sentait le croissant chaud, le café torréfié, la pâte à faire les cuivres, les fleurs arrosées, le pavé de bois. Les gens avaient des pas vifs, des visages reposés, presque neufs, des regards paisibles, des gestes nets, des vêtements frais.

Il faisait bon. Mais la journée serait chaude. Le soleil allait monter rapidement. Et ce tantôt... Les aisselles moites des femmes. La réverbération à travers les feuilles des arbres. Les chauffeurs de taxis débraillés, affalés sur leur banquette et qui s'arracheraient à regret de leur somnolence. L'ombre même serait étouffante. Une journée à mirages. L'eau profonde d'une rivière aux berges verdoyantes. Etre nu, éventé par un ventilateur. S'enfiler, d'un coup, un bon demi de blonde dans le milieu de l'après-midi. Oh ! bien sûr, nul signe de tout ça encore dans le ciel. Une atmosphère presque humide. Et au niveau du sol, à l'abri des hautes façades, une lumière douce, dansante, un peu voilée, qui faisait penser machinalement à des prés brillants de rosée.

L'AL tardait. Autour du poteau quelques personnes attendaient. Monsieur Hermès connaissait la plupart de vue. Des esclaves, comme lui. Savoir ce qu'ils faisaient ? Un peu

35

affolant de penser à ces innombrables termitières de la ville !
Monsieur Hermès avait faim. Il déjeunerait à l'hôtel. Ce
creux qu'il sentait à l'estomac lui donnait le désir d'être bon,
doux, liant. Comme le temps. Autour de lui, malgré ça, les
gens ne semblaient occupés que d'eux-mêmes. Ils n'attendaient rien de lui. Il ne leur était pas indispensable. Toujours
la même solitude. Il les regardait, faute de mieux. Plusieurs
lisaient déjà leur journal, un journal à l'encre très noire,
encore grasse, qui salissait leurs doigts. Ils se jetaient dessus
comme des poules sur des feuilles de salade, avec des regards
avides, mécaniques. Ils ne voyaient rien autour d'eux, au-
dessus d'eux, ne semblaient sensibles à aucune odeur, à
aucune couleur. Leur canard, leur bus, leur boulot. Pas à les
sortir de là ! Bien la peine d'habiter Paris ! En pure perte, les
bruissements exquis de cette matinée d'été. En pure perte, ce
ciel, cette lumière. A se demander pourquoi ils vivaient ? Le
moindre chat de gouttière, le moindre lézard, le moins
évolué des escargots avaient un sens plus aigu de la création.
Ces femmes, qui caquetaient deux par deux ou trois par
trois ! Et puis il m'a dit. Et puis j'y ai répondu. Pas possible
qu'il m'a fait. Vous voyez ça d'ici. Y en a qui exagèrent quand
même, c'est pas pour dire. N'empêche que mon mari est trop
bon. Le monde est si méchant ! Ne m'en parlez pas. Litanies
interminables. A côté de quoi, les mâles ruminaient en tête à
tête avec les nouvelles du jour. Les mains déjà douteuses.
Rasés de frais, ça ! Tous, sans exception. Les joues lisses, la
raie impeccable et le col blanc. Prêts pour la parade. Mais les
mains ? Chez les femmes aussi ça laissait à désirer. Les
mains, pourtant ? Pas malaisé, après ça, d'imaginer l'état de
leurs pieds, de leur derrière. Ils avaient l'air de trouver ça
tout naturel. Des bas de soie, de jolies cravates, un souci
d'élégance, de jeunesse... C'était d'autant plus mystérieux.
Ça ne leur faisait donc rien ? La frimousse n'était pas tout.
Les mains ça allait partout. Ces ongles en deuil, verdâtres,
comme pourris. Quelle horreur d'avoir ça sur la figure, sur la
peau ! Et ils s'aimaient, et ils se caressaient avec ces pattes-
là ! Vrai, l'humanité était bougrement grossière sous son
apparence raffinée ! Ses talons lui faisaient déjà mal. Qu'est-
ce que ça serait ce soir ? Tout à l'heure, il avait cru qu'il ne
réussirait jamais à enfiler ses godasses. Tellement la chair

était enflammée. Il ne pouvait pourtant pas changer de chaussettes tous les matins !

Une fois sur la plate-forme, Monsieur Hermès se laissa emporter. Trop courte, hélas ! cette descente vertigineuse de la rue de Rome. Oubliée, la soirée de la veille. Il regardait avidement les passantes. Ce que son désir se réveillait vite ! Il aurait voulu pouvoir les détailler mieux. Il n'en avait pas le temps. Elles devenaient tout de suite d'imprécises taches de couleur pour ses yeux myopes. Tout de même, s'il se décidait à porter des lunettes... Ça l'enlaidirait, sans doute. Du moins, il y verrait. L'autobus freinait, repartait, prenait des voyageurs, en laissait. Complet ! Je vous dit que c'est complet, madame ! La casquette plate tirait d'un coup sec sur son cordon. Ça troublait agréablement l'engourdissement contemplatif de Monsieur Hermès. Comme il avait les mains, celui-là aussi ! Pas étonnant, à tripoter ces pièces et ces tickets. Si au moins ça partait en savonnant. Cette crainte lui aurait gâché le métier. Et debout toute la journée, comme lui, à se faire piétiner. N'insistez pas ; je vous dis que c'est complet ! Dans quel état il devait avoir les pieds ? Il était plutôt joli garçon, avec de savantes coques noires qui dépassaient de sa casquette et un foulard blanc autour du cou. Pas très réglementaire le foulard. Mais ça devait lui plaire de se donner le genre titi. Pourquoi avait-il choisi d'être receveur ? Ça devait être plus amusant de conduire. Mais se mettre les mains dans le cambouis, ça ! Il y avait des emmerdements partout. Quant à la vocation... Bon Dieu la jolie fille ! Les jambes un peu fortes, peut-être. Mais ça n'était pas désagréable. Combien ? Seize ans ? A tout casser ! Tout à fait le genre de fille que Lily aimait débaucher.

L'AL décrivit une courbe rapide et freina brusquement. Bon Dieu ! était-il déjà arrivé ? Laissez descendre, voyons ! C'était vrai ça, les voyageurs embouteillaient toujours la sortie. Une grosse dame se rebiffa : Eh bien, jeune homme, il ne faut pas être dans la lune ! Il ne répondit pas. Il n'avait pas l'esprit de repartie. Les répliques ne lui venaient qu'après coup. Des répliques épatantes d'ailleurs, qui auraient sûrement mis tous les rieurs de son côté. Mais voilà, il ne les trouvait jamais sur le moment. Dès qu'on l'engueulait ça lui coupait tous ses moyens. Et puis ça l'avait vexé qu'on l'appelle jeune homme. Bien sûr, il n'aurait pas dû se précipiter ainsi. Il avait manqué de sang-froid. Mais la grosse dame continuait, lancée : Quel malotru ! Et il bouscule les gens avec ça !... Comme la vie pouvait être gâchée pour un rien ! C'était vrai qu'il avait été comme réveillé en sursaut par le coup de frein et qu'il avait oublié de s'excuser. Il fonça parmi les piétons pour se perdre, sans oser se retourner. C'était si désagréable ces incidents. La semaine dernière, ç'avait été pire encore. Il avait manqué l'arrêt. Il avait dû sauter alors que l'autobus avait déjà redémarré. Sans compter. qu'il n'aimait pas ça. Il n'avait jamais très bien su. Et puis la peur de se flanquer les quatre fers en l'air sur la chaussée, devant tout le monde ! Tu as trop d'amour-propre, lui avait toujours dit son ami Buddy Gard. Qu'est-ce que le receveur lui avait passé ! S'il n'avait les pieds si sensibles, il ferait bien le chemin à pied tous les matins pour éviter ça. Un gros patapouf faillit lui marcher dessus. Il n'aurait plus manqué que ça. Il souffrit comme s'il avait ressenti la meurtrissure. Il n'était pas verni, quand même ! Impossible de manquer plus d'enthousiasme ! Tout du mouton qu'on mène à l'abattoir.

De la bouche du métro devant laquelle il passait, une haleine suffocante, empestée, poussiéreuse, une haleine venue du centre de la terre prit Monsieur Hermès à la gorge. Cette odeur flotta, puis courut se mélanger à celle des autobus, des journaux du kiosque voisin, des roses et des œillets de la fleuriste ambulante. Monsieur Hermès baissa la tête comme accablé, puis la releva, regarda en l'air. La grande horloge dorée de Saint-Lazare semblait le narguer. Sapristi ! Il serait en retard. La triste gueule soupçonneuse du pointeur. Les : feignant ! du Petit Père Rigal, le premier Maître d'Hôtel. Cette manie des Parigots de prononcer feignant au lieu de fainéant ! Mais, dans le fond, ça avait peut-être plus de force, ainsi. Il pressa le pas. C'était un supplice. Et, là-haut, ce ciel provocant. Plus un seul nuage. Ça allait taper dans un moment. De nouveaux mirages. Les bords de la Marne. L'herbe fraîche. Les saules endormis. Les grillons. Monsieur Hermès franchit la cour de Rome à travers le flot des travailleurs venus des banlieues anonymes. Ils dévalaient les marches du grand escalier à toute allure.

Une véritable course. Gagner une minute, rien qu'une minute. Plus vite, toujours plus vite! Si leurs maîtres les voyaient à cet instant, ils pouvaient être contents d'eux. Mais ils n'étaient pas là, les maîtres. Pas si bêtes! A cette heure, ils devaient dormir encore, dans leurs grands lits de milieu, là-bas, à Deauville, à Cabourg, à La Baule, à Royan. Vers midi, à la marée montante, ils iraient prendre un bon petit bain, puis se sécheraient au soleil sur le sable. Et après ça, un gueuleton des familles. Les veinards! Juillet. Les vacances. Lui, l'an dernier, à San Sebastien avec Madame Elvas. Qu'était-elle devenue? Ils s'écrivaient de temps en temps. Une sale blague si elle venait le surprendre à Paris. Elle le verrait dans sa panade. Mais pas de danger. C'était encore une liaison qui finirait en queue de poisson. Avait-il vraiment cru l'aimer? Ou s'il était seulement flatté? Elle n'avait pas dû le trouver très à la hauteur. Les bains de mer. Les petites cabines de Royan. Les amourettes. Le matin où Madame Mère, pendant qu'il était encore couché, dans la chambre qu'il partageait avec Buddy, avait trouvé, dans la poche de son pantalon, en boule, une chemise de femme en voile de soie. Il l'avait volée dans une cabine, la veille. Les questions insidieuses de Madame Mère. La figure méchante qu'elle prenait dans ces cas-là. Il lui avait raconté qu'il l'avait trouvée. Elle ne l'avait pas cru. Mais qu'avait-elle été supposer? L'imbécile! Il était vierge encore à cette époque-là. A Buddy même, il n'aurait pas su expliquer l'étrange satisfaction que lui procuraient ces vols. C'était si facile, si vite fait, malgré le danger possible. On pouvait toujours prétendre qu'on s'était trompé de cabine. Il n'en manquait pas qui oubliaient le numéro de la leur. Il suffisait de ne pas être vu en sortant par les garçons de cabines. Leurs pantalons rouges retroussés au-dessus du genou. Leurs pieds nus, leurs jambes brunies. Tout leur corps imprégné de sel. Les parties de tennis sur la plage. Les petits ânes blancs, porteurs d'enfants, qui traversaient sans vergogne les courts improvisés. Balle, s'il vous plaît! L'odeur de la mer dans la brise du matin. Les marchands d'oublies...

Enfin, Monsieur Hermès fut près de la porte cochère. Passaient jamais par là, les clients. Jamais! Il sembla hésiter une seconde, puis se décida. Au moment où il donnait son nom au pointeur renfrogné, il fut happé par un énorme courant d'odeurs méphitiques. Et il se laissa aller.

L'Hôtel était un effrayant labyrinthe dont Monsieur Hermès était loin de connaître tous les détours. Il s'en tenait à la partie restreinte où l'appelait son travail. Avec une régularité d'automate il tourna à gauche, au fond de l'entrée, s'engagea dans un couloir encombré de bicyclettes et d'échelles, poussa une petite porte latérale et s'engouffra dans un escalier tournant et sombre où ses pas résonnèrent. Ces sous-sols ressemblaient à des soutes. Il cligna des yeux. C'était à peine s'il y voyait, ayant gardé dans ses prunelles l'éblouissement lumineux de la rue. Partout des hommes travaillaient. Et sous les lampes électriques leurs visages paraissaient maladivement blafards. A droite, s'ouvrait l'entrée des caves. On aurait dit un tunnel, une galerie de mine. Du noir, partout, avec de parcimonieuses ampoules de loin en loin et du silence. Mais il n'y faisait même pas frais. Une deuxième fois, Monsieur Hermès prit à gauche. Il déboucha devant la caféterie, à demi perdue derrière les nuages de vapeur des percolateurs. Une dizaine d'employés s'affairaient comme des fourmis dans cet étroit espace, préparant des toasts, beurrant des tartines, époussetant des fruits, servant des infusions, tirant du café. Ils avaient peine à fournir. Leurs gestes étaient précipités, leurs fronts soucieux. Bonne précaution pour ne pas penser. Comme la Société était bien faite ! Oui, c'était rudement bien machiné, tout ça ! Il faudrait qu'il fasse toucher ça du doigt à Monsieur Dominique le Maître Trancheur, toujours épris de justice sociale. Il salua le Chef Cafetier. Un homme carré et convaincu de son importance. Il semblait prendre un malin plaisir à asticoter Monsieur Hermès bien que celui-ci ne fût pas sous ses ordres. Qu'il l'engueule, passe encore ! Mais qu'il ait au moins un sourire. Ça le dégoûtait ces gens qui se prenaient tellement au sérieux. Ressemblait d'ailleurs comme deux gouttes d'eau, le Chef Cafetier, à ce prof de physique et chimie qu'il avait eu en math' élém. : le père Luce. Le plus marrant c'est qu'ils avaient aussi le même âge, sensiblement, et le même caractère. Peut-être son frère jumeau ? Rien de plus troublant que ce genre de rencontres. On aurait dit parfois que l'humanité était divisée en un certain nombre de types, assez limité, toujours les mêmes.

La caféterie dépassée, Monsieur Hermès abandonna le couloir qui menait aux salles frigorifiques du Garde-Manger et s'engagea dans un passage transversal qui séparait l'antre du Glacier des Cuisines proprement dites. Quel chaud-froid ! C'est à cet instant qu'il fut rejoint par Simpson. Simpson était un petit commis anglais, toujours tiré à quatre épingles, albinos et mafflu. Son accent et ses impropriétés de langage étaient cocasses. Cependant, lui aussi avait un penchant à tomber dans le genre sérieux et ça rendait sa société déprimante. Tout de même il ne devait pas être aussi en retard qu'il l'avait craint. Simpson était la ponctualité même. Et bien vu par Monsieur Rigal. Il avait un si mignon sourire, ce cochon de Simpson, quand on l'attrapait. Il s'en tirait toujours comme ça. Dans le fond, Monsieur Hermès était trop scrupuleux. Les reproches entraient en lui comme des blessures. Ça bouleversait aussitôt ses traits. C'était cet air de chien battu qui devait foutre ses supérieurs en boule.

Tous deux, après s'être serré la main, défilèrent devant la table chaude. La plupart des feux étaient encore éteints. Mais quelques marmitons, déjà, s'affairaient dans un vacarme de casseroles et de tisonniers. Ils dépassèrent la plonge, le réfectoire et la chaufferie, puis remontèrent au rez-de-chaussée par un escalier aussi sombre, aussi tortueux et aussi sale que le premier. Sans pénétrer dans l'office du Restaurant, ils grimpèrent jusqu'à l'entresol. Là, s'amorçait un somptueux couloir, aux parois lambrissées, aux doubles portes laquées, au parquet couvert d'un épais tapis aux fleurs rouges et bleues. C'était doux aux pieds. Simpson et Monsieur Hermès s'enfilèrent dans un réduit dérobé : leur vestiaire. D'autres chefs de rang et commis s'y trouvaient déjà. Monsieur Hermès serra des mains à la ronde, selon la coutume, échangea quelques propos distraits sur la santé de chacun ou sur la sienne, et sans être dupe de la banalité et de la gratuité de ces échanges. Puis il se plaça devant son placard pour se déshabiller. Palisseau pérorait. Les autres bâillaient du bec. Une histoire de femme, pour ne pas changer. J'y ai dit arrevoir, tu comprends. J'ai monté en vouéture et je m'es descendu à la gâre d'Assenières. Un petit marrant ce Palisseau! Toujours un peu là pour faire une muflerie à une femme. Qu'avaient-ils donc tous? Quel étrange point d'honneur à dédaigner cela même dont ils ne pouvaient se passer? Baiser, oui, mais aimer? Non, mais des fois! On ne la leur faisait pas.

Tout en écoutant ou en jactant, ils se costumaient avec les gestes rituels et le recueillement du comédien dans sa loge, du torero dans sa chambre. Ça lui rappela le jour où il avait assisté à l'habillage de Saleri II au Grand Hôtel de Bayonne en compagnie d'Alice Elvas. Juan Saiz était resté au lit jusqu'au dernier moment. Blessé au bras, cinq jours avant à Salamanque. Monsieur Hermès, lui aussi, avait été blessé au bras, la première fois qu'il avait joué en première du Rugby-Club. Le bras fracturé. Bêtement. Quel foin avait fait Monsieur Papa! Et encore, il avait d'abord essayé de cacher ça à ses vieux. Mais Madame Mère n'avait pas été longue à s'apercevoir qu'il truquait. Tableau! Ensuite, pendant des mois, il avait dû prendre ses cours de la main gauche. Ça lui avait fait une sorte de célébrité auprès des copains. S'il avait été recalé à son deuxième bac... Saperlipopette! Monsieur Papa avait menacé de le placer comme commis dans une épicerie. Il avait été reçu, mais ça n'avait pas changé grand-chose. L'hôtellerie ou l'épicerie, ça devait se valoir. Dans le fond, il en venait à croire qu'il n'avait pas eu un seul bon souvenir d'enfance. On lui avait empoisonné tous ses plaisirs. Toujours des bâtons dans les roues. Pas étonnant qu'il eût maintenant le cœur à la révolte. Ah! le jour où il pourrait se venger! Il leur ferait voir à ses parents. C'était un peu pour ça qu'il écrivait sa pièce : *La Joie du Cœur*. Il n'avait pas eu d'autre satisfaction que ses plaisirs solitaires. Et ça encore... Il y allait même fort, à l'époque. Tellement qu'il ne tenait plus debout sur le terrain. Il avait si mal joué quand il avait fait sa rentrée, après son accident, que Maisonvieille, leur capitaine et entraîneur, l'avait gentiment sacqué. Il n'avait pas osé lui dire qu'il était mauvais. Lui avait laissé croire que c'était à cause de son bras qu'il n'était pas en forme. Ça avait peut-être sauvé la face vis-à-vis des autres. Mais lui, pas dupe. En fait, il était vidé. Ne tenait plus debout. C'était à partir de ce jour qu'il avait compris qu'il ne serait jamais un grand joueur. Il manquait d'énergie. Et en plus, il avait peur.

La peur, c'était pourtant elle qui l'excitait à jouer. Ce petit quelque chose, cette trouille avant la partie, qui lui tournait l'estomac, qui l'empêchait de manger, qui lui donnait des envies de pisser toutes les cinq minutes et qui s'envolait dès qu'il avait touché le ballon, eh bien, il y tenait plus qu'à tout. C'était pour ça aussi qu'il avait un faible pour les toreros froussards, capables du meilleur mais parfois pris de panique. Eux, il les comprenait, il les excusait. Pas chic de se moquer d'eux. Valait mieux garder ses sarcasmes pour les truqueurs, pour les habiles. Quels salauds, ceux qui sifflaient sur les gradins ! Il aurait bien voulu les voir dans l'arène, en face du toro !

Il ajusta son plastron. Hum ! pas très net, le plastron. A l'inverse des autres, Monsieur Hermès n'attachait pas une grande importance à sa livrée. Il la détestait trop. Elle était le signe même de sa servitude. Comme tout uniforme. Servitude et Grandeur... Tu parles ! Drôle de piaf ce Vigny ! Dans la rue, en civil, il pouvait encore se dire un homme. Et libre. Relativement. Une fois la porte cochère franchie, une fois pointé, une fois le carcan revêtu, il ne s'appartenait plus. D'une main dégoûtée , il décrocha son rondin en alpaga. Il puait la sueur, surtout aux emmanchures. Et le devant était constellé de taches graisseuses. Quelle bonne soupe il aurait pu faire avec. Restait à nouer la cravate blanche sur le sol cassé. Rien moins qu'habile pour les petits nœuds, Monsieur Hermès. Il rit en dedans, pour cacher sa confusion. C'était vrai que ses nœuds avaient toujours une drôle de gueule. Tantôt les coques étaient inégales, tantôt elles étaient de traviole. Et pleines d'empreintes digitales. Sûr ! A cause de la chaleur, de sa propension à transpirer, Monsieur Hermès devait faire un grand usage de cols et de plastrons. Cependant, ils étaient toujours gondolés. Ce qu'il pouvait manquer de chic en commis ! Mais comment faisaient-ils donc, les autres ? Pas de semaine sans que le Chef du Personnel ou que le Directeur du Restaurant ne le réprimandent à ce sujet. Les cons, ils lui disaient de prendre exemple sur eux. C'était malin ! Qu'ils viennent un peu desservir, se foutre les mains dans les assiettes sales, barboter dans les couverts merdeux. Oh ! sans doute, la réponse était facile. Ils l'avaient fait avant lui. Et maintenant, ils avaient beau jeu de le mépriser. Le Chef du Personnel était un homme jeune, grand, mince, à l'allure militaire, et tout et tout. Par là-dessus un visage triangulaire, des cheveux plats, une moustache rase, effilée. Il faisait le gandin avec son pantalon fantaisie, sa jaquette gansée, son col cassé à cravate-plastron. Joliment solennel le personnage! Mais, rien à dire, c'était tout à fait la tenue de l'emploi. Recta. Le Directeur du Restaurant, lui, était plus âgé, plus petit, plus épais avec une tête jaune et bouffie, une demi-calvitie sauvée par une mèche héroïque, une grosse moustache noire de boucher, cachant des bajoues lasses. Plus fantaisiste, il avait troqué l'habit classique contre un veston noir à deux boutons, le col cassé contre un haut col droit et le papillon rigide contre une sorte de gros nœud flottant. Tout ça faisait plutôt deuil. Mais c'était vrai qu'il avait la bille d'un veuf. De la famille du saule pleureur. Ça ne l'empêchait pas de jouer au bellâtre à toute occasion, de faire du plat, en grand seigneur, aux caissières et de suivre d'un œil insolent, égrillard et satisfait les belles clientes. Ce que Monsieur Hermès avait pu râler, dans les débuts, quand on l'avait contraint à les servir, dans la petite salle, pour se faire la main! Gaffer devant les clients ce n'était pas grave. On s'en foutait des clients. Mais devant ces cocos-là! Cette façon narquoise qu'ils avaient de le juger. Il se sentait, du coup, deux fois plus manche. Ça, il se rendait bien compte. C'était plutôt cochonné comme service de table. Mais quoi! il était là pour apprendre. Eux aussi à leurs débuts, autrefois, ils n'avaient pas dû être très forti-ches. Quels crâneurs! L'envie l'avait pris plus d'une fois de leur fermer le clapet. Mais jamais il n'aurait le courage d'un petit gars de commis qui, paraît-il, l'année précédente, leur avait balancé tout un plat de crème à la vanille en pleine bouille. On l'avait foutu dehors, séance tenante. N'empêche qu'ils l'avaient eue, leur crème à la vanille. Oui, ça, c'était un petit gars gonflé!

Alors, c'était donc ça qu'il deviendrait, un jour, selon les rêves de son paternuche : Chef du Personnel ou Directeur du Restaurant. En attendant mieux! Oui, c'était ça qu'il serait, s'il était bien sage, bien appliqué, bien obéissant. Ça, dans quinze ans ou dans vingt. Mieux valait y renoncer tout de suite. Pas drôle d'être dans la peau du Chef du Personnel! Un adjudant de quartier, un garde-chiourme ! Très peu pour lui ! Pas plus drôle d'être dans la peau du Directeur du Restaurant ! Ces gestes supérieurs et dégoûtés qu'il avait ! Le Monsieur qui veut garder les mains nettes tout en dardant un œil ténébreux sur les commis en faute ou, dans un aigre sourire à demi dérobé par les volutes de sa moustache, proférant d'une voix sèche et glaciale des remontrances à prétentions ironiques. A en avoir chaque fois les sangs tournés.

Monsieur Hermès passa un doigt agacé entre son cou et la molle guimauve du col. Les autres l'avaient déjà devancé au réfectoire pour y avaler l'infecte tasse de café qui les y attendait. Les crevards ! Ils ne laissaient rien perdre. Ça ne les empêchait pas de se gaver en douce, dans la salle, des restes des clients. Monsieur Hermès descendit sans entrain. Il avait mal dans les mollets. Et ses pieds, toujours. Il ferait si bon s'étirer. L'été était une saison qui lui donnait particulièrement la cosse. Il passa à la lingerie. La lingère lui remit un tablier blanc. C'est une grande taille pour vous ? Comme si elle ne le savait pas ! Histoire de parler, bien sûr. Que c'était irritant de répondre ! Il émit un sourire miteux. Ça fleurait bon la blanchisserie là-dedans. Le tablier était savamment plié et ficelé dans les cordons qui allaient lui permettre de le ceindre autour de sa taille, sous le gilet. Il l'ajusta avec minutie. Autant de gagné. Il fallait que le bord inférieur vienne frôler exactement le cou-de-pied. De la plus élémentaire prudence si on voulait éviter les chutes dans les escaliers. Dans l'office, c'était déjà le va-et-vient habituel des commis. Les officiers faisaient jouer leurs bras nus et velus dans les bassins d'eau courante. De vrais petits phoques joyeux s'ébattant au milieu d'une flotille de tasses et de soucoupes. Ça va ? Dis donc, t'as pas les œils en face des trous ce matin ? Janicou, le commis du Père Hubert, le bousculait gentiment. Il rigola pour se donner du cœur au ventre. Puis, nonchalamment, il poussa du pied la porte battante et pénétra à son tour dans la salle bourdonnante de conversations.

Pactot, son chef de rang. Pactot dit le Marin lui fit signe discrètement. Il était dans le coup. Les matins, comme aujourd'hui où ils n'étaient pas d'ouverture, il était tacitement convenu qu'ils n'avaient pas à s'occuper de la clientèle de breakfast. Sauf en cas de force majeure. En principe, les équipes d'ouverture s'en tiraient sans aide. Les autres n'avaient qu'à faire leur mise en place pour le lunch. Pourtant, on se faisait quelquefois harponner par un des Maîtres d'Hôtel. Eh! psst! là-bas. Venez donc ici. Le 43 attend depuis dix minutes. Y a quatre omelettes au fromage qui marchent. On était fait. Pour éviter ça, y avait qu'une méthode. Faire gaf aux Maîtres d'Hôtel. Ne jamais rester à leur portée. Mettre les bouts à l'une des extrémités de la salle quand ils étaient dans l'autre. Un petit jeu de cache-cache en somme. Ça exigeait du coup d'œil, de la mobilité, des réflexes. Le plus souvent, c'étaient les bavards qui se faisaient pincer. Et patati et patata. Et au plus beau de la discussion, le coup de masse. Le mieux c'était encore de se parler à distance, entre haut et bas, l'œil aux aguets, et de prendre la tangente sans histoire au moindre pet.

En dehors de ça il fallait tout de même clâper. A condition de savoir nager, on pouvait se taper la cloche confortablement dans l'usine. On sortait, on entrait, on ressortait. Un petit manège qui facilitait le camouflage. Dame! on profitait des consignes. Ne faites jamais de pas inutiles, qu'ils disaient. Une belle occasion de faire du zèle! Sous prétexte d'aider les équipes d'ouverture, y avait qu'à se précipiter sur une table abandonnée pour la desservir. Il restait toujours des rondelles de beurre dans les beurriers, du café dans les cafetières, du lait ou du chocolat dans les pots, des petits pains frais ou des brioches dans les corbeilles. Enlevez c'est pesé! Et hop! en trombe vers l'office, coudes au corps. Il était rare qu'une table ait été complètement dévastée. Les clients étaient des gens bien élevés. Ça arrivait cependant. Les petits goinfres! Les copains les évitaient savamment. Monsieur Hermès, lui, à cause de sa mauvaise vue, s'y cassait parfois le nez. Impossible de reculer. Il fallait bien emporter à l'office ces pots vides et cette vaisselle souillée. Ça faisait partie des petits inconvénients. Finalement il arrivait quand même à faire sa gratte. Comme les autres, il enfermait son butin au fur et à mesure dans l'une des étuves de l'office. Et quand il avait tout ce qu'il voulait, il venait le déguster en cachette, en vitesse, en s'y reprenant à dix fois. Fameux pour l'estomac, entre parenthèses! C'était pourtant pas de leur faute si on les faisait crever de faim au réfectoire. Quel rapiat l'économe! Total, on chapardait. A gauche, la boustifaille des rupins. Ça coûtait dix fois plus cher à la maison. Mais qu'est-ce qu'il pouvait vous dire le Maître d'Hôtel qui vous pinçait? Bien sûr, il gueulait comme un perdu et vous menaçait de la porte. On sentait bien que c'était pour la forme. En fait, ça n'allait jamais plus loin. Le plus vexant, pour Monsieur Hermès du moins, c'était cette sensation d'être pris pour un voleur. Et pourtant, comment faire autrement?

Qu'on ne vienne pas parler de gourmandise. Il y avait la faim, d'abord. Et ça c'était pas du bidon. Par ailleurs, Monsieur Hermès ne se dissimulait pas le plaisir qu'il prenait, à courir ce risque, à tromper la surveillance des Maître d'Hôtel. Ça l'excitait. Comme un jeu. Malin, malin à demi. Ça l'aidait à oublier. Pendant ce temps, au moins, il cessait de ruminer. Une sorte de reprise individuelle, enfin. Les patrons, les clients, tous à mettre dans le même sac! Jamais il ne leur ferait payer assez cher leur mépris et leur cruauté. Toutefois, il n'avait pas l'étonnante dextérité de certains. Ce sacré Pactot, notamment, n'avait pas son pareil. Et si chic type avec ça! Quel prestidigitateur! Monsieur Hermès lui-même, la plupart du temps, n'y voyait que du feu. Souvent, il lui tendait sa serviette en douce. Vite! A l'office! Il avait compris. On aurait pourtant dit qu'il n'y avait absolument rien dans la serviette. Quand il l'ouvrait, camouflé entre les deux portes d'une étuve, il y découvrait une somptueuse grappe de raisin, une poire superbe, des éclairs ou des choux à la crème. Pactot entrait en coup de vent. Un instant d'émotion. Non, rien à craindre. On partageait. Pas à dire, c'était un chic chef de rang! Bon cœur et tout! Pas un autre comme lui. Toujours généreux et toujours prêt à couvrir son commis, à le soutenir, envers et contre tout. Gai comme un pinson et souple comme une anguille. Eh, eh! Il n'était pas riche de comparaisons originales, ce matin. De savoir se moquer de soi-même à l'occasion, ça lui donnait une meilleure idée de sa valeur. Allons! il fallait tout de même se décider à bosser. Déjà plus de neuf heures! Pactot avait déjà mis des nappes neuves sur les sept tables de leur rang. A lui de disposer les couverts. Faire des bonnets d'âne ou des mitres d'évêque avec les serviettes damassées, astiquer les grands verres en cristal de Bohême, parer les fleurs du jour dans les vases d'argent, assembler les petits pains dorés, disposer les coussins de cuir rouge pour les pieds fragiles des belles dames, épousseter les fauteuils et les chaises Louis XVI, tout dorés, ça c'était son boulot. Y avait-il de l'alcool dans son réchaud ? Ses huiliers étaient-ils garnis ? Aller chercher des piles de linge à la lingerie, des piles d'assiettes à la plonge, faire la police pour que les copains ne lui volent pas, par paresse, le matériel qu'il avait déjà amassé. Ça n'en finissait pas. Les copains, eux, ils avaient l'air de faire ça en s'amusant. Ils trouvaient le temps de blaguer à droite et à gauche, de se jouer des tours, de chahuter comme des petits fous. Monsieur Hermès n'avait jamais été turbulent ni chahuteur. Ce n'était pas dans sa nature. Mais, de toute façon, il n'en aurait pas eu le temps. Il était bien trop affairé. Cette simple mise en place lui donnait un mal de chien. Trop consciencieux sans doute. Et puis il manquait d'aisance dans ses mouvements. Travaillait trop avec ses nerfs. Et, malgré tout, n'avait pas tellement la tête à ce qu'il faisait, préoccupé qu'il était, le plus souvent, par tout autre chose. Déjà, il était en nage et mal à l'aise. Aussi, il buvait trop de café. Ça l'énervait et le faisait transpirer. Mais il ne pouvait s'en empêcher. Toujours soif. Il supportait très mal la chaleur. C'était de l'anémie, pour sûr ! Peut-être qu'il s'en serait mieux tiré, s'il avait travaillé comme une brute, comme les autres, sans penser. Mais il avait toujours la caboche en ébullition. Trop d'imagination. Obsédé, écœuré à l'avance par cette journée qui s'étalait devant lui, en remâchant tous les ennuis probables. Tout à l'heure, pendant le lunch, alors que les rupins casseraient la graine tranquillement, ce serait pour lui la galopade effrénée entre le rez-de-chaussée et les sous-sols, dans les escaliers puants et blafards, la brûlante et graisseuse manipulation des plats et de la vaisselle.

Comment Pactot faisait-il pour être toujours de si bonne humeur ? C'est qu'il semblait aimer son métier, ce cochon-là. Déjà dix ans qu'il faisait ça. Avait débuté comme commis après son certif. Ça avait évidemment dû lui donner un drôle de pli. Et pas abruti, cependant, comme tant d'autres. Une véritable exception. Les autres, au fond, n'étaient guère gracieux. C'était le métier qui voulait ça. Un métier où il fallait prendre beaucoup sur soi-même. Etonnant, même, qu'ils soient si polis et si complaisants avec la clientèle ! Sans doute leur obséquiosité était-elle hypocrite et intéressée. Comment ne pas les comprendre ? Il fallait une belle dose de patience pour supporter sans faire d'éclat les manies et les caprices des clients ! les avanies et les brimades des Maîtres d'Hôtel ! Tant de forces contenues et refoulées avaient finalement besoin de s'exprimer. C'était ce qui expliquait la loufoquerie des moments de détente. Les Maîtres d'Hôtel, eux, au moins, pouvaient passer leurs nerfs sur leurs inférieurs; les chefs de rang sur leur commis. Mais les commis ne pouvaient que s'injurier entre eux, et ça manquait de sel. La réciprocité facile et inévitable de ces échanges enlevait beaucoup de valeur à l'exutoire. Ils cherchaient donc une excitation factice dans le bavardage. Jamais Monsieur Hermès n'avait tant entendu jacter. C'était, entre ces gamins, dont il était l'aîné, un déconnage perpétuel. Ils ne cessaient de piailler, de discuter, de comploter entre eux ou avec les chefs de rang. En étaient exaspérants. Quelle foire ç'aurait été si les Maîtres d'Hôtel n'avaient fait régner la terreur ! Dans la salle, du reste, ça ne bronchait pas des masses. Toute cette dissipation se donnait libre cours dans les coulisses, dans l'office, sur le trajet intérieur de la salle aux cuisines.

Monsieur Hermès, lui, pour se doper, préférait parler tout seul. Oui, il se parlait à lui-même comme il aurait parlé à une monture. Ça cadrait bien avec sa nature ombrageuse et solitaire. Suivant son humeur du moment, il raillait ou bougonnait, attentif qu'il était à saisir les travers de ses semblables. Et les siens, à l'occasion. Fuyant les interminables et fastidieuses palabres entre commis, il monologuait ou chantonnait à mi-voix. C'était tantôt une longue suite d'anathèmes, d'ordures obscènes ou de sarcasmes dédiés aux clients abhorrés, tantôt une suite incompréhensible et saugrenue de slogans, de coq-à-l'âne, de répliques de mélo, voire de refrains qu'il débitait d'un trait en imitant les trémolos d'un ténor, les tics d'un comédien ou l'accent gouailleur d'un camelot. Cette faconde lui avait valu une certaine réputation, celle qui échoit facilement aux simples d'esprit ou aux hurluberlus. Il en jouissait naïvement et avec une parfaite bonne foi. Ça le saoulait et l'aidait à oublier. Cet éréthisme était sûrement provoqué par l'abus de café. De pleins bols à toute heure du jour. Avec des quantités astronomiques de sucre. Mais ça ne lui suffisait pas et, à l'exemple des autres, il s'était mis à boire sec.

Jamais ivre, mais toujours entre deux vins. Pas de goût à boire, en dehors de l'Hôtel. Mais à l'Hôtel, c'était plus fort que lui. Il avait la pépie. Et puis, les occasions étaient trop tentantes et trop nombreuses. Tous ces fonds de bouteilles laissés par les clients. Vins fins, rouges et blancs, champagnes, bières anglaises... il ingurgitait tout. Sans discernement et sans ordre. Simpson l'avait prévenu pourtant. Il s'abîmerait l'estomac. Bah! à vingt ans... Il n'y résistait pas. Ça lui donnait un tel coup de fouet sur le moment. Ensuite, pardi! il transpirait comme une éponge. Mais deux minutes après il recommençait. En douce, ça devait faire un drôle de mélange dans son estomac, ces alcools variés, ces bols de café trop fort, ces aliments absorbés goulûment au hasard de ce qui se présentait... épinards, tartes aux pommes, aubergines marinées, crème au chocolat, petits pois à la française, caviar, cuisse de dinde, pêches melba, pommes chips, meringues, purée de marrons... Malgré ça, il fallait jouer la comédie devant les clioches, singer une méticuleuse et courtoise politesse. Comme s'ils avaient été eux-mêmes de parfaits hommes du monde. Sans doute que ça devait les rassurer les rupins, ces bonnes manières des serveurs. S'ils avaient su! Bien stylé par-devant, le personnel, du haut en bas de l'échelle. Et par-derrière, haineux et soûlard. Les commis ricanaient vachement quand ils voyaient le Directeur du Restaurant lui-même, le Petit Père Rigal ou Monsieur Schott le deuxième Maître d'Hôtel se défiler en tapinois vers l'office, d'un air innocent, tenant dans leurs mains le seau d'où dépassait le goulot d'une bonne bouteille à peine à moitié vide. Ils ne perdaient pas le nord. Ils savaient ce qui était bon. Et que je te déguste ça à l'office : comme un vulgaire commis. Les brutes! Si seulement ça les avait mis de bonne humeur de picoler les fonds de bouteilles! Mais c'était pas leur genre. Ils avaient le vin plutôt triste. Quand ils avaient trop bu, ça leur échauffait les oreilles et ils devenaient méchants.

Il n'y avait guère que Simpson et que Monsieur Dominique qui eussent la sagesse de boire avec modération. D'ailleurs, c'était bien simple, dans l'exercice de la profession, Monsieur Hermès considérait Monsieur Dominique comme une perfection. C'était sous ses ordres directs qu'il avait débuté. Quelle sale gache, cependant ! Sans le Maître Trancheur, il ne s'en serait jamais sorti. Commis de voiture, il n'y avait rien de pire. Ça c'était sûr. Il en frémissait de répulsion, rétrospectivement. Et puis, ç'avait été si nouveau pour lui, si déconcertant ! C'était toujours ça le drame, pour lui. Les autres commis, ils entraient là-dedans tout jeunots. Dès leur plus petite enfance, ils avaient su qu'il leur faudrait mettre la main à la pâte. Mécanos, goujats, calicots, grouillots ou loufiats, c'était du pareil au même. Monsieur Hermès, lui, jusqu'à dix-neuf ans, avait passé son temps au bahut. Puis, soudain, Monsieur Papa l'avait collé dans cet Hôtel. Du jour au lendemain, plus de chez soi, plus de sport, plus de vacances, plus rien. Le carcan sur le dos. Le travail manuel. Un travail au-dessus de ses forces. Vu le manque d'habitude. Pourquoi peinait-il tant ? Pourquoi utilisait-on si mal ses capacités ? Il ne se sentait pas fait pour ça. Ça le révoltait même. Pas la peine d'être bachelier ! N'importe quel imbécile musclé et dur au mal s'en tirait mieux que lui. Quitte à rester dans l'hôtellerie, il aurait préféré être là-bas, dans le hall d'entrée. Avec un pantalon fantaisie et une jaquette. Au poil, le gigolo ! Employé à la réception, ça, au moins... Grand, mince, du chic, de bonnes manières. On le trouvait distingué. Monsieur Dominique lui-même le prenait pour un puits de science. On le lui avait bien promis, qu'il serait un jour à la Réception. Avant, il fallait qu'il fasse un stage dans tous les services. Puis qu'il aille passer un an au Savoy de Londres pour perfectionner son anglais. Aurait-il la patience d'attendre ? Commis de voiture et de buffet, aide-sommelier et maintenant commis de rang. Que d'étapes encore à franchir ! Que d'embûches avant de parvenir au but ! Chef de rang, garçon d'étage, caviste, plongeur, marmiton... Simpson s'indignait. Mais voyons ! Commis de rang c'était déjà un poste de confiance. Ça prouvait qu'on était capable de faire la suite. Avec un chef comme Pactot, Monsieur Hermès ferait sûrement de rapides progrès. C'était même une veine qu'il soit tombé sur lui. Ça, c'était vrai, dans un sens. Il se souvenait des semaines où il avait travaillé sous les ordres du Père Hubert. Quel vieux con celui-là ! Il avait été rivé à lui comme un forçat à son ponton. Le Père Hubert, on pouvait dire que le métier l'avait abruti ! Trente ans qu'il était chef de rang ! Il n'avait jamais pu passer maître d'hôtel malgré sa compétence, son sérieux et sa prestance. Il buvait trop lui aussi. Monsieur Hermès l'aperçut à l'autre coin de la salle. Il posait ses nappes. On aurait dit un vieil évêque anglican en train de bénir les foules. D'accord, c'était tout un art, la pose des nappes. Il y avait une façon de les déplier d'un coup et de les plaquer sur les tables d'un geste élégant et sûr, sans qu'elles fassent un pli ni qu'elles dépassent plus d'un côté que de l'autre. Des chefs de rang comme Pactot permettaient à leurs commis de s'y exercer subrepticement. Ce n'est pas le Père Hubert qui aurait permis ça au sien. N'ayant qu'un commis sous ses ordres, il se vengeait ainsi de l'injustice du destin qui lui avait interdit de régner sur un personnel plus nombreux. Etre commis du Père Hubert, c'était vraiment la fin des haricots. Le vieux crabe gardait pour lui tous les fonds de bouteilles et tous les bons restes. Il vint fureter vers la desserte de Monsieur Hermès. Eh là ! mollo ! Il fallait ouvrir l'œil. Il avait la manie de procéder à de véritables razzias dans les autres rangs. Comme s'il n'en avait jamais eu assez. Il faisait la vie à son commis du matin au soir pour ce sacré matériel. Si on l'avait laissé faire tous les coussins, tous les réchauds, toutes les tables de service, toutes les plus belles fleurs du restaurant auraient finalement filé dans son coin. Quel maniaque ! Il avait un grand visage carré de mirlitaire orné par une mèche de cheveux gris brillantinés en forme d'S et par une grande moustache déteinte roulée sur elle-même. Son corps était épais, ventru ; ses jambes légères cependant. Et c'était assez réjouissant de le voir piétiner dans la salle à petits pas vifs. Ça n'empêchait pas Rigal et Schott de l'accabler d'injures, de lui reprocher sa lenteur. Ils étaient terribles avec lui. Ils ne cessaient de se moquer. Tu es trop vieux. Tu vois bien que tu peux plus. Allons, tu ferais mieux de rester chez toi. Le Père Hubert leur lançait un regard terrible et s'en allait en bougonnant lamentablement. On y était habitué dans l'usine. Il sortait de sa bouche un bougonnement perpétuel. Quand on passait près de lui, on pouvait l'entendre entre haut et bas, pestant contre son commis, contre les cuisines, contre les plongeurs, contre la lingerie, contre les frotteurs, contre les Maîtres d'Hôtel aussi bien que contre les clients et en définitive contre tout le genre humain. Une sorte de souffre-douleur pour Rigal et Schott. Ils lui jouaient de mauvais tours. Histoire de flatter son zèle, ils plaçaient automatiquement dans son rang les clients qui arrivaient à la dernière minute ou le choisissaient de préférence pour servir des repas fins en cabinet particulier. Malgré ses airs, il était flatté dans son amour-propre comme un vieux grognard. Pas question de ménager ses forces ni son temps. Mais quelles parties de plaisir pour le commis ! Monsieur Hermès avait connu ça. Que de disputes entre eux ! Qu'est-ce que ça peut vous foutre que cette fourchette soit là et non pas là bon Dieu ? Tais-toi, tu ne sais rien ! Ce que vous êtes vieux jeu, quand même ! Laisse-moi tranquille ! Tiens, va donc me chercher plutôt deux coussins de plus ! Mais vous avez déjà plus que votre compte ! Ça ne te regarde pas ! Fais ce qu'on te commande ! Alors, obtempérant, Monsieur Hermès, à son tour bougonnant : Vieille savate ! Et l'autre : Bon à rien ! Et de nouveau. Monsieur Hermès : Baderne de mes deux ! A quoi le Père Hubert : Fous-moi le camp ! Avantage. Détruit. Avantage. Détruit. Ça n'en finissait pas. Quelle différence avec Pactot !

Près de l'entrée de la salle, autour du buffet, c'était là qu'on plaçait les clients qui descendaient prendre leur petit déjeuner. Monsieur Hermès les détestait particulièrement. Pouvaient donc pas rester dans leurs chambres ? Tous pignoufs et compagnie ! Alors qu'il faisait si bon au plumard le matin ! Ah ! à leur place, il savait bien ce qu'il aurait fait ! Des gens si galetteux ! Et si seulement ils s'étaient contentés d'un simple café au lait, comme lui ! Il leur en fallait des complications. Ils ne pensaient donc qu'à s'en mettre derrière la cravate ? Comme ça, au saut du lit, la plupart d'entre eux se composaient de véritables menus. Savoir s'ils se doutaient du jus amer et du pain rassis qu'on distribuait au réfectoire ? Ils ne s'en souciaient pas. Ils n'en avaient même aucune idée. Sûr, ça les aurait indignés s'ils avaient su. Pas des cœurs de pierre. Bien compartimenté, tout ça ! Pas danger que ça se mélange, les classes ! Laisse pisser, conseillait Pactot. Il n'était pas méchant, Pactot, pas révolté pour deux sous. Ça ne l'écœurait pas tout ça. Il en rigolait doucement. Il y avait longtemps, sans doute, qu'il avait compris. Il était résigné à son sort. Des gros, il en faut, et des petits, disait-il. Des petits comme lui, avec des petits bonheurs qui lui suffisaient. C'était donc ça la sagesse ? Non, Monsieur Hermès ne se sentait pas fait pour ce genre de sagesse-là. Pas du tout décidé à reconnaître le fait accompli. Il préférait se ronger le foie.

Tiens, file-moi ces bons aux cuisines, lui dit gentiment Monsieur Dominique. Il sursauta. C'était bien fait pour lui. Il n'aurait pas dû rester là comme une souche à ruminer ses pensées. Monsieur Dominique l'avait harponné. A un autre, il aurait fait la grimace, à lui il fit un sourire. C'était son pote. Pourtant, il lui en voulait un peu. Il s'était habitué à la compréhension du troisième Maître d'Hôtel. Il aurait voulu qu'elle ne souffrît pas d'exceptions. Tous pour la même table, ces bons. Trois porridges. Le chef soupier allait encore gueuler. Une heure de cuisson. Tu leur diras qu'ils se les foutent au cul, leurs porridges. Oui, bien sûr, c'était la mode aux cuisines de toujours râler. Dans le fond, il les comprenait un peu. Le plus marrant, c'est qu'ils les feraient, les porridges. Et même qu'ils les feraient aussi crémeux qu'ils pourraient. Mauvaises têtes mais consciencieux. On les possédait comme on voulait en les chatouillant au bon endroit. Des œufs frits au bacon. Du thé. Des toasts beurrés. Des flans. Des fruits.

Quand Monsieur Hermès remonta des cuisines, il aperçut Monsieur Dominique en train de parer des pamplemousses au sucre. Il faisait ça sur une table de service, devant les gogos attentifs. Quel chic il avait ce Dominique pour découper les quartiers, pour les détacher de l'écorce sans les écraser. On aurait dit qu'il jonglait avec son couteau. Une vraie parade ! Il allait si vite, il avait des gestes si précis, qu'on ne voyait que la blancheur de ses longues manchettes empesées. Eh ! eh ! certaines clientes devaient trouver qu'il avait de beaux yeux. A une autre table, trois grosses dondons dégustaient à la cuillère des tranches de melon arrosées de porto et saupoudrées de sucre. On aurait dit des chattes lampant du lait. Elles avaient de petits airs extatiques. Ça lui aurait fait du bien de leur botter les fesses. Le Rigal se cassait en deux. Etaient-elles satisfaites ? Elles lui firent des sourires. Mon Dieu, il était si délicieusement galant avec elles. Ces Français ! D'une main experte, il redressa la tige lasse d'un dahlia dans le vase, rétablit l'ordonnance de la nappe d'une pichenette, jeta un œil professionnel sur le bon maintenu par une salière. Quelle était la suite ? Chocolat espagnol et brioches à la crème. D'un claquement de doigt, il alerta Cambrecis le chef de rang. Instantanément son torse s'était redressé, la tête bien en arrière pour mieux dominer malgré son manque de taille, la voix rogue. Ça marche, ces chocolats du 51 ? Il alla lui-même au buffet, y prit un pot en grès de crème d'Isigny, le porta sur la table des trois dondons. Elles semblaient vraiment flattées. Il tendit la main vers Cambrecis qui comprit et lui présenta sa serviette. Il s'y essuya les doigts d'un air efféminé et s'avança vers d'autres tables. Allons, c'était assez pour celle-ci.

Quelle comédie ! pensa Monsieur Hermès. Le Petit Père méprisait et haïssait aussi les clients. Mais lui, il ne le montrait jamais. Fort à faire pour l'égaler ! Il ne savait pas dissimuler sa hargne. Des regards furibonds, une bouche mauvaise, un air sombre... Simpson le reluquait, le sourire goguenard. Bien sûr, il ne pouvait pas comprendre. Tous des ennemis, pour Monsieur Hermès, les clients. Les envoyer tous au diable, si c'était possible. Pourtant, il était leur esclave. Et ça devait lui donner l'air deux fois plus ballot de leur faire la gueule. Eh bien, ils ne perdaient rien pour attendre. Il leur montrerait qui il était. Un jour, il reviendrait dans cette même salle escorté d'hommes importants et de femmes somptueuses. C'était Simpson et les autres qui en feraient une tête ! Rigal et Schott réduits aux courbettes en son honneur. La belle vengeance !

Il reçut un grand coup de fourchette dans les côtes. Aïe ! la brute ! Dites donc, voulez-vous que je vous secoue les puces ? Quand vous aurez fini de dévisager les clients ! Vous n'avez jamais rien vu, non ? Débarrassez-moi le 34. Et au trot. C'était cette vache de Schott qui l'avait surpris. Pactot regarda son commis avec reproche. Oui, Pactot avait raison. Il était le dernier des idiots. Il aurait dû faire attention. Monsieur Schott lui décocha un regard fielleux. Etait-il déjà ivre ? Monsieur Hermès lui rendit son regard. A coups de fourchette qu'il y allait, celui-là ! Ce n'était pas la première fois. Il avait le chic, d'ailleurs. Les clients n'y voyaient que du feu. Ah, pouvoir lui bourrer sa sale binette. Mais c'était ça justement qu'il cherchait, l'autre : la bagarre. Il l'aurait fait foutre à la porte, après. Reste tranquille, lui glissa Pactot. Monsieur Hermès commença à débarrasser rageusement le 34. A ce train-là, il allait casser quelque chose. Schott le guettait, silencieux. Fais pas le con, murmura Pactot qui s'était approché intentionnellement de lui.

Levant la tête vers la pendule du hall, Monsieur Hermès s'aperçut qu'il allait être onze heures. Déjà ? Le temps lui avait semblé un peu moins long que d'habitude. La salle d'ailleurs se vidait. Plus que de rares attardés. Les frotteurs passaient un dernier coup de cireuse électrique sur le beau parquet glissant. Monsieur Hermès entendit grommeler le Père Hubert. Il gloussa d'instinct. Le vieux avait mis le pied dans leurs fils et avait trébuché. Mais il y avait un petit sourire dans sa moustache cirée. Il avait dû le faire exprès. Quand il était de bonne humeur, il grognait pour la forme comme s'il avait voulu maintenir sa réputation ou seulement se moquer de lui-même. Après tout, peut-être qu'il n'était pas si dupe de ses colères, le Père Hubert ? Devant leur desserte garnie, Palisseau et Fondant, son commis, avaient le regard éteint des hommes simples et soumis. Ça leur suffisait donc cette petite vie-là ? On était là, n'est-ce pas, pour être à leurs petits soins, aux clients ! Ils payaient pour. Donnant donnant. Comme si un bon pourboire pouvait valoir une heure de liberté perdue ! Très joli de se dorer la pilule, de s'imaginer qu'on serait célèbre un jour, avec son nom dans les journaux, et riche. *La Joie du Cœur* en lettres grosses comme ça sur les colonnes Moriss. Mais en attendant, il était là.

Tu t'annonces ? lui dit Pactot. La mise en place était terminée. Bon Dieu quelle chaleur ! Il lui semblait que ses semelles étaient de tôle rougie. Il y avait une demi-heure de battement. Monsieur Hermès aurait dû descendre avec les autres au réfectoire. Mais il n'en avait pas le courage. Il n'avait pas faim. Il avait encore son café au lait sur l'estomac. La température lui coupait l'appétit. Et puis, en bas, le repas du personnel était détestable. Mieux valait s'en passer. Il se rattraperait tout à l'heure dans la salle. Il se dirigea vers le vestiaire. Il changerait de col et de plastron et pourrait rester assis un moment. Souvent, c'était pendant ce répit qu'il bavardait avec Monsieur Dominique.

Au début, pardi ! il l'avait fréquenté assidûment, le réfectoire. Maintenant, pas d'histoire ! Une véritable étuve. Contre la chaufferie qu'ils l'avaient installé, ces canailles ! C'était une telle fournaise qu'il fallait s'y mettre torse nu. Et ça n'empêchait pas de transpirer à grosses gouttes. C'était si mal éclairé qu'on ne pouvait même pas y lire un journal. Penser qu'il faisait dehors un si beau soleil et manger là, en plein midi, à la lueur de ces ampoules blafardes ! La salle était étroite, basse de plafond et sale. Le raffut y était perpétuel. Il venait de la plonge des odeurs abominables, écœurantes. Le sol, revêtu d'un carrelage fatigué était recouvert par des traînées de sciure mouillée et souillée. Les murs étaient lépreux ; le mobilier composé de tables massives sur lesquelles des assiettes creuses étaient directement posées. On s'asseyait sur des bancs. Une sorte de cerbère gardait ces lieux infernaux. C'était un homme énorme et brutal, d'une quarantaine d'années, au visage patibulaire. Il accueillait chacun d'un grognement et faisait régner la terreur. Mais il avait ses créatures à qui il distribuait en douce des suppléments venus mystérieusement des cuisines. Pour les autres, le menu était simple et sans variantes. Une vague soupe-rata où trempait un morceau de bouilli, du pain rassis, une demi-canette de bière, un bout de mauvais camembert. On ne pouvait ni réclamer, ni s'attarder. On mangeait au milieu des cris et des disputes. Et on suait tout ce qu'on voulait.

Du moins, au vestiaire, Monsieur Hermès avait la paix. Par la porte entr'ouverte, lui parvenait le brouhaha du hall. Assis sur un tabouret, le dos appuyé à son placard, en bras de chemise, il pensait à l'étrange vie que menaient les clients dans les étages. Une existence dans de la ouate. Savaient même pas ce que c'était que d'avoir un Rigal ou un Schott sur le dos. Il aurait donné deux sous pour les voir en commis, dans la salle, aux prises avec le Petit Père. Peut-être qu'ils auraient déchanté. Peut-être qu'elle leur aurait paru moins belle, la vie. Même pas une fenêtre pour donner un peu d'air dans ce putain de vestiaire. Rigal, Schott, le réfectoire, les clients en commis, les clientes en marmitons... Et que ça saute, là-dedans! Sa pensée s'engourdissait. Bientôt, il sombra dans une lourde somnolence...

Il en fut tiré par un bruit de voix autour de lui. Maîtres d'Hôtel, chefs de rang et commis bavardaient, qui déjà en tenue, qui en gilet, en grillant une, à petits coups, comme ça, avant de descendre pour le lunch. Pendant ces trêves, les rapports entre supérieurs et inférieurs se modifiaient quelque peu. La familiarité et la bonhomie étaient de règle. A croire que tout se passait tout d'un coup entre égaux. On oubliait de se respecter, de se tenir sur ses gardes. On se taquinait. On se tutoyait. On blaguait. On faisait même semblant d'oublier ses petites animosités. Monsieur Hermès regardait ça d'un air de deux airs. Ça l'horripilait. Et la rancune, alors? Pas de mémoire, ou quoi? Dire qu'ils vivaient en si mauvaise intelligence pendant le service! Jusqu'à ces tartufes de Rigal et de Schott qui copinaient sans façon avec ces commis qu'ils rudoieraient tout à l'heure. Si les commis avaient eu un peu de cœur au ventre, ils auraient gardé leurs distances. On aurait dit, au contraire, que ça les flattait. Pauvres naïfs! C'était vraiment donner un bâton pour se faire battre. Hein? Qu'en pensait Monsieur Dominique? Monsieur Dominique n'en pensait pas grand-chose. Toutefois, il y voyait assez clair. Il savait bien que tout ça c'était de la frime, de la façade, et que ça n'empêchait rien. Après tout, les petits étaient tributaires des gros. Plaire ou ne pas plaire, il n'y avait pas à sortir de là. Le mérite ne suffisait pas. Il fallait savoir faire sa cour. Quand on ne sait pas si on pourra manger le lendemain, on n'a pas beaucoup d'amour-propre.

Monsieur Dominique faisait face à la glace de son placard et lustrait soigneusement ses cheveux. C'était un petit homme vif, au masque romain, brun de peau et de poil, avec des joues bleues de larbin et un long nez fouineur sous lequel grimaçait parfois un sourire trop aimable. Il portait un frac aux pans exagérés et un col cassé, très haut, étranglé par une épaisse cravate noire. Tout cet extérieur lui donnait assez mauvais genre et cataloguait ses prétentions d'élégance. Mais, dans ses gestes, il était d'une dextérité étonnante. Nul ne savait jongler comme lui avec les plats et les assiettes. Nul ne maniait avec un telle insolence, avec un tel flegme, les impressionnants couteaux à découper. Nul ne faisait danser avec plus d'aisance ses mains au bout des éblouissantes manchettes. Les Sud-Américaines nues jusqu'aux reins avaient beau cacher leur admiration utérine sous un air d'indifférence narquoise, elles en bavaient tout de même des ronds de chapeau. Il tenait à la fois du prêtre et de l'illusionniste. Il avait la majesté, l'assurance, la virtuosité. C'était lui qu'on venait chercher pour découper le caneton à l'orange, pour trancher le jambon de Westphalie, pour flamber les bananes. On sentait bien, en le voyant, qu'il prenait grand plaisir à faire ça. Il suffisait de l'observer. Par exemple, avec les crêpes, il était stupéfiant. D'une seule main, avec sa fourchette, il les pliait en quatre dans la petite poêle, d'un mouvement preste. De l'autre, il réglait la flamme du réchaud ou versait le Grand Marnier. Sa fourchette allait et venait au milieu des feux follets bleus, saisissant les crêpes, les retournant, les ordonnant avec élégance. Pourtant, Dominique était le subordonné de Rigal et de Schott. La logique de Monsieur Hermès en était choquée. Des trois, c'était bien Dominique le plus stylé, le plus habile. Mais il n'y avait que deux ans qu'il était Maître d'Hôtel. Encore un bleu dans la catégorie supérieure. Il fallait qu'il marque le pas lui aussi avant de grimper plus haut. D'ailleurs, peut-être qu'il aurait des regrets quand il serait contraint d'abandonner ses couteaux ?

Messieurs, il est l'heure ! Il fallait se harnacher. Fini de rire. Déjà le Petit Père avait disparu. Monsieur Hermès enfila son rondin, réajusta son tablier, fit remuer ses orteils. Ses plantes étaient collées à ses chaussettes par la sueur. Dis donc, comment c'est le Poulet de Grain Bernadotte ? Janicou s'inquiétait. Monsieur Hermès eut une sentation désagréable. Exactement comme lorsqu'un professeur l'interrogeait à l'improviste, au lycée. Il avait encore oublié de potasser le menu. Si Rigal ou Schott le questionnaient, qu'est-ce qu'il allait encore se faire passer ! Et le Tournedos Montespan ? Il séchait. Bien sûr, il était de règle de se renseigner. Au moment du service, on devait connaître les recettes des plats du menu du jour pour satisfaire à l'occasion la curiosité des clients. Palisseau devait savoir. Mais Palisseau les envoya au bain.

Dans la salle, Monsieur Hermès s'approcha de Pactot. Passe-moi un menu. Drôle de liste ! Et à chaque repas, ça changeait. Quels compliqués ces cuistots avec leurs noms à la gomme ! Tu parles d'une imagination ! Mocassins Crécy à la Romaine, Croquettes argentines, Canapés du Périgord au kirsch, Macédoine pochée à la Scandinave, Brochettes Henri IV, Salmis tartare Chantilly, Cuissot badois, Parmentier Macaire, Ris glacés demi-deuil, Rosette de Milan, Suprême Dieppoise. Des tartines comme ça à n'en plus finir. De vrais rébus ! Le point d'honneur du Gros Bonnet. Allons ! Ce n'est plus le moment de lire le menu, glapissait Monsieur Rigal. D'un doigt dégoûté il inspectait la rainure d'un dossier de fauteuil. S'il y trouvait de la poussière, ça n'allait pas être fini. Vivement que les premiers clients arrivent. Ça détournerait son attention. Il s'avancerait au-devant d'eux de sa démarche claudicante, le nez en l'air, guettant un regard, prêt à se casser en deux, un sourire convenu au coin des lèvres. Deux couverts ? Par ici, Madame ! Un geste large du bras. Il les précéderait rapidement, les collerait à une petite table. Sa façon professionnelle de préparer les sièges, d'alerter le chef de rang. Des menus ! A demi penché, le bloc à la main, il indiquerait du bout de son crayon ce qu'il se permettait de conseiller. Parfaitement, Monsieur ! Notre Crème Bergère est excellente. Le Fricandeau ? C'est notre plat du jour. Madame aussi ? Nous disons donc deux Fricandeaux. Garniture ? Oseille ou Champignons au choix. Bien, Madame ! Et deux Meringues aux Abricots. Je vais vous envoyer le sommelier. Il griffonnerait fébrilement son bon comme s'il n'avait vraiment pas de temps à perdre et le jetterait sur la table avec ses doubles. Au commis : Du beurre, tout de suite ! Voyez, Monsieur Dominique, pour une langouste ! Et pirouettant, il enfouirait son bloc dans une des basques de son habit, en se donnant l'air affairé et soucieux. Pantin d'opérette, va ! De quoi se taper le derrière par terre !

III

Vers le milieu de l'après-midi, Monsieur Hermès, ayant repris son apparence petite-bourgeoise et anonyme, franchit la porte de service de l'Hôtel et revit le jour sur Paris. Dans la rue Saint-Lazare des cars découverts s'emplissaient pour Colombes. Ça devait être la finale du 400, aujourd'hui. Monsieur Hermès envia les heureux qui allaient voir ça. Dans les cars, c'était plein de blouses claires, de chapeaux de paille. L'asphalte brûlait. Les agents avaient mis leurs couvre-nuques. A la sortie du métro un camelot vendait des lunettes fumées. Un instant, Monsieur Hermès s'imagina là-bas, à l'intérieur du stade olympique. Mais non, il n'aurait pas le temps. Il fallait qu'il soit de retour à l'Hôtel à cinq heures. Une balayeuse lui passa devant le nez, puis une arroseuse. Leur tintamarre avait quelque chose d'allègre. L'eau ruisselait sur les pavés de bois. Se déchausser, y patauger, les pieds nus. Les passants le prendraient pour un original. Savoir si on l'arrêterait ? Il était ébloui par la clarté. Depuis ce matin qu'il vivait sous les lampes ! Même dans le restaurant il régnait une lumière d'aquarium. Ça venait de cette haute verrière en forme de coupole. Qu'il fasse sombre ou soleil au-dehors, on ne s'en apercevait pas quand on était là-dedans.

Ça valait le coup tout de même maintenant, de se balader au milieu de cette agitation. Une file d'hommes-sandwiches déambulait. A la Petite Marmite. Repas à prix fixe, Déjeuners et Dîners. Orchestre. Le Moulin Rouge. Mistinguett. Paris en folie. High Life Tailor. Complets sur mesure à partir de. A la terrasse de Scossa, des provinciaux étaient aux prises avec un marchand de lacets. Des taxis passaient, rouges et noirs, découverts, avec du beau linge sur les banquettes. Colombes, aller retour! gueulaient les racoleurs des cars, dans leur porte-voix. Colombes aller retour, dix francs! La tentation! Avant-hier, en quart de finale, Imbach, le Suisse, avait battu le record du monde. 48 secondes juste. Le record allait-il être de nouveau battu aujourd'hui? Matrousse et son commis Dangeau, deux Parigots, qui étaient de sortie, avaient dit qu'ils iraient voir ça. Dommage que le Suédois Engdahl se soit fait cogner en quart de finale. Monsieur Hermès en avait fait son favori. Il avait un faible pour tout ce qui était scandinave. Peut-être parce qu'on lui avait dit quelquefois qu'il avait le genre nordique. En finale, il y aurait les deux Américains Fitch et Taylor. Dans sa demi-finale, hier, Fitch avait battu le record d'Imbach. 47 secondes 4/5e! Il avait dû y avoir une de ces gueulantes dans les tribunes! Mais, dans *L'auto,* on disait qu'Imbach serait fatigué par son effort.

Machinalement, Monsieur Hermès prit l'AI. C'était devenu une habitude. Il descendait place du Théâtre-Français et s'attablait à la terrasse de la Régence. Ainsi tous les jours. Il faisait trop chaud pour marcher. Surtout avec ses pieds! Et puis ça lui aurait fait perdre du temps. Malgré l'affluence, il s'assit en seconde, dans le sens de la marche, la petite serviette de mauvaise moleskine contenant le manuscrit de *La Joie du Cœur* sur les genoux, sa canne entre les cuisses. Il connaissait le trajet par cœur. Rue de Rome, boulevard Haussmann, rue Auber, avenue de l'Opéra. Dans le sens de la marche, il y voyait beaucoup mieux. Ainsi, il tournerait le dos aux dames ou aux vieillards qui, après chaque arrêt, pouvaient s'avancer entre les banquettes, mendiant une place assise du regard. Monsieur Hermès ne se prenait pas pour un mufle, cependant. Il était même chevaleresque, dans un certain sens. Le plus souvent, il restait sur la plate-forme. Il savait que lorsqu'il lui arrivait de s'asseoir il avait les plus grandes difficultés à vaincre pour céder sa place. Ça le gênait de faire assaut de politesse, de parler à des inconnus. Il avait horreur de se faire remarquer. Fût-ce en bien! Pourquoi s'asseoir, si c'était pour se lever deux minutes après? Du chiqué, ni plus ni moins. Autant la plate-forme tout de suite. Mais, cet après-midi, il était éreinté et ne pouvait plus tenir sur ses jambes. Il ne se lèverait pour rien au monde. C'était décidé. Et, lâchement, il restait le visage obstinément collé à la glace, ignorant de parti pris tout ce qui pouvait se passer à l'intérieur de l'autobus.

Sur les trottoirs, c'était un défilé fébrile et massif de passants. Il y en avait tellement qu'ils finissaient par se confondre entre eux. Une fourmilière sous un talon de botte. En voilà que la chaleur n'arrêtait pas ! Sachant tous où ils allaient, visiblement. Dans tous les sens. Refermés sur eux-mêmes. Absents, et sans se télescoper, pourtant. D'où sortaient-ils, tous ? Ça finissait par brouiller les yeux, par faire tourner la tête. Place de l'Opéra, le Métro en vomissait de véritables chapelets. Le boulevard des Capucines et le boulevard des Italiens, sous leurs frondaisons poussiéreuses, en étaient noirs. Mais l'avenue de l'Opéra scintillait durement en plein soleil. Comment communiquer avec cette foule ? Tant de gens qu'il aurait pu connaître ! Qu'il aurait peut-être été amusant de connaître ! Tant de destins inconnus ! Savoir ce qu'il y avait dans tous ses crânes ? En ouvrir quelques-uns au hasard. Les apparences sont souvent trompeuses. Savoir où se dirigeaient tant de pas ? Que d'eau ! Que d'eau ! comme disait Mac-Mahon. C'était parfois désagréable et presque intolérable. Passer si près de tous ces gens et rester étranger à leurs préoccupations. Leurs mouvements semblaient pleins de réalité. Et rien de plus réel, sans doute, que les buts qu'ils cherchaient à atteindre. Et, cependant, tout cela restait parfaitement insondable. Eux, sur leurs trottoirs et lui, dans son autobus. Emportés inexorablement. Même pas eu le temps de se dévisager. Comme des somnambules, se dit-il. Vivre ? Les autres, qu'entendaient-ils par là ? Comment pouvait-on dire qu'on vivait ? Pour vivre, il aurait fallu pouvoir, en toute occasion, participer à l'existence d'autrui. Arrêt. Là, à deux mètres, une fille souriait à un garçon. La glace l'empêchait d'entendre ce qu'ils se disaient. Un déplacement de la foule la déroba à sa vue. Monsieur Hermès se sentit légèrement frôlé. Une jeune femme s'était assise en face de lui. Stupidement, il rougit. Pourquoi avait-elle posé ses yeux sur lui ? Il sortit *L'Auto* de sa poche et se retrancha derrière. C'était *L'Auto* de ce matin qu'il n'avait pas encore eu le temps de lire. Elle remua pour chercher de la monnaie dans son sac. Un parfum caressa ses narines. Elle avait de jolies mains. Il voulut fixer ses yeux sur ses jambes mais quelque chose l'en empêcha. La jeune femme le regardait. Allait-elle lui parler ? Peu probable. Il souhaita d'ailleurs qu'elle se taise. Il ne saurait pas dominer sa confusion. J'ai fait une touche, aurait dit Palisseau. Ils étaient marrants ! Dès qu'une femme jetait les yeux sur eux, ça y était : ils avaient fait une touche. Du vent ! Toutefois, lui, il tombait dans l'excès contraire. Il devait le reconnaître : il n'était pas assez culotté. Don Juan, Casanova, le beau Brummell... Ceux-là ! Pactot avait raison : il n'était qu'un petit joueur de province. Elle avait de grands yeux noirs. Le soleil jouait à travers le tulle de son chapeau. Ça la faisait cligner et sourire. Il ne sut pas pourquoi, mais il lui vint à l'esprit que sa bouche ressemblait à celle de la Marie Stuart du Malet. Jusqu'où allait-elle ? Attendre qu'elle descende pour la suivre ? Non, il avait horreur de ces accrochages dans la rue. Il avait essayé une ou deux fois. Ça n'avait pas marché. Il se troublait tout de suite, ne trouvait plus ses mots. Il ne fallait pas avoir l'air de courir après les femmes. En tout, d'ailleurs, ne pas forcer la main au destin. C'était son principe.

Place du Théâtre-Français, il descendit. Toujours les petites vieilles qui faisaient la queue sous les arcades pour les places de parterre, assises sur des pliants, caquetant et tricotant. Des mordues ! Des pures ! C'était pas à Portville qu'on aurait vu ça. Des badauds devant l'étalage de la Librairie Stock. Buddy lui avait conseillé de lire *Le Rappel à l'Ordre* de Jean Cocteau. Ça l'avait un peu assis. A quoi ça rimait, ce genre de littérature ? Pourtant Buddy en faisait grand cas. Drôlement intelligent, Buddy ! S'il allait au Rohan ou à l'Univers, pour changer un peu ? Avoir beaucoup de livres, se faire une belle biblio. Il faudrait de l'argent. En se privant sur ses sorties il pourrait peut-être en acheter un par semaine. Il n'en manquait pas qui le tentaient, depuis qu'il avait lu *Arènes Sanglantes*, *Les Quatre Cavaliers de l'Apocalypse*, *Mare Nostrum*, *La Tentatrice*... Savoir ce que Buddy pensait de Blasco Ibañez ? Mais alors, plus de théâtre ! Et ça, il ne voulait pas s'en passer. Non, au Rohan, il se sentait un peu trop en marge. C'était triste. Les garçons étaient endormis C'était bon pour les vieilles Anglaises. A l'Univers, c'était trop bruyant, trop bousculé. Il ne pouvait pas y travailler tranquillement. Il est vrai qu'il ne toucherait sans doute pas beaucoup à son manuscrit. Il faisait trop chaud. Surtout s'il se laissait séduire par la terrasse. Le va-et-vient des passants l'engourdirait. D'ailleurs, ce n'était pas déplaisant. Se reposer pendant que les autres travaillaient, c'était encore la meilleure façon de jouir de la vie. Quel quartier séduisant ! Dire que Pactot passait ses après-midi sur les grands boulevards ! Comment pouvait-on aimer les grands boulevards ? Le bruit, la cohue, la poussière, les dodeurs de sueur. Ici, au contraire, un sentiment de repos, de détente. Les femmes qui passaient étaient en général élégantes. Cette terrasse était fort bien exposée. Ça reposait la vue d'être au fond de cette grande nappe d'ombre. Une mendiante à visage de vieille courtisane, une frileuse sur les cheveux, des mitaines aux doigts, le corps perdu sous d'épais cotillons déguenillés, proposait des fleurs. C'était une chance qu'il se soit assis au deuxième rang, juste contre la devanture. Elle n'oserait pas s'avancer jusqu'à lui. Si encore les fleurs avaient été fraîches ! Elles étaient toutes les mêmes. Achetez-moi mes jolies roses. Prenez-moi mes œillets. Ça vous portera bonheur. Etrennez-moi, mon bon monsieur. Pour votre dame ! Les garces ! Des fleurs à moitié pourries, qu'elles ramassaient dans les caniveaux du marché Saint-Honoré. Tout à l'heure ce serait l'aveugle et son violon, suivi par ce type en costume de zouave, qui n'avait plus de bras et vendait sa photo sur carte postale. Ça devait leur rapporter, dans le fond. Une sorte de petit commerce. Ça l'amuserait de savoir où ils créchaient. Une Cour des Miracles. Est-ce que ça existait encore ? Elle était répugnante à regarder cette vieille maquerelle. Peut-être qu'elle avait été belle et courtisée autrefois ? Rien à dire, la bière était fraîche. Il allongea les jambes béatement. C'était bon la liberté, le repos. Ne plus rien foutre. Ses lèvres dans la mousse, sur le rebord froid du demi. La sensation de la bière glacée dans la gorge. Pour se donner une contenance, il avait tiré *La Joie du Cœur* de sa serviette et l'avait ouverte sur le guéridon. Non, il n'y écrirait rien, aujourd'hui. Mais les gens verraient qu'il avait l'air occupé. En passant, ou en s'asseyant aux tables voisines, s'ils avaient de bons yeux, ils pourraient se rendre compte que c'était une pièce de théâtre. Ça se détache bien les répliques, sur le papier blanc. Etre pris pour un auteur dramatique. Tiens, qui est-ce? Il me semble que j'ai vu cette tête-là quelque part. En aurait-il autant de satisfaction quand il en serait vraiment un? Il se cala plus confortablement au fond de son fauteuil, jusqu'à ce qu'il se sente tout à fait à l'aise dans son linge, et se disposa à tuer, minute par minute le temps qu'il avait devant lui. Si le métier n'était pas si dur, ça vaudrait le coup de vivre ainsi à Paris, sans tutelle, loin de ses vieux. Il se débrouillerait fort bien sans eux. Rien de commun en lui avec leurs goûts. Etait-il leur fils, seulement? Il s'était toujours posé la question. A supposer que ses parents véritables l'eussent confié à son insu à Monsieur Papa et à Madame Mère? Un enfant adopté, voilà ce qu'il était sans doute. Il devait bien y avoir quelque chose comme ça. C'était pas naturel qu'il ait des sentiments si tièdes à leur égard. Irait-il seulement les voir à Portville, quand il aurait son congé annuel? Pourtant il aimait bien aussi la vie à Portville, avec tous les copains. Buddy, Paolo, Cro-Magnon, Jojo Légende, Bertrand Radouillat, que lui, Monsieur Hermès, n'appelait plus que Roudoudou, surnom qui lui était resté, sans oublier Viardot, Maisonvieille, tous ceux du Rugby-Club, tous les anciens du Lycée. Les veinards! Ils poursuivaient tranquillement leurs études à l'Université. Ils faisaient du sport, allaient au dancing le samedi et le dimanche, se donnaient rendez-vous à la Taverne Anglaise, faisaient la bringue au Colibri et couchaient avec leurs petites amies. Il les revoyait toutes Alice (Alèce, passe-mè ma pèpe et mé donne un baisai, comme disait ce farceur de Cro-Magnon), Impéria au visage marmoréen, Coralie toute en rondeurs, haute comme une botte, Marthe aux seins noirs, Marcelle la chèvre, la môme Crocodile, si jolie et qui n'avait qu'un sein, mais combien ferme! la belle Armandine qui venait d'épouser un vieux comte, Régine qui était si fière de sa blondeur vénitienne et jusqu'à Bec d'Ombrelle qui putassait un peu trop. Une bouffée d'émotion empourpra le visage de Monsieur Hermès. Malgré la hantise des exams, il y avait tout de même eu de sacrés bons moments! Malgré les tiraillements avec les vieux, malgré cette façon qu'ils avaient de l'espionner. Pour le 14 Juillet, il avait dû y avoir la Corrida de la Presse. Cette année, il ne serait pas là pour faire le compte rendu dans l'*Estello*. Elle aurait été brève sa carrière de revistero! C'était tout de même là où il avait écrit pour la première fois. Revoir les copains! En cette saison, ils devaient être dispersés un peu partout, à la campagne, au bord de la mer. Pour la deuxième fois de la journée, il eut la vision de la grande conche de Royan. Le square Botton avec ses peintres de fougères et de fleurs, ses marchands de dentelles, la statue de Camille Pelletan, le petit port plein de vase à marée basse, de la vase qui sentait si bon, et les quais pleins de poissons frétillants, la boîte à Lyjo, le Café des Bains et son jazz (un Pélican... C'est mon homme...), le Billard Japonais, le truc pour faire les 2 000 sous l'œil même de la patronne, la baraque éclatante de lumière devant laquelle on s'écrasait pour voir faire les berlingots, le petit tortillard crachotant, tous rideaux au vent, Foncillon, les concerts classiques de Marcel Darrieux, le soir, le jeu de la puce sur la plage au sable glacé avec toute la bande, les rires fragiles des jeunes filles, les gages, les baisers, et puis, le lendemain, les promenades en bicyclette, les gaufres de Pontaillac, la dune de la Grande Côte, *Phi-Phi* et *Dédé* au Casino, les combats de boxe aux Arènes de Vallières, et, l'année précédente, le flirt avec Nita Brett, quand il avait eu son zona et qu'il n'avait pu se baigner une seule fois...

Monsieur Hermès laissait sa rêvasserie flotter à l'extrémité de son regard. Il se passa l'index dans l'oreille, en gratta les parois et sentit sous son ongle une matière sirupeuse qu'il essuya sur sa jambe de pantalon. Là-bas, à cinquante mètres, l'avenue de l'Opéra, comme un trou d'égout, déversait, par hoquets, sa marée de véhicules et de piétons, puis, l'instant d'après, ou parfois simultanément, l'absorbait. Il se souvenait d'une promenade qu'il avait faite au printemps passé, en fiacre, avec Nita Brett, quand elle était venue danser au Grand Théâtre de Portville. Victor Hugo était son poète préféré. Le cocher les avait emmenés dans le vallon de Gournay. La forêt sentait bon. Des tapis de primevères, de violettes sauvages, partout. La terre encore humide des fourrés. Le bruit calme des sabots du cheval dans le silence. La première chaleur. Nita lui avait récité des vers des *Feuilles d'Automne*. Lorsque l'enfant paraît... Il l'écoutait, un peu ébloui, ne sachant que faire de ses mains, passant sa langue sur ses lèvres parce qu'il avait soif et qu'il avait peur de paraître inconvenant en lui demandant de s'arrêter pour prendre une limonade dans la guinguette de Gournay. Ce qu'elle avait dû le trouver bête !... Il sourit quand même à l'image de ce passé, le regard ardent. Sûrement, cette dame, qui passait, avait dû prendre ça pour une invite insolente. Monsieur Hermès la vit cambrer la tête, choquée, et s'éloigner rapidement. Il haussa les épaules. Au diable !

Le ciel était si bleu qu'on ne se lassait pas de le regarder. Il y avait quelque chose de rassurant dans ce bleu et dans ce vert lumineux et tendre de la cime des arbres. Là-haut, plus de poussière. Là-haut, les feuilles étaient lisses, luisantes, comme lavées, enfin vivantes. A leur niveau, les stores livides d'un deuxième étage faisaient contraste. Il devait y avoir aussi des gens qui vivaient derrière ces stores. Nita disait qu'elle n'aimait pas les villes parce que, malgré les jardins et les parcs, rien ne lui y rappelait plus la campagne. Pourtant, lui, il avait suffi de ce vert des arbres pour qu'il y pense. Mais ces gens qui passaient là, ils n'avaient vraiment pas l'air d'y penser. Son regard passait d'une silhouette à une autre. Toutes ces femmes, d'où sortaient-elles ? Elles défilaient devant lui comme sur le plateau d'un théâtre. Un vrai défilé de modèles. Eh oui, sans en avoir l'air, là à sa terrasse, il faisait son petit caïd. Comme si toutes ces femmes inconnues avaient fait partie d'un harem qui lui aurait appartenu. Une femme à soi ? Pourquoi ? N'avait-il pas ainsi toutes celles qu'il pouvait désirer ? Et parmi les plus imprévisibles ? Pas si bêtes les musulmans qui claustrent leurs épouses ! Par combien de regards ces passantes avaient-elles déjà été déshabillées ? Que de maîtresses fidèles, que d'épouses sérieuses, que de jeunes filles sages s'offraient ainsi, sans le savoir, aux regards des hommes ! Peut-être qu'elles n'en étaient pas si inconscientes ? Certaines avaient l'air vraiment gêné, quand on insistait. Etait-ce de la frime ?

Ses yeux semblèrent soudain fascinés. Hum ! Particulièrement ravissante celle-ci ! Pourquoi marchait-elle si vite ? Comment pouvait-on avoir les jambes si bien modelées ? Un homme et une femme couchent ensemble, et puis voilà, il en sort cette statue admirable ! S'il avait été de l'autre côté de la place, à cause du soleil, il aurait pu la voir toute en transparence. Elle avait une robe si légère !... Ses seins saillaient. Elle avançait si hardiment qu'on aurait dit qu'un vent malin la dévoilait. Elle disparut. Mais elle continuait à flotter, dans le regard, maintenant vide, de Monsieur Hermès. Il s'imagina réglant en vitesse sa consommation et se levant pour la suivre. Il la rejoindrait sous les arcades de la rue de Rivoli. Son impatience, à cause des passants qui la lui cacheraient de temps en temps. Savoir suivre une femme avec discrétion. Elle ne s'arrêterait évidemment pas devant les vitrines des bijouteries. Pas pour elle, cette pacotille ! Elle irait d'un pas souple, sur ses hauts talons. Elle sauterait vivement les trottoirs. Peut-être aurait-elle senti malgré tout qu'elle était suivie ! Il devrait allonger le pas. Entre chaque pilier, ses cheveux blonds sembleraient attirer les rayons du soleil. Puis, tout aussitôt, l'ombre éteindrait toute cette lumière dansante. Du moins, aurait-il voulu entrevoir son visage. Il ne se souvenait pas bien de son visage. Il fit effort. En vain. S'il insistait, il allait se réveiller de son rêve, remonter à la surface de sa vie réelle. Eh bien oui, pourquoi ne lui donnerait-il pas le visage de Madeleine Soria ? Pour lui, c'était la plus belle actrice de Paris. Il en était même vaguement amoureux. Vaguement, parce qu'il ne savait pas du tout comment il aurait pu l'approcher. Parbleu, si ç'avait été une personne tant soit peu approchable, il est probable que sa passion aurait pris des proportions inquiétantes. Il gardait encore dans l'oreille le son de la voix qu'elle avait au théâtre, dans les scènes pathétiques. Maintenant que la jolie passante n'était plus sous ses yeux, rien ne l'empêchait plus de supposer que c'était justement Madeleine Soria qu'il suivait. Il allait l'aborder, lui parler. Rien de plus facile. Enfantin ! Les passants qui le verraient tenter l'accrochage ? Mais les passants ne comptaient pas. D'ailleurs, profitant d'un arrêt de la circulation, elle traverserait la chaussée et piquerait vers les Tuileries. Beaucoup mieux, pour une rencontre, les Tuileries ! Il franchirait les grilles du jardin derrière elle.

C'était comme si elle l'avait conduit par un fil invisible vers un lieu déterminé. Pas de doute, il n'était jamais venu dans cette allée. Elle s'allongeait interminablement sous une haute frondaison. Au loin, des enfants jouaient au cerceau sur un fond de jets d'eau. Un banc, sous un arbre gigantesque. Ils y prenaient place. Il allait falloir parler. Il n'arrivait pas à mettre un nom sur cet arbre. Un tilleul, un chêne, un marronnier ? Ça le chiffonnait. Parce qu'il était d'un naturel précis. Par quels mots commencer ? Ce n'était pas le moment de rester coi. Le rêve se brouillait un peu. L'inconnue levait vers lui le visage de Madeleine Soria. Mais en même temps, il lui semblait qu'elle ressemblait à la jeune voyageuse de l'autobus. Voyons, comment allait-il s'y prendre ? Ses deux mains étaient prises. Son chapeau, sa canne ridicule d'un côté, sa serviette de l'autre. Pas idée de s'encombrer de tout ça pour faire une déclaration. Les jeunes premiers, au théâtre, étaient plus malins. Ils s'amenaient les mains vides. Au moins, comme ça, ils pouvaient prendre la jeune première dans leurs bras. Mauvais si l'inconnue lui éclatait de rire au nez à cause de ça !

Deux consommateurs vinrent s'attabler à côté de Monsieur Hermès. L'un d'eux, d'un faux mouvement, fit tomber sa canne. Quand on parle du loup... Oh, pardon, Monsieur ! Il n'y a pas de quoi, Monsieur ! L'autre saluait en soulevant son gros derrière. Ça valait bien un sourire. Du coup, l'inconnue des Tuileries s'évanouit. Monsieur Hermès s'ébroua, but une gorgée de bière. La dernière. C'était le fond. Déjà un peu tiède. Il aurait dû faire cul sec tout à l'heure. Il feuilleta son manuscrit. Pourquoi n'y transposerait-il pas son aventure manquée avec Nita Brett ? C'était doux d'aimer, même sans espoir, et de souffrir. Chaque fois qu'il pensait à elle, il ne pouvait s'empêcher d'être ému. C'était une émotion qui lui faisait du bien. Ah ! ce n'était qu'un rêve d'amour..., fredonna-t-il. Ça fit monter des larmes à ses yeux, de regret et d'amertume. Il remua les pieds. L'ankylose de l'immobilité était plus douloureuse encore que la marche. Il ferma la bouche, étouffant une imprécation. Le garçon s'approcha. Un deuxième demi pour Monsieur ? Mais non, il n'avait rien demandé. En voilà des façons ! Le garçon s'excusa avec naturel, enleva le verre humide et passa la serpillière sur le marbre. Ça fit un dessin humide qui s'effaça lentement.

Les voisins immédiats de Monsieur Hermès parlaient à voix basse. Sans doute des choses de grosse conséquence...

C'étaient deux quinquagénaires replets, l'un noiraud et congestionné, l'autre à poil roux et à chair blanche, suants, et, semblait-il, impatients de suer davantage tant ils mettaient d'ardeur à avaler demis sur demis. Monsieur Hermès tendit l'oreille. Le noiraud fronçait des sourcils broussailleux. Le roux avait l'air d'un lion débonnaire, mais négligé. Alors, vous me faites deux tonnes pour la semaine prochaine ? Trois si je peux. Et livrables chez moi, bien entendu ! Vous me facturerez le cinq pour cent de remise à part. J'avais pensé vous faire un relevé à la fin du mois, mais si vous préférez... Ecœuré, Monsieur Hermès détourna son attention. C'était effrayant cette intensité avec laquelle toute une partie de l'humanité réussissait à lui donner un sentiment exaltant de la vie, tandis que toute une autre partie lui en donnait un sentiment si déprimant. Il aurait voulu posséder une plus grande disponibilité vis-à-vis des êtres. C'était sans doute ça qui rendait son humeur si capricieuse. Refuser l'existence a autrui, se sentir constamment pénétré de la laideur ou de l'irréalité morbide de tout ce qui vous entourait, ça pouvait être aussi nécessaire à certains que l'était, pour d'autres, la recherche du magique et de la perfection. Mais, lui, il était toujours partagé entre ces deux tendances. Le cul entre deux chaises.

Ne devrait-il pas voir un pédicure pour ses pieds ? Heureusement, demain, il était de sortie. Il pourrait se reposer. Ça lui rappela qu'il devait déjeuner avec Tonton Nicolas, le frère de Madame Mère. En voilà un qui n'avait pas la fièvre, Tonton Nicolas ! Il se plaisait bien avec lui. Il faudrait qu'il le quitte assez tôt s'il voulait aller à Colombes. A trois heures, ça commençait. Oui, mais il n'avait pas loué de place. Il prendrait une tribune de marathon. Il aurait bien demandé à Pactot de l'accompagner. Mais Pactot se foutait des Jeux Olympiques. Il préférait les gonzesses. Ça me fait de la société, disait-il. Peuh ! Dans un sens, il préférait encore sa solitude, bien que ce ne fût pas toujours drôle. Jamais personne à qui faire partager ses émotions. On pensait beaucoup trop à soi. On finissait par attacher une importance excessive aux regards, pourtant indifférents, que les autres pouvaient jeter sur vous.

Les heures de liberté de Monsieur Hermès étaient presque

toujours comme autant de déserts qu'il ne savait comment traverser. De Portville, il ne lui restait que deux copains de lycée : Constant Fragonard, qui était venu faire sa médecine à Paris, et Félix Sanslesou, qui suivait des cours à l'Ecole des Sciences Politiques. Il ne pouvait pas non plus compter sur eux pour Colombes. Félix Sanslesou n'avait jamais su de sa vie ce qu'était un stade ou une piscine. Quant à Constant, depuis qu'il avait renoncé au rugby, c'était comme si le sport n'avait plus existé pour lui. On ne pouvait pas courir deux lièvres à la fois. A son arrivée à Paris, il était entré comme pianiste à *Eton Tea*. Ça chagrinait Monsieur Hermès de songer que les liens de l'amitié étaient si fragiles. Copains comme cochons pendant des années, puis, tout d'un coup... C'était toujours lui qui était obligé de relancer Constant au Quartier Latin. Constant ne faisait pas un pas vers lui. Félix Sanslesou, au contraire, aurait été plutôt collant. Mais il n'était pas très sympa. Un peu figé, avec sa figure de séminariste manqué. Et pas offrant ! Y avait-il des femmes dans leur vie ? Les femmes, c'étaient bien là la grosse question ! Paolo et Cro-Magnon prétendaient qu'ils avaient perdu leur pucelage à quatorze ans. Pour Monsieur Hermès, la liste de ses aventures était facile à faire. Il avait neuf ans quand Jeanne, sa petite amie d'alors, lui avait révélé comment les enfants se faisaient et venaient au monde. Non, sans blague ! Tu es sûre ? Mais alors, comment expliques-tu que... A douze ans, il avait joué avec une petite réfugiée belge, pendant la Grande Guerre. Il la prenait sur ses genoux et se sentait tout chose. Un jour, elle lui avait montré toute sa boutique après avoir ôté son pantalon. Un pantalon d'une blancheur éblouissante, il se souvenait très bien. Ça l'avait terriblement déconcerté de voir ça dans tout ce blanc. C'était à peine s'il avait osé regarder. Peu après, leurs parents leur avaient interdit de se voir. Sans doute qu'on avait dû s'apercevoir de la malignité avec laquelle ils cherchaient à rester seuls dans une pièce. Intrigué, il avait réussi à entraîner à la cave une petite locataire, une enfant de trois ans. Histoire d'aller tirer du vin à la barrique pour midi. Il l'avait doucement déshabillée et, cette fois, avait regardé à son aise. Mais ça l'avait plutôt déçu. Ça n'avait ni forme, ni signification. La petite n'avait fait aucune résistance. Cependant, Monsieur Hermès en était sûr, elle avait dû tout rapporter à sa maman. Il s'en était rendu compte à l'attitude qu'on avait eue ensuite avec lui. Je te défends de jouer avec ce garnement, qu'elle disait à sa mioche, la maman. Bon, il n'avait pas insisté. A quatorze ans, en troisième, ça avait commencé à le tracasser pour de bon. Il était tombé amoureux d'une lycéenne. Une blonde au visage langoureux, aux jambes fortes, toujours gainées de bas de soie blancs et portant des robes d'un court ! Pendant des mois, il avait osé seulement la regarder quand il la croisait. Rien que de savoir qu'il allait la rencontrer, ça le bouleversait. Il était comme ça. Un après-midi de mai, à quatre heures, à la sortie des cours, il l'avait longuement suivie, dans des rues mortes, bordées de hauts murs de couvents, et l'avait finalement abordée, la colique au ventre. Mademoiselle, j'aurais quelque chose à vous dire. Il avait débité tant bien que mal sa déclaration depuis si longtemps préparée. Ça sortait mal. Ses mains étaient poisseuses de sueur. Il les essuyait à son mouchoir tout en parlant. Et il avait une de ces soifs... C'était donc ça l'émotion de l'amour ? Après tout, elle l'avait écouté plutôt poliment. Sans se moquer. Mais, tout de même, avec un petit air de refus. Et, à la fin, elle l'avait éconduit avec fermeté, comme si vraiment elle avait jugé cet abordage du plus mauvais goût. J'approche de chez moi, maintenant. Allez-vous-en ! Non, c'est inutile, Monsieur. Non, je ne tiens pas à ce que vous m'accompagniez de nouveau. Oh ! elle n'était pas troublée, elle. Et qui sait pourtant ? Il aurait peut-être fallu insister. C'était leur habitude, aux filles, de faire des manières, de se faire prier, de repousser d'abord ce qui les attire. Mais il n'était pas de ceux qui insistent. Il n'aurait pas su d'abord. Dans ces cas-là, il prenait tout ce qu'on lui disait pour argent comptant. Les apparences suffisaient à le désarçonner. Il avait horreur d'importuner les gens. Dès qu'il se persuadait qu'il ne plaisait pas, il perdait tous ses moyens. Et ça, pas seulement avec les femmes. Bref, il l'avait quittée comme un péteux. Il en fut longtemps tout honteux et pensa qu'elle avait dû se moquer de lui, sans charité, avec ses copines. Par la suite, il n'osa plus la regarder qu'à la dérobée quand il la croisait. Mais elle ne semblait même plus le voir. Plus hautaine et plus indifférente que jamais. Ça l'avait rendu malheureux. Et, petit à petit, ça s'était estompé. Mais, à seize ans, il avait pris un peu plus d'aplomb. L'exemple des copains, sans doute. Ça s'était passé pendant un séjour qu'il avait fait à la campagne, chez Cro-Magnon, son meilleur ami de lycée, à Nindray, sur les bords de la rivière, pendant les grandes vacances. Cro-Magnon était interne. Tout le long de l'année scolaire, Monsieur Papa lui servait de correspondant et ainsi les deux garçons passaient ensemble leur jeudi et leur dimanche. (Du moins quand Cro-Magnon n'était pas puni. Intelligent, mais dissipé, disaient de lui les profs. Total, la moitié du temps en colle. Et pourtant, il avait un amour effréné de la liberté. Quand il était à la maison, chez Monsieur Hermès, plus moyen de le faire rentrer. Voulait toujours attendre la dernière minute. Insatiable. D'une vitalité extraordinaire. Friand de jeux de toutes sortes. Oh, encore une petite partie, suppliait-il, rien qu'une, la dernière. Si bien qu'il arrivait en retard et qu'il était coincé pour le dimanche suivant.) Mais l'été, chez lui, il se rattrapait. Il était au mieux avec toutes les filles. Loin de ses parents, encouragé par l'exemple de son camarade, Monsieur Hermès s'était dégelé. Il en avait remarqué une. Particulièrement. Elle s'appelait Françoise. Celle-là, il aurait vraiment pu coucher avec. Pourquoi est-ce que ça ne s'était pas fait ? C'était la fille d'une petite couturière de Nindray. Du même âge que lui. Cro-Magnon lui avait dit : Je vais te la faire connaître. Elle a le béguin pour toi. Après, tu te débrouilleras. Ça s'était fait tout seul. Ils l'avaient accostée sur un banc du petit jardin public. Elle était là, faisant semblant de s'occuper de son petit neveu : un bébé. Après les présentations, Cro-Magnon s'était éclipsé. Il avait à fricoter ailleurs et il ne voulait pas gêner Monsieur Hermès. Jamais Monsieur Hermès n'avait autant bandé de sa vie. Assis à côté de Françoise et lui parlant, il se demandait comment il ferait quand il lui faudrait se lever, car sûrement ça allait se voir. Il avait tout de même fallu se lever à l'heure du dîner. Et ça s'était vu. Mais Françoise lui avait souri et, après une pression de main un peu appuyée, lui avait donné rendez-vous sur le pont. Après dîner, c'est entendu. Dans la nuit, ils avaient été se promener. Le long de la route. Puis ils s'étaient assis sur un mur bas, cachés sous les arbres. Elle lui avait donné sa bouche. Longuement. La première fois qu'une fille lui avait fait une langue. Alors, il l'avait enlacée, lui-même surpris de son audace, et lui avait caressé les jambes. Cro-Magnon avait redisparu depuis le début de la soirée avec la sœur aînée de Françoise. Une belle gosse, entre parenthèses, qui montrait à qui voulait de superbes jarretières de velours bleu ciel. Monsieur Hermès n'avait pas osé aller plus loin avec Françoise. Ça l'avait assez bouleversé comme ça. Une heure après l'avoir quittée, il en avait encore mal au gland. Dans leur chambre, dormant dans le même lit, Cro-Magnon s'était enquis : Alors ? Monsieur Hermès avait fait la moue. Une petite moue de satisfaction. Il trouvait que les choses avaient marché aussi bien que possible. Il n'avait pas espéré davantage. Et toi ? Oh, Cro-Magnon en riait encore ! Il l'avait grimpée, la sœurette. Ça n'avait pas traîné. Lui, quand il avait envie d'une fille... Dans l'herbe, qu'ils avaient fait ça. Sous la fenêtre d'une vieille villageoise. Elle les avait entendus et leur avait lancé un seau d'eau. Comme à des chiens ! C'était lui qui avait presque tout pris, forcément. Sa veste trempée. Mais, avec la chaleur qu'il faisait... Figure-toi, je venais juste de jouir. Encore une chance ! Quel joyeux luron, ce Cro-Magnon ! Il aurait bien dû l'imiter, ce soir-là. Parce que le lendemain, elle l'avait plutôt tenu à distance, la Françoise. Il s'en était inquiété auprès de son copain. Alors, elle baise ou elle baise pas ? Ça m'étonnerait pas qu'elle soit encore pucelle, opinait Cro-Magnon. Mais raison de plus. Si j'avais été à ta place, mon vieux, tu peux être tranquille, je me la serais envoyée. Oui, mais Monsieur Hermès n'était pas encore assez sûr de lui pour tenter un truc comme ça. C'était vers cette époque que s'était opérée la grande scission. D'un côté, ceux qui ne pensaient plus qu'à la fesse : les costars copurchics, les petites filles bien balancées et bien sapées, les dancings. De l'autre, les piqués du sport. Buddy, Paolo, Fragonard, Cro-Magnon s'étaient lancés dans la première catégorie. Au contraire, Jojo Légende, Roudoudou et Monsieur Hermès, affectant un grand mépris pour les coureurs de jupons, se prenaient pour des types très affranchis parce qu'ils ne savaient pas danser, s'habillaient à la je-m'en-fiche, et ne fréquentaient que des femmes de bordel. Cependant, Monsieur Hermès n'allait jamais seul dans ces endroits-là et n'était jamais monté. Il y allait avec les autres, en bande, après un match, quand tout le monde était un peu saoul. On restait dans le grand tapageur. On prenait un bock ou une cerise, suivant ses moyens. On laissait les putains s'asseoir sur ses genoux. On les chahutait. Tu montes, chéri ? Et mon œil ! Parfois, comme ça, quand il y avait un copain assez dessalé pour le demander à la sous-maîtresse, on se faisait faire une petite exhibition-maison dans une chambre. Ça les mettait en joie de voir deux morues, sur un matelas, qui se faisaient 69 ou une feuille de rose. On les pinçait. On minutait gravement leurs ébats, comme si ç'avait été une course contre la montre. On les excitait du geste et de la voix. On les accusait de faire ça au chiqué. Elles gueulaient, bien entendu. Comment, j'ai pas joui ? Viens-y voir, eh, p'tit con ! Et l'un d'eux y mettait le doigt, avec le plus grand sérieux, en technicien. Après ça, il y en avait qui montaient. Non, Monsieur Hermès n'aurait pas pu. Ça l'aurait surtout gêné que les autres le sachent. Pourtant, chez Lucette, il avait été vaguement amoureux d'une pensionnaire. Une nommée Huguette. Paolo lui avait donné sa photo à poil. Il la gardait, dans une boîte, avec d'autres photos du même style. Pour la boîte, il s'était trouvé une cache à lui, à Portville, dans sa chambre, à l'abri des regards inquisiteurs de Madame Mère. Maintenant il l'avait au fond de sa petite malle grise. Quand ça le prenait, il regardait sa petite collection. Il avait là, notamment, une série de photos vieillottes, mais vachement obscènes, qu'il avait chipées à un ami de ses parents, un divorcé quadragénaire, un jour qu'ils déjeunaient chez lui. Ce ballot-là, aussi, pourquoi laissait-il traîner ça sur son bureau ? C'était tenter le diable lui-même. Monsieur Hermès avait mis la main dessus. Sûrement, le divorcé avait dû se douter d'où venait le coup. Heureusement, il n'en avait jamais rien dit à ses parents. Parbleu, il ne tenait sans doute pas à ce que Monsieur Papa et Madame Mère le sachent amateur d'une telle collection. C'est ce qui avait sauvé Monsieur Hermès. C'était des photos prises au boxon. Mais démodées. Ça datait au moins d'avant-guerre. On y voyait des femmes, entre elles, nues, avec des bas à raies, comme elles n'en portent plus et de gros chignons. Ce que ça pouvait être laid ces bas ! Sur d'autres, on les voyait se servir d'un godmiché. En quoi est-ce que ça pouvait être fait ces engins-là ? Il n'en avait jamais vu. Il ne savait même pas comment ça s'écrivait, au juste. Sur d'autres, enfin, les femmes s'accouplaient avec des hommes dans toutes les positions. Une drôle de touche qu'ils avaient les hommes, avec leurs moustaches longues et leurs supports-chaussettes. Là, il avait beaucoup appris. Il n'aurait jamais eu autant d'imagination. En plus des photos, il conservait des dessins découpés dans *Sans-Gêne*. C'était fameux, toutes ces petites bonnes femmes en chemise transparente ou retroussées comme il faut. Le chic qu'avaient les dessinateurs ! Toutes ces belles cuisses, là, nues, entre le haut du bas et la dentelle du pantalon ! Paolo prétendait que les vrais amateurs de femmes étaient surtout excités par les nichons. Les jambes, ça c'était pour les petits vicieux comme Monsieur Hermès. Quand Monsieur Hermès avait eu son bras cassé, en jouant avec l'équipe première du Rugby-Club, il avait été se faire masser chez Marthe aux seins noirs. Dès la deuxième séance, de sa main valide, il avait pu la peloter à son aise. C'était vraiment une bonne copine. Jusque-là, il l'avait assez peu fréquentée. Elle était son aînée et sortait surtout avec les gandins ou les bandeurs comme Paolo ou Fragonard. On disait aussi qu'elle couchait avec tout le monde. C'était sans doute un peu gratuit. Lui, Monsieur Hermès, en tout cas, n'avait pu y parvenir. Elle avait une grosse voix de chien, Marthe, une grosse voix garçonnière et un peu rauque. Mais si gentille ! Il se demandait encore si elle n'avait pas été un peu amoureuse de lui, malgré ses airs, et si ce n'était pas pour ça qu'elle avait refusé de coucher. Ces langues fourrées qu'elle lui faisait ! Quand il venait se faire masser, sa mère, qui était aussi masseuse, n'était jamais visible, comme par hasard. Sortie ou occupée, à ce que disait Marthe. Marthe et lui s'asseyaient l'un en face de l'autre. Pendant qu'elle lui malaxait le bras, il lui retroussait les jupes. Elle portait des pantalons très longs, fixés au-dessus du genou par un élastique. Frileuse ou prude ? Plutôt frileuse. Il passait sa main sous l'élastique, contre la soie si fine du bas, remontait... En revanche, elle était toujours très décolletée. Un décolleté très en pointe que le moindre mouvement de ses nichons déplaçait. Très brune de peau, elle avait les nichons presque noirs et tout en longueur, comme des aubergines, avec un gros bout rose. Hop, dans l'ouverture ! Pas de soutien-gorge. Juste une petite chemise de batiste, à peine tenue par de minces bretelles lâches. Là-dessous, les petits nichons étaient libres et tièdes. De quoi remplir la paume. Avec Marthe non plus, ça n'avait pas été plus loin. Le hasard. C'était elle qui lui avait présenté Régine. Alors, comme un jean-foutre qu'il était, il avait tourné autour de Régine. Une blonde cendrée, élégante mais l'air insignifiant. Mais lui, il avait trouvé qu'elle avait un sourire énigmatique et pervers. A la réflexion, il ne savait plus pourquoi. Elle pouvait se vanter de l'avoir fait marcher, celle-là ! Et cependant, toute platonique, l'aventure ! Quels tours de force il avait dû faire pour se cacher de ses parents ! Malgré ça, ils n'avaient pas manqué d'être vite au courant. Les bonnes langues, n'est-ce pas ! Tous les jours, à midi, il l'attendait sur la place Pasteur, à la sortie de son magasin. Elle était modiste. En l'attendant, il bavardait avec ceux du Rugby-Club. C'était là, le rendez-vous quotidien des copains de l'équipe. On discutait à perte de vue, *L'Auto* en main. On commentait les matches du dimanche passé, ceux du dimanche à venir. Laissant tomber les potes dès que Régine apparaissait, il lui emboîtait le pas, la rejoignait, lui serrait la main et s'en allait avec elle. Ça le gênait un peu devant la petite bande. Mais il ne faisait là, après tout, qu'imiter ceux qui avaient une poule, eux aussi. Bien sûr, ils devaient se marrer doucement et même le chiner par-derrière, surtout Roudoudou qui était jaloux de toutes les petites filles que ses camarades pouvaient sortir. Il est vrai que lui, il n'en sortait jamais. Il ne fallait pas lui parler d'autre chose que de souliers à pointes, de pistes en cendrée, de ligne des 22 ou de débordements par l'aile. Mais de leur côté, les petites filles le détestaient aussi. Elles disaient de lui que c'était un ronchonnot et un mufle. Il y avait un peu de ça, il faut bien le dire. Jusqu'en banlieue, il allait la raccompagner, Régine. Il l'embrassait dans un sentier rocailleux, à chaque instant dérangé par des midinettes, des employés de la gare qui rentraient chez eux. Avec elle, il passait son temps à obtenir un nouveau rendez-vous. Elle ne savait jamais si elle était libre. Elle ne savait jamais rien, d'ailleurs. Ni si elle l'aimait. Ni si elle pourrait aller au cinéma avec lui. Ni si elle allait lui donner ses lèvres. Quelle mijaurée! Roudoudou était plus net encore : « C'est une emmerdeuse, disait-il d'elle, et avec ça un peu sourdingue! » Il prétendait même, que Monsieur Hermès n'arriverait jamais à rien avec elle parce que c'était une allumeuse. D'ailleurs elle avait fait ça avec tous ceux qui l'avaient connue. Ce qu'elle voulait, c'était le mariage! Bref, il arrivait chez lui à des heures impossibles. On était déjà à table. « Où as-tu été courir, encore? » enquêtait Madame Mère. Il s'était attardé avec Buddy et Paolo. Mais ça ne la trompait pas. Monsieur Papa lui avait signifié qu'il pouvait aller s'amuser où il voulait : il savait que c'était de son âge et il lui donnerait l'argent qu'il voudrait. Mais pas à Portville. Non, pour rien au monde il ne permettrait que son fils se compromette dans sa propre ville, aux yeux des gens respectables. Bon, il connaissait le refrain. Toujours les grands mots! Ce qu'ils étaient théâtre, ses vieux! C'est alors qu'il avait commencé à entreprendre des petits voyages. D'abord avec l'équipe, pendant la saison de rugby. Mais ça, ça ne changeait rien avec le passé. Ce qui était nouveau, c'était d'aller assister à toutes les corridas de la région. Ou bien il montait à Paris pour deux ou trois jours. Il était à Colombes le jour à Paolo avait été champion de France de saut en longueur et où l'équipe du Rugby-Club avait gagné le championnat de France du 400 mètres relais. Paolo et Roudoudou faisaient partie de l'équipe gagnante. Le soir, après cette double victoire, ils avaient été fêter ça à Montmartre. Ils avaient endossé leur smoking et pris un taxi découvert. Qué calor! Le *Casino de Paris*. Maurice Chevalier. De là, ils avaient échoué au *Royal's*. Paolo et Roudoudou avaient abandonné Monsieur Hermès pour danser. Paolo dansait comme un dieu. Roudoudou, au contraire, dansait peu et mal, mais enfin il dansait à l'occasion. Une fille cendrée, presque le sosie de Régine, lui avait demandé de lui offrir un glass. Il avait rougi, mais n'avait pas osé lui refuser. Pourquoi est-ce que c'était toujours le même genre de femmes qui se trouvaient sur sa route? Assise sur un haut tabouret, elle lui avait montré ses cuisses, comme ça, pour l'aguicher, comme une putain. Si peu d'expérience qu'il eût de ces endroits, il avait bien pensé que ça pouvait être une putain, en effet. Elle était parfumée au musc. Elle avait voulu aussi des cigarettes américaines. Ils avaient pris deux menthes vertes. « Tu viens faire l'amour ? » Elle lui avait demandé ça, gentiment. Ça lui faisait envie, mais il se demandait s'il saurait s'y prendre. Excité, il se lança à l'eau. Surtout pour lui cacher son jeu. En face, ils étaient entrés dans une maison qui ne ressemblait que très vaguement à un hôtel. Pendant qu'ils étaient assis sur le divan, une cameriste, avec un tablier blanc, de dentelle, et un petit bonnet, tout pareil, était entrée sans frapper. Là comme chez elle et tout à fait l'air d'accomplir une simple formalité. Que voulaient-ils boire ? Il avait la langue râpeuse. Mais il n'avait pas soif. La fille commanda du champagne. Quelle manie ! Monsieur Hermès avait vaguement eu l'impression que c'était ça, se faire entôler. Il voyait l'argent fondre dans ses mains, depuis un moment. Tout était vieux-rouge dans cette chambre : le divan, les murs, le tapis, jusqu'au paravent derrière lequel se dissimulait la toilette, jusqu'à l'éclairage tamisé. La fille avait enlevé sa robe du soir, par-dessus la tête, comme une liquette. A poil là-dessous. Le porte-jarretelles à cheval sur le paravent. Les bas soigneusement roulés sur les chevilles. En scène pour le quadrille. Elle avait un ventre plein de tavelures. « C'est à la suite de mon accouchement, quand j'ai eu mon gosse. » Tout ça était un peu dégoûtant. « Tu te laves pas ? » Ça, il devait reconnaître qu'il n'y avait pas pensé. Sans doute que ça devait se faire. Il n'était vraiment pas très au courant. Mais elle n'en parut pas choquée. Il passa après elle sur le bidet. Il se répétait : « Je vais faire l'amour. » Un grand jour en somme pour lui. Evidemment, il n'avait jamais imaginé que ça pourrait se passer comme ça. Non, il avait toujours cru que ça serait plus compliqué. Tout de même, ça lui donnait de grands coups dans la poitrine. Elle l'introduisit en elle d'un geste précis. Il songea qu'il n'y serait jamais arrivé tout seul. Au bout d'un moment elle commença à gémir. « Mal joué, se dit-il, elle simule. » Ça le fit débander net. Elle ne l'excitait plus du tout. Et puis il devait avoir trop bu. Pourtant il ne détestait pas son odeur. « Dis donc, mon gosse, t'es plutôt mou ! Qu'est-ce qui t'arrive ? » Elle avait fait ce qu'elle avait pu, lui semblait-il. Elle le suça et il reprit vie. Elle se coucha de nouveau. Il vint sur elle. Cette chaleur qu'il faisait, dans cette carrée! Il se sentait déjà un peu moins gauche. Elle lui tripotait les fesses, savamment, lui passait le doigt dans la raie. Ainsi, il finit par jouir. C'était comme ça que ça s'était passé. Il n'en était pas très fier. Pourquoi ne s'était-il pas gardé pour une qu'il aurait aimée? Maintenant, elle était pressée tout d'un coup, sa partenaire. Voulait sans doute retourner au *Royal's*. Des fois qu'elle soulèverait un deuxième michton. « Tu penses à mon petit cadeau? » Son petit cadeau, oui, bien sûr. Elle pensait à tout. C'était une fille organisée. Et consciencieuse. Et expéditive. « A une autre fois, mon chou! — Oui, c'est ça, à la revoyure! » Il rentra à son hôtel et se coucha. Le lendemain matin, Paolo et Roudoudou le mirent vachement en boîte. « Comment que tu nous as laissés tomber, hier au soir! Alors, elle était chouette la môme? » Ils ne savaient pas que c'était la première fois qu'il baisait. Ils ne le sauraient jamais. Pas des choses à dire. Pourvu qu'il n'ait pas ramassé une chtouille? Mais non, la fille était saine. C'était encore une chance. Deux mois après, il faisait la connaissance de Madame Elvas et il avait pu lui faire illusion. Mais elle était si maternelle, si ardente...

Est-ce que sa vie aurait été changée s'il avait eu une maîtresse, dans les circonstances présentes? Peuh! Il n'avait même pas assez d'argent pour lui. Et puis, les femmes qui lui auraient plu ne faisaient pas attention à lui. Il n'y avait pourtant que celles-là qui comptaient à ses yeux. La seule, vraiment, dont il avait été et dont il restait sérieusement amoureux, c'était Nita Brett. Mais il ne saurait jamais s'en faire aimer. A moins qu'il devienne tout à fait quelqu'un. Alors tout aurait pu changer, sans doute. Il n'était pas défendu d'y penser. Rien n'était perdu encore. Toutefois il y avait des heures noires. Des heures où ça ne tournait pas très rond dans sa caboche. Pas du tout. Pourquoi était-il d'humeur si changeante? Pourquoi soudain, se figurait-il que tout allait de travers pour lui? Cet après-midi, par exemple? Oui, il se sentait plein de fiel en ce moment. D'abord, sa pièce n'avançait pas. N'était-elle pas exécrable? Ce titre: *La Joie du Cœur?* Que valait-il? Il avait pensé à *Atavismes*, aussi. Ce n'était pas meilleur. Et puis il n'arrivait pas à construire une intrigue solide. Il lui aurait fallu un modèle célèbre. Trouver une pièce connue dans laquelle agirait un héros comparable à celui qu'il voulait représenter. Mais il avait beau se triturer les méninges... Ce qui le choquait, c'était justement d'avoir recours à une intrigue. Il aurait fallu pouvoir recréer l'atmosphère même dans laquelle il vivait à Portville entre Monsieur Papa et Madame Mère et y incorporer la figure de Nita Brett. Or, quelle était cette atmosphère ? Une atmosphère mêlée de disputes et de conventions, sans aucun doute. C'étaient ces disputes qu'il faudrait savoir rendre. Opposer au héros plein de tendresse, de nobles ambitions et d'élans, des parents attachés à l'argent, mesquins, esclaves du qu'en-dira-t-on. Etant son propre héros, ne pourrait-il pas faire de Buddy Gard une sorte de confident ? C'est à ce confident qu'il raconterait tous ses rêves. C'est vers lui qu'il irait lorsqu'il aurait été blessé par l'incompréhension des siens. Ceux-ci voudraient le marier à une jeune fille de leurs relations. Et, bien sûr, il refuserait. D'où de nouvelles scènes. Antagonisme entre le mariage d'argent projeté par les parents et le mariage d'amour (avec quelqu'un qui serait Nita Brett) espéré par le héros. Antagonisme encore entre les parents voulant vouer leur fils au négoce et ce fils qui ne songeait qu'à vivre un bel amour, qu'à lire des livres et qu'à écrire des pièces de théâtre. Dans ce sens, la coupe en trois actes n'était pas mauvaise. Un premier acte d'exposition, au cours duquel les personnages seraient esquissés habilement, et qui s'achèverait par une dispute où le héros laisserait éclater sa révolte et quitterait la maison de ses parents pour toujours, sous les malédictions paternelles, décidé à s'affranchir de toute tutelle, à faire son chemin par ses propres moyens. Il faudrait laisser un temps assez long s'écouler entre le premier et le deuxième acte. Combien ? Mettons cinq ou six ans. Mais à partir de là, c'était plus vague. Bien entendu, la pièce ne pouvait continuer que si le héros rencontrait celle qu'il aimait. Un acte d'amour, par conséquent. Un acte où le héros aurait acquis la possibilité de se faire aimer. Mais fallait-il, au fond, en faire un auteur dramatique ? Ç'aurait été plutôt gênant puisque lui-même, Monsieur Hermès, allait en devenir un. Pourquoi pas le lancer plutôt dans le cinéma ? Metteur en scène, par exemple ? Pas mal, metteur en scène. Ça lui donnerait l'occasion de la faire jouer dans ses films. Mais comment l'appeler au fait ? Quelque chose dans le genre de Nita Brett. Ninon serait joli et lui irait bien. Oui, Ninon. Mais Ninon comment ? Il faudrait qu'il y réfléchisse à tête reposée. Bref, au deux, le héros serait installé à Paris, dans un appartement chic. On le verrait gagner de l'argent gros comme lui, de l'argent qu'il enverrait à ses parents selon le vœu qu'il avait formulé au fond de lui en les quittant pour toujours : leur refuser la joie du cœur en restant inflexiblement fâché avec eux, mais les couvrant d'or pour leur montrer qu'il n'avait pas oublié que c'était la richesse qui comptait seule à leurs yeux. Savourant sa vengeance, satisfait de l'humiliation qu'il leur infligeait, il verrait en outre Ninon s'élancer dans ses bras et accepter de l'épouser. Le confident serait là, témoin de leur bonheur. Ainsi tomberait le rideau sur la fin du deux. Au trois, il faudrait qu'une nouvelle année au moins se soit écoulée. Les jeunes époux seraient installés dans une villa de la côte basque. Ce serait l'été. Le confident séjournerait chez eux. Et là, petit à petit, sous l'influence de Ninon et du confident d'une part, sous l'influence de certains remords d'autre part, le héros en viendrait à se reprocher sa cruauté et finirait par admettre qu'il n'avait pas le droit, humainement, de refuser à ses vieux parents, quelles qu'aient été leur injustice et leur dureté, cette joie du cœur qui était la raison même de vivre de tous les êtres...

Oui, en somme, c'était tout ce qu'il avait trouvé comme canevas. Qu'est-ce que ça donnerait à la scène ? Et par qui pourrait-il faire jouer ça ? Bien sûr, Madeleine Soria serait une Ninon épatante. Il faudrait qu'elle soit de la distribution. Et puis, il comptait beaucoup sur la scène d'amour du deux et surtout sur la grande dispute du un. Mais est-ce que ça suffirait ? Le trois était bien faible, bien étriqué, bien court. D'ailleurs, toute sa pièce était bien courte. Voyons : une vingtaine de pages par acte. Qu'est-ce que ça donnerait comme minutage ? Et pourtant il se refusait à délayer. Donc, soixante pages environ. Au train où il allait, une page par jour, quand il était bien disposé, il en avait au moins pour trois mois. Il ne voyait pas encore à qui il pourrait la porter. Du moins, la pièce n'était pas difficile à monter : le père, la mère, le fils l'ami et Ninon. Soit cinq personnages principaux. Mettons en plus les domestiques. Pour le dialogue, il fallait éviter le plus possible les longues tirades. Faire vrai. Quelque chose de dur, d'âpre. Surtout au un. Dans le genre d'Ibsen, de Becque, du *Pèlerin,* de Vildrac. Et puis au deux et au trois, changement de ton, brusquement. Plus de tendresse, plus de poésie : penser à Musset, par exemple. Eh bien, il était encore loin du compte. C'était très joli de rester là comme un polichinelle à bâtir des châteaux en Espagne. Mais en fait, il fallait voir les choses en face. La pièce n'était même pas écrite. Seulement une partie du un. Et, tout à l'heure, il allait falloir rentrer à l'Hôtel. L'Hôtel, ça, c'était une réalité, et quelle réalité ! Ah ! bon Dieu, être libre ! Il enviait parfois ces types qui distribuaient des prospectus aux bouches du métro, ces ramasseurs de mégots, ces crieurs de journaux. Vivre tout le temps dans la rue, c'était ça qui devait donner des idées. Oui, vu de loin, en marchant vite, ç'aurait pu être un sort enviable que le leur. Mais si on examinait la question d'un peu plus près ? Se voyait-il dans leur peau ? A tout prendre, autant la sienne. Qu'avait-il tellement à redouter du destin dans cette vie à l'Hôtel ? Il était nourri. Comme un cochon, certes ! Il touchait un peu d'argent. De quoi payer sa chambre à la Maison Meublée, de quoi faire blanchir son linge, régler ses rares sorties. Cette chaleur l'anémiait. Et autre chose, aussi. Mais enfin sa santé aurait pu être plus mauvaise. Il ne dépendait de personne, hors les salauds de l'Hôtel. Il n'avait plus ses vieux sur le dos pour le surveiller ou lui reprocher sa façon d'être. Esclave de la société, si l'on veut, mais y vivant aussi comme un ver dans un fruit. Enfin, tout cela n'était ni très original ni très héroïque, mais il ne se sentait pas une âme de héros. Chacun sa part ! Agir n'était pas son fort. Il était surtout sensible à une certaine tristesse remâchée. Le pathétique d'un visage, des spectacles, les agitations des gens l'exaltaient assez facilement. Il renifla avec force. Et il sentit sa morve qui coulait dans sa gorge. C'était frais et un peu salin. Comme s'il avait avalé la chair d'un coquillage. Il allait souvent errer le long des quais de la Seine. Sans aucune idée de suicide, d'ailleurs. Il s'accoudait, sur les ponts. Il regardait couler l'eau sombre et descendre les péniches comme si l'éternité lui avait appartenu, le cerveau vide. Ou bien il s'asseyait dans les jardins, dans les squares, n'importe où, engourdi. Ou bien encore il marchait à l'aventure, jusqu'à n'en plus pouvoir, à la tombée du jour, choisissant de longues artères sinistres. Rien qui lui donnât plus de vague à l'âme que la rue Lafayette ou que la rue du Commerce quand les magasins ferment, quand les passants ont l'air de raser les murs, quand les taxis passent en coup de vent, quand la pluie, lasse d'avoir si longtemps contenu sa chute, mouille la chaussée poussiéreuse. Mais il aimait se donner du vague à l'âme. Alors il se laissait guider par des inconnus, au hasard, de rues en rues, vers des quartiers où, soudain, il était perdu. O, exquise angoisse de se sentir perdu, de tourner et de tourner autour d'étranges pâtés de maisons ! Il ne demandait pas son chemin. Avec une calme nervosité, il cherchait seulement la rue où luirait sur l'asphalte, une trace d'autobus, le carrefour où s'ouvrirait la bouche béante et mystérieuse du métro. Soudain, ça faisait chaud au cœur de voir des lumières, de se frotter aux vitrines illuminées, de questionner du regard des passants, de respirer une haleine tout près de soi et de s'approcher d'un plan de Paris, là, contre le mur, sous une ampoule. Voir où il était. Si loin qu'il se fût aventuré, tout de même, il suffisait d'un nom pour qu'il se retrouve...

Monsieur Hermès s'ébroua. L'après-midi s'était écoulé sans heurts. Sa soucoupe, où la bière avait séché, avait un aspect pitoyable. Le soleil étincelait toujours et la chaleur n'avait pas décru. Ça faisait plaisir d'être là, assis, à ne rien faire. Il étendit ses jambes sous le guéridon, s'étira doucement. Presque plus douloureux, ses ripatons. Mais il sentait une humidité un peu froide dans son dos. Il se souvint de la suée qu'il avait prise pendant le déjeuner. De temps en temps, les arroseuses surgissaient, répandant leur eau de pluie fine sur les pavés de bois qui se mettaient aussitôt à fumer. Les garçons de *La Régence* versaient sur le trottoir le contenu de leurs carafes en dessinant des 8. Il montait du sol une fraîcheur artificielle qui faisait sur le moment illusion. Il y avait dans l'air une forte odeur de bière éventée. Il passa une femme. Elle était blonde. Sa démarche trahissait une sorte de molle lassitude, d'abandon gracieux. Elle laissa derrière elle une traînée de parfum. La peau claire et reposée comme si elle sortait de sa baignoire. Que la vie avait l'air facile, pour elle, insouciante... Monsieur Hermès regarda sa montre. Bigre! Il allait être l'heure. Cette sensation de perpétuel recommencement. Les sous-sols, le carcan, la mise en place, les dîneurs, la suée... Toujours la même chose. Heureusement, demain il était de repos. Ça, c'était tout de même une plus douce perspective. Ce soir, après le service, de quel pas allègre il la remonterait sa rue de Rome! Parbleu, vendredi, il serait d'ouverture. Il devrait se lever bien avant l'aube. Mais il se refusait à voir si loin. D'abord son jour de sortie. Il régla le montant de sa consommation. Puis il se leva, fit quelques pas le long de la terrasse qui commençait à se garnir pour l'apéritif. Rentrer à l'hôtel sans se presser, en flâneur. Ça serait moins brutal qu'avec l'autobus. Retenir les aiguilles, retarder l'échéance, reculer indéfiniment, si c'était possible, l'instant où il faudrait, une fois de plus, donner son nom au pointeur.

Il remonta l'avenue de l'Opéra. Monsieur Hermès n'aimait rien plus que de se donner à lui-même l'illusion de la disponibilité. Les cheveux à l'air, sa petite serviette et son chapeau dans une main, sa canne de l'autre, il s'avançait en dévisageant les femmes, en se regardant à la dérobée dans les glaces des devantures. Bonheur exquis de l'incognito! Impossible qu'on devine en lui un commis de restaurant. Eh eh! il se trouvait en beauté ce soir. A supposer qu'un producteur de films le croise et lui trouve un visage intéressant? Ça se voyait, ces choses-là. « Monsieur, vous êtes exactement celui que je cherche. Tout à fait mon personnage. Je vous expliquerai. Pouvons-nous dîner ensemble? Si vous êtes libre, je vous fais faire un essai dès demain, et nous signons le contrat. » Monsieur Hermès ricana. Ça lui arrivait dix fois par jour de se monter le bourrichon avec des bobards de ce cru-là. Il avait beau ne pas y croire, ça lui faisait du bien de se laisser dorloter par de telles illusions.

En passant devant la brasserie *Maxéville*, puis devant le *Café de la Paix*, Monsieur Hermès fut tenté de s'arrêter. Il regardait les consommateurs avec envie. S'il y reconnaissait quelqu'un qui l'aurait invité? Sans doute, c'était improbable. Mais, bon Dieu! ça existait aussi les coups de baguette qui transforment tout un destin! Le soleil frappait maintenant de fouet les façades. Une poussière presque invisible s'intégrait à l'air et rendait les contours des choses et des êtres imprécis. C'était l'heure où Monsieur Hermès se rendait bien compte que s'il avait eu un peu de ce courage moral qui fait oublier les lendemains aux vrais aventuriers, il serait monté dans un taxi et se serait fait conduire au Bois, à douce allure. Tourner le dos à l'Hôtel. Jouer son va-tout. Au petit bonheur la chance. Mais ses audaces n'allaient jamais au-delà de la velléité. Il est difficile de croire en son étoile et de triompher de ses scrupules quand on n'a pas été élevé dans la certitude que tout doit plier devant soi.

Il s'engagea donc dans la rue Scribe, le dos un peu plus voûté, déjà repris, à distance, par sa routine. Avant même d'avoir le carcan sur les épaules, c'en était fini de tergiverser. Il fallait marcher droit. Abdiquer comme ça, trois ou quatre fois chaque jour, rien de tel pour émousser la personnalité. A mesure qu'il s'approchait de la gare Saint-Lazare, il se sentait enfoncer dans un autre monde. C'était ça le pire : il y allait de son plein gré vers sa prison. Dès qu'il eut franchi le boulevard Haussmann, l'énorme masse grise, charbonneuse de l'Hôtel, s'imposa à lui, prête à l'absorber. Sa prison ! Paris s'effaça. Ce soir encore, Monsieur Hermès ne sentirait pas la fraîcheur tomber sur la ville surchauffée. Se trouver au milieu de ces millions de gens qui allaient enfin respirer d'aise, avec un sourire, les vestons ouverts, les corsages échancrés, pour mieux recevoir la première bouffée d'air. Voir les bannes des magasins se relever et donner ainsi aux rues, avant le crépuscule, une deuxième clarté. Entendre trembler les feuillage brûlés des avenues. Rentrer chez soi, en père peinard, se déchausser, prendre sa douche, s'installer dans son petit jardin de banlieue en mangeant des pêches ou des framboises... Voilà tout ce qui lui était refusé. Son lot, à lui, c'était la chaleur d'étuve des sous-sols, le persiflage mauvais des Maîtres d'Hôtel, les patoches brûlées par les plats, l'humiliation...

IV

Le lendemain, Monsieur Hermès se leva tard. Il avait bien dormi. Il était dispos. Le soleil, pointant déjà au-dessus des toits, venait lécher le parquet de sa chambre. La faim le pressa de faire vivement sa toilette. Il la fit, contre son ordinaire, avec une certaine allégresse. Tout en se rasant avec soin et non sans coquetterie, il jouissait de son bien-être. Ces jours de sortie étaient vraiment à marquer d'une pierre blanche. Il avait décroché son costume bleu et préparé du linge propre, des chaussettes claires, des souliers jaunes. Faire peau neuve ! Vingt-quatre heures sans transpirer, sans souffrir des pieds, sans voir la sale gueule des Maîtres d'Hôtel. Se sentir le corps net, les mains propres. Oh, les mains, il aurait fallu huit jours pour que disparaissent cicatrices et ecchymoses ! Ça le chagrinait d'avoir le dessous des ongles noir. Mais rien à faire. Les dépôts graisseux avaient imprégné la peau. Il avait beau y passer la brosse et le cure-ongles, ça ne partait pas entièrement. Et l'abus de l'eau bouillante... Quelle poisse !

Ah ! qu'il n'oublie pas ses lorgnettes. Il en aurait besoin aussi bien au stade qu'au théâtre. Non, aujourd'hui non plus il ne toucherait pas à *La Joie du Cœur*. Autant laisser le manuscrit sur sa table. Mais il prit des journaux et un livre sous son bras. Ça ferait plus intellectuel. Vers dix heures, il descendit. Plus personne dans la Maison Meublée. Les locataires étaient au turbin. Dans un sens, c'était plus agréable d'être de sortie sur semaine. Il n'avait jamais aimé le dimanche. Parce que s'amuser en même temps que les autres, ça... En semaine, au contraire... Le sentiment de liberté était d'autant plus vif qu'il était moins partagé. Et pourtant, ça l'aurait amusé d'être là, un dimanche, au moins une fois, pour voir la tête qu'ils avaient, les locataires de la Maison Meublée. Il ne les connaissait pour ainsi dire pas. Quelle sorte de gens pouvaient-ils être ? Bonjour, madame. Plutôt brave, la patronne.

Que la ville était lumineuse dans le matin ! Il allait faire une bonne marche. Il ouvrit ses narines aux odeurs de la rue qui n'étaient déjà plus celles de la première heure. Les ménages étaient faits. Les ordures avaient été ramassées. La chaussée, encore pleine d'ombre, avait été arrosée. Enfin vivre sans hâte, prendre le temps de regarder à droite et à gauche, de lever les yeux vers le ciel en fête !

A son comptoir, le patron du café-bar, en bras de chemise, surveillait son percolateur. Un café-crème et deux croissants, s'il vous plaît ! De sa place, à la petite terrasse déserte, Monsieur Hermès apercevait le carrefour de la rue de Rome et de la rue Cardinet. De la fosse du chemin de fer, de grosses volutes de fumée surgissaient. L'AL passait, dans lequel il n'aurait pas à monter. Tout cela était éclairé par le soleil dans un contre-jour pailleté. Monsieur Hermès clignait des yeux. Il était bien. Il savourait les instants un à un. Le café fumait dans la tasse. Il y trempa ses croissants. Il mangeait avec cérémonie, sans trop mastiquer pourtant, mais comme si un chef de protocole l'avait observé. On aurait dit qu'il voulait mieux se persuader ainsi de sa vacance. Toute une journée devant soi ! Tonton Nicolas paierait le déjeuner. Puis Colombes. Au retour, s'il avait le temps, une petite visite à ce vieux Fragonard. Enfin, il finirait la soirée au spectacle, comme d'habitude.

Patron, vous avez un journal ? Le patron lui porta *Le Petit Parisien* fixé à une monture de bois autour de laquelle il était enroulé. Tout en marchant vers lui, il le déroulait. Et ainsi, ça avait l'air d'une petite muleta dans sa main. Un peu petite, cependant, la muleta. Et quel drôle de torero il aurait fait ce gros bonhomme ! Tout à fait le genre de Fortuna ! Voyons, qu'y avait-il comme pièces à voir ? Au fond, pas beaucoup de détails sur les spectacles dans ces quotidiens. Il préférait encore son *Comœdia*. Il le déplia et compulsa la page des annonces. Puis il sortit de sa poche une enveloppe contenant des billets de réduction. C'était une agence qui lui fournissait ça. Moyennant un petit abonnement. Quoi choisir ? Il se plongea dans des supputations minutieuses qui plissaient son visage et lui donnaient l'air dur. Le *Studio des Champs-Elysées* ? Le *Marigny* ? L'*Atelier* ? Le *Gymnase* ? A l'*Œuvre*, on jouait une pièce d'Ibsen : *Jean-Gabriel Borkmann*. Il ne connaissait pas. Mais ça devait être bien. Ibsen, n'est-ce pas... Tiens, il avait justement un billet pour l'*Œuvre*. S'il y allait ? Des veinards, en somme, les types de l'Agence : il leur payait son abonnement comme tout le monde et il n'utilisait jamais qu'une place du billet qui était cependant valable pour deux. Oui, l'*Œuvre*, c'était un petit théâtre qui lui plaisait.

Vers onze heures, Monsieur Hermès quitta le café-bar. Il longea d'un bon pas la rue Dulong, puis entra dans la rue de Lévis encore grouillante de ménagères faisant l'assaut des boutiques. Les étalages débordaient sur les trottoirs. Ceux-ci étaient si furieusement encombrés que Monsieur Hermès était obligé de marcher sur la chaussée. Mais le passage des véhicules le rejetait à chaque instant vers le caniveau où roulait une eau boueuse et chargée de détritus. Il respirait au passage le parfum des melons et des tomates. Des mains avides remuaient en les marchandant, les bottes de poireaux et de radis. Qui veut ma sole, ma belle sole fraîche, qui veut ? Vingt sous pour vous, mes petites pommes, ma jolie ! Le costaud, là, le sabre sur le ventre (qui veut la panoplie du parfait boucher ?) festonnait d'additions son rugueux papier jaune. Enveloppez ! Ça fera un kilo cinq cents. Le papier dans le creux de la main ; l'entrecôte dans le creux du papier. Ça sanguinole dans les additions. Et l'autre, là, qui s'enfourne des romaines dans son cabas ? Ça fait un petit bruit de verdure écrasée. Les pôvres ! Et que je te caquette dans les coins ; et que je te bouscule ; et que je t'apostrophe ! Les unes se jetaient sur ce que d'autres avaient laissé, comme des volailles s'acharnant successivement sur une épluchure.

Boulevard Malesherbes, ça se présentait différemment. De rares passants, dans le demi-silence du matin d'été. Le chuintement modulé des bagnoles. Parfois un dandy pâlot, une chichiteuse. Il aurait beau faire, il ne serait jamais admis dans ce monde-là. Son costar lui semblait tout d'un coup misérable, ses manières vulgaires. C'était bien ça qui collait mal : ses vieux l'avaient mis au lycée, avaient voulu qu'il passe des exams, mais en fait de belles manières... Et puis, à quoi ça pouvait servir même, les belles manières, si on était fringué comme un bouseux ? Voyons voir quelle touche il avait dans cette glace ? Mine de rien. Rue de La Boétie, Monsieur Hermès s'arrêta devant une boutique où on exposait des tableaux. Ce qui lui plaisait dans ces peintures-là, c'est que c'était plein de femmes à poil. Et des chairs... Il se passa la langue sur les lèvres. Mais un autre curieux vint s'installer près de lui. Pas moyen de se rincer l'œil tranquillement ! Plus loin, il se trouva nez à nez avec une vitrine où s'étalait de la lingerie pour dames. Oui, mais là, pas moyen de s'arrêter sans se faire remarquer. Il ralentit tout de même sa marche et y lança quelques regards en coin. Deux, dix, vingt, à n'en plus finir, des paires de jambes bien gainées dans la soie, et offertes comme ça à tout venant. Histoire d'exciter le bourgeois, sans doute ? Et des chemises, et des pantalons, et des rubans, et des frous-frous ! Palisseau prétendait qu'il existait passage du Havre une boutique où l'on vendait de la lingerie spéciale et toutes sortes d'accessoires pour jouer à touche-pipi. En acheter et s'en servir. Mais comment affronter la vendeuse et lui demander ce genre d'articles ?

Midi approchait. Monsieur Hermès parvint sur les Champs-Elysées. Et allez donc, c'est pas ton père ! Un essaim de midinettes le submergea et éclata de rire. La haute couture qui débauchait. Le *Select* et le *Fouquet's* bourdonnaient. Les gens aimaient s'entasser pour picoler. Combien devait coûter l'apéritif ? Après tout, on ne le mettrait pas à la porte s'il entrait. Mais qu'y faire ? Aller là tout seul, comme un con ? S'asseoir, rester debout au bar ? Et quoi commander ? Il la devinait d'ici, la gueule de lamproie du barman ! Il redescendit jusqu'au Rond-Point. Lentement, et sans avoir l'air de suivre les femmes. Comme un vieux marcheur ! Ce qu'elle pouvait être coco cette pièce de Sardou ! N'empêche que lui, en douce, il le faisait son vieux marcheur ! A vingt ans : ça promettait ! Mais aussi, les garces, elles étaient toutes plus désirables les unes que les autres. Elles devaient le faire exprès, pour sûr !

Toutes de la même cuvée, quelle que fût leur situation sociale ! La chiennerie universelle ! Dans chacune de leurs enjambées, des contractions de leurs mollets, des ondulations de leurs hanches, des creusements de leurs reins, le désir était tapi. Elles n'avaient donc pas peur qu'on finisse par les empoigner ? Là, sur le trottoir, si tous les mâles s'y mettaient, d'un simple croc-en-jambe, les renverser et les violer. Entendre enfin leurs cris horrifiés. Y mêler son rire. Pourquoi la vie n'aurait-elle pu ménager de telles revanches ? Les autres hommes étaient-ils déjà si repus qu'ils puissent regarder sans frémir toute cette fesse étalée ? Si elles savaient en quelles putains il les transformait au cours de ses plaisirs nocturnes, toutes autant qu'elles étaient ! Au moins, ça le vengeait un peu de leurs provocations.

Arrivé au Rond-Point, Monsieur Hermès fit demi-tour et remonta vers l'Etoile. Pendant sa promenade, peu à peu, l'affluence avait décru. L'avenue était maintenant presque déserte. Monsieur Hermès avait faim. Il était temps qu'il s'achemine vers son rendez-vous. Il traversa du même pas la large chaussée décongestionnée, s'engagea dans l'avenue Marceau. Bientôt, son regard fut attiré par des fusains en caisse et une banne claquante. Ça devait bien être le restaurant pour chauffeurs désigné par l'oncle Nicolas. Il était là, tout seul, perdu au pied de ces hautes bâtisses bourgeoises. Que disait le menu ? Tonton Nicolas était-il arrivé déjà ? Monsieur Hermès dévisagea mollement les gens d'apparence décente installés à la terrasse. Et, sans plus balancer, d'un pas qui se voulait désinvolte, il entra.

Tonton Nicolas se leva de sa banquette pour l'accueillir, lui mit les mains sur les épaules et fit claquer sur ses joues trois baisers sonores à la mode de Portville. Un, deux, trois. Instinctivement, Monsieur Hermès avait fait de même. Ça le gênait un peu, à cause des gens. Ce que ça pouvait faire provincial ! Pourtant, aucun risque dès qu'on entendait la voix de Tonton Nicolas. Il avait encore plus l'accent faubourien que Palisseau. On aurait bien dit qu'il était né rue

Popincourt où il habitait. Il prit place, déjà gagné par l'affection communicative de l'oncle.

Un corpulent bonhomme à bajoues et à moustache d'auvergnat, les avant-bras velus, le ventre protégé par un tablier bleu de caviste, lui présenta un menu à en-tête de marque de liqueur, orné d'arabesques et de sirènes à la Helleu, où la polycopie violette avait déteint et que des ronds vineux auréolaient. Quel contraste avec le menu compliqué et pédant de l'Hôtel! Là, au moins, on savait ce qu'on mangeait. Pas de métaphores! Saucisse purée ou tête de veau vinaigrette? Entrecôte pommes frites ou ragoût de mouton? Un quart de vin rouge, un morceau de pain, une serviette. Ça, Monsieur Hermès ne pouvait pas supporter de manger sans serviette.

L'auvergnat tonitrua sa commande à une commère haute en couleur qu'on apercevait face à ses feux et brandissant des manches de casseroles. Monsieur Hermès, tout en écoutant son oncle, disposait sa serviette sur ses genoux. Puis il se mit à grignoter machinalement les croûtes de sa portion de pain. Autour de lui, les mangeurs s'employaient. Près de l'entrée, deux tables entières de chauffeurs. Ayant presque terminé leur repas, ils fumaient, les coudes sur les souillures des nappes en papier. Dans le fond de la salle c'étaient des gens de petite condition mais au parler discret, aux gestes éduqués, qui plurent tout de suite à Monsieur Hermès. Ça manquait toutefois de jolies femmes. Ah! peut-être cette brune aux yeux mâchés? Oui, et son décolleté découvrait agréablement une gorge blanche. En face d'elle complotaient deux petits vieux d'opérette.

Tonton Nicolas s'excusait d'avoir déjeuné sans l'attendre. Du meuble à livrer dans le quartier, tu comprends. Deux commodes anciennes. J'ai eu fini à midi. Quel bonne tête d'ébéniste il avait, Tonton Nicolas! Impossible de l'imaginer faisant un autre métier. Il y avait quelque chose de rassurant dans ce petit homme menu, au poil blafard, au timbre voilé, qui picorait sa nourriture en jetant à droite et à gauche des regards vifs et tendres. Tu devrais prendre de la compote d'abricots, elle est épatante. Il avait l'air espiègle d'un écolier gourmand pour dire ça. Il était réellement tonifiant. Il déballait ses histoires avec la dextérité et le visage passionné d'un camelot farceur et débonnaire. Toujours, Monsieur Hermès avait eu un faible pour lui. Bien qu'il ressemblât physiquement à Madame Mère et qu'il eût son caractère soupe au lait, il était si différent d'elle ! On ne s'ennuyait pas avec lui. Il coulait de lui une sorte de monologue cocasse, coupé de questions qui n'attendaient jamais la réponse, d'apartés, d'interjections, d'auto-approbations et de toussotements narquois. Chaque fois que Monsieur Hermès le voyait, il lui semblait qu'il avait maigri. Sa maigreur et sa chétivité étaient extraordinaires. Un vrai bonze ! Il avait la peau du visage tendue sur les os. C'était une peau jaunâtre. Elle était cependant plissée autour des yeux et du nez, de rides imperceptibles. Derrière les lorgnons, fixés à l'oreille droite par une chaînette, luisaient des yeux clignotants, malicieux. Sa lèvre supérieure était surmontée d'une moustache très blonde et très fine mais rebelle qui accentuait son allure démodée. Très avant-guerre, Tonton Nicolas ! Il y avait à Portville, à la maison, des photographies de famille qui le représentaient jeune homme avec une cravate à système et un chapeau de paille. Quel jeune homme avait-il été ? Après, ç'avait été le service militaire. Il s'était engagé pour sept ans dans l'infanterie coloniale. Le Tonkin, la Cochinchine. Il n'en avait rapporté aucune blessure mais des bouddhas et des éléphants de jade ainsi qu'une pleurésie qui, à elle seule, semblait justifier ce teint jaunâtre et cette voix annonciatrice d'une phtisie laryngée. La guerre de Chine ! C'était plein d'histoires comme ça, autrefois, dans *L'Intrépide* et dans *Cri-Cri*. Cette minutie polie avec laquelle les Chintocks torturaient leurs prisonniers. Les têtes coupées, grimaçantes. Les flaques de sang. Les condamnés au carcan. Déjà ! Ces lectures avaient nourri ses premières excitations d'enfant. Et les images avaient un de ces jus ! Des bourreaux asiatiques s'y montraient appliqués à introduire des fourmis rouges sous les paupières des suppliciés ou à arracher délicatement les ongles de frêles demoiselles anglaises échappées d'un roman de Jules Verne, voile de tulle vert au casque colonial, pendant que, d'autre part, des marsouins en guêtres blanches et à col bleu, fonçant vers une colline extravagante où s'égaillaient des pirates à nattes, coiffés de pétases de paille et grimaçant cruellement sous de longues moustaches noires tombantes, s'emparaient d'étendards jaunes brodés de dragons verts. Tonton Nicolas avait connu tout ça. Il n'en parlait pas beaucoup, pourtant. Aux deux sens du mot, il en était revenu, de la Chine et des Chinois. Tonton Nicolas n'aimait plus que Paris. Quelle joie pétillait dans ses yeux quand il disait : « Paname ! » Il flanquait de grandes tapes dans le dos de son neveu : « Hein, Paname ! Les lilas au-dessus des murs. L'odeur du crottin au *Nouveau Cirque*. Les petits cochons en pain d'épice, à Neu-Neu, accrochés à la poitrine des petites bonniches qui riaient aux éclats parce qu'on leur pinçait la taille sur les chevaux de bois. Les gosses, eux, le tenaient à la main leur petit cochon, les pattes et le groin déjà à demi dévorés, les lèvres barbouillées de sucre candi. La Mi-Carême. Le défilé du Bœuf Gras. Les pompiers sur leurs voitures rouges. La foire aux puces, boulevard Richard-Lenoir. Les bateaux-mouches sur la Seine. Les courses de barriques à Bercy. Les matches de boxe au *Tivoli Wauxhall. La Fille de Madame Angot aux Folies Dramatiques*. La femme-canon des Buttes-Chaumont. La foule devant les sous-sols du *Matin*, boulevard Poissonnière. Les chèvres blanches du bois de Boulogne. » Il ne tarissait pas. Monsieur Hermès avait aussi connu tout ça, durant son enfance, avant d'habiter à Portville. Pourtant, il n'était qu'un petit péquenot à côté de Tonton Nicolas. Tonton Nicolas, lui, ça c'était un vrai Parigot ! Il s'y était fixé : il s'y était marié. Monsieur Hermès se souvenait vaguement de Tante Berthe. Il avait dû aller une fois chez eux, rue Popincourt, avec Monsieur Papa. Oui. Même qu'il se souvenait que ça sentait une odeur écœurante, cette fois-là. Peut-être des langes ? Une odeur de moisi et de rance qui avait toutefois quelque chose d'étrangement suggestif. Mais quoi ? Une vraie mégère, Tante Berthe, s'il avait bonne mémoire. Malade, grincheuse, faisant des scènes pénibles et quotidiennes à Tonton Nicolas. Il n'avait pas dû être heureux en ménage, Tonton. Neurasthénique, avec ça, la Tante Berthe. Il avait eu trois enfants d'elle. Deux fils, les aînés, une fille. La fille était morte d'une méningite. Ç'avait été un drame. Tonton Nicolas adorait sa fille. Maintenant encore il continuait de lui vouer une adoration posthume, jalouse, exclusive. Il avait refusé de l'enterrer dans le caveau de famille à Portville. Il avait voulu l'avoir auprès de lui, au Père-Lachaise. Ma petite Marie, ma petite chérie ! Dès qu'on avait le malheur d'aborder le sujet, c'étaient des pleurs d'enfant sur son visage jaunâtre. Tante Berthe aurait plutôt eu un faible pour les deux garçons. Tonton Nicolas les aimait bien aussi, mais ce n'était pas la même chose. Ils lui échappaient. Et de plus en plus, à mesure qu'ils grandissaient. Tiens-toi tranquille, Pipo ! C'était son chien. Un affreux roquet noir au poil ras, au corps minuscule, aux pattes grêles, et toujours en train d'aboyer. Pipo avait-il remplacé la petite Marie dans son cœur ? Il l'emmenait partout avec lui, lui faisait faire des tours, le gavait de sucre. « Tonton, ça le constipe, je t'assure. » Tonton Nicolas n'aimait guère parler de ses fils. Plus jeunes que Monsieur Hermès, d'ailleurs. Quinze et seize ans. Ebénistes comme leur père. « Vois-tu, ils n'aiment pas le métier. Ils ne pensent qu'à devenir coureurs cyclistes. » Cette perspective excitait assez Monsieur Hermès, mais, tout de même, ils n'étaient pour lui que des gamins. Il les fréquentait donc assez peu. Au reste, Tonton Nicolas était plutôt sportif. Il grognait pour la forme. « De rudes lapins ! Depuis que je leur ai payé un vélo, à chacun, crois-moi si tu veux, je ne peux plus les tenir. Leur mère ne cesse de m'accuser. Des vauriens, voilà ce que tu en feras, rabâche-t-elle. La pauvre femme ! Tu la connais : toujours la même ! Ne te marie pas, va. C'est la pire blague qu'un homme puisse faire. Un type marié est toujours plus ou moins ligoté. Ou bien il finit par faire comme moi. Ne rentrer chez soi que pour se coucher. Manger au restaurant sous prétexte qu'on a du travail pour n'avoir pas à entendre les éternelles jérémiades. Ta tante devient de plus en plus mauvaise. Ecoute-moi bien, mon petit : et il y a vingt ans maintenant que ça dure ! Nous nous sommes mariés un an après ta mère, en cinq ! Tu penses ! Tu ne manges pas ta croûte de gruyère ? Tu permets ? Pour Pipo. Là, entre le pouce et l'index. Je lui ai déjà donné la mienne, tout à l'heure. C'est pour lui que je prends du fromage. C'est gai ici, hein ? J'y viens de temps en temps. J'ai souvent du meuble à porter dans le quartier ou du bricolage à faire sur place. Ça ne rapporte guère le meuble d'art. Mais c'est plaisant aux mains. Tu veux en rouler une ? Non, c'est vrai, tu ne fumes pas. Comme les petits. De mon temps, on ne faisait pas de bécane ni de ballon. Pas moi, du moins. Je m'en tenais à la gymnastique et à la natation. C'étaient les temps héroïques. On ne trompait personne. Chacun pour soi. » Ça l'avait pris à son retour d'Indochine. Il avait été très malade. Un long congé de convalescence. La maladie, après l'avoir rudement secoué, semblait lui avoir légué une énergie nouvelle. Il avait envie de vivre. Les voyages lui avaient ouvert les yeux. Qu'il disait ! La mer, il trouvait que c'était beau aussi. A Marseille, en débarquant, il s'était lié avec un sergent de la coloniale. De Toulon. Et qui en avait assez des jaunes et des mousmés, lui aussi. Il avait décidé de se retirer à Malmousque, chez sa sœur. Tonton Nicolas l'y avait suivi. C'était là qu'il avait nagé. Ça lui plaisait. Le soleil et l'eau, c'était ça, la vie. Mais voilà ! A la fin de la convalescence, il avait dû se débrouiller. Fini de rire. Du travail à Paris. Il n'était jamais retourné en province. Avait cessé de voyager. Il n'allait même plus voir sa mère ni sa sœur à Portville. Paris l'avait accaparé. Sa femme, le triste appartement de la rue Popincourt, les deux fistons, l'atelier de la rue Affre dans le quartier de la Chapelle. Toute son existence tournait autour de ça. Son meilleur compagnon était encore Pipo. C'était à peine s'il voyait ses fils. La semaine, ils prenaient leurs repas avec leur mère. Le dimanche, ils partaient sur leurs vélos, le dos voûté, avec des copains, sans qu'il y ait moyen de les retenir. Ils rentraient le soir, crottés, l'air hagard. C'était à se demander où ils allaient traîner sur ces lugubres routes des environs de Paris toujours brouillées par les pluies. Ils ne prenaient plus le temps de manger. Ils travaillaient sans amour. Que serait-ce quand ils disputeraient des courses comme ils en avaient l'intention ? Tout leur argent passait en boyaux, cale-pieds ou moyeux. « Oui, bien sûr, tu connais ça. D'ailleurs, tu n'as pas meilleure mine qu'eux. Je te trouve pâlot. Ça n'a pas l'air de marcher très fort à ton Hôtel. Drôle d'idée qu'a eue ton père ! Couché, Pipo ! » Ça ne marchait pas très fort, en effet. Mais à quoi bon raconter tout ça à Tonton Nicolas ? Il était un peu vieux jeu, lui aussi. Il ne comprendrait pas. « Quand viendras-tu me voir rue Affre ? La semaine prochaine ? » Peut-être. Histoire de se faire payer à déjeuner. Ça ferait toujours une économie. Pour l'instant, Monsieur Hermès songeait surtout à Colombes. Il y aurait la finale du cross. On disait que Nurmi allait le courir aussi. Dommage que Monsieur Hermès n'ait pas été là, hier, pour la finale du 400! Dans *L'Auto*, on disait que ç'avait été formidable. Demain, Matrousse et Dangeau lui raconteraient ça. Bon Dieu! qu'il allait faire chaud. Il préférait ne pas être à leur place, aux coureurs!

Monsieur Hermès avait terminé son repas. Le dos commodément appuyé à la banquette, il se laissait envahir par un indubitable sentiment d'euphorie. Tonton Nicolas tira une grosse montre d'argent de sa poche, s'étonna que l'heure eût passé si vite et régla leur addition. La petite salle était maintenant presque vide. Seuls, quatre chauffeurs soutenus par des anisettes, jouaient aux cartes sous l'œil attendri du patron. Près d'eux, la patronne, délaissant ses feux, mettait deux couverts, appelait son bourgeois à table. Une douce odeur de gigot aux flageolets flottait dans l'air. Il faisait bon. Dehors, au-delà de la terrasse, oui, ç'avait l'air de taper dur! Monsieur Hermès n'entendait même pas les interjections des joueurs. Comment s'expliquer cette langueur? Il se sentait la figure toute rouge. Et cependant, il était délicieusement bien. Sans s'en être aperçu, il se trouva sur le trottoir, canne et chapeau à la main. Avait-il seulement salué la compagnie? Les trois bécots traditionnels de Tonton Nicolas. « Alors, à la semaine prochaine? » Il le regarda s'éloigner dans la lumière crue de l'avenue, avec son affreux clebs. Ils jouaient tous les deux sans plus s'occuper de lui. « Beau, Pipo! beau! » Et le Pipo de faire des bonds désordonnés en jappant. Monsieur Hermès était seul. Il sentait un étrange besoin de se détendre, de marcher, de vaincre son engourdissement. Son pantalon était pollué de miettes. Il les balaya de la main, vérifia subrepticement, personne ne venant à sa rencontre, la bonne fermeture de sa braguette, et descendit sans hâte vers l'Alma.

Monsieur Hermès longeait les quais en direction du pont de la Concorde. Peu de monde. Etaient encore à table, les gens. Un peu plus d'une heure. A Colombes, ça ne commencerait pas avant trois heures. Il avait le temps. Sur le Cours la Reine, des taxis fonçaient. Vers où? Fuyant quoi? Pourquoi les taxis lui laissaient-ils presque toujours une impression aussi pénible ? Une jeune fille le croisa, absorbée, cherchant l'ombre. Monsieur Hermès s'accouda au parapet. En bas des escaliers, presque au niveau de l'eau, deux hommes dormaient sur la berge, écrasés de chaleur. Un chien tirait la langue sur un tas de sable. L'eau était comme de la peinture verte répandue. Mais un relent d'urine chassa Monsieur Hermès. L'idée l'effleura aussitôt de renoncer à Colombes, de remonter chez lui, là-haut, aux Batignolles. Avec cette canicule, être nu sur son lit frais. La tentation était forte. Le repas avait alourdi son sang. Il bandait. S'il cédait, il savait bien comment cela finirait, vaincu par son désir hideux et fascinant, avec cette nausée de dégoût, ensuite, à cause de sa chute, de son abominable chute. Mais quelles délices, aussi ! Non, il ne voulait pas céder. Ce soir, peut-être. La femme aux yeux mâchés du bistro. La baiser. Il n'avait pas vu ses jambes. Peut-être qu'elle les avait en manche de pelle ou avec des bas de coton ? Du coup, il avait débandé. S'il allait chercher Fragonard ? Il l'aurait accompagné à Colombes. Il aurait dû lui téléphoner ce matin pour savoir s'il était libre. Un instant encore, l'image de sa chambre de la rue Dulong l'occupa. Puis le cours de ses pensées se détourna sans qu'il songeât à déterminer si c'était ou non par le fait d'une défaillance de son imagination.

Il franchit la Seine sous le grand soleil blanc de l'été. Il revit des jours semblables à Portville. Autrefois... C'était l'heure où sa migraine se dissipait quand il avait passé la nuit à bringuer avec les copains. Sur une péniche, un bébé faisait sa sieste dans son berceau. Là-bas, sur le quai d'Orsay, l'arroseur municipal mettait en place son long tuyau métallique à roulettes. Ça faisait un petit bruit de noix cassées, sur l'asphalte. Entre Portville et la mer, la route bordée de pins, sillonnée par les champions du patinage. Vvvvvvv... Vvvvvvv... Les mains derrière le dos, pliés en deux. Un vrai billard, cette route. La Seine semblait sortir d'un bain de vapeur. Un vent cuisant charria des poussières. Oui ou non, allait-il chercher Fragonard ? La rue Gay-Lussac était loin. Un coup de métro ? Il faisait si chaud ! L'ombre de l'Esplanade des Invalides lui tomba dessus. Une heure et demie. Il n'avait plus le temps. Il en éprouva une certaine délivrance. Il se désespérait dès qu'il se voyait réduit à sa solitude, mais

99

il s'effrayait chaque fois qu'il avait le moyen d'y échapper. Dans le fond, ça ne lui disait rien de sortir avec Fragonard. Il sauta dans un tramway. Porte Champerret il en prendrait un autre. A partir de cet instant ses nerfs furent tout à l'excitation promise. Il était impatient d'être assis sur les gradins, d'assister à ça. Maintenant, depuis la porte Champerret, c'était un flot ininterrompu de véhicules de toutes sortes vers Colombes. Tout à fait l'atmosphère des grands jours. Fragonard n'aurait fait que le gêner. Il aimait bien savourer ces émotions à sa façon. Les réflexions des gens. L'éclat fiévreux de leurs yeux. *L'Auto* ou *Sporting* dans toutes les mains. On était entre connaisseurs. Son cœur battait. La vie était belle. C'était bizarre, cette rapidité avec laquelle Constant Fragonard avait tourné le dos au sport. Drôlement mordu pourtant, Fragonard, dans le temps. Un demi d'ouverture tout ce qu'il y avait de romantique. Quand il était interne au lycée, ses vieux lui avaient fait user un vieux smoking. En classe et en étude on ne faisait pas de chiqué. On portait des vieilleries. Et certains, par là-dessus, une grande blouse noire. Eh bien, il fallait voir Fragonard, l'hiver, dans la cour, avec son vieux smoking, faire des passes couchées en veux-tu en voilà, dans les flaques boueuses ! Un mordu ! Et puis voilà, il n'en restait plus rien. Le lycée ! Dire que certains en conservaient un bon souvenir ! Pour Monsieur Hermès, ç'avait été aussi des années de cauchemar. L'obsession du bac. Etre reçu. A tout prix ! Aujourd'hui encore, chaque fois qu'il faisait un rêve, c'était pour en revivre les transes. Etre collé : l'intolérable appréhension. Pendant combien de temps encore ses rêves lui imposeraient-ils l'illusion qu'il avait été collé ? Quand il se réveillait, c'était un soulagement. Il avait bien été reçu, en réalité. Qu'on n'en parle plus. Il était bachelier, à tout jamais. Savoir si les autres avaient pris les choses si au sérieux ? Jojo Légende avait redoublé sa première et Paolo s'était fait étendre deux fois en philo. Ils en rigolaient souvent. Et leurs parents n'avaient pas eu l'air de leur en tenir rigueur. En somme, ça devenait pour eux une simple petite formalité à passer avant les grandes vacances. Bientôt médecins, avocats, notaires, pharmaciens, professeurs, fonctionnaires...

A la mairie de Colombes, Monsieur Hermès sauta du

tramway et s'intégra à la foule qui déferlait vers le stade. « Eh dis donc, mes fesses, t'es bigleux ? » Il venait de bousculer légèrement un pâtissier. Un pâtissier, qui n'irait pas au stade, lui, et qui remontait la rue en sens inverse. Il s'excusa vaguement et continua sa route. Toujours ces prises de bec si désagréables en public. Lui qui s'était promis de passer une journée sans transpirer ! Il était servi ! Ça finirait sûrement par un orage. Il aurait dû marcher moins vite. Mais il était entraîné par les autres. Une sorte de curiosité panique qui les poussait tous vers le même endroit. Plus vite, toujours plus vite. Au guichet, faisant la queue, il sentit sa chemise coller à sa peau. Les gens n'en finissaient pas de ramasser leur monnaie. Lui-même commençait à s'énerver. Déjà il entendait des clameurs à l'intérieur de l'enceinte. Qu'est-ce qui se passait ? Pas un souffle d'air. Dis donc, Toto, tu voudrais pas prendre ma place ? Si, bien sûr. Ça ne pouvait pas se refuser. Entre sportifs. Mais il avait horreur qu'on l'appelle Toto, qu'on le tutoie sans le connaître. En voilà des manières ! Ils étaient particulièrement familiers ces Parigots. C'était pas la première fois qu'on lui faisait le coup. Eh ! mon pote, t'as pas l'heure ? Ou : Passe-moi du feu, mon p'tit gars ! Dame, il fallait croire qu'il avait une tête à se faire tutoyer. Et puis c'était de sa faute aussi, il n'avait qu'à fréquenter des milieux un peu plus relevés. A Portville, par exemple, l'été, on pouvait monter à cheval ou jouer au tennis. Mais le cheval lui avait toujours fait peur. Il n'aimait ni les chiens ni les chevaux. Le tennis, il avait dû y renoncer. Il y était au-dessous de tout. Il ne voyait pas passer les balles. Sa vue n'était pas assez bonne. Il mettait toujours sa raquette à côté. Peut-être qu'il était surtout maladroit en définitive. Ce n'était pas faute que Fragonard ne l'ait souvent invité, à l'époque, chez lui, pour y jouer. On y rencontrait des tas de jeunes filles. On servait des orangeades. On snobinait. Ça l'intimidait. En double mixte, les jeunes filles se moquaient de lui. Ça le faisait encore jouer plus mal. Il sentait qu'elles n'aimaient pas l'avoir pour partenaire. Il avait passé là des après-midi épouvantables, malheureux comme les pierres. Sans compter qu'un fâcheux souvenir lui restait de ce temps-là. C'était ce jour où, il ne savait pourquoi, Fragonard lui avait confié son veston à garder. C'était grand chez lui. Avec des arbres partout, des futaies, des allées sinueuses. On était pas les uns sur les autres. Toujours est-il qu'il s'était trouvé seul à un moment, assis dans l'herbe, loin du court et de la bande. Alors, il n'avait pas résisté au désir de fouiller dans le portefeuille de Fragonard. Oui, il se le répétait souvent, que la curiosité le perdrait. Il y avait trouvé une photo de Coralie. Il savait depuis longtemps que Fragonard et Coralie... La photo avait été prise dans une chambre. Ça devait être la chambre de Coralie. Coralie était là, de face, debout, les cheveux défaits, nue, avec seulement ses souliers et ses bas. Monsieur Hermès avait volé la photo et avait remis le portefeuille en place dans le veston. Le lendemain, Fragonard lui avait fait part de la disparition et lui avait dit que ça l'ennuyait parce que c'était une photo d'un genre un peu spécial et que la femme avait fait beaucoup de difficultés pour se laisser tirer. Si elle voyait un jour cette photo entre les mains du type qui avait fait le coup, elle ne serait pas contente. Elle pourrait croire que c'était Fragonard qui la lui avait donnée. Et de là à le prendre pour un mufle... Monsieur Hermès avait fait semblant de ne pas entraver. D'ailleurs Fragonard ne l'accusait pas positivement. Les choses en étaient restées là. Monsieur Hermès n'était pas très fier de lui. Mais ç'avait été plus fort que sa volonté. Et, ensuite, la petite photo lui avait souvent servi. Il l'avait encore, dans sa boîte à secrets, et la regardait de temps en temps. C'était tout de même depuis cet incident que Fragonard avait l'air de le tenir à l'écart. Que devait-il penser de lui ? Mais avait-il tellement tort ? En tout cas, maintenant, ils semblaient bien suivre des chemins différents. Fragonard était lancé. C'était normal qu'il ne fasse pas attention à lui. Il avait d'autres chats à fouetter. Toutes ces femmes qui lui couraient après ! C'est que c'était un garçon assez fascinant pour son âge. Bien qu'il eût des cheveux roux en mèches tombantes, et une figure marquée de rouge aux pommettes comme un boxeur qui aurait reçu une correction ou une poupée japonaise. Mais il avait pour lui d'étranges yeux bleus, allumés par une moquerie à éclipses et une bouche juvénile et charnue de lycéen à chéris. Ce qui plaisait le plus, sans doute, dans sa personne, c'était ce dandinement perpétuel sur ses longues jambes et cette nonchalance de freluquet qui lui faisait laisser ses gestes toujours un peu en retard de l'action et sa pensée en retrait de la réalité comme si une sorte de surdité ou de paralysie mentale l'avait empêché d'adhérer à la vie. Monsieur Hermès était mal à l'aise devant lui depuis l'incident de la photo mais, jusqu'à un certain point, il l'admirait. Jouer au tennis, chanter des spirituals ou parler anglais, certes ! c'était là autant d'atouts impressionnants. A côté de ça, faire partie du Rugby-Club, avoir ânonné *Macbeth* au lycée ou fredonner *No no Nanette,* n'était guère reluisant. Ça faisait un peu parent pauvre. Quel crâneur, ce Fragonard ! rugissait souvent Paolo qui ne l'aimait pas. Tout de même, Monsieur Hermès s'en laissait mettre plein la vue. Il l'admirait parce qu'il portait des pardessus excentriques (vous savez, de ces très longs pardessus à trois boutons, un à l'épaule, un au nombril et un aux chevilles, qui ressemblaient à des sacs), parce qu'il prétendait connaître des duchesses, parce qu'il avait une façon à lui de sortir son argent en vrac de sa poche et parce qu'il était plein d'audace devant les jeunes filles. Plaire aux femmes, se faire inviter, être dans le ton, se parfumer comme une cocotte, ça pouvait être aussi une vocation. Mais oui, les destinées les plus brillantes semblaient promises à Fragonard. Il était de cette catégorie d'individus qui savent se servir. A eux les femmes, les titres, les hommages, l'argent. Lui, il les regardait se servir. Aujourd'hui encore, il était là, en spectateur passif, sur son gradin, pendant que d'autres garçons, dans ce stade, sous ses yeux, allaient se couvrir de gloire. Il n'avait jamais été qu'un spectateur jusqu'ici. Et ça menaçait de durer. Manque de moyens ? Incapacité de choisir ? Crainte de l'action ? Programme, voyez programme, un franc le programme ! Tout à l'heure, on avait donné le départ du cross. Nurmi, Ritola et Wide étaient à la corde. Ils étaient tous sortis du stade par le tunnel, en un gros peloton bigarré. Maintenant, ils couraient dans la campagne torride, pendant que d'autres courses se disputaient sur la piste. Trente mille personnes entassées les unes contre les autres. Comme un bloc. Formant un tout. Et criant d'un seul cri quand un vainqueur franchissait la ligne d'arrivée. A l'ouest, le grand tableau d'affichage noir portant le nom et la nationalité des trois premiers. Les drapeaux, le plus grand, au milieu, pour le premier, aux couleurs des nations des trois meilleurs, montaient aux mâts. Et un hymne national par là-dessus que tout le monde écoutait debout, sans bouger, le cœur battant. Ça crispait un peu Monsieur Hermès ces histoires d'hymnes. En soi, il trouvait ça un peu praline, mais ce qui le foutait en rogne justement, c'est qu'il y allait quand même chaque fois de sa petite émotion. Il sentait sa gorge qui se serrait, des larmes qui emplissaient ses yeux. Eh là ! pas le moment de se laisser aller. Alors, pour échapper à cette emprise, il affectait, jusqu'à la fin du morceau, de remuer et de dévisager ses voisins d'un air qui se voulait goguenard. Des gens de tous les pays du monde, avec des petits drapeaux en papier à la boutonnière ou au ruban de leur chapeau de paille. Les hommes avaient tombé la veste et s'épongeaient consciencieusement. Les femmes s'éventaient avec leur mouchoir ou leur programme, des auréoles de sueur aux emmanchures de leur corsage, les joues luisantes mais l'œil peut-être encore plus animé que celui des hommes. Allô ! Allô ! Les finalistes du saut en hauteur au sautoir ! Ce qu'il faisait soif ! Il enviait ces gens qui enfilaient boissons sur boissons. Cette bibine infâme que des serveuses en uniforme blanc et rouge trimballaient sur des plateaux. Il lui restait trente francs pour finir sa soirée, dîner et théâtre compris. Pas difficile d'établir son budget. Deux francs cinquante pour le retour en tramway. Le métro de la porte Champerret jusqu'au centre, coût : quarante centimes. Prévoir un apéro : un franc soixante-quinze plus au moins dix sous de pourboire parce que ça c'était chez lui un principe : il estimait qu'il fallait donner de bons pourboires à des gens qui faisaient un métier si pénible et ça l'écœurait quand il voyait des bourgeois cossus se fendre seulement de deux sous pour toute une tournée. Pour le dîner, avec six francs tout compris il en verrait la chandelle. Il savait dans quels endroits aller pour ça. Avec son billet de réduction, il aurait un bon fauteuil d'orchestre pour douze francs. Le programme de la soirée : trois francs avec le pourboire. Quarante sous pour l'ouvreuse, impossible de faire à moins. Et heureusement pas de vestiaire. Total : $2,50 + 0,40 + 2,25 + 6,00 + 12,00 + 3,00 + 2,00 = 28,15$. Il lui resterait donc un franc quatre-vingt-cinq pour les imprévus. Au diable la bibine ! Autour de lui, on commençait à plaindre les coureurs de cross. Ils devaient être déjà plus qu'à mi-course. Il circulait des bruits à leur sujet. On assurait qu'il y avait déjà eu pas mal d'abandons. La chaleur avait été meurtrière. Qu'allaient faire les Français ? Le haut-parleur annonça le classement provisoire à cinq kilomètres du but. Nurmi était déjà en tête avec Ritola ; et Nurmi avait l'air très frais.

Quand Monsieur Hermès émergea des profondeurs du métro sur les grands boulevards, de gros nuages veloutés broutaient le ciel et voilaient par instants le soleil. La chaleur était toujours pesante et poisseuse. La poussière si fine des trottoirs formait, sous de brusques coups de vent, des tourbillons gris. L'orage s'annonçait. C'était la fin de l'après-midi. Monsieur Hermès avait les nerfs brisés. Comme s'il avait assisté à une corrida. Oui, c'était le même genre de délabrement nerveux. Un sauvage bonheur l'empoignait. Il se sentait très au-dessus de ses semblables pour avoir vu ça. Cette arrivée du cross avait été vraiment extraordinaire. Tout en marchant, il revivait ces instants, détail par détail. Peuh ! qu'avait-il de commun avec tous ces passants abrutis ? Avoir un tel spectacle à sa porte et ne pas se déranger ! Ça lui aurait fait du bien, pour une fois, de leur rentrer dedans. Pourtant, il n'était pas belliqueux. Etait-ce l'orage, la fatigue ? Le flux même des gens l'irritait. Pourquoi y en avait-il tant ? Bon Dieu, c'était pourtant l'époque des vacances. Paris aurait dû être vide. Probable que les modestes rentiers démodés et suants qui se baguenaudaient sur les trottoirs avaient pas de quoi s'offrir une petite saison balnéaire. Qu'est-ce qu'il branlait là, lui, parmi eux ? Tout ça lui paraissait soudain dérisoire et stupide.

Il remonta ainsi jusqu'au carrefour Montmartre. Il se sentait accablé. Les terrasses regorgeaient de consommateurs. Toute cette viande étalée. Qu'il y en ait tant, et tant... Il n'en était que plus seul. Tout à l'heure, pourtant, dans le métro, ça allait mieux. Oui, ça lui avait fait du bien de se mélanger à la foule des voyageurs, au sortir de Colombes. Cette suffocation des couloirs souterrains avait parfois quelque chose de sympathique. Même la bousculade y avait du

105

bon. Quand la rame avait surgi, soufflante et scintillante, comme un gros dragon rouge aux yeux de feu, il avait choisi avec un instinct très sûr, le wagon le plus bondé. Mais là, sur ces grands boulevards, la foule l'écœurait, oui, il n'y avait pas d'autre mot !

Avec une indifférence étonnée, Monsieur Hermès se laissa happer par la pente du faubourg Montmartre. Contre les façades, déjà, comme des feux follets, les lumières au néon dansaient. Il y avait là, à même la rue autant que sur les étroits trottoirs, une foule toute différente soudain, quasiment exotique ou carnavalesque. A chaque pas il était frappé par la vue de visages d'ébène sous des feutres trop clairs, de putains aux yeux d'eau, donneuses de lèvres fades, d'hommes aux dents d'or, aux peaux basanées, aux méplats tuméfiés, de petites filles chlorotiques vêtues sans espoir et de traîneurs de vélos de course froissant dans leurs mains noircies par le chatterton le papier jaune de *L'Auto*. En effet, les résultats du Tour de France devaient être affichés.

Monsieur Hermès s'avança, se frayant difficilement un chemin à travers cette masse compacte qui semblait n'avoir pour lui ni yeux ni oreilles. Ça puait la gaufre, le tabac de Virginie, l'essence brûlée, les fleurs flétries et la sueur. Il n'était plus perdu. Au moins, avec ces gens-là il avait quelque chose de commun. Au balcon de *L'Auto,* un grand panneau pendait. Oui, on avait déjà donné les résultats de l'étape. Nicolas Frantz avait toujours le maillot jaune. On le poussa plus en avant. Tassés comme des sardines. Les commentaires allaient leur train. Y en avait deux, là, contre lui, qui discutaient du cross. Ça allait en faire, du foin, dans la presse ! Une sorte de scandale ! Et à sa droite : mais non, j'te dis que Fontan les laissera tous sur place dans le Tourmalet. Les doigts dans le nez ! Monsieur Hermès sourit. Il se souvenait des arrivées d'étape à Portville, de la foule au vélodrome. Le coup de clairon qui annonçait l'approche des coureurs. La soudaineté avec laquelle ils débouchaient sur le ciment, couverts de poussière, tragiques et beaux. Les clameurs de la foule. Le tour de piste du vainqueur, un gros bouquet sur son guidon. Ses traits hâves, son masque fardé où les lunettes avaient laissé une empreinte plus claire. Oui, ça lui semblait toujours tragique et beau. Mais peut-être qu'il en reviendrait de ça aussi, plus tard. Il y en avait qui racontaient qu'il y avait tellement de combines dans ces courses... Il se souvenait des nuits où il allait attendre le départ avec Buddy et les autres. Les coureurs sortant de leurs hôtels, encore abrutis de sommeil. Les grosses bosses que faisaient, sur leur poitrine et sur leurs fesses, les poches pleines de victuailles de leur maillot. Leurs jambières de laine ou leurs imperméables transparents si le temps était au froid, à la pluie. Leurs petites casquettes blanches. Cette bonne odeur d'embrocation qui émanait d'eux dès qu'on les approchait après le massage de leurs cuisses. Leurs traits durs ou enfantins. Leur grossièreté de langage. Les réflexions des curieux. Ben, voyons, tu vois pas que c'est Thys ? Et là, en rouge et blanc, qui c'est donc ? C'est le 23. T'as vu, Mottiat monte sur Alcyon. Mais non, Monsieur, les Automoto ont un maillot violet. D'ailleurs, vise Christophe : lui, là, qui redresse sa selle. J'connais un soigneur qui m'a garanti qu'Alavoine ne mangeait jamais que des bananes et des blancs de poulet. Qu'est-ce que tu crois que Rossius va mettre comme braquet ? N'poussez pas, voyons ! ça ne sert à rien ! Tout le monde sur les trottoirs, on va procéder à l'appel des partants. Les grands dossards blancs avec leurs chiffres en noir. Le 12, là, ce petit blond, à l'air crevé, en maillot orange, c'était Delbecque, un grand espoir d'outre-Quiévrain, comme on disait dans *L'Auto*. Quelles nuits fameuses ! C'était toujours l'occasion de gueuletons soignés avec la petite bande. Et ça ne ratait pas, on faisait prendre une biture à Paolo ou à Roudoudou. Dans quelques jours, dimanche en huit, ce serait l'arrivée au Parc des Princes, l'apothéose ! Il ne pourrait pas voir ça. Pourtant, ça ne devait pas être plus beau que l'arrivée de Bordeaux-Paris. Dans le Tour de France, à moins d'accident dans la dernière étape, on connaissait le gagnant. Et c'était presque toujours une arrivée en peloton. Avec un gros sprint confus. Dans Bordeaux-Paris au contraire, les arrivées étaient isolées. La course était si dure ! Et l'incertitude du résultat ! A Tours, Henri Pélissier avait abandonné. A Amboise, Masson était passé avec dix minutes d'avance. De Dourdan on annonçait que c'était maintenant Francis qui était seul en tête. Ronsse avait eu une terrible défaillance et avait rétrogradé. On ne parlait plus de Masson. Où était-il ? Qui allait déboucher le premier sur la piste ? Il y avait eu un orage dans la nuit et, ensuite, une chaleur d'enfer le long de la Loire. Les autos suiveuses commençaient à arriver. Elles venaient se ranger sur la pelouse du Parc, poussiéreuses, les ailes surmontées de fanions, *L'auto, L'Echo des Sports, L'Intransigeant, Sporting, Le Miroir...* Il en sortait des hommes en combinaison et en casque blanc avec de grosses lunettes. Les organisateurs de la course, le père Desgrange, les journalistes, Lucien Avocat, Gaston Bénac, des inconnus. Les veinards ! Suivre la course de bout en bout en auto, voilà qui aurait été son rêve. Ils donnaient les dernières positions. Enfin, un brouhaha émouvant ; un coup de clairon plus bref : et un bloc de boue apparaissait, titubant sur son vélo, entamant l'ultime tour de piste : le vainqueur ! Eh bien, tout chiqué mis à part, ça valait bien les Jeux Olympiques, dans un sens !

Sans savoir pourquoi, Monsieur Hermès entra à la *Chope du Nègre*. A la porte, la forte odeur de marée d'une dégustation de crustacés l'assaillit. Dedans, sous les lampes étincelantes, une cohue mi-assise, mi-debout, s'agitait. Monsieur Hermès, bloqué à sa table par deux groupes discutaillant avec véhémence, s'amusait de sa situation. Là aussi, c'était le cross qui était sur le tapis. Pas à dire, cela avait été une honte. On les avait fait partir trop tôt, en pleine chaleur. Un vrai scandale ! Quel était l'imbécile responsable du tracé ? On assurait que les coureurs avaient dû emprunter un ravin de la zone servant de dépôt d'ordures. L'odeur de charogne avait été telle, sous le soleil ardent, que beaucoup d'entre eux avaient été incommodés. Des abandons en masse. Des cas d'insolation. D'autres avaient vomi. Wide lui-même, avait paraît-il ramené au quartier des coureurs dans une ambulance. Monsieur Hermès revoyait le drame des arrivées dont il avait été témoin. Pour les premiers, cela avait été sans histoire, si ce n'est l'avance énorme qui avait été prise par Nurmi et Ritola. Mais après, quelle confusion ! Un spectacle à la fois déchirant et lamentable. Un coureur était tombé raide à l'entrée de la piste. Un autre était parti comme un fou à travers le terrain au lieu de suivre la cendrée et s'était abattu comme une masse dans la sciure d'un sautoir. Un autre avait pris la piste en sens inverse, complètement perdu, comme fou. Le drame de l'arrivée du Français et de l'Anglais. La foule idiote avait applaudi à tout rompre le Français, pour l'encourager. Excité, il avait voulu forcer, s'était désuni et s'était effondré sur les genoux, à vingt mètres du poteau. L'Anglais avait terminé tant bien que mal, mais lui aussi, après, on avait dû le ramasser à la petite cuillère. Quant au Français, il avait tenté de se relever, comme fait un boxeur groggy, ou bien comme Nacional II avait fait le jour où il avait été blessé devant le tendido même de Monsieur Hermès, tenant son aine. Puis il était retombé. S'était encore une fois relevé, avait fait péniblement un ou deux pas, puis avait roulé définitivement, évanoui, sans avoir pu finir la course. De tous côtés, les scouts s'élançaient avec leurs civières. C'est plus du sport, c'est du cirque, affirmaient certains. Sans doute. Tout de même, cela avait eu une de ces gueules ! Monsieur Hermès en avait eu mal au ventre. A cause de ça, justement, il avait besoin d'un peu de calme, maintenant. Ça lui faisait du bien d'être assis, là sur sa banquette, sans parler, devant son chambéry-fraise, écoutant les gens autour de lui. Ils avaient des voix catégoriques, averties, rogues. Les femmes, fortes et fardées, étaient vêtues avec rutilance. Tous buvaient sec et se livraient entre eux à une sorte de maquignonnage dont des coureurs cyclistes, des champions de boxe ou des lutteurs étaient l'enjeu. C'était, entre deux gorgées, un échange satisfait de paris, de pronostics ou de pedigrees dans un vocabulaire qui lui était familier. J'te répète que Yid la Rafale pourra pas faire le poids devant Ted. Dastillon-Papin pour le titre ? C'est à voir. Mais en quinze rounds. Pas un de moins ! Il paraît que Young Battling avait été dopé devant Jeff. Moi, j'suis sûr que non. Milou était dans son coin et il m'a assuré qu'il n'y avait rien eu. N'empêche qu'il l'a rudement fait saigner. Avec son job, il le descendait comme il voulait. Oui, duchnoque, comme il voulait ! Monsieur Hermès connaissait tous ces noms. Il avait vu boxer Ledoux, Criqui, Carpentier. Monsieur Papa lui avait même raconté que Carpentier l'aurait fait sauter sur ses genoux, un soir de victoire au *Tivoli-Wauxhall*. Depuis il y croyait ferme. C'était en dix. Il avait cinq ans. Même que Carpentier avait voulu lui faire tremper les lèvres dans sa coupe de champagne. Garanti ! Un petit voyou, disait Monsieur Papa. Ça ne faisait rien. Pour Monsieur Hermès, Carpentier était une véritable idole. Sa défaite du 2 juillet 1921, à Jersey City, devant Jack Dempsey n'avait en rien altéré son admiration, pas plus que sa défaite stupide devant Battling Siki à Buffalo en 1922, ou que celle, fameuse d'ailleurs et toute récente, devant le nouveau champion du monde Gene Tunney au Polo Grounds. Parbleu, à Jersey City, si Carpentier avait pu boxer avec des quatre onces selon son désir, Dempsey était K. O. Pour Buffalo c'était une sombre histoire. Mais, devant Gene Tunney, il avait été magnifique. Sans ce coup bas au quatorzième round, il pouvait obtenir la décision au dernier avec son droit.

S'étirer. Etre libre de son temps. C'était bon, ces douceâtres relents de bière et de cigarette. Ce sentiment de l'anonymat, sous ces lumières éclatantes. Personne ne savait qui il était. Tant mieux. Les garçons allaient, venaient, dans leur long tablier blanc, le bras droit recourbé en forme de parechoc : Chaud devant ! le gauche portant le lourd plateau aux bouteilles multicolores. Ses oreilles étaient toutes bourdonnantes du tapage de la salle. Ses yeux étaient distraits par l'incessant remue-ménage, par ce jeu continuel de rencontres, de départs, de connivences. Tous ces assoiffés ! Ils avaient tous un logement, une famille, un métier. Tous un peu différents les uns des autres et cependant à peu près pareils. Un peu affolant de penser que la vie pour des êtres pouvait se résumer à attendre le moment où ils pourraient se réunir à la *Chope du Nègre*. Non pas dans un café quelconque, mais précisément à la *Chope du Nègre* ! Ainsi où qu'il allât, c'étaient autant de tribus autour de lui, autant de clans. Les gens appartenaient tous à leur tribu, à leur clan, ne cherchaient pas à en sortir et ignoraient ceux qui n'en faisaient pas partie. Des vies closes. Lui, au contraire, il aurait voulu appartenir à la fois à toutes les tribus possibles, à tous les clans. A côté de cela, il n'avait sa place marquée dans aucune société. Pour qui, pour quoi vivait-il ? Ce qui aurait valu le coup, justement, ç'aurait été de pouvoir vivre selon son caprice, à l'instant même, l'existence du premier type rencontré. S'affubler de sa personnalité. Réagir comme lui. S'habiller, penser, parler comme lui. Il croyait un peu trop au père Noël. Mais en fait, il ne l'avait encore jamais décrochée, la timbale. Aujourd'hui, sans aller plus loin, eh bien, que pouvait-il inscrire à son tableau de chasse ? La journée était fortement entamée et il ne s'était rien passé. Demain, une nouvelle semaine à avaler. Alors, que foutait-il, ici ? La *Chope du Nègre ?* En voilà un nom absurde ! Il était pris d'un irrésistible besoin de se lever et de s'en aller.

Il était sorti. Il avait marché dans les rues crépusculaires, fuyant sa pensée comme il avait d'abord fui la *Chope.* Difficile de chasser son petit soi-même ! A cette heure d'avant-dîner, les rues se grossissaient de couples fébriles. Les magasins fermaient leurs rideaux lourdement. Les bureaux déversaient sur les trottoirs grouillants des bandes sournoises de dactylos qui étaient tranquillement attendues au coin de la première rue. Une vie plus légère, plus nerveuse, s'insinuait. Chacun allait d'un cœur neuf vers ses intrigues, vers ses solitudes ou vers un être. Les lèvres préparaient déjà les mots qu'elles allaient dire ou retenir, les baisers qu'elles allaient rendre ou donner. Comme Monsieur Hermès enviait tout cela ! Tous ces couples lui faisaient la nique. Pourquoi n'avait-il pas de femme, lui ? Pas de chance, à la loterie ! Les sottes ! Elles couraient vers d'autres. Si elles savaient ce qu'elles perdaient ! Lui aussi, putain de moine, était capable d'aimer. Il était même sûr qu'il aurait mille attentions gentilles pour une chérie de son cœur, pour toutes les chéries qui se présenteraient. Mais peut-être que ce n'était pas tellement ça qu'elles désiraient ?

Un instant, Monsieur Hermès regretta de n'être pas resté un peu plus à la *Chope.* Des amoureux seraient venus s'asseoir près de lui. Il aurait pu épier leurs caresses furtives, impatientes, melliflues. La main du jeune homme autour de leur genou de soie, sous la table. Qu'est-ce que vous prenez ? Deux anis, garçon ! Tu m'aimes ? J'ai cru que la gérante ne me laisserait jamais partir ! Mon rouge te plaît ? Il est nouveau. C'est Suzanne qui me l'a conseillé. Enlève ta main, y a un petit vieux en face qui va se trouver mal. Ça tient toujours pour dimanche ? J'sais pas encore ce que je vais raconter à ma mère. Brrrouh !... qu'il fait chaud ici ! Imbécile ! Mais non, j'te jure. J'te répète que c'est fini avec lui. J'lui ai réclamé mes lettres. Tu boudes ? Bise-moi ! Oh ! va falloir que je m'sauve.

Mais non ! Il n'avait que faire de ces amours détestables, couleur de café-crème. Son orgueil répudiait la faiblesse qui l'avait fait envier de telles parodies. Qu'avait-il donc, ce soir ? Il se souvenait de l'affolement de Cro-Magnon quand il avait forcé son Alice à avorter. Elle ne s'en était jamais remise, la pauvrette. A la suite de ça, Cro-Magnon s'était engagé. Il était en Algérie, dans un hôpital militaire, s'était fait poivrer peu après son arrivée. On disait qu'une pleurésie, par là-dessus, l'avait mis assez mal en point. Vivrait-il même ? Oui, tout n'était qu'avortements dans la vie, que pleurésies et que chtouilles. Même un Cro-Magnon, débordant de vitalité, petit mâle noir si fringant, toujours pipe au bec, le melon vissé au crâne, joueur et baiseur en diable, n'échappait pas à cette loi. Les plus entreprenants de son espèce duraient peu. Des feux de paille ! A quoi bon tenter quelque chose ? Tout était finalement voué à l'échec. Merde, merde et merde ! Rien ne se passait jamais comme on l'aurait souhaité. En pure perte qu'on se cassait la nénette ! Heureusement, beaucoup n'en avaient pas conscience. La politique de l'autruche. Tous plus veules les uns que les autres. Pas besoin d'aller chercher bien loin. C'en était plein, là, autour de lui, intolérables, se crachotant des insanités dans les trous de nez, mijotant dans l'aigre moiteur de leurs corps mal lavés. L'orage n'éclaterait-il pas ? Monsieur Hermès tourna dans la première rue moins encombrée, excédé. Il était l'heure d'aller bâfrer. Un petit resto calme et discret, ce serait le rêve. le même plaisir qu'on a à plonger dans une rivière pour se rafraîchir, il souhaitait le trouver dans l'atmosphère paisible et silencieuse d'une salle de resto vide. Il chercha mollement. Où allait-il échouer en fin de compte ? Le temps s'écoulait, comme un sirop. Alors, il s'aperçut qu'il était tard. Trop tard pour se payer son rêve. Il entra donc dans un bar et debout, au comptoir même, fit un repas d'œufs durs et de bière.

Il ne souffrait plus. La hâte l'empêchait de se morfondre. Savoir ce que ça allait donner cette pièce d'Ibsen ? Quatre œufs à soixante-quinze centimes, un demi : douze sous. Pour quatre francs il en verrait la farce, laissant le reste de la monnaie à l'homme du zinc. Ainsi, ça ferait deux francs d'économisés. Ça faisait la troisième fois qu'il allait voir jouer Suzanne Desprès et Lugné Poë. A côté de lui, une jeune fille défardée se sirotait un picon-cass avec un recueillement bovin. Alors, mam'zelle Nita, que disait l'homme du zinc, il est fini comme ça votre engagement au Novelty ? Elle s'appelait Nita. Comme Nita Brett. Marrant de mettre le même prénom sur deux femmes qui sont comme le jour et la nuit. Son engagement ! Qu'est-ce qu'elle pouvait foutre dans cette boîte, cette Nita-là ? Entraîneuse ? Danseuse nue ? Ou dame de lavabo ? Elle avait un genre plutôt éculé. Une candidate-épave. Fallait voir l'œil crochu que lui faisait l'homme du zinc. A croire qu'il avait les copeaux qu'elle parte sans payer. Ou peut-être bien qu'il supputait la possibilité de se l'envoyer. Pour combien de picons-cass se laisserait-elle fabriquer ? Déjà plus de six mois qu'il avait vu Nita Brett pour la dernière fois... Ça finissait par l'étouffer un peu ces œufs durs...

Minuit. Il avait dû bien pleuvoir pendant la représentation : le pavé était tout mouillé. Mais l'air était plus doux, chargé de fraîcheur nocturne. Monsieur Hermès se sentait un peu étourdi, un peu hors de lui, un peu ivre. La pièce l'avait bouleversé. Il lui semblait que ses angoisses passées avaient été sans raison et que tout, désormais, allait lui être possible. Il se sourit à lui-même. Et des larmes emplirent ses yeux. Etre noble, chevaleresque, capable des plus beaux sentiments, à la hauteur de la situation sublime qui pourrait se présenter... Il se trouvait tout d'un coup digne d'envie. Intégré à la masse des spectateurs qui se dirigeait lentement vers les portes de sortie, il regardait à droite et à gauche ces gens pressés contre lui. Qu'ils étaient sympathiques ! Et comme ce serait épatant de les connaître...

Tout à l'heure, déjà, une vive allégresse l'avait guidé vers l'impasse où se cache, entre deux vieux immeubles à vérandas 1900 et à jardins tristes, la façade miteuse du Théâtre de l'Œuvre. C'était toujours la même chose ! Plaza, stade ou théâtre, chaque fois qu'il allait assister à un spectacle, il était pris d'un petit accès de fièvre. Surtout, il ne pouvait dominer sa crainte d'arriver en retard. Quand cela se produisait, par hasard, ça l'agaçait et le chagrinait. Entendre à la cantonade le son des clarines, le sifflet de l'arbitre ou la voix des acteurs, pendant qu'il se précipitait à travers les couloirs et les escaliers, accentuait sa crainte constante de manquer le plus beau. Il n'était tranquille que lorsqu'il avait sa place, que lorsqu'il savait où il irait s'asseoir au moment où ça commencerait. Ça impliquait donc qu'il arrive très en avance. Alors il flânait, achetait le programme, regardait les gens assiéger les contrôleurs dans leur boîte à sel. Sa solitude même ne lui était plus pénible. Ici, les avantages de costume, de rang ou de fortune ne comptaient plus contre lui. Il était l'égal de n'importe qui. Venir là, avec Nita Brett! Comme il aurait été fier d'être à ses côtés! A Royan, il avait été une seule fois au Casino avec elle. On avait joué un opéra-comique dont il avait oublié jusqu'au titre. Ça, il avait horreur de l'opéra. Les chanteurs le faisaient rigoler. Surtout les choristes : Marchons! Marchons! Marchons!... Fuyons! Fuyons! Fuyons!... et qui ne bougeaient jamais de place. Qu'elle était belle, pourtant, Nita, ce soir-là! C'était la première fois de sa vie qu'il pouvait prendre des vacances seul, sans avoir Madame Mère sur le dos. Mais, fatalité! il y avait eu ce sacré zona, à cause duquel il n'avait pu se mettre en maillot ni se baigner. Tout ce qu'il avait manqué! Etre en maillot à côté de Nita, sur le sable, nager avec elle. Il aurait pu lui montrer comme il était bien fait. C'était vrai, il était mieux à poil que fringué. Pendant tout un mois, et quel mois! Alors que c'était la grande joie de tout le monde de se dorer au soleil et de faire trempette. Lui, il avait dû rester en pantalon de flanelle et en chemise blanche! Ce qu'il avait dû paraître godiche! Et le soir, en rentrant à son petit hôtel, les soins fastidieux. Tout son flanc gauche couvert de ces étranges boutons qui ressemblaient à des framboises. Il enduisait la partie malade de vaseline et saupoudrait le tout de talc. Ensuite, il se corsetait au moyen d'une bande Velpeau bien serrée, à la manière des toreros quand leur valet fixe autour d'eux cette ceinture de soie écarlate qui soutient les muscles de leur ventre pendant la course. Evidemment, comme thérapeutique, c'était plutôt simplet. Mais il n'y avait rien d'autre à faire pour calmer les démangeaisons. Dire que ça aurait pu être les plus belles de ses vacances. Et elles avaient été gâchées par ce sale zona.

Fâcheuse situation pour jouer les Roméos. Un soupirant pustuleux ! Elle avait encore été gentille, Nita, de sortir avec lui et de ne jamais faire d'allusions au zona. Bien d'autres à sa place...

Bientôt Monsieur Hermès alla occuper son fauteuil. Il était très bien placé. C'était un fait, on le plaçait toujours très bien. Aujourd'hui, au cinquième rang de l'orchestre, au bord de l'allée centrale. C'était parfait. Il ne manquerait pas de spectateurs moins favorisés. Cette question de place avait beaucoup d'importance pour lui. Relégué aux places à bon marché, en cas de trop grande affluence, il avait aussitôt le sentiment que les types de la boîte à sel l'avaient fait exprès. Ils m'ont pris pour un toquard, se disait-il. Honte et haine mêlées, il ruminait alors pendant toute la soirée d'enfantines revanches.

Dans la petite salle trianon, aux gris rehaussés d'ors, assis sur son mauvais fauteuil de bois (l'inconfort étant de règle en ce genre d'endroits), Monsieur Hermès, protégé par son programme, regardait les spectateurs s'installer autour de lui. Il prenait un air recueilli, indifférent, pour lorgner les belles dames en catimini. Au hasard des manteaux glissant des épaules, d'un sac qui était tombé, d'un mouvement de jambes croisées, il guettait la clarté laiteuse d'une gorge ou l'enchantement d'un joli genou. Passant de l'une à l'autre. Jamais rassasié. En collectionneur. Tout un art ! Le tout était de ne pas attirer l'attention de celles qui s'offraient ainsi à lui, sans le savoir. Il fallait les effleurer du regard, ne pas l'appesantir, le dérober même à la moindre alerte. Les yeux de Monsieur Hermès se détournaient un instant puis revenaient fixer avec angoisse et désir la même jambe inconsciemment découverte, la même poitrine offerte. Cette chasse de voyeur exigeait beaucoup de patience. Il suffisait d'un rien, parfois, pour que la belle dame s'expose davantage. Allons, un centimètre, encore un centimètre, plus bas ou plus haut. On ne surveille pas toujours ses gestes avec minutie. La belle dame n'est pas une idole. Elle est vivante. Qu'elle se penche un peu plus sur son mari ou se redresse pour tirer ce sacré corset qui a toujours la manie de remonter, les jarrets charnus apparaissaient, les seins saillaient. Hmmmm !...

Mais vite, la petite main de la belle dame tirait la robe ou rabattait le manteau sur ces seins entrevus.

Au fauteuil voisin, une femme aux bras nus se repoudrait. Monsieur Hermès sentait contre sa manche le frottement délicat du bras qui maniait la houppette. Bonbons acidulés. Pastilles de menthe. Devant lui, une autre belle dame au corsage transparent. Il apercevait deux petites bretelles noires, uniques, qui descendaient le long du dos. Jusqu'où descendaient-elles ? Quels voiles retenaient-elles ? Le tumultueux désordre de sa chevelure odorante avait quelque chose d'indiscret. Ça le troublait comme s'il avait vu la belle dame dans sa chambre. Deux messieurs lui tenaient compagnie. Elle parlait d'une voix roucoulante, un peu affectée sans doute, mais avec des intonations si caressantes... Il dut se lever pour laisser passer un autre couple. La femme se serra contre lui, faute de place. A travers le tissu léger de sa robe, la forme pleine et déliée de ses jambes se colla un instant aux siennes et son oreille perçut le frou-frou de ses bas l'un contre l'autre. Elle devait être de ces femmes qui marchent très serré et qui ont l'entre-cuisse si tiède. Le mari suivait, important et poli.

A cet instant, la rampe s'alluma. Les trois coups retentirent. Le silence se fit. Les rideaux de velours gris s'envolèrent derrière les portants. La pièce commençait. C'était, pour Monsieur Hermès, l'ouverture sur un nouveau monde. Il était tout yeux et tout oreilles. Le pain et le vin. Sa propre vie ne venait qu'en second. Assister là, dans l'ombre et dans l'anonymat de la salle, à ce drame entre des êtres qui allait se dérouler sur la scène, c'était encore une sorte de prise en flagrant délit. C'était pour ça, sans doute, qu'il aimait tant le théâtre, tous les spectacles en général. Si les maisons des villes, si les appartements et les chambres dans lesquels vivaient les humains, avaient eu des murs de verre, ah ! il aurait voulu passer ses jours et ses nuits à épier la vie secrète de ces humains. Cette curiosité qu'il avait des corps, des gestes, des paroles et des pensées de ses semblables prenait chez lui de plus en plus l'aspect d'une idée fixe, d'une passion mauvaise. Il n'était que concupiscence. Et ce n'était pas seulement une concupiscence charnelle.

Après cette pluie d'orage, la nuit était maintenant si claire et si douce que personne n'avait envie de rentrer chez soi. La sortie s'effectuait avec une nonchalance heureuse. On badait. On s'attardait. On bavardait. Avez-vous passé une bonne soirée ? Nous ne prenons pas de taxi, n'est-ce pas ? Du théâtre réaliste ! Comment pouvez-vous dire une chose pareille ? Regardez donc toutes ces étoiles. Si nous soupions quelque part ? Monsieur Hermès suivait le courant. Il marchait et c'était comme s'il avait flotté. Lui non plus n'était pas pressé Pour une fois, il se grisait de sa propre solitude. Dans la rue montante, les trompes des taxis beuglaient. Hep ! Chauffeur ! Monsieur Hermès allait vers Montmartre. Il rejoindrait la place Clichy puis, par le boulevard des Batignolles et la rue de Rome, tranquillement, il reviendrait à la Maison Meublée. Ma chère, ce Borkmann m'a brisé les nerfs ! Ah ! vous, vous êtes d'un drôle ! Mais c'était passionnant ! Monsieur Hermès se remémora les scènes capitales. Oui, cela avait été passionnant. Ce personnage de Jean-Gabriel Borkmann, quand même ! Voilà le modèle à imiter. Mais on ne pouvait pas écrire ça à vingt ans. Il fallait avoir toute une vie derrière soi. Bon Dieu ! après le un, il avait été tellement empoigné qu'il était resté assis à sa place pendant l'entr'acte. Dame, quand on était bon public... Il s'était gardé tout chaud pour la suite. D'ailleurs, ça le rasait de tourner seul, en rond, dans les étroits dégagements d'un théâtre, au milieu de tous ces groupes qui piaillaient des « patati » et des « patata » en faisant des mines. Oui, il aurait pu revoir les petits tableaux fortement empâtés de couleurs crues, de peintres scandinaves, pendus dans les escaliers. Entre des affiches vermillon annonçant des conférences ou des concerts ésotériques. Et jusqu'à cette plaque de marbre grisâtre où s'inscrivaient les noms des membres donateurs ou fondateurs, jusqu'au buste troublant comme un visage de moine paillard, de Lugné Poë. Il aurait pu descendre au sous-sol, se promener sous ce plafond bas, sur ce parquet trop bien ciré, les yeux amusés par la décoration murale faite de rayures en V ou d'animaux polaires, riches de bruns, de verts durs et de vieux rouges, par la buvette de Tromsoë ou d'Oslo pour amateurs de vodka ou de pale ale, par la librairie blanche de livres soignés qu'on aurait voulu posséder chez soi.

Il n'avait rien fait de tout cela. Maintenant encore, il ne

détachait pas sa pensée du spectacle. La solitude hautaine, dans laquelle s'était renfermé Jean-Gabriel Borkmann après ses échecs, était de celles qu'il pouvait comprendre, admirer, envier. Cette sympathie n'était pas exempte d'une certaine complaisance. Etre vaincu par une société hypocrite et rancunière, comme Borkmann l'avait été, par besoin d'absolu, c'était ça qui était sublime justement. Cette grandeur ne valait-elle pas mille fois mieux que la plus brillante réussite ? Il lui semblait encore entendre le sourd martèlement du pas du héros, enfermé dans sa chambre, à l'écart du monde. Là-haut, le pas du loup traqué, au fond de sa tanière, ce pas que les deux femmes écoutent, inquiètes, du rez-de-chaussée, et qu'elles entendent sans cesse au-dessus de leur tête. Comme un cauchemar. Comme un signe terrible de la fatalité. Desprès et Prozor frissonnant sous leurs fichus noirs. Dans le crâne de Monsieur Hermès résonnaient encore les dures paroles de l'homme brisé, de l'homme indomptable. Il en ressentait un calme orgueil. Devenir soi aussi un héros, fût-ce un héros bafoué. Entreprendre de grandes choses. S'élever au-dessus de ses semblables. Par tous les moyens se différencier d'eux. Comme il les méprisait les salauds de l'Hôtel qui le tenaient en tutelle ! Il s'avançait le long du boulevard, perdu dans son rêve. Un jour aussi, sa pièce serait jouée. Peut-être à l'*Œuvre* même. *La Joie du Cœur* sur toutes les affiches. Paris à ses pieds. Son nom dans les journaux, célèbre du jour au lendemain. Les uns et les autres l'avaient toujours pris pour une merde. Eh bien, ils verraient ! Quelle revanche que la sienne ! Quel étonnement pour eux ! C'était en lui comme s'il y avait été vraiment. Qu'importait qu'il fût seul, qu'aucune femme ne l'aimât ? A son tour, plus tard, il verrait les amis affluer, les femmes lui sourire. Alors, pas même besoin d'être beau. Son seul prestige les fascinerait. Il n'aurait qu'à tendre la main. Tous les grands artistes avaient été aimés par des duchesses et par les comédiennes les plus ravissantes. L'argent viendrait en même temps. Habiter un petit hôtel au Bois comme Henri Bataille. Faire partie des cercles fermés. Avoir une somptueuse automobile. Etre un petit gars qui pète dans la soie. Ça s'ordonnait petit à petit dans son crâne. Le miroir aux alouettes. Mais Jean-Gabriel Borkmann dans tout ça ? S'il était réduit en miettes comme lui ? Si la société, la vache, en fin de compte, était la plus forte ? Si les duchesses lui riaient au nez ? Si sa pièce était un four ? Non, ce soir, il ne voulait pas qu'il y ait de place pour les doutes. C'était trop délicieux de s'embarquer sur le bateau de la réussite. A son âge, rien n'était trop tard encore...

Cette nuit-là, Monsieur Hermès s'enferma dans sa chambre sans rôder dans les couloirs de la Maison Meublée. Son âme chantait. L'avenir paraissait grisant de promesses et, malgré le délire de sa pensée, il s'endormit presque aussitôt après qu'il fut couché.

V

Depuis quelques jours, Monsieur Hermès se trouvait de nouveau dans une mauvaise passe. Sa vie monotone et vide l'absorbait tout entier. Toujours la Maison Meublée ; toujours l'Hôtel ! Toujours Pactot, Simpson, le Père Hubert, Palisseau, Monsieur Dominique, tous les autres ! Et jusqu'à la sale gueule des Maîtres d'Hôtel... toujours, toujours, sans le moindre imprévu ! Comment sortir de là ? Comment rompre ces chaînes ? Que faisait-il, là ? Oui, pourquoi là, plutôt qu'ailleurs ? On ne sait pas pourquoi on accepte un métier plutôt qu'un autre. Tant d'endroits à la surface du globe où agiter sa marionnette, et choisir ça ! En fait, il savait bien qu'il n'avait pas choisi. Choisir, c'était ça justement qui était le plus difficile. Les mecs qui avaient du cran, eux, ils ne s'embarrassaient de rien. Vogue la galère ! Alors, pardi ! quand ils étaient dans le bain, ils avaient au moins la sensation de la diriger sans faiblesse leur galère ! Mais lui, il était bien de la race des moutons moutonnant. Ça lui laissait une lourdeur sur l'estomac. Et s'il se mettait à penser, alors, c'était le bouquet ! A se demander si c'était bien à lui que tout ça arrivait. A croire qu'il n'avait jamais existé que dans son imagination, ce diable d'Hôtel ! A croire que c'était en rêve qu'il avait les panards enflammés, les pinces dégueulasses, le trou du cul en sueur ! Ce qu'il aurait voulu c'était avoir une vie où, à chaque instant, il aurait pu se dire que les objets qu'il voyait avaient bien une forme et une couleur déterminées à l'avance, une fois pour toutes, et sur lesquelles il n'y avait pas à revenir. Une vie où les êtres qu'il aurait connus auraient bien correspondu à l'idée qu'il s'en faisait. Une vie où lui-même aurait pu évoluer sans douter de la valeur des hasards qui le conduisaient. Pourquoi, par exemple, l'existence du Petit Père Rigal s'était-elle confondue tout d'un coup avec la sienne ? Ce Petit Père Rigal avait la méchanceté spécifique de la teigne. Enfer et damnation, comme disait Ponce Pilate !

C'était une méchanceté qu'accroissait sans doute une disgrâce physique, mal portée dans la corporation et d'ailleurs fort rarement tolérée. Le Petit Père ne pouvait en effet dissimuler sa légère claudication, ni grandir sa taille minuscule, ni, bien sûr, faire qu'on n'aperçût en même temps sa lépreuse calvitie et l'atrophie de trois des doigts de sa main gauche. Malgré tous ces désavantages, le macaque était parvenu au rang de premier maître d'hôtel. Il n'en était pas peu fier et faisait payer cher à ses subordonnés les brimades subies, paraît-il, durant ses jeunes années. Ses vacheries étaient connues et redoutées. Elles s'exerçaient sur tous, mais plus particulièrement sur celui qu'il choisissait pour bête noire. A son tour, Monsieur Hermès avait fini par être victime de ce choix. Ainsi, une fois de plus, les autres avaient choisi pour lui. Comment cela s'était-il fait ? Comment le Petit Père l'avait-il pris en grippe ? Pour tout un tas de raisons. D'abord, parce que Monsieur Hermès lui avait été recommandé par le Président du Conseil d'administration. Encore un de ces pistonnés qui graviraient les échelons à pas de géant dès qu'il saurait le métier. C'était bien ça ! Il faudrait tout lui apprendre à ce blanc-bec et plus tard il faudrait peut-être lui obéir ! Lui, il savait bien qu'il ne monterait pas plus haut. Il n'avait pas assez d'instruction. Que Monsieur Hermès en ait de l'instruction, lui, eh bien, ça aussi, ça l'indisposait. Mais ce qui excitait peut-être le plus la jalousie du Père Rigal, c'était la taille élancée du jeune homme. Etre petit : le regret de sa vie ! La suprême humiliation pour un Maître d'Hôtel ! Il avait donc toutes les chances, ce Monsieur Hermès ! L'avoir devant soi était comme un reproche vivant. Il le haïssait de posséder tous les avantages qu'il ne posséderait jamais. Autant se venger tout de suite, pendant qu'il en était temps encore, qu'il l'avait à sa merci. Sa vengeance était d'autant plus aisée qu'il sentait Monsieur Hermès plus vulnérable. Il ne se passait pas de jour qu'il n'eût à lui

reprocher sa mauvaise tenue, son tablier sale, son rondin
taché, son plastron douteux, à lui faire honte de son avachis-
sement. Espèce de grande perche! Il vous faut un tuteur,
maintenant? Si vos parents vous voyaient, ils auraient une
bonne impression de vous, je vous assure! Quand on est
fatigué, on va se coucher! Les murs ne sont pas faits pour
qu'on s'y frotte, bougre d'âne que vous êtes! Monsieur
Hermès encaissait l'insulte, se redressait, excédé, et il lui
décochait un de ces regards chargés! Allons, un peu plus de
vivacité! Je n'ai jamais vu un empoté pareil! Dans la rue,
vous faites le gandin. Ici, vous n'êtes pas à prendre avec des
pincettes. Vous ne pouvez donc pas être propre comme les
autres? Le rouge aux joues, Monsieur Hermès s'éclipsait.
L'enculé! Lui lâcher ça devant les copains! Quel plaisir il
aurait eu à lui casser le morceau. Eh va donc, eh, nabot, rond
de chiotte! vilain laid! babouin! tartufe! Il se rattrapait tout
bas, entre les dents. L'autre ne le perdait pas de vue pour ça.
Comme s'il passait son temps à l'espionner. Il l'avait
constamment sur le dos. Qu'est-ce qu'il entendait quand il se
faisait pincer dans l'office, engloutissant à pleines cuillerées
le contenu d'un légumier d'épinards ou de purée de pommes
qu'il avait réussi à subtiliser! Goinfre! Salopard! Vous
voulez que je vous traîne par les oreilles chez le Directeur?
Voyou! Que je vous y reprenne! Monsieur Hermès n'oublierait pas le temps de ses débuts, alors qu'il était commis de
voiture. Un jour qu'il nettoyait la plaque à rôtis où le jus
avait graillonné, le Petit Père était survenu près de lui et,
sans le moindre avertissement, avait ouvert violemment au-
dessus de ses mains le robinet d'eau bouillante. Monsieur
Hermès avait poussé un hurlement et tout lâché. Le Petit
Père l'avait forcé à repêcher sa brosse à chiendent au fond du
bassin. Il avait été échaudé. Pendant plus de quinze jours, il
avait porté des pansements. C'est le métier qui rentre, disait
toujours Palisseau. Bien sûr! Mais la haine aussi était entrée
ce jour-là, et elle n'était plus ressortie! Dans la salle,
Monsieur Hermès n'était pas plus à l'abri. Les sévices
prenaient seulement une autre forme. Avait-il eu la mala-
dresse de laisser tomber un couvert d'argent sur le parquet,
de renverser de la sauce sur une nappe, de n'avoir pas vu
qu'il empêchait de passer une cliente, quoi encore? d'être

resté inerte et distrait à deux pas d'un vieux monsieur qui réclamait du pain comme un naufragé une bouée de sauvetage, le Petit Père surgissait comme d'une boîte, et, en même temps qu'avec force courbettes et sourires, il réparait le dommage causé de l'air de quelqu'un qui connaît à fond son affaire mais ne peut, hélas! répondre des imbécillités d'un dadais de commis, il écrasait sournoisement les orteils de Monsieur Hermès sous son talon rageur ou lui pinçait le gras du bras jusqu'au sang. Ça se terminait ensuite à l'office. Hein? Vous allez encore me dire que c'est de ma faute, peut-être? Et ça veut faire du restaurant! J'en voudrais même pas pour cirer mes chaussures!

Jamais Monsieur Hermès n'avait été traité ainsi. Monsieur Papa excepté, dont les éclats de colère étaient souvent orduriers, jamais personne ne s'était permis de le rudoyer de la sorte. De quoi? Pour qui se prenait-il le Petit Père? S'il tombait un jour sous sa coupe, il lui en ferait baver. Peu probable que ça arrive, d'ailleurs. Des promesses en l'air, bien sûr. Mais tout de même il n'était plus un enfant. On aurait pu lui parler sur un autre ton. Quel malotru! Ça l'humiliait, surtout à cause des autres. Oh! d'accord, il n'était pas plus doux ni plus correct avec eux quand ça le prenait. Mais ça ne le consolait pas. Il n'avait jamais pu encaisser qu'on offensât sa respectabilité. Sur ce plan, il se prenait gentiment au sérieux. Oui, il se faisait une assez haute idée de sa dignité. Les réprimandes, il les aurait acceptées, s'il n'avait pas senti qu'elles étaient systématiques. C'était le ton qui lui était intolérable.

Car enfin, quoi de commun entre Monsieur Rigal et lui? Il se le demandait souvent. Sans doute, le Petit Père était-il expert en son art, mais quelles connaissances avait-il en dehors de son métier? Il était, c'était évident, d'une nullité crasse sur tous les sujets, d'une grossièreté de mœurs et de propos inouïe. Et une fois sorti de l'Hôtel? Eh bien, il passait son temps à tripoter des brèmes dans les bistros et à jouer aux courses avec le Père Schott. Probable que le P.M.U. devait lui jouer de vilains tours! Quand le book lui avait raflé tous ses picaillons, alors, pas étonnant qu'il ait l'humeur un peu aigre. Et c'était ça qui voulait faire la loi? Un minus qui savait à peine écrire! C'était tout de même rageant de penser qu'il pouvait parler comme il voulait à la clientèle, tandis que lui, Monsieur Hermès, n'en avait pas le droit. Oui, on le savait que le règlement interdisait aux commis de tenir le crachoir. Ça, c'était le privilège des Maîtres d'Hôtel. Monsieur Hermès bouillait quand il entendait des clients demander à l'un d'eux dans quel théâtre on jouait telle ou telle pièce et si ça valait la peine d'être vu et si c'était nécessaire de louer ses places et à quelle heure ça commençait, ou bien qu'est-ce qu'il y avait comme boîtes bien en ce moment, ou bien encore si le Louvre était ouvert le matin, ou encore si on pouvait prendre des photos à l'intérieur des Invalides. Il avait bonne mine, le Petit Père, dans ces cas-là! Crommelingue? Heuh..., c'est-à-dire..., je vais voir, Monsieur. Je vais me renseigner tout de suite. Mais bien entendu, Monsieur! Je suis là pour ça! Que Monsieur ne s'inquiète pas. L'empaqueté! Des mots, des formules creuses, zéro! Il séchait comme une limande, le crétin! Monsieur Hermès était là, à deux pas, rongeant son frein, tous les détails sur les lèvres. Mais pas de danger que le Petit Père fasse appel à lui! Du moment que le Petit Père n'était pas au courant, ce n'était pas un vulgaire commis qui allait en savoir plus long que lui. Une simple question de principe. D'ailleurs, à quoi bon se mettre en avant? Chaque fois qu'il en avait eu l'occasion, ça lui avait mal réussi. Il n'avait même pas eu le temps d'ouvrir la bouche. Schott et Rigal, soupçonneux, l'avaient renvoyé à ses assiettes sales et avaient répondu à sa place. Chacun ses attributions. Monsieur Dominique lui-même, qui était plutôt compréhensif, dans son genre, et qui savait bien que Monsieur Hermès aurait pu se montrer à la hauteur, ne le laissait jamais répondre à un client. Les ordres étaient les ordres. Seulement, en douce, il se tuyautait auprès de lui, à l'avance. Et il resservait ça tout chaud aux amateurs.

Deux jours avant, Greluche, qui était en stage comme lui, mais qui avait déjà fait dix-huit mois au *Savoy* à Londres, et avait terminé son apprentissage, venait d'être nommé à la Réception. Greluche, sans doute, parlait un anglais impeccable et avait de beaux yeux veloutés. Mais quelle dégaine en jaquette, petit et gros comme il était, avec son double menton et son visage de poupon! Monsieur Hermès voyait d'ici les regards railleurs des clientes, sur ses mains aux ongles toujours rongés, quand il leur tendrait leur courrier ou leur clé ! Et de quoi leur parlerait-il quand elles lui demanderaient, comme c'était l'usage, de leur tenir compagnie dans un des salons ou de les accompagner chez les couturiers ? Il s'y voyait, lui, dans ce rôle-là. Et puis non ! Même en jaquette, même avec du linge frais, même avec des ongles roses, il savait bien que ça ne lui irait pas de faire le joli cœur sur commande. On a ou on n'a pas une âme de larbin. Il ne s'y ferait jamais. Il n'allait pas gaspiller sa vie à découper des volailles comme Monsieur Dominique ou à faire des courbettes comme le Petit Père. Encore moins était-il désireux de jouer les pages de Cour à la manière de Greluche. Plier l'échine, tendre la main : très peu pour lui !

Mais eux, tous autant qu'ils étaient, ça ne semblait leur faire ni chaud ni froid. La force de l'habitude, prétendait Monsieur Dominique avec un sourire entendu. Il n'allait pas plus loin. Qu'avaient-ils donc dans la tête ? Où voulaient-ils en venir ? Dominique, Pactot, Simpson, toujours si propres, si souples, si appliqués..., bons et loyaux serviteurs ! Et de l'ambition, avec ça ! Une bonne petite ambition. Taillée à leur mesure. Dans trente ans, seraient-ils aussi abrutis que le Père Hubert ? Cette façon prétentiarde qu'avait le Père Hubert d'essuyer un verre ou de changer une assiette. C'était comme si ses mains étaient douées d'une sorte de jactance manuelle. Il n'y avait pas des cabots que sur la scène. L'emphase théâtrale est un vice qui va se nicher dans les professions les plus vulgaires. Chez le Père Hubert, elle se compliquait d'un radotage maison : à gaga, à gaga... Faites ce que je dis ; ne faites pas ce que je fais. L'âpreté sénile avec laquelle il s'appropriait les restes des clients, les cachait dans une étuve, entre deux assiettes creuses, pour les empiffrer en solitaire à la fin du service. Les commis étaient vachement ravis quand Rigal ou Schott, pour le faire grogner un petit coup, changeaient ses assiettes d'étuve ou en jetaient le contenu aux ordures. Qui a pris mon demi-faisan ? C'est toi, Schott ? Allez, rends-le-moi ! Je n'ai pas le temps de m'amuser. Schott commençait par se pincer le nez, puis, faisant semblant de chercher son bloc dans l'une de ses basques, il s'avançait, menaçant, vers le Père Hubert : Quoi ? Un faisan ? Tu n'as pas honte ? Mazette ! Tu te soignes ! Le Père Hubert battait en retraite, confus comme un enfant pris en faute et marmottant lugubrement. Schott le poursuivait à travers la salle, des avanies plein le dentier Et, si Rigal voyait ça, il rappliquait pour faire chorus. C'est pourtant pas un mauvais cheval, concluait Palisseau, en haussant les épaules. Mais Monsieur Hermès trouvait ces mascarades plutôt saumâtres. Trente ans de restaurant! Devenir la risée des jeunes! Se saouler avec des fonds de bouteilles, tous les jours, comme ça, bestialement. Pactot dit le Marin avait beau ricaner peut-être qu'il finirait comme ça lui aussi. Pour l'instant, il se sentait pisser, il courait les filles et trouvait que la vie était belle. Grand bien lui fasse! Monsieur Hermès ne sortait jamais avec lui. Il se doutait bien quand même du genre de ses conquêtes. Souvent Monsieur Hermès lui demandait son avis sur une belle cliente. Ce n'était pas ce qui manquait. De vraiment chouettes! Mais Pactot n'y faisait pas attention. Chasse gardée, disait-il, c'est pas du gibier pour nous. Son gibier, à lui, c'étaient les petites poules qu'il faisait au bal, qu'il rencarrait au cinéma et qu'il enfilait, l'après-midi, dans sa turne. Son baisodrome, comme il l'appelait. Les dos nus, les bijoux, les flas-flas, tout ça, il s'en tamponnait froidement le coquillard. Il était heureux. Son destin lui semblait normalement tracé. Il n'en désirait pas un autre. Il avait été, lui aussi, un petit commis roué, vicieux et chahuteur comme ils étaient tous. A force de recevoir des coups de pied dans le coccyx et des mornifles sur le coin du nase, il avait acquis un certain sens des responsabilités sociales. C'était comme si ça lui avait mis un peu de plomb dans la tête. Toujours prêt à la rigolade, bien entendu, mais sérieux comme un pape devant le clioche. Bientôt, il passerait maître d'hôtel. En voilà un, de maître d'hôtel, qui connaîtrait la musique. Faudrait pas lui raconter d'histoires. Mais il ne serait pas vache. Il avait le cœur sur la main. Ce n'était pas comme Palisseau ou Matrousse. Ces deux-là, le jour où ils prendraient du galon, ils seraient pires que Rigal et que Schott. Monsieur Hermès les redoutait. Il les trouvait visqueux, corrompus par le biseness, déjà aigris. Le fric avant tout. Ne vivaient que pour ça. Dès qu'ils avaient une minute, c'était pour ratiociner sur le sort du tronc. Le tronc! Tout tournait autour de ça. Une manière de tabernacle. C'était là qu'on enfournait les pourliches. Par une fente. A la fin de chaque semaine, les Maîtres d'Hôtel le décadenassaient et faisaient le compte. Y avait plus qu'à donner sa part à chacun. Une part qui variait avec l'emploi. Les Maîtres d'Hôtel étaient à part entière, eux. Les chefs de rang à cinq ou six huitièmes de part, seulement Sauf Pactot qui plafonnait à sept huitièmes. Les commis, en revanche, se contentaient de deux ou trois huitièmes. Pendant toute la semaine, ça discutait donc ferme dans l'usine pour supputer quel serait le montant du huitième. La lutte pour la vie. Gagner sa croûte ou ne pas la gagner. Il n'y avait pas à sortir de là. Chacun accrochait un espoir d'être augmenté d'un huitième. On les tenait avec ça. Très joli de parler de camaraderie et de fraternité. Mais le picaillon primait. Monsieur Hermès se rendait bien compte. Tout n'était pas si drôle, dans le fond, pour des gens comme eux. Souvent une femme et des gosses à nourrir. Le loyer à payer, les vêtements, les chaussures à remplacer. Et jamais sûrs du lendemain. Comment s'étonner ? Fallait les entendre raconter ce qu'ils avaient enduré dans certaines places. Ils citaient les noms de restaurants où la vie était un bagne, où la discipline était telle qu'ils n'osaient plus lever le petit doigt. Ils en citaient un, surtout, où ils avaient presque tous travaillé, un restaurant tout ce qu'il y avait de soua-soua, mais si petit qu'on ne pouvait même pas circuler entre les tables et où le personnel était en butte à l'espionnage, aux dénonciations et aux mauvais traitements de la patronne. A les entendre, ce n'était rien, ici. Ici, ça se passait en famille. Mais il y avait des places où il y aurait vraiment eu de quoi faire sauter la baraque à la dynamite. Matrousse racontait par exemple qu'il avait travaillé pendant deux ans à la Compagnie des Wagons-Lits. Ça, c'était le fin du fin, paraît-il. Ses anecdotes vous donnaient vraiment envie de dégueuler. Monsieur Hermès ne se serait jamais douté, les rares fois où il avait mangé au wagon-restaurant avec Monsieur Papa, que ça pouvait se passer comme ça dans la coulisse. Maintenant qu'il était dans le coup, lui aussi, il comprenait. Mais Cambrecis avait vu plus fort encore. Lui, il avait travaillé sur les paquebots. D'abord la ligne d'Amérique du Sud. Puis, New York. Il avait tout le temps le mal de mer. Pas moyen de manger. Ils couchaient à quinze dans une cambuse sans hublots, seulement aérée par un puits de jour. Un vrai nid à rats et à punaises ! Neuf services chaque jour. Sans compter les coups de main à donner au bar les soirs de galas. A New York, il n'avait rien vu. Dès que le paquebot était à quai, il descendait, louait une chambre dans un petit hôtel et roupillait pendant toute l'escale. Une rigolade ! Palisseau, lui, connaissait bien New York. Il avait fait une saison dans un énorme *drug-store* de Long Island. Encore un drôle de racket ! La foire d'empoigne ! Rien que des filous. Fallait faire gaf ! Tout son flouze s'était liquéfié en amendes ou en ribouldingues. Ça, comme ramadan ! Même qu'il avait dû aller faire la moisson et la cueillette des pommes et des pêches en Californie, pour se refaire. C'était depuis qu'il toussait. Un chaud et froid. Bigre ! Deux mois d'hosto. Janicou aussi, avait une sale bobine. Pactot prétendait qu'il s'en allait de la caisse. Pas étonnant avec les suées qu'on prenait et tous ces courants d'air. Mais Pactot, lui-même, était-il si brillant ? Joli garçon, sans doute. Mais la meurtrissure verdâtre de sa peau autour des yeux, mais son teint de papier mâché ? Ça l'avait drôlement sonné, cette chaude-lance ! Il continuait à baiser, quand même. En capote. Ce qu'il y en avait des pourris sur la terre ! Qu'est-ce qui était le mieux, la chtouille ou la vérole ? En Espagne, la spécialité des toreros, c'était plutôt la vérole. Ils récoltaient ça les soirs de courses. N'est-ce pas, quand on venait de risquer sa peau... Bref, ça les laissait à plat pour toute la saison. Se doutaient pas de ça, les ballots qui les sifflaient. Bronca sur bronca, jusqu'au jour où ils se faisaient encorner dans un sursaut d'amour-propre. Voilà où ça menait l'amour-propre : chez Caron. Brrr !... ça lui avait fait une drôle d'impression les deux fois qu'il avait vu toréer Marcial Lalanda. On aurait dit qu'il allait cracher ses poumons, celui-là aussi. Et quel artiste, pourtant ! Quand ce n'était pas son toro, il se tenait contre la talenquère, le visage exsangue, les yeux caves. Sa façon de s'essuyer le cou avec un mouchoir fin. Parfois, même, il s'enveloppait dans sa cape de travail pour lutter contre la fraîcheur glaciale de l'ombre. Il se rinçait la bouche, sans boire, avec l'eau que lui tendait son valet d'épées. C'était bien connu, ce danger de la pleurésie, pour les gens de l'arène. Ici, au Restaurant, on ne prenait pas tant de précautions. Un tort d'ailleurs. Ça foutait les copeaux à Monsieur Hermès de penser à ça. Tout ce qu'on voulait, mais pas tubard ! Madame Mère lui avait assez dit que s'il continuait à avoir de mauvaises habitudes... Oui, sans char, paraît que c'était quand on se vidait trop qu'elle vous tombait dessus, la maladie. D'autant qu'il avait pas mal maigri depuis quelque temps. Ça, c'était un symptôme. Faudrait tout de même bien qu'on se décide à lui donner un congé. Mais il faudrait sans doute qu'il attende au moins la fin de son stage au Restaurant. Ça dépendait donc de lui. A lui de s'appliquer. S'appliquer ! Peuh ! Ce que Monsieur Dominique pouvait lui casser les pieds avec ce genre de boniments ! Avec votre physique, lui assurait-il, vous devriez nous mettre tous dans votre poche. Pensez donc, avec votre culture en plus...

Sa culture ! De quoi se taper le derrière dans la chapelure ! Tout à fait un type dans le genre de mes fraises, Monsieur Dominique. Il y croyait lui, à la Culture, avec un grand C. Un après-midi, Monsieur Hermès était allé chez lui, invité. Madame Dominique l'avait reçu dans un étroit appartement, aux derniers étages d'un énorme immeuble neuf en briques, de Clichy. Appartement rococo et sans âme, mais d'une propreté méticuleuse. On avait sorti les petits fours et le quinquina. On s'était enlisé sans remède dans de mornes banalités. Le tout, enrobé de pétitions de principe à la mords-moi le zi. C'est qu'il se piquait de lectures, ce sacré Monsieur Dominique ! L'instruction ! Que n'avait-il pu faire d'études ! Avec orgueil il montrait à Monsieur Hermès un début de bibliothèque sur une étagère de chez Lévitan. Il y avait là, entres autres, les œuvres aussi complètes que reliées du respectable Petit de Julleville. J'ai acheté ça chez un brocanteur des Gobelins, disait-il avec emphase. Il lisait chacun des tomes avec application et méthode, dans l'ordre. Ah ! mais... Que pensez-vous de Petit de Julleville ? Comme ça, à brûle-pourpoint ! Sans prévenir. Monsieur Hermès était bien embarrassé. Il n'en avait jamais lu une ligne. Il ne savait même pas qui c'était. Monsieur Dominique, un peu étonné de cette ignorance, avait été obligé de le lui dire. Ça ne cadrait pas avec l'idée qu'il se faisait de son jeune ami. Pourtant, l'*Histoire du Théâtre en France ?* Ça comptait ! Euh, oui, évidemment. Monsieur Hermès se sentait tout penaud. Lui qui se vantait de connaître à fond tout ce qui touchait au théâtre ! Et ça, qu'est-ce que c'était ? Bon Dieu, l'*Histoire des Français*, de Sismondi ! Et là : la *Théorie du droit de propriété et du droit au travail*, de Considérant. Et là, dans le coin : *Terre et Ciel*, de Jean Raynaud. Il donnait plutôt dans le genre sérieux, le trancheur. Monsieur Hermès ne connaissait pas davantage *Terre et Ciel*. Monsieur Dominique en avait paru un peu inquiet. Qu'apprenait-on donc aux lycéens ? Il lui fit un exposé à sa manière. L'origine des mondes, la vie future, le plaidoyer en faveur de la métempsycose, la croyance en la perfectibilité indéfinie de la nature humaine. Une sombre macédoine ! Ce qui me gêne, que susurrait le trancheur, c'est tout ce vocabulaire. Core heureux que j'aie le Larousse ! Tout neuf, hein, vous voyez ? En deux tomes. Y en a des mots là-dedans ! Monsieur Hermès le quittait pas des yeux. De quoi se marrer ! Pouvait pourtant pas lui éclater de rire au nez. Heureusement pour lui, il avait toujours eu le don de s'adapter aux situations les plus baroques. Il prit un air intéressé, posa des questions. Le faciès du trancheur s'éclaira, visiblement flatté qu'il était. A l'entendre, Petit de Julleville et Raynaud étaient devenus ses maîtres à penser. L'ancien-et-le-nouveau-testaments-réunis. Comme si Petit de Julleville avait été capable de lui enseigner ce qu'il fallait penser à la fois de la politique de Poincaré, des méthodes de stérilisation coïtale, de la pêche au goujon en eau vive et du style du Trocadéro. Tu te rends compte, monologuait tout bas Monsieur Hermès ! Il était sorti de là épuisé comme après une séance au Hammam. Depuis, il les avait savamment esquivées, les invitations de Monsieur Dominique. Même qu'il avait dû le vexer un tant soit peu quand l'autre avait voulu lui prêter *Terre et Ciel* et qu'il avait refusé. J'aurais tant aimé lire ça (hypocrite, va !) mais j'ai si peu de temps. Vous me comprenez, n'est-ce pas ? Ma pièce avant tout ! Aïe ! aïe ! aïe ! Qu'est-ce qu'il avait dit là ? Intarissable, Monsieur Dominique, dès qu'on le lançait sur *La Joie du Cœur* ! Tout à fait comme s'il en avait été le père spirituel ! Alors, c'est pour quand ? J'espère que l'hiver prochain nous pourrons voir jouer votre chef-d'œuvre ? Ça, mon vieux, je ne vous ai jamais rien demandé, mais il faudra me donner deux bons fauteuils ce soir-là. Oh, là ! doucement, Monsieur Dominique. Ce n'est pas encore pour tout de suite. L'imbécile, se figurait-il que ça se faisait comme ça ? Faire jouer une pièce ! C'était marrant de voir comme les gens trouvaient ça simple. Il aurait voulu les voir à sa place. Tout de même, ç'aurait été fameux de les voir tous, les Dominique et les autres, en baver des ronds de chapeau devant ses trois actes. Quand il y pensait, il jouissait. Et pourtant, il aurait pas dû le mettre dans le même sac que les autres, Monsieur Dominique. Fallait tout de même pas être un ingrat. Monsieur Dominique lui avait été d'un grand secours lors de ses débuts dans le métier.

Une sacrée journée que celle où Monsieur Papa l'avait conduit à Paris pour le faire entrer à l'Hôtel. Adieu Portville ! Adieu les copains ! La visite au grand patron. C'était la seule fois que Monsieur Hermès était passé par le hall d'entrée, comme un client. Le topo moral du grand patron, la tape amicale sur la joue. S'il veut bien faire, il peut être sûr que nous serons là pour seconder ses efforts. Travail et discipline. C'est la règle de la maison. Après ça, on avait croupi dans le bureau du Chef du Personnel. Il avait fallu remettre un certificat de bonne vie et mœurs, un extrait de casier judiciaire (vierge encore) et une copie de l'acte de naissance. Tout un chiqué ! Alors, on l'avait inscrit, immatriculé, pointé. Les conseils pratiques. Les encouragements de pure forme. Les apartés entre le Chef du Personnel et Monsieur Papa : entre grandes personnes. Pas pour les enfants. Ça l'écœurait même d'écouter. Qu'ils disent de lui ce qu'ils veulent. Le reste de l'après-midi s'était écoulé à courir les magasins pour acheter tout ce qu'il fallait pour la tenue. Enfin, ils avaient pris un taxi avec la petite malle grise. Cette fois, ils avaient dû entrer par-derrière. Du côté du pointeur. L'escalier de service. Huit étages, sans ascenseur. La malle suivait, dans le monte-charge. Là-haut, une enfilade de dortoirs mansardés, sous les combles. Un placard pour chacun, un petit lit de fer. Les lits de fer en rang d'oignons. Tu déferas ta malle demain. Ils avaient dîné chez Scossa. Monsieur Papa repartait le soir même. Les inévitables jérémiades. Sois sérieux. Ecoute bien ce qu'on te dit. Fais attention à ton argent. Ecris-nous. Il fallait qu'il lui gâche ses dernières minutes. Si seulement il avait pu être seul ! Il était rentré tôt à l'Hôtel. Pour être plus dispos le lendemain matin ? Tu parles ! Il s'en foutait. Mais il n'avait pas le cœur à rigoler. Son dîner n'avait pas passé. La perspective qui l'attendait lui avait coupé l'appétit. En apprentissage ! Il y avait des années qu'il sentait cette menace au-dessus de son crâne. Eh bien, cette fois, ça y était ! Il se coucha, fit semblant de dormir. Au moins, ça lui évita de parler aux autres, à mesure qu'ils rentraient. Des commis, des grooms, des liftiers, du menu fretin. Ils blaguaient, orduriers, obscènes. Tout à côté, il y avait un dortoir de femmes de chambre, de lingères. Les deux dortoirs communiquaient. Monsieur Hermès entendit des voix féminines pas loin de son lit, des rires. Cela avait l'air de chahuter ferme. Attention, piailla un moujingue, le surveillant va radiner. C'est son heure ! Le fait est. Mais aussitôt après la ronde, ça reprit de plus belle. Un vrai bordel, ces dortoirs ! Lui qui aimait tant déconner avec les copains et faire la bringue, et s'arsouiller et chanter des chansons de salle de garde, eh bien, ce soir, ces piafs-là l'écœuraient. Y avait des jours comme ça, on n'était pas en train. Ce qu'on trouvait si drôle de faire soi-même, parfois, on trouvait que c'était idiot quand les autres le faisaient. Eh, le môme, disait un grand, tu veux y passer à la casserole ? Il lui courait après, la bite à la main. Laisse-le, il a pas douze ans ! C'est plus tendre, au contraire. Dis-donc, Caroline, elle en a jamais vu, ta mère, des chibouques comme la mienne ? Paraît que la grosse Marie s'est encore fait enchoser ? Pas possible ! Puisque j'te l'dis ! Y avait que le tram et mon grand-père qu'étaient pas passés dessus. Eh, Simone ? Quoi ? Tu n'en veux, dis, de ma chibouque ? J'ai mieux ! Fais voir ? Il prendrait froid. Oh, va donc, chichiteuse ! Tu les prends puceaux, maintenant ? Vous n'avez pas honte, vous autres, avec ces mioches ? Laisse donc, tantine, faut bien qu'on s'occupe de leur inducâtion. Si leurs parents savaient ça ! Leurs parents, non mais des fois ? Ils devaient se douter de ce que c'était ! Tiens, le lit d'Alfred est occupé ! Oui, c'est un nouveau, un commis. Il est pas causeur. Il dort. Il a de la veine s'il peut, avec ce raffut que vous faites ! Ils gloussèrent. Le lendemain matin, il avait pourtant bien fallu se décider à leur parler. Monsieur Hermès n'avait pas fermé l'œil de la nuit. D'appréhension, comme les jours d'examen. Ça lui gargouillait dans le bas ventre. Ça le gênait de n'être pas au courant des habitudes de l'usine ? Où se laver ? Où chier ? Comment s'habiller ? A quelle heure descendre ? C'était un commis du nom d'Emile qui s'était occupé de lui. Le Directeur du Restaurant avisé l'en avait chargé à l'avance. T'as jamais travaillé ? Ça lui avait coupé la chique, à Emile. Viens, je vais te conduire auprès de Monsieur Dominique. C'est lui qui prend les débutants. Comment est-il ? Faut le connaître. C'était vague.

Pourtant, Monsieur Dominique lui avait fait tout de suite bonne impression. Il l'avait défendu, protégé des moqueries des anciens. Bien sûr, ils avaient voulu le traiter comme un bleu-bite. Alors, mon gars, lui avait dit le chef officier, remuant sa grosse verrue sous sa moustache noire, tu payes la bienvenue ? Etait-ce vraiment l'usage ? Monsieur Hermès n'avait pas beaucoup d'argent. Mais il n'aimait pas être en reste. Il avait demandé conseil à Monsieur Dominique. Il s'en était tiré avec une tournée d'apéros (du raide) qu'on avait fait porter d'un bistro voisin. Tu m'bottes, qu'avait glapi le chef officier en léchant son verre. Faudra qu'on soye copains. Monsieur Hermès ne demandait pas mieux. Lui, il aurait voulu être copain avec tout le monde, si ç'avait été possible. Mais il n'était pas là pour ça. Avant tout, il fallait boulonner.

Qu'elle avait été longue, cette première matinée ! Il n'avait cessé de regarder l'heure. Ça manquait vraiment d'intérêt, cette séance d'astiquage ! C'était fadé. Lui qui était resté jusqu'à cet âge-là à renifler des bouquins, voilà tout ce qu'on trouvait à lui faire faire. Pour manquer de transition, ça manquait de transition. En quoi est-ce que ça l'aiderait à diriger plus tard un grand hôtel que de s'échiner à passer du blanc d'Espagne sur de l'argenterie ? Ils en avaient encore des méthodes, ceux-là ! Oui, il connaissait le principe. C'était aussi le dada de Monsieur Papa. Il fallait mettre soi-même la main à la pâte. Savoir tout faire pour, le cas échéant, réprimander les employés qui s'y prenaient mal. Alors, pendant des semaines, tous les matins, il s'était excité sur l'argenterie et plus particulièrement sur la cloche mobile et la longue bouilloire argentées du chariot. Pourquoi se donner tant de mal ? Avant le service, matin et soir, on le voyait rutiler dans un coin de la salle comme une pièce de musée.

Mais dès que les premiers clients étaient servis, il était souillé par les éclaboussures des jus et des sauces. Nettoyer, salir, nettoyer, salir : sans arrêt. Quelle obstination absurde ! Faire, défaire ; laver, essuyer ; plier, déplier ; mettre, ôter ; monter, descendre ; manger, déféquer ; travailler, dormir. Toujours ! Toujours ! Ne pouvait-on échapper à ça ? Car, enfin, voilà les choses telles qu'elles se présentaient, telles que lui, Monsieur Hermès, les appréciait et les condamnait. Mais qu'étaient-elles en soi ? Par quels moyens la vie aurait-elle pu prendre forme sans qu'on soit obligé à chaque instant d'en discuter les apparences ? Etait-ce dans ses livres, dans Considérant ou Sismondi que Monsieur Dominique puisait cette si radieuse assurance avec laquelle il découpait à longueur de journées, volailles et rôtis ? Dans le fond, c'était à se demander s'il n'était pas encore plus cuistre que les autres. Il ne comprenait rien à rien. Quand Monsieur Hermès essayait de lui analyser un point de vue, c'était réglé comme du papier à musique : Monsieur Dominique faisait semblant d'avoir compris, mais il lui sortait une bourde grosse comme lui. Il n'y avait rien à en tirer. Par bonheur, depuis qu'il était commis de rang, il était au moins débarrassé de cet affreux chariot qui lui avait causé tant de tintouin. Mais Monsieur Dominique, lui, semblait avoir une véritable adoration pour ce chariot. Sa vie semblait consister uniquement à le trimballer de table en table pour l'édification des clients. D'un geste bien arrondi, Monsieur Dominique découvrait la plaque chaude en faisant basculer la cloche. Une vapeur parfumée venait chatouiller les narines. Un sourire. Son grand couteau dans une main, une fourchette de l'autre : Madame, aile ou cuisse ? Un peu de jus ? Garniture ? Fonds d'artichauts et petits oignons de Mulhouse. Monsieur, la cuisse ? Un peu de blanc aussi ? Parfait ! Les assiettes volaient sur la table et dans les mains du chef de rang. Monsieur Dominique faisait basculer la cloche et repartait. Trois plats du jour au 31, grognait Schott. Bien, Monsieur. Monsieur Dominique ne perdait pas son sourire pour si peu ; un peu de sueur perlant à son front. Mais Monsieur Hermès était déjà trempé jusqu'aux os. Ainsi pendant tout le temps du lunch ou du dîner. Quand la salle se dégarnissait, Monsieur Hermès n'avait plus qu'à redescendre le buffet, ce même buffet de langoustes et de caviars, de pièces montées et de foies gras, de faisans parés et de saumons frais qu'il remontait et descendait trois fois par jour. Ça lui faisait des kilomètres et des kilomètres d'escaliers dans les jambes. Avec ses grandes guibolles il sautait les marches deux par deux. Une sorte de champion. Restait à vider de leur eau, la glace ayant fondu, les éventaires en zinc. Ce qu'ils pouvaient être lourds, ces maudits éventaires. Le Petit Père était là, comme par hasard, pour l'invectiver, si par malheur il inondait le parquet. Et pour couronner tout ça, Monsieur Hermès s'envoyait le nettoyage du chariot. Interdit de se servir du couteau pour décaper le graillon qui avait cuit et recuit : ça rayait le métal. Quand même, il s'en servait en douce. Les officiers lui faisaient le pet. Sans ça il aurait encore été là à minuit, raclant cette croûte rebelle centimètre par centimètre, sa sueur tombant goutte à goutte sur la bouilloire à demi immergée et toute fumante.

Ce matin-là, Monsieur Hermès avait déjà dû changer une fois de chemise. La moitié de son argent passait en blanchissage. Il faisait, en ce début d'août, une chaleur tropicale. En se regardant dans la glace du vestiaire, Monsieur Hermès s'effrayait de sa pâleur, de ses traits tirés. Il maigrissait de plus en plus. Depuis son entrée à l'Hôtel, il avait déjà perdu près de dix kilos. Combien de temps pourrait-il encore tenir à ce régime ? Ce métier le tuait. Dès le premier jour, il avait demandé au Chef du Personnel la permission de coucher en ville. L'atmosphère du dortoir lui avait trop déplu, la seule nuit qu'il y avait dormi. S'il avait dû y rester, comment aurait-il pu trouver le calme nécessaire pour achever sa pièce ? Et il avait réfléchi également qu'il lui serait à peu près impossible de se livrer à ses pratiques solitaires dans une telle promiscuité. C'était peut-être ça, surtout, qui l'avait décidé. Il avait déménagé entre le lunch et le dîner. C'était Emile, le commis, qui lui avait enseigné l'adresse de la Maison Meublée. Se doutait-il, alors, que l'existence qu'il y mènerait ne serait pas plus reposante ? Pourtant, il ne reviendrait pour rien au monde dans ces dortoirs. Au moins, à la Maison Meublée, il n'entendait plus parler de l'Hôtel. Et ça, c'était déjà beaucoup ! Toutefois, quand il serait à Londres, il faudrait bien sans doute qu'il loge au *Savoy*, comme les autres. Quel cauchemar en perspective! S'il tombait malade, là-bas, au milieu de ces étrangers? On l'enverrait à l'hôpital. Palisseau n'en était pas mort. Il se voyait déjà dans une salle toute blanche, dévoré par la fièvre, abattu... Peut-être qu'on écrirait enfin à ses vieux, qu'il pourrait revenir à Portville en convalescence... Ce serait un assez bon moyen pour en sortir, après tout... De toute façon, cette existence ne pourrait pas continuer éternellement... S'il n'y avait eu que sa santé encore... Mais, réellement, il se sentait devenir idiot... Sa mémoire foutait le camp... Il s'abrutissait... Il passait des heures à rêvasser, la cervelle vide... Mais on l'appelait. Eh, dis donc, le Marin te réclame. Tu as quatre couverts dans ton rang. Monsieur Hermès se rajusta. La voilà bien, la réalité! Il descendit, traversa l'office, fit irruption dans la salle. Elle était vide. Trop tôt encore. A peine midi. Mais, à une de ses tables, effectivement, quatre personnes étaient déjà installées. Trois hommes et une femme. Trois gros hommes importants et cossus, le visage épais, les mains baguées, vêtus avec une lourde excentricité. Et une femme assez grande, lointaine, au teint mat, au regard doux, animal, qui jouait distraitement avec le menu sans le lire.

Monsieur Hermès s'approcha. Magne-toi le train, lui souffla le Marin, y a du linge. Tu sais qui c'est? Anna Pavlova, la danseuse! Pas possible? Il avait été la voir danser au printemps, au théâtre des *Champs-Elysées*. Ça, alors! pour une surprise, c'était une surprise. Ce n'était cependant pas la première fois qu'une célébrité pénétrait dans le Restaurant. On pouvait même dire que chaque jour c'en était un vrai défilé. Des gens dont on ne retenait même pas les noms, princes, financiers, virtuoses, héritières, qui s'y croisaient et s'y rencontraient. Tout ce que l'Amérique du Sud pouvait compter de señoritas milliardaires, les Etats-Unis de magnats squelettiques ou de cocottes fastueuses et titrées, l'Inde de maharadjahs ou l'Espagne d'hidalgos syphilitiques, l'Angleterre de ladies ou la Suède de philanthropes fatigués, s'était assis une fois ou l'autre sur les fauteuils amarante et faux Louis XVI de la salle. Monsieur Hermès aurait dû être blasé. Mais pour lui une femme comme Anna Pavlova représentait beaucoup plus que n'importe qui. A ses yeux elle était à la fois la Femme, la Beauté, l'Amour et l'Art. Elle symbolisait merveilleusement le genre de créature dont il s'imaginait qu'il pourrait être aimé s'il devenait un jour un grand homme. C'était pourtant un drôle de hasard qu'Anna Pavlova se soit assise justement dans son rang. Sa vie était ainsi ponctuée de petites conjonctures. Elles l'étonnaient. Elles le remplissaient d'orgueil. Ce n'était tout de même pas banal tout ce qui lui était déjà arrivé! Jamais Buddy, ni Paolo, ni Roudoudou, ni aucun autre copain, ne lui en avaient jamais rapportées de semblables. Tandis que lui, il s'était toujours trouvé sur le chemin de ce qu'il admirait le plus au monde. Carpentier l'avait fait sauter sur ses genoux. Les plus grands matadors d'Espagne lui avaient dédicacé leur photo. Et maintenant, Anna Pavlova! Il la regardait d'un air hagard, comme un bêta, pendant que le Marin achevait de prendre la commande.

Pactot lui tendit le bon. C'est pressé. Ils disent qu'ils ont un train à prendre. Monsieur Hermès s'en empara et bondit vers l'office. Une fois descendu aux Cuisines, il le remit au Gros Bonnet sans même le lire. Le Gros Bonnet le regarda d'un air goguenard. Encore dans la lune, Monsieur le commis! Tout à l'heure, tu te plaindras si ta suite ne vient pas. Ne t'avise pas de me casser les couilles. Je te préviens. Le Gros Bonnet était un terrible homme, immense et énorme. Sous sa veste blanche, immaculée, le ventre se tendait en avant comme une profession de foi. Entre le ventre et la tête, pas de cou. Mais la tête était superbe. Une tête de chef gaulois à l'engrais. Cette tête était rouge, carrée, luisante sous une moustache blonde et tombante. Il devait faire du bruit en mangeant sa soupe. Au milieu de toute cette viande débordante, brillaient de minuscules yeux bleus et humides d'alcoolique. Il était coiffé d'un haut bonnet impeccable comme d'une tiare. Mais ne le craignait-on pas aussi comme un pape? Trois cents sacs par an, au bas mot, assurait Cambrecis. Même le Directeur du Restaurant et le Chef du Personnel se tenaient comme des petits enfants devant lui. Il pouvait faire la pluie et le beau temps. C'était de lui que dépendait la vogue du Restaurant. La première réflexion de ces Messieurs, le matin : Comment est-il luné aujourd'hui? De son humeur, toute la journée allait se ressentir. Ils chient dans la colle, rouspétait Palisseau si servile en apparence mais qui n'avait au fond aucun respect pour les pouvoirs établis. Le Gros Bonnet était là, cramponné à son pupitre comme un capitaine à sa barre, dominant les fourneaux du haut de son estrade, imposant, impotent et indéracinable. Voilà ce qu'en avaient fait quarante ans de cuisine ! Presque doux, voire paternel quand il était à jeun, il tonitruait et débitait les propos les plus orduriers dès qu'il était ivre, ce qui, souvent, lui arrivait avant midi. Pourtant, à part ça, ça se voyait à peine. Les prunelles seulement un peu plus noyées, le teint un peu plus cramoisi, la voix un peu plus pâteuse. Mais sa dignité n'en était que plus assurée. Un roc, à son pupitre. A peine s'il oscillait de temps en temps. Simpson affirmait qu'un jour il s'écroulerait comme une masse, raide mort, tout d'un coup. Quand il était dans cet état, il n'y avait pas moyen de l'approcher. Les Maîtres d'Hôtel eux-mêmes, redoutaient l'expédition. Ils préféraient déléguer les commis. Ceux-ci le craignaient forcément comme la peste. C'était leur terreur. Surtout s'il fallait présenter une réclamation ou faire un retour de plat de la part d'un Schott ou d'un Rigal. Les Cuisines retentissaient aussitôt des rugissements de l'Ogre. Les commis se faisaient tout petits, rentraient la tête dans les épaules, se regardaient avec inquiétude. C'était le moment de filer en tapinois, sans se faire remarquer. C'est ce que tentaient certains. Ils enlevaient d'un geste vif les plats qui étaient pour eux, sur la table chaude, tels que les y avaient déposés les marmitons. Mais, à peine avaient-ils fait quelques pas, ils se sentaient cloués sur place par la voix terrifiante du Gros Bonnet. Qu'est-ce qu'il leur passait ! Malheur à celui qui essayait de discuter !

Le Gros Bonnet prenait à témoin son chef rôtisseur, son chef saucier ou son grillardin. Voyez-vous ces blancs-becs ? Si on leur pressait le nez, il en sortirait encore du lait. Nom de nom d'un foutre ! Voulez-vous me poser ça là ! Ces messieurs se croient tout permis ? Les chefs de parties s'esclaffaient, enchantés de l'algarade. Ces petits salopiauds de commis ! Jusqu'aux marmitons qui rigolaient vachement, par en dessous, unis avec leurs aînés brutaux et avinés, dans leur haine congénitale de ceux du Restaurant quels qu'ils fussent. Et pour eux, c'était du délire quand le Gros Bonnet, emporté par la colère qui le congestionnait davantage, empoignait un plat et le lançait à toute volée à travers la gueule des commis. Pas du tout recommandé de bayer aux corneilles. Il fallait vite se camoufler sous la table chaude. Il n'y avait guère que l'Aboyeur, à moins qu'il n'eût bu lui aussi, pour mettre un peu d'ordre dans tout ça. L'Aboyeur était une manière de sous-Gros Bonnet. Moins âgé, moins éléphantesque et moins écarlate que le Gros Bonnet, il était appelé à le remplacer un jour devant le haut pupitre sur lequel s'entassaient les bons. Il cachait sous une grosse moustache noire une face de Tarass Boulba. C'était lui qui annonçait le détail de chaque bon aux parties. Quelle belle voix, mes seigneurs ! Dans ce vacarme de disputes, de casseroles entrechoquées et de ronds de fourneaux manipulés, elle éclatait avec puissance et précision. C'était vraiment réconfortant de l'entendre. Et faites marcher un canard à l'orange pour quatre ! Et nous enlèverons les meunières du 14 ! Et pressez mes steaks à l'américaine ! Et deux cultivateurs aux croûtons, rien avant ! Ainsi pendant des heures, sans souffler ! Ça sidérait Monsieur Hermès. Mais ce qui le sidérait davantage encore peut-être, c'était la mémoire de tous ces maudits cuisiniers. Comment ne s'y perdaient-ils pas ? Et pourtant, ils ne notaient rien. A croire que ça s'enregistrait automatiquement dans leur cervelle.

Le Gros Bonnet se disposa à tendre le bon de Monsieur Hermès à l'Aboyeur. Mais il y découvrit une mention et il annonça lui-même la commande d'une voix de stentor. Ah ! Ah ! Ah ! allait falloir s'appliquer, scrongneugneu ! Messieurs : Très soigné ! termina-t-il, l'air moqueur et autoritaire à la fois, en clignant de l'œil vers ses cuistots. C'était ça que le Marin avait inscrit sur le bon et souligné deux fois. S'agissait pas de louper la commande. Après tout, en tant que Gros Bonnet, il était là pour satisfaire la clientèle. Toutefois, c'était plus fort que lui, il ne pouvait pas s'empêcher de prendre toutes les Cuisines à témoin des prétentions du Restaurant. Voyez-moi ça ! Comme si nous avions besoin de leurs conseils !

Pendant l'absence de Monsieur Hermès, le Marin avait présenté les hors-d'œuvre. Ils mangeaient, tous les quatre, et bavardaient sans prêter la moindre attention à la salle.

L'antique chef sommelier, le Père Caparinou, aux pieds plats et traînants, aux joues saturées de vinasse, à la moustache broussailleuse, débouchait une bouteille de Tokay. Personne encore aux autres tables. Monsieur Hermès le regardait faire. Avec le Père Hubert, ils faisaient bien la paire. Aussi grognons et maniaquos l'un que l'autre. Pourquoi gardait-on ces vieux débris ? Une véritable caricature, ce Père Caparinou ! Et mauvais comme la gale avec ça ! La gale, Rigal : ça rimait ! Puis ses yeux vinrent se poser doucement sur Anna Pavlova. C'était amusant de la voir grignoter, là, tranquillement, à deux pas de lui. Et troublant, même. On n'aurait pas dit que c'était la même femme : celle qui grignotait et celle qui dansait. C'était à peine si elle était fardée. Ses cheveux étaient serrés sous une toque de soie d'or. Malgré la chaleur, elle portait sur une robe de foulard, un manteau d'hermine d'été. Frileuse, sans doute ? Ses mains étaient fines et pâles. Mais elles ne portaient aucun bijou. Elle parlait peu et souriait parfois en glissant une œillade narquoise à l'un de ses compagnons. Bon Dieu, pourquoi lui était-il impossible de haïr cette femme à l'égal des pimbêches fascinantes qui venaient s'asseoir à ces tables, habituellement ?

La salle s'était peu à peu garnie. Les Maîtres d'Hôtel plaçaient les nouveaux arrivants. Bizarre, cette autorité qu'ils avaient sur les clients ! Etre aux ordres de quelqu'un et le mener par le bout du nez : un vrai tour de force en somme ! Mais c'était la vérité qu'ils avaient le chic pour les mettre là où ils voulaient. Monsieur Hermès n'en avait jamais vu un résister. Comme ils étaient dociles, ces puissants ! Etait-il donc si facile de mener les gens ? Des gens qui n'avaient pas l'habitude d'obéir ? Eh bien, il fallait le croire. On aurait même dit qu'ils étaient flattés qu'on les dirige. Et il était à supposer qu'ils auraient été froissés si on les avait laissés agir à leur guise. Un poulet truffé à l'indienne ou un turbot poché hollandaise étaient mille fois plus délectables s'ils étaient servis de la main même du Maître d'Hôtel. Ben voyons ! Eternelle pantomime de la flatterie ! Quels ballots, les clients ! Comme si vraiment ces simagrées avaient eu la moindre importance ? Mais qu'est-ce qui avait de l'importance, au fond, dans la vie ? Presque rien, en fait. Et pourtant, presque tout, même les plus petites choses. Ça dépendait seulement du côté de la lorgnette par lequel on les regardait. La faute à qui si les gens les regardaient toujours par le même bout ? Le Petit Père, par exemple ? Pourvu que les clients bectent à leur convenance et règlent l'addition sans murmure, il était content, il estimait qu'il avait donné un sens à sa vie. Oh, il la connaissait dans les coins ! Tiens, justement un bedonnant qui levait la séance. Est-ce que Monsieur a mangé à son goût ? S'effaçant pour le laisser passer, le Petit Père reconduisit le bedonnant jusqu'au Hall, en claudiquant et avec des sourires d'avance consentants. Puis, d'un geste souverain, appuyé d'un impérieux claquement de doigts, il alerta le groom du vestiaire. Celui-ci accourut, déférent et avisé, portant le chapeau, les gants et les journaux du bedonnant. Le bedonnant, jouant à son tour le jeu quotidien, avec l'onction nonchalante d'un grand sorcier qui aurait donné son anneau à baiser et sachant d'ailleurs de quels hommages la liturgie des hôtels voulait qu'il soit honoré selon les prérogatives dues à son importance sociale, sortit très sérieusement une pièce de son gousset pour le groom trop mignon. Enfin, mais d'une manière beaucoup plus auguste, marquant la nuance, il glissa un billet plié en quatre dans la paume du Maître d'Hôtel, le dos voué de toute éternité aux révérences mais depuis fort longtemps habitué à ce genre de poignées de main.

Depuis qu'Anna Pavlova s'était assise dans son rang, Monsieur Hermès se surprenait lui-même : il s'appliquait. Toujours ce diable d'amour-propre ! Il ne pensait même plus à sa chemise mouillée, à ses pieds en feu. Il avait seulement un peu honte de sa tenue. Pour la première fois, il enviait l'habit de Pactot. Mais qu'est-ce qui se passait tout d'un coup ? Mais oui, la danseuse et ses compagnons se préparaient à partir. Ça en avait tout l'air. Le Marin lui avait bien dit qu'ils étaient pressés. Tandis qu'il restait là, piqué, comme un zob, le Marin passant près de lui en vitesse, lui souffla : La carpe farcie et les deux champignons à la crème du 17. Vite ! Monsieur Hermès fonça. Peut-être aurait-il le temps de remonter avant leur départ. Mais en bas, sa carpe farcie avait, soi-disant, déjà été enlevée par un autre commis. Fichu contretemps ! Ça fit toute une histoire. L'Aboyeur se mit à gueuler comme un cochon qu'on égorge. Monsieur Hermès dut exciper de sa bonne foi, discuter. C'était le chef poissonnier qui s'était gouré. La carpe était là. Monsieur Hermès grimpa les escaliers quatre à quatre, au risque de se prendre dans son tablier et de tout renverser. Il déboucha dans la salle comme un bolide, ayant fait voler la porte mobile du pied. Mais ses regards tombèrent tout de suite sur la table ronde, encombrée des restes du repas, sur les sièges qui étaient vides. Il y avait des miettes de pain sur l'amarante. Des bouts de cigarettes achevaient de se consumer dans les cendriers et la fumée bleutée s'élevait verticalement comme d'un foyer de clairière abandonné par des nomades. Monsieur Hermès posa ses plats sur la desserte, les désigna au Marin d'un geste harassé et s'avança machinalement vers la table. Il y prit les serviettes, en fit une boule et précipita la boule au fond de la panière. Il était plein de désenchantement. Son ressort, un instant bandé, était cassé. Que la journée allait être longue, maintenant !

Ce fut en effet une pauvre journée pour Monsieur Hermès. Comme fait exprès, il était justement d'après-midi, avec Pactot. Même pas moyen de se détendre les nerfs. Aussi, quand les autres commencèrent à s'en aller, à la fin du service du lunch, et qu'il se vit, là, dans la pâle clarté artificielle du Restaurant et du Hall, pendant qu'au-dehors tapait l'éclatant soleil d'août, un coup de cafard le saisit. Il pensa aux vernis qui pouvaient faire la sieste dans l'herbe ou nager dans les rivières banlieusardes. Heureusement, ce fut d'abord plutôt calme. Tout le monde avait mis les bouts. Il ne restait plus qu'une table de goinfarons dans le rang de Matrousse qui les avait passés en consigne au Marin. Deux badourds et une badourasse qui n'en finissaient pas. Ils bavardaient maintenant impétueusement devant des alcools variés, en fumant. Quand seraient-ils las d'éjaculer ? Parfois, il y en avait qui continuaient ainsi à discuter et à boire jusqu'au dîner, sans bouger de place, sans prendre l'air, sans pisser. Et le soir venu, une fois la nappe changée, le couvert remis, croyez-le ou ne le croyez pas, ils faisaient encore honneur au menu. De vraies machines à déglutir.

A trois heures s'annonça une hurluberlu calamistré. Le Marin le connaissait. Il l'appelait le gigolo. Un gigolo qui aurait toujours eu l'air de sortir du lit. Il remit son bitos à Monsieur Hermès qui faisait nettement la gueule. Mais il s'en balançait le gigolo. Déjà il entreprenait le Marin. Pas la langue dans sa poche en tout cas. C'était bien ça ! Môssieu avait vagabondé toute la nuit. On a fait une virée en bagnole jusqu'au Touquet. Oui, c'était une partie de filles. Deux rousses. Dites donc, qu'est-ce qu'il a votre commis ? Il n'a pas l'air content de me voir. Je n'aime pas beaucoup ça ! De fait, Monsieur Hermès râlait doucement. Ferme ça, lui dit le Marin. Il est capable d'aller se plaindre à la Direction. Alors quoi ? Il ne peut pas venir manger à l'heure, comme tout le monde ? Il s'en branle, bien sûr, qu'on reste ici à cause de lui, l'enfoiré ! Pactot sourit. Son commis n'avait pas tort. Mais que faire ? C'est le métier ! Faut le prendre comme ça vient. N'empêche que c'est pas toi qui va te faire incendier par la cuistance !

C'était pas marrant, non pas du tout, de descendre des bons en dehors des heures de service ! Monsieur Hermès surprit le cuistot de garde affalé sur un tabouret, le dos au mur, en pleine sieste. Les feux étaient éteints. Tout était froid. Le cuistot, l'œil torve, la bouche mauvaise, prit le bon et se mit à grogner. Pourtant, déjà, il bousculait ses casseroles, tisonnait. Le garde-manger est fermé, gueula-t-il comme Monsieur Hermès s'esquivait. J'ai plus de tournedos. Monsieur Hermès haussa les épaules. Il savait bien que tout serait prêt à temps et cuit à point malgré tout, et que le gigolo, là-haut, pourrait s'en lécher les babines. Pas encore pour demain le Grand Soir !

Entre-temps, le Marin et Monsieur Hermès cassèrent la graine derrière un paravent. C'était l'habitude. Quand une équipe était d'après-midi ou de fermeture, elle profitait de l'absence des Maîtres d'Hôtel, en attendant le client problématique, pour s'installer dans un recoin de la salle et, les fesses bien calées dans les fauteuils amarante, pour se coller derrière la cravate tous les bons restes qu'ils avaient pu mettre à gauche pendant le service. Quand le gigolo appelait, c'était tantôt le Marin tantôt Monsieur Hermès qui se dérangeait. Mais il bâfrait, lui aussi. Ce qui fait que ça leur laissait de la marge. Tu vois, que disait le Marin, le métier a du bon quand on sait le prendre ! Monsieur Hermès ne se consolait pas si facilement. Bien sûr, c'était une petite vengeance que de pouvoir s'asseoir dans la salle même, comme un milliardaire, de déguster son demi-faisan dans de la vaisselle plate et de siroter son Châteauneuf-du-Pape dans du cristal de Bohême à soixante francs la pièce! Mais enfin une hirondelle ne fait pas le printemps!

Après ça, le Marin et lui firent le service du Hall. C'était l'heure du thé. Un thé très couru. Avec petits gâteaux et tout le tremblement. Belles désœuvrées et papotages pétulants. Et je picore! Et je fais des mines! Vieilles dames à tour de cou de crêpe blanc, adolescentes agitées et pouffantes, messieurs bien mis, maris insignifiants menés en laisse, beaux parleurs, faiseurs et défaiseurs d'empires, amateurs de sophismes ou débiteurs de lieux communs distingués. Le Hall, entre cinq et sept, était aussi un lieu recherché par les amants. Le cadre était discret et somptueux à la fois. Monsieur Hermès trouvait ça beau. Il n'avait pas encore vu grand-chose. Tact et coup d'œil, telle était la consigne pour le personnel. Dites-moi, garçon, quelle est cette dame, là-bas, près du candélabre? Elle habite l'Hôtel? Ah! vraiment? Dommage! Voilà pour vous. Le Marin s'amusait beaucoup à ce petit jeu. Il était très physionomiste. Il les voyait venir de loin, dans leurs gros souliers, les tourtereaux! A lui les commissions délicates. Il portait les billets doux aussi discrètement qu'il camouflait un gâteau dans sa manche. Passez muscade! C'était fait en un clin d'œil, avec ce rien d'impertinence qui faisait rougir les opulentes pécheresses. Il n'était pas moins adroit quand le lovelace l'avait chargé d'éconduire une conquête devenue encombrante. Oui Madame, Monsieur a dit qu'il avait été empêché. Il a bien recommandé de dire à Madame qu'il était inutile qu'elle l'attende. Demain? Oh! Monsieur ne m'a pas dit autre chose. Madame doit savoir. A votre service!

Tout en servant ses pâtisseries ou ses toasts beurrés, ses muffins ou ses scones, ses pains de mie aux sardines et aux crevettes, au foie gras et aux tomates, au blanc de poulet et aux piments, tout en versant les cafés à la cannelle ou les chocolats cubains, les trente-six thés de la création et les trente-six vins cuits, Monsieur Hermès se payait un jeton. A part qu'elles étaient bien habillées et qu'elles faisaient des

144

manières, de vraies putains de bordel ! Méticuleusement, son œil choisissait. Au diable les maris, les amants ! Les garces ! Elles ne semblaient même pas sentir ses regards. Il en aida une à remettre son manteau et il respira le parfum de sa nuque laiteuse. Si son zigouigoui sentait aussi bon... Il s'agenouilla devant une belle pouliche blonde pour lui glisser un coussin sous les pieds et il put contempler avec complaisance une paire de jambes bien galbées que la mode des robes très courtes autant que l'inclinaison traîtresse du fauteuil livraient jusqu'aux dernières ombres. Miam, miam, miam ! Il en avait l'eau à la bouche. A peine pubère et ça fait déjà bander les hommes. Chaque fois qu'il était d'après-midi, c'était la même chose. Ça le mettait dans des états ! Son énervement se doublait d'une rage froide. A croire qu'elles le faisaient exprès pour l'exciter. Pas étonnant que le Marin aille courir le guilledou après ça ! Il avait beau dire qu'elles ne l'intéressaient pas, la vue de tous leurs appas devait bien finir par le chatouiller au bon endroit.

Quand, vers neuf heures et demie du soir, après le service du dîner, Monsieur Hermès sortit de l'Hôtel, il prit l'AL pour remonter la rue de Rome. Ses pieds ne pouvaient plus le porter. Vivement qu'il puisse se déchausser ! Pas à tortiller du cul pour chier droit, la vie qu'il menait était de plus en plus idiote. Comment y échapper ? Paolo l'avait toujours dit : Moi, mon'ieux, quand je commencerai à voir qu'elle tourne plus rond, cette carne de vie, je me ferai sauter le caisson recta ! Mais ce n'était pas une solution. En attendant, il plaçait son chibre dans tous les trous et se biturait à mort. Et ça ne paraissait pas être une meilleure solution. Alors ? L'emmerdant c'était de se trouver toujours en face d'emmerdations nouvelles. A chaque coup on était couillonné. Jamais ça ne se présentait comme on s'y attendait. Il fallait changer son fusil d'épaule, repartir à zéro. Viendrait-il un jour où ça serait enfin possible d'agir à bon escient, de mettre tout de suite le doigt sur le numéro gagnant ? Peut-être que quand on venait au monde, on savait d'instinct ce que c'était que la vie. Mais tout de suite après ça se perdait. Les gnâfrons vous mettaient le grapin dessus et voilà qu'on pataugeait à tout jamais dans une sorte de néant. Les mots qu'on disait ? Appris ! Les gestes qu'on faisait ? Appris ! Les sentiments

qu'on éprouvait ? Appris ! Pédago pas mort ! L'existence ?
Une emmerdation pédagogique ! Comment sauver son épingle ? Pourtant, il aimait la vie, lui ! Il aurait bien voulu être
sûr que les jours qu'il vivait avaient un sens. Mais peau de
zébie ! C'était tout plus grotesque l'un que l'autre. Il fallait
donc s'accommoder de ça ? Biaiser ? Truquer ? Faire en sorte
que la vie vous frappe toujours de plein fouet ? Et pour ça,
envoyer tous les gnâfrons de l'univers sur les roses ? Mais
comment les envoyer sur les roses ?

Il se glissa silencieusement dans sa chambre. Se mettre nu,
faire tremper ses pieds dans le bidet. Il ricana en tournant le
robinet. Pourquoi un robinet d'eau dans toutes ces chambres ? Eau courante ! Pourquoi pas aussi bien un robinet de
sang ou un robinet de whisky ? La vie était d'une banalité,
d'une irréalité... Quelle chaleur de merde dans cette turne !
Les garces du hall avec leurs parfums bandatoires, leurs
cuisses, toutes leurs petites provocations au viol. Dormir ?
Non, il n'avait pas sommeil. Pas de bruit, ce soir, dans la
Maison Meublée. Il s'aventura dans le couloir, écouta. Rien.
Une seule lumière filtrait sous une porte. Il risqua un œil par
la serrure. Il y avait une clef de l'autre côté. Il ne pouvait pas
voir. Il tendit l'oreille. Ç'avait l'air d'être un type. Et seul.
Sans intérêt. S'il montait à l'étage au-dessus ? N'y était
jamais allé encore. Dame, il ferait celui qui cherche les gogs.
Il sourit. Il n'oubliait jamais son alibi. Il aurait pu faire un
bon rat d'hôtel. Il était là, tout seul, dans l'obscurité de
l'escalier, gravissant marche après marche, le cœur battant
et personne ne se doutait de ce qu'il était en train de
préparer. Sur le toit de la Maison Meublée, une lourde pluie
d'orage, depuis quelques secondes, commençait à crépiter
dans la nuit chargée.

Deuxième partie

I

Des semaines et des semaines avaient passé. Le torride et fugace été parisien avait fait place au ciel couvert de l'automne.

Monsieur Hermès n'aimait ni la pluie ni le verglas. Mais le travail à l'Hôtel avait été si pénible pendant la canicule que, pour la première fois de sa vie, il voyait sans déplaisir les feuilles tomber. De fréquentes ondées avaient adouci la température. Maintenant, il sentait une ardeur nouvelle dans ses veines. Il aurait souri aux averses. Il pataugeait avec bien-être dans la boue liquide des trottoirs. Il respirait l'odeur de chien mouillé des passants. Il palpait en connaisseur la lourde raideur de son feutre imbibé. Ne plus avoir les pieds enflammés, la chemise collée aux reins, la bouche sans salive, voilà qui était joliment appréciable. Bonne idée qu'il avait eue de s'abonner au *Toril*. Comme ça, eh bien, à défaut de voir des corridas, il pourrait en lire tranquillement les comptes rendus. Si on lui avait dit, l'année dernière, que toute la temporada s'écoulerait sans qu'il voie tuer un taureau !... Et voilà que maintenant, c'était la saison de rugby qui allait recommencer. Et pas le plus petit espoir de rejouer. Rien à l'horizon. Et pourtant, ce que ça pouvait le démanger ! D'y repenser c'était comme s'il y avait été. Les terrains gras de novembre, l'odeur un peu pourrie de l'herbe, telle qu'on la respirait quand un type vous plaquait durement au sol, la bruine sur les tribunes où s'entassait un public frileux, le ballon recouvert d'une croûte de terre humide, pesant comme une pierre, la bonne chaleur des corps fumants de la mêlée, les oreilles rougies par les frictions inévitables dans les cafouillages, les muscles des mollets qui faisaient mal, le citron à la mi-temps. Et puis, quand c'était fini, la chair à la fois en fête et vannée, les glapissements sous la douche, les godasses crottées qu'on enroulait dans l'équipement sali et qu'on collait dans sa mallette en carton bouilli. Après ça, pour cézigue, le chocolat bouillant et les croissants bien feuilletés au bistro. Besoin de se refaire. Sans compter la classique virée au bobinard, le retour dans le dur, le grand coup de fatigue dans la nuque, et cette sorte d'énervement joyeux qu'il y avait à s'égosiller pour étonner le bourgeois en chantant *Les Artilleurs ma Mère*... ou *Bandais-tu bel Alcindor ?*... Oui, quand est-ce que ça reviendrait tout ça ? En quittant Portville, Maisonvieille, du Rugby-Club, lui avait donné une recommandation pour le Racing Club de France à Paris. Tu verras, tu seras accueilli à bras ouverts. Tu te feras de bons copains. Total, il n'avait pas encore pu l'utiliser, sa recommandation. A quoi bon ? Jamais un dimanche de libre dans ce foutu métier.

Bien au chaud dans son lit, Monsieur Hermès rêvassait mollement au passé, laissant couler les minutes. C'était tout de même bon à prendre un jour de sortie ! Quel temps allait-il faire aujourd'hui ? Hier, il avait fait presque froid et il avait dû mettre son pardessus. Les marchands de marrons avaient réinstallé leurs fourneaux à la porte des bars. La châtaigne grillée, c'est ça qui vous fout la dalle en pente. D'un seul coup, les terrasses des cafés avaient été désertées et on n'y apercevait plus que de rares et obstinés solitaires enveloppés dans leurs vêtements auprès des braseros rougeoyants comme ces Espagnols des villages de la Vieille Castille accroupis sans bouger ni parler au pied de leurs masures. Dès que ça pinçait un peu, les petites femmes faisaient claquer leurs talons sur le trottoir, pour se réchauffer et ça les rendait plus trépidantes. Cette constatation rétrospective plut à Monsieur Hermès. Il étira ses jambes entre ses draps tièdes, les mains sous la nuque, le regard perdu. Angélique n'allait pas tarder.

Il se gobergea de lui-même. Une maîtresse ! Il avait une maîtresse. C'était drôle, la vie ! Pourquoi Angélique plutôt qu'une autre ? Et combien de temps cela allait-il durer ? Il l'avait, lui aussi, sa petite Maison. Fini d'envier les copains.

Et tout compte fait, ça n'avait pas du tout l'air aussi épastrouillant qu'il se l'était figuré autrefois. Il entendit marcher au-dessus de sa tête. Il écouta mieux. C'était la Russe du troisième qui devait se préparer à sortir. Elle devait pas se biler. Ou bien son patron devait pas lui faire faire d'heures supplémentaires. Elle avait vraiment des heures d'embauche de princesse, celle-là. Instantanément, Monsieur Hermès revécut la nuit où il s'était aventuré là-haut, sans savoir que c'était cette Russe, justement, qui allait l'intéresser. Elle aurait pu lui coûter cher, cette petite fantaisie ! Quand il y repensait... Bon Dieu oui, quelle catastrophe ç'aurait pu être ! Y avait tout de même des occases où il était verni.

Là-haut, il avait d'abord trouvé le silence et l'obscurité. Mais il s'était assez facilement repéré, le couloir étant fait comme celui des autres étages. Un point lumineux, à hauteur de serrure, l'avait attiré. Il s'était avancé prudemment. Ayant vissé son œil au trou, il avait vu. Là, à trois mètres de lui, en pleine clarté, une femme, jeune et bien faite, se dressait. Elle était nue. Certainement, elle était loin de se douter qu'on pouvait la voir. Elle se livrait à ses ablutions avec autant de lenteur que de minutie. C'était amusant ce sentiment de sécurité qu'elle avait. Elle qui se croyait seule, dans sa chambre, à l'abri des regards indiscrets ! En voilà une encore dont on aurait pu dire que le monde extérieur n'existait pas pour elle. Elle était toute à son petit bichonnage intime. Ce n'était pourtant pas un samedi. Alors ? Elle faisait ça tous les soirs ? Comment ne l'avait-il pas entendue quand il était au-dessous ? La main droite passée dans un gant éponge, elle se savonnait somptueusement les nichons. Sur sa peau blonde, la mousse dessinait des marbrures blanches qui luisaient. Puis elle se rinçait à grande eau, et comme ça ruisselait sur son ventre, on voyait sa peau qui frémissait légèrement. Ça n'avait pas l'air de lui déplaire d'avoir des nénés dodus. Elle les flattait de la main avec une certaine complaisance. Eh, eh ! Quand elle se penchait vers sa cuvette pour presser son gant, ça faisait ressortir ses fesses. Ne bougeons plus ! Un instantané dans cette position suggestive. Voilà qui est fait. Le type qui se l'envoyait ne devait pas s'embêter. Savoir si elle avait l'habitude de se livrer à ce genre d'exhibition devant lui ? Parce que, si oui, ça devait drôlement le mettre en chaleur. Après ça, les bras relevés en arceaux, elle s'était mise à se coiffer. De longs cheveux noirs, brillantinés, qui lui descendaient jusqu'à mi-dos. C'était pas souvent qu'on en biglait, des toisons comme ça. Il trouvait que Madame Mère, qui portait un chignon et des postiches, avait l'air démodé. Bien sûr, toutes les femmes dans le train avaient les cheveux coupés, des nuques nettes, gracieuses. Même que ça leur donnait un petit air vicieux, garçonnier. Mais, bon sang ! c'était chouette aussi, cette profusion, cette épaisseur. Et ce que ça devait sentir bon ! De la fourrure. De la fourrure qui aurait été vivante et tiède. La femme était toujours là, si près de lui, de profil, dansant sur ses talons hauts. Comme tout semblait calme et doux dans cette chambre. Jamais la même chose dans les chambres de garçons. Elle avait les jambes moulées dans des bas fins, mal retenus par des élastiques autour desquels ils s'enroulaient. Ses cuisses étaient d'un beau blanc mat, bien renflées et duveteuses. Les pétrir, les humer, y enfouir tout son visage...

Coiffée, la jeune femme s'examina pendant quelques instants. Etait-elle satisfaite ? Elle prit un bâton de rouge comme pour se farder, mais y renonça. Que ses lèvres eussent la pâleur de sa peau, ce n'en était d'ailleurs que plus troublant. Elles avaient exactement la pâleur des lèvres qui ont été tuméfiées par des baisers. Tenant alors une pince à épiler d'une main et saisissant le bout de son sein de l'autre, elle s'enleva deux ou trois poils autour du mamelon. Mais voilà qu'elle posait sa pince, qu'elle tendait le bras vers un peignoir, qu'elle l'enfilait, le drapait sur elle, s'avançait vers la porte. Eh là, elle n'allait pas sortir tout de même ? Mais si ! Cela en avait tout l'air. Monsieur Hermès n'eut que le temps de se redresser. Toute fuite était impossible. Il serait vu avant d'avoir pu atteindre le coude du couloir. Sans réfléchir davantage, mû par une sorte d'instinct de préservation plus que par une volonté consciente, il se colla vivement contre la porte voisine et frappa. Il courait la chance que la chambre fût inoccupée ou que les occupants, s'il y en avait, n'entendissent pas. Il n'y avait vraiment pas autre chose à faire. Au même instant, la jeune femme ouvrit sa porte. La clarté de sa chambre se répandit dans le couloir. Monsieur Hermès, immobile, l'air faussement absorbé, toqua encore un coup pour donner le change. La jeune femme passa derrière lui sans paraître surprise de sa présence. Le truc avait du bon. Il avait pris.

Un peu tremblant, mais faisant l'impossible pour se maîtriser, Monsieur Hermès écoutait des deux oreilles. De l'une, pour entendre si rien ne bougeait dans la chambre. De l'autre, pour entendre le pas déclinant de la jeune femme. Déjà ses talons résonnaient sur les marches de l'escalier. Elle descendait. A qui rendait-elle visite, à cette heure tardive, dans cette tenue légère ? Son cœur fut mordu de jalousie. Alors seulement il jeta un œil par la porte entrebâillée. Pourquoi la jeune femme n'avait-elle pas éteint, ni fermé ? Allait-elle revenir ? De la main Monsieur Hermès poussa la porte. Il oublia le danger. La tentation était trop forte. Il fit un pas, deux pas. Il entra.

C'était une chambre en tous points comparable à la sienne. A cette différence près qu'il y régnait un parfum délicat et que des choses féminines traînaient un peu partout. Ici, une robe soyeuse ; là, une combinaison rose ; sur ce dossier de chaise, des bas ; sur le divan, un petit corset ; contre le mur, des souliers ; dans une valise ouverte, beaucoup d'autre lingerie encore qui luisait doucement sous la lampe, des choses mousseuses, bien repassées, des dentelles, des rubans noirs ou bleus ou verts. Déjà les mains de Monsieur Hermès palpaient tout ça. Ça lui avait toujours procuré une jouissance extraordinaire de palper du beau linge de femme. Tant pis s'il était pris. Il n'y avait pas de plaisir au monde qui vaille celui-là. Ça lui mettait le cœur à l'envers de sentir sous ses doigts le glissement du satin, la fragilité du crêpe de Chine, de respirer le parfum dont toutes ces choses étaient imprégnées. Elles s'y connaissaient, les diablesses, pour affoler les hommes. Il n'était pas le seul, d'ailleurs, à qui cela faisait tant d'effet. Du premier au dernier, tous les copains qui lui avaient fait des confidences montraient bien que ce qui les faisait bander c'était pas toujours forcément les appas eux-mêmes, mais tout ce qu'il y avait autour, tout ce qu'elles se mettaient sur la peau, les garces, tous ces dessous impalpables, ces volants, ces petits plis, ces entre-deux si fragiles, si doux au toucher. Fallait croire que la nature était mal faite. Ou qu'ils avaient les sens vraiment malades, les hommes !

Très vite, Monsieur Hermès eut les regards attirés par un grand sac à main en cuir, entr'ouvert sur le fauteuil. Il s'en empara nerveusement et s'assit sur le divan. Il écarta des doigts le fin mouchoir odorant, la boîte à poudre et tira à lui un portefeuille de maroquin qu'il ouvrit. Il y avait des photos. C'était ça qui piquait sa curiosité. Il y reconnut la jeune femme. Les clichés la représentaient seule, tantôt en compagnie d'autres gens. Sur l'un d'eux, elle donnait le bras à un homme de haute stature, au visage patibulaire, au teint cuit, et qu'elle regardait intensément. D'après sa carte d'identité, il sut qu'elle était Russe et qu'elle avait vingt-sept ans. Le nom était difficile à retenir. Quant à savoir ce qu'elle faisait : mystère !

Et si elle revenait, maintenant ? Comment n'y avait-il pas songé plus tôt ? Que dirait-elle, si elle le découvrait là, assis sur son lit, dans sa propre chambre et vidant le contenu de son sac ? Est-ce qu'il n'était pas un peu fou, par hasard ?

Pourtant, tout semblait calme : on entendait seulement le chuintement d'une eau dans des tuyauteries. Aucun bruit dans l'escalier. Diverses conjectures passèrent dans sa tête. Lui faire croire qu'il était venu chez elle pour lui parler ? Qu'il avait vu la lumière allumée et qu'il avait pris la liberté d'entrer en l'attendant ? Comment prendrait-elle le boniment ? Et quoi ajouter ? D'autant que ça ne serait pas facile de justifier la curiosité qui l'avait poussé à regarder ses photos. Non, ça ne tenait pas debout ! Il l'imaginait d'ici, prenant peur, criant au voleur. Les locataires sortiraient dans le couloir. Il serait fait comme un rat. Quel esclandre ! Et s'il essayait plutôt de jouer au type qui aurait eu le béguin ? Oui, ça, c'était déjà mieux. Il pourrait lui raconter qu'il y avait déjà longtemps qu'il l'avait remarquée ; que jusqu'ici il n'avait pas osé l'aborder ; mais que ce soir il avait pris son courage à deux mains ; et que comme elle n'était pas là il s'était laissé attirer par les photos. Le grand jeu, quoi ! Après tout, peut-être qu'il finirait par l'attendrir ? On disait que les Russes étaient foutrement romanesques. Rien d'impossible à ce qu'elle soit flattée. Une telle façon d'entrer dans sa vie était loin d'être banale. Les femmes aiment qu'on fasse pour elles des choses un peu folles. Il n'en faut pas plus, parfois, pour les rendre amoureuses. Ça, vraiment, ça vaudrait le coup ! On avait vu plus fort. C'était l'occasion qui faisait le larron. Pourquoi pas ? Pactot avait raison. Les femmes ne demandaient qu'à être prises. Il suffisait de savoir en profiter. Est-ce que l'aventure avec Madame Elvas n'en était pas une preuve ? Il l'avait eue comme il avait voulu. Cette femme était belle, sans doute, et, argentée, s'il en jugeait par son vestiaire. Mais lui, était-il si mal ? Le tout serait de la séduire. De savoir dire les mots qu'il fallait. On lui avait souvent assuré que sa voix était pleine de charme et que son regard était émouvant. C'était le moment ou jamais d'en profiter.

Monsieur Hermès s'étendit sur le lit. Il allait l'attendre. On verrait bien. Tout de même, si on lui avait dit, ce matin, qu'il s'embarquerait ce soir dans une histoire semblable ! On habite pendant des mois dans la même maison. On n'y pense jamais. On s'ignore. Et tout d'un coup, c'est le coup de foudre. L'amour était une chose bien bizarre. Allait-il se mettre à l'aimer, comme ça, simplement parce qu'un hasard risquait de les mettre en présence l'un de l'autre ? Mais en avait-il été autrement avec Alice Elvas ? Elle s'était trouvée sur sa route et lui sur la sienne. Il n'en avait pas fallu davantage. On aimait les êtres qu'on avait sous la main. A croire que ce n'était pas la créature qu'on aimait, mais l'amour. Plus la créature s'avérait fascinante, plus le sentiment devait être violent. Mais il n'en était pas moins artificiel.

Oui, elle allait revenir et il lui parlerait. Ça ne devait pas être si difficile d'être pressant. S'il avait été un peu gaze, tout de même, ça lui aurait donné plus d'assurance. En revanche, c'était une chance qu'elle soit nue sous son peignoir. Si elle se laissait peloter, c'est pas le vêtement qui offrirait beaucoup de résistance. Savoir si elle accepterait tout de suite de passer la nuit avec lui ? Heureusement qu'il avait fait sa toilette avant de monter. Il aurait dû cependant se frictionner les aisselles à l'eau de Cologne pour chasser l'odeur de la sueur. Ou peut-être qu'elle aimait ça ? C'était une habitude qu'on avait de prétendre que les Russes étaient sales. Elle n'avait pas l'air sale, celle-là, loin s'en faut! Ah! sentir la chair souple de son dos sous ses paumes, faire descendre ses caresses jusqu'aux hanches, l'étreindre... Depuis qu'il l'avait vue tout à l'heure, si belle et si nue, ça lui aurait plu de voir quelle tête elle faisait quand elle jouissait... D'ailleurs, c'était bien simple, dès qu'il voyait une femme, c'était à ça qu'il pensait. Est-ce que les femmes y pensaient aussi lorsqu'elles voyaient un homme? Oui, imaginer la tête qu'elles font quand elles jouissent, c'était déjà comme si on les avait possédées...

Tout à coup Monsieur Hermès sursauta. Bon Dieu, mais depuis combien de temps était-il là? Quel rêvasseur il faisait! Voilà ce que c'était que d'être flapi. Pas plus tôt allongé qu'engourdi. Bien sûr que cela avait été délicieux de penser à elle comme ça. Mais maintenant il se sentait tout à fait dégrisé et fâcheusement conscient de l'incongruité de sa situation. Qu'est-ce qui l'avait pris? Tomber amoureuse de lui, la femme? Non mais chez qui? Comme si elle attendait après lui! Pas idée d'être paumé à ce point-là! Dès qu'il ouvrirait la bouche, elle lui éclaterait de rire au nez. Tout bonnement. Ce rire, il lui semblait déjà l'entendre. Il ne saurait pas répliquer. Il se troublerait. Ce serait grotesque. Il n'était pas possible qu'il reste là une minute de plus. Il se releva d'un bond. Il fallait fuir, fuir vite, avant qu'elle revienne. Surtout, ne pas se faire pincer chez elle.

Il était déjà sur la porte. Son regard, anxieusement, se reporta sur le lit. Est-ce que tout était en ordre? Et puis sur le dossier de la chaise, il revit ce petit pantalon de crêpe de Chine rose qui avait l'air de le narguer. Le pantalon qu'elle avait dû quitter tout à l'heure. Celui-là même qu'elle avait eu sur la peau pendant toute la journée et qui avait dû rester imprégné de son odeur. Le désir monta en lui. Des images l'assaillirent. La posséder mentalement dans l'obscurité de sa chambre à lui, s'identifier à elle en revêtant son linge. Fébrile, il s'empara du pantalon, y joignit le corset et la paire des bas qui pendait. Il se baissa et saisit les escarpins à talons hauts. Dans le sac, il prit le mouchoir parfumé. Dissimulant son butin sous sa robe de chambre, Monsieur Hermès se glissa dans le couloir, descendit l'escalier quatre à quatre, le cœur battant, parvint chez lui sans avoir été vu, boucla sa porte et là, inventoria d'une main tremblante tous ces accessoires.

Il s'assit en face de la glace de son armoire après s'être dévêtu. Son sang sautait dans sa poitrine. Une sorte de trac qu'il connaissait bien. Et qui lui procurait une particulière volupté. Une sensation absolument unique. Le pantalon ? Non, mieux valait ne pas le mettre. Il le gênerait. Il en examina le fond avec complaisance. Il était net ; pas une trace. Elle avait dû l'étrenner ce matin. Le même parfum musqué, celui du mouchoir, s'en dégageait. Il le garderait pour une autre fois. Puis il entreprit d'enfiler les bas. Il sentait le frôlement de la soie sur sa peau rêche et poilue. Toutefois, il eut du mal à passer les talons. La pointure était trop petite pour lui. En les faisant craquer, il y parvint. Mais il eut beau tirer sur les tiges, il ne réussit pas à les faire monter aussi haut qu'il aurait voulu sur ses cuisses. Enfin, il les fixa aux jarretelles du léger corset qu'il avait ceint. Les femmes, tout le temps fringuées comme elles étaient de machins aussi excitants, pas étonnant qu'elles soient chaudes du cul. Aux escarpins, maintenant. Il ne put y faire entrer que le bout de ses pieds. Si bien que s'étant levé, il se trouva en équilibre sur les contreforts. Il se caressa les flancs, prit des poses déhanchées. Eh, eh, il n'était pas si mal !

C'est alors qu'il s'aperçut vraiment dans la glace. Bon Dieu ! qu'est-ce qui se passait ? Etait-ce lui qui était là, vilainement nu, avec son poil et son sexe ardent, et ces bas absurdes sur ses mollets trop musclés ? Si quelqu'un le voyait dans ce travesti ! Quelle saleté ! Est-ce qu'il était réellement un monstre ? Mais quelle différence aussi entre les cochonneries seul ou à deux ? Il se souvint de certaines affiches collées dans toutes les pissotières : La timidité vaincue par les Pastilles X. Etait-ce donc ça ? Pourquoi avait-il toujours été ainsi ? Personne ne lui avait appris cependant. C'était tout de même bizarre que ça lui soit venu tout seul.

Ça le fit débander instantanément de se voir là, si obscène et si lamentable devant sa glace. Il fit sauter les escarpins avec rage, arracha les bas et le corset. Puis il remit son pyjama et sa robe de chambre. Que faire ? Il n'y avait pas à hésiter. Il ramassa le tout, sauf le mouchoir, et remonta

155

prestement à l'étage supérieur. La porte était toujours entrebâillée, l'ampoule allumée, la pièce vide. Un petit malin,
qu'il était ! Il remit tout en place et s'éclipsa sur la pointe des
pieds.

Alors, dans son lit cette fois, enfin couché, tremblant
toujours un peu, dans le noir, il essaya de se reprendre. La
paix fut longue à revenir en lui. Son imagination surexcitée
ne cessait de le harceler. Tout en respirant tristement le
parfum du mouchoir qu'il avait gardé, il se revoyait vivant
chacune des minutes de cette étrange soirée. La jeune femme
était-elle maintenant revenue dans sa chambre ? Que devait-
elle penser du désordre qu'elle y avait trouvé ? Par qui son
sac avait-il été bouleversé ? Par quel mystère ses escarpins
avaient-ils été lancés sur son divan ? Pourquoi enfin ses bas
étaient-ils si grossièrement déchirés ? Il avait eu le nez creux
de se débarrasser de tout ça à temps. Quelle imprudence s'il
l'avait planqué chez lui ! Il imagina la Russe constatant le vol
et allant se plaindre au patron. La police alertée. Une
perquisition générale dans les carrées. Dieu merci ! il ne
risquait plus rien. Ce n'était pas pour un malheureux
mouchoir qu'elle allait se mettre en pétard. Peut-être même
qu'elle croirait l'avoir perdu...

Ce parfum musqué lui rappela vaguement celui de Nita
Brett. En plus accusé. Oui, jamais Nita n'aurait employé un
parfum aussi corsé. Pas son genre. A elle aussi il avait volé un
petit mouchoir autrefois. Un bleu, avec des raies roses. Et
parfumé comme celui-ci. Le matin qu'elle avait quitté
Portville, comme son train partait très tôt, il n'avait pas su
quelle raison donner à Madame Mère pour sortir de la
maison avant qu'il fasse jour. Alors, faute de pouvoir aller
accompagner Nita à la gare, il avait sauté de son lit dans la
grisaille de l'aube et s'était collé à la fenêtre pour la voir
passer. Elle logeait à l'hôtel du *Navire d'Argent* sur la Grande
Place, presque en face de chez lui. Ainsi, il savait qu'il ne
risquait pas de la manquer. Et il l'avait vue en effet. Et
pendant tout ce temps, il avait pressé son petit mouchoir
bleu et rose contre ses lèvres comme ce soir il pressait celui-
ci. Et puis, après, il y avait eu Royan... Et le soir où elle était
partie de Royan, rappelée par son ami sérieux, c'était encore
avec ce petit mouchoir qu'il lui avait fait signe de la main,

sur le quai, pendant que le train s'éloignait, essayant de garder tout son courage pour un dernier sourire. Mais quand il s'était retrouvé seul, sur le quai vide, avec au bout, là-bas, les deux points rouges du wagon de queue, il s'était senti plein d'amertume et de désenchantement. Alors il était revenu vers la plage. A pas lents. Ressassant son chagrin, un chagrin qu'il sentait être déjà un chagrin d'homme. Rien ne l'intéressait plus de ce qu'il voyait puisqu'elle n'était plus là pour le voir avec lui. Il était allé jusqu'au bout de la jetée, au pied du phare, à l'endroit le plus solitaire. Il faisait sombre. Les vagues se brisaient sur les rochers. Au loin, toute la conche était illuminée. D'autres dansaient, s'amusaient, s'aimaient, étaient heureux. Et lui, il était gorgé de larmes, face à la mer. Ça lui aurait fait du bien de pleurer. Il s'était senti quelqu'un, comme ça. Oui, c'était bien un grand amour qu'il vivait. Un grand amour malheureux. Plaisir d'amour ne dure qu'un moment. Chagrin d'amour dure toute la vi-e ! De retour à Portville, son zona guéri, frappé par cette soirée si émouvante pour lui, il avait eu l'idée de s'en inspirer afin de composer cette pièce pour piano : *Le Départ*, l'unique qu'il eût jamais commise et qu'il avait fait imprimer et tirer à cent exemplaires, Op. I, avec une dédicace à Nita Brett. Mais il n'avait jamais osé montrer ça à personne, surtout pas à son professeur de piano. Il n'était pas très sûr d'avoir fait du bon travail. Tout ça était mort, maintenant. La pile des exemplaires imprimés dormait dans le bas de son armoire, à Portville, à tout jamais. Plus question non plus de leçons de piano. Plus de leçons de peinture. Plus rien. Bah ! la vie était trop courte. Pas le temps de faire trente-six choses à la fois. Dans un sens, cela avait été chic de la part de Madame Mère. Elle avait voulu qu'il cultive les arts d'agrément. Ça partait d'un bon sentiment. Mais Monsieur Papa avait été beaucoup plus lucide. Il avait toujours proclamé que tout ça c'était de l'argent foutu par les fenêtres. Tout le monde lui avait pourtant rabâché que son fiston était doué. Et peu-être qu'il en était lui-même persuadé, tout au fond. Bref, tout ça c'était de l'histoire ancienne. Le fiston désapprendrait petit à petit tout ce qu'il avait appris en fait de sonates et d'aquarelles. Y avait plus que le théâtre qui lui bottait. Et même, il évitait, autant que possible de revenir sur cette histoire de composi-

tion musicale. Quand il avait fait le voyage de Nantes, rien
que pour porter *Le Départ*, en version originale, à Nita Brett,
il avait bien compris qu'elle trouvait ça un peu ridicule. Plus
la peine d'insister. C'était compris. Mieux valait n'y plus
penser. Bien probable qu'il ne la revoie plus jamais. Il
n'aurait bientôt plus d'elle qu'un léger souvenir : celui que le
parfum du mouchoir de la Russe venait de raviver.

Pour plus de sûreté cependant, le lendemain matin,
comme le mouchoir avait perdu presque tout son parfum,
Monsieur Hermès le jeta dans les cabinets, avant de partir
pour son travail.

Il y avait des mois de cela. Oui, il se souvenait... Il n'y avait
jamais eu de suite. La Russe s'était tenue peinarde. Et
maintenant, il l'entendait, là-haut, aller et venir, toujours
aussi mystérieuse. Il n'avait du reste pas cherché à la
rencontrer. Il ne savait rien d'elle. Il n'avait rien eu d'elle.
Que son mouchoir. Dans quelques minutes, Angélique allait
frapper. Il lui dirait d'entrer. Angélique !

Oh ! ce n'était pas une conquête très reluisante qu'Angélique ! Il avait souvent rêvé mieux. Curieux, cette propension
qu'il avait à patauger toujours malgré lui dans des aventures
sans relief. Pas le moindre romanesque, pas le plus petit
héroïsme dans tout cela. Il y avait toujours si loin des désirs à
la réalité... Se croire fait pour des amours exceptionnelles et
devenir l'amant d'une brodeuse !

Il la connaissait depuis deux semaines. En fait, il ne savait
rien de la petite âme tendre et effacée d'Angélique. Il se
contentait de coucher. Et il en était encore à se demander
aujourd'hui comment cela avait pu arriver. C'était un peu la
faute à Pactot. A Pactot et à Cambrecis en même temps. Ils
logeaient depuis le début chez une petite vieille, rue de la
Félicité. Quelquefois, ils rentraient ensemble de l'Hôtel, tous
les trois. Un soir, ils s'étaient arrêtés au bar-tabac de la rue
Dulong. On prend un godet ? Ça ne pouvait pas se refuser.
Monsieur Hermès les avait présentés au patron et à la
patronne. Pactot était liant de caractère. Ils avaient blagué.
Après ça, chaque soir, ils s'y arrêtèrent. C'était pas désagréable d'être assis, là, au milieu de tout le monde, et d'entendre

dégoiser à perte de vue. Cambrecis, surtout, était poilant. Et soiffard avec ça. Lui, si guindé dans le service ! C'était un Alsacien au teint vif, aux cheveux blonds, avec quelque chose de fripé dans toute sa petite personne. Ce qui ne l'empêchait pas d'être aussi chaud de la pince que Pactot. Par malheur, il avait collé un lardon à une virago et depuis il se méfiait de la putasse en général, comme de la flotte les matous.

Au bar-tabac, ça finissait toujours par une partie de cartouzes. Une manille coinchée ou une belote à quatre. Monsieur Hermès montait se déchausser chez lui en vitesse et se tremper les pieds. Quand il redescendait, ils étaient déjà souvent installés. Il s'en consolait facilement. Depuis qu'il avait des ambitions d'auteur dramatique, les brèmes ne l'intéressaient plus. C'était une heure calme. Peu de consommateurs. Le patron mettait le tapis (Buvez un Byrrh) sur la table de marbre qui touchait le comptoir. Le tenancier de la Maison Meublée faisait le quatrième. Leurs bourgeoises s'asseyaient à côté d'eux, cancanaient. (Au jour d'aujourd'hui, sauf votre respect, les bégueuleries, c'est plus de notre âge. Vous l'avez dit, mame Ernest, on se saigne aux quatre membres pour ses mioches, et pis...) Pour Monsieur Hermès c'était commode : la Maison Meublée et le bar-tabac communiquaient. Il pouvait venir en pantoufles. Il n'avait pas à faire de frais. Pour les chambres, les tenanciers s'en remettaient au garçon de nuit. Ils avaient une nièce : Angélique, qui logeait avec eux et qui les aidait. Le soir, quand ils étaient tous attablés, elle se tenait au comptoir du bar et servait les clients. Ça l'amusait, disait-elle. J'peux pas rester à rien faire ! Oui, ça se passait vraiment en famille. C'était plutôt sympa, comme milieu. Ici, on ne fait pas de chichis, disait toujours le patron, un emphysémateux bien tartiné. Il y avait des rigolos qui racontaient des histoires. On trinquait. Des discussions aussi. A n'en plus finir. A propos de tout. Parfois, les bourgeoises s'en mêlaient. Même Angélique. Monsieur Hermès était bien, là, le dos calé contre la banquette de moleskine, écoutant les uns et les autres ou plaçant son mot. Vers onze heures, la partie battait son plein. Les bourgeoises, un peu lasses, somnolaient par intermittences. On aurait dit les deux sœurs, grosses et bouffies comme elles étaient, avec de bonnes trognes rudes et franches. Qu'est-ce qu'elles pouvaient avoir ? Quarante-cinq ans ? Cinquante-cinq ? Difficile de leur donner un âge ! Monsieur Hermès allongeait ses jambes sous la table avec béatitude. Deux cents de Valets. Tierce à l'As. Ça ne vaut rien, j'ai une quinte. Montrez ! Elles ne devaient pas être appétissantes à voir à poil ! En plein Paris ! Elles s'habillaient comme des pétrousquines, avec d'épais cotillons. Des sortes d'outres flasques à la place des boîtes à lait.

Quand il en avait assez d'être assis, Monsieur Hermès se levait, allait s'accouder au comptoir, tenait compagnie à Angélique. Ce que mon oncle peut être mauvais joueur ! En effet, il râlait tout le temps. Et tignous, avec ça ! J'vous dis que j'ai coupé ! Que dalle ! Il faisait son œil mauvais et son visage de grand sec devenait blême. Le patron du café-bar rigolait, secouant sa panse, finalement pris d'un étouffement. Il faisait toujours équipe avec Cambrecis. Rebelote, et dix de der. Un vrai Fatty, le patron ! Angélique riait de bon cœur. Elle avait une petite tête mate de souris aux traits fins et portait ses cheveux noirs en chignon. Un visage d'institutrice. Dommage qu'elle eût des lorgnons sur le nez ! Les lunettes, ça se voit trop, avouait-elle ingénument. La broderie en chambre, c'était un joli métier et propre, mais ça lui avait tiré les yeux. Oui, c'était dommage, ces lorgnons, avec leur chaînette qui battait sur sa joue et qui s'accrochait derrière son oreille découverte. A part ça, elle avait une gentille ligne de corps, un buste mince, des seins pointus et des jambes bien dessinées sous des bas de soie noire. Ça, elle n'était pas avare de ses gambilles. Elle portait des robes si courtes, aussi ! Et pas pudique du tout quand elle faisait sissite ! Elle est pinocumettable, prétendait Pactot. Si j'habitais la Maison Meublée comme toi, y a longtemps que je me la serais envoyée, concluait Cambrecis. Tu lui as mis la main au panier, au moins ? Monsieur Hermès rougissait, gêné. Pourquoi les hommes respectaient-ils si peu les femmes ?

Un soir, il était là, sans parler, assis sur la banquette, regardant les autres jouer. Angélique était au comptoir. On entendait les bruits de trompe des taxis à l'entrée du pont Cardinet. Le grondement des autobus et des trains de banlieue faisait trembler la devanture. Un type entra, déjà un peu cuité, frottant ses mains. Commence à pas faire chaud dehors. Il s'accouda au zinc. Un p'tit coup de ratafia. Brrrr ! Y a que ça pour me remettre. On se serait cru perdu au fin fond de la cambrousse. Comme ils avaient l'air à leur affaire, tous ! Les hommes faisaient les importants, sans en démordre. Les deux femmes, les mains occupées par quelque ravaudage, se confessaient leurs misères et les potins du quartier. Monsieur Hermès les écoutait distraitement. Il se reposait dans cette tiédeur. Il était tranquille. Il regardait Angélique, parfois lui souriait. Elle lui souriait aussi. Ils s'entendaient bien tous les deux. Pas besoin de grandes phrases ! Elle lui avait dit qu'il avait une tête d'anarchiste quand il restait là, à rêver, les yeux dans le vague. J'aime pas ça. Vous me faites un peu peur. Vraiment ? s'inquiétait-il avec douceur. Alors, elle levait vers lui un visage détendu et confiant. Maintenant, je préfère. Et son menton se creusait d'une fossette. Une autre fois elle lui avait dit : Pourquoi que vous avez l'air malheureux ? Il lui avait raconté sa vie à l'Hôtel. Elle avait paru comprendre. Elle semblait compatissante. C'était vrai qu'il se sentait moins triste quand il pouvait lui parler. Elle aussi se racontait. Inévitablement ! Ça faisait deux ans qu'elle habitait là. Elle n'avait plus ses parents. Elle était un peu comme la fille des tenanciers. Et puis ses petits soucis à cause de la broderie qui payait mal. Pas folichon tout ça ! Elle avait des mouvements vifs et, malgré la laideur de son visage, un air gracieux et un sourire aimable pour chacun. Ça ne déplaisait pas à Monsieur Hermès de la voir manipuler les bouteilles et rendre la monnaie.

La partie finissait. Monsieur Hermès fredonnait. Et si tu ne l'as pas vu, t'as qu'à monter là-dessus et tu verras Montmartre. Angélique, désœuvrée, abandonna le comptoir et vint s'asseoir près de lui. Ouf ! Quelle heure qu'il est ? Onze heures tapantes. J'suis rendue. Et demain, faut que j'alle au coiffeur. Les cartes rangées, Cambrecis et Pactot se mêlèrent à la conversation. Si qu'on faisait marcher mon phono, proposa Angélique ? Ils montèrent tous les quatre dans la chambre de Monsieur Hermès, s'installèrent. Sur la table, le manuscrit de *La Joie du Cœur* s'étalait. Monsieur Hermès le repoussa, mit un livre par-dessus. Il lui semblait qu'il se donnait ainsi, à lui-même, une preuve de modestie. A la place, on posa le phono. Monsieur Hermès était assis sur sa chaise. Cambrecis et Pactot, de part et d'autre d'Angélique, étaient installés sur le lit. Angélique ne semblait pas du tout avoir peur d'être enfermée avec ces trois garçons. Vous avez un bath de phono, estima Pactot. C'est bien trop beau pour ce que c'est faire. J'ai pas assez de disques. Mais tant pire ! C'était surtout des chansons des rues. *Nuit de Chine, C'est jeune et ça ne sait pas, Quand il y a une femme dans un coin, Mes parents sont venus me chercher, Zaza c'st une gueuse, Hindoustan, Granada, Le tango du rêve, La scottish espagnole.* Pactot et Cambrecis se tenaient correctement. Ça soufflait Monsieur Hermès, mais ça lui faisait plaisir. Cette pusillanimité le vengeait de la sienne. D'ailleurs, l'absence de toute coquetterie de la part d'Angélique coupait court aux avances possibles. Ça n'empêchait pas Monsieur Hermès de poser en douce son regard sur les genoux de soie noire. S'ils voulaient la grimper, là tous les trois, ça ne serait pas difficile. Il n'y aurait qu'à la renverser en arrière. Deux qui lui tiendraient les jambes. Elle n'opposerait sans doute pas une longue résistance. En tout cas, le bruit du phono étoufferait ses protestations.

Quelques semaines plus tôt, une nuit, dans la chambre contiguë à la sienne, au 17, Monsieur Hermès avait entendu des rires et des verres choqués. C'était le locataire qui avait invité chez lui un copain et deux copines. Cette nuit-là, Monsieur Hermès avait renoncé à ses investigations habituelles. C'était contre la cloison du 17 qu'il avait collé son oreille. De l'autre côté, ils avaient vraiment trop bu. Les filles gloussaient à tout propos, fin saoules. On entendait des bruits de baisers sonores. Puis les rires avaient été plus étouffés, plus plaintifs, les silences plus longs. Le lit grinçait. Ils avaient dû se déshabiller car l'une des filles avait dit : Moi, je m'en fous, je garde ma chemise. Au moins, elles, elles n'avaient pas fait de résistance ! Après, ç'avait été une fameuse partie de jambes en l'air. Monsieur Hermès n'en avait pas dormi de la nuit. Mais pourquoi pensait-il à ça maintenant ?

A ce souvenir, il se sentit envahi par une bouffée de chaleur. Il bandait. Pour se donner une contenance, il alla à la fenêtre et saisit l'espagnolette. Ouvrons un moment, voulez-vous? On étouffe ici! Monsieur Hermès était perplexe. Le phono jouait : *Moi j'ai fait ça machinalement.* Comment savoir si Angélique n'avait pas cherché, tout d'un coup, à les provoquer en s'enfermant avec eux ? Ce qui était surprenant, c'était la réserve de Pactot et de Cambrecis. Angélique remontait le phono, mettait un nouveau disque, déclenchait le mouvement. L'aiguille frotta à vide. J'm'y suis mal prise, dit-elle. Elle poussa l'aiguille dans la rainure. Ils entendirent les premières notes des *Papillons de nuit.*

Mais leurs regards furent attirés par une clarté soudaine. Au même étage, deux des fenêtres de la maison d'en face venaient de s'éclairer. Il y avait là un petit hôtel modeste et triste, où descendaient des gens effacés, semblait-il. Bien que les deux fenêtres fussent fermées, leurs rideaux étaient si transparents, qu'on pouvait observer tout ce qui se passait à l'intérieur. Un monsieur apparaissait à travers l'une. A travers l'autre, une dame. Ils se déshabillaient. Et comme les deux fenêtres étaient très rapprochées, on aurait pu croire qu'ils étaient dans une même pièce. Et cependant, il n'en était rien. D'ailleurs, à la liberté de leurs mouvements, on se rendait bien compte qu'ils se savaient seuls. C'était cela qui était comique. Séparés par une cloison, et donnant l'illusion d'être ensemble.

On regarde ce qu'ils vont faire? proposa Cambrecis. Monsieur Hermès arrêta le phono, Pactot coupa l'électrac. Et dans l'obscurité, ils se rapprochèrent de la fenêtre ouverte, pressés les uns contre les autres, parlant à voix basse et retenant leurs rires amusés.

L'homme, tout de noir vêtu à son entrée, avait posé sur une table ronde, au milieu de la chambre, une molle sacoche de cuir d'où, minutieusement, il tira une longue chemise de nuit. C'était un personnage corpulent, large d'épaules, à la peau rouge, le nez chevauché de bésicles d'or, le cheveu rare et roux. Un pasteur hollandais tout craché. Mais c'était peut-être, tout aussi bien, un modeste fonctionnaire du Gers ou de l'Ariège.

La femme, un peu moins âgée sans doute, avait tout à fait la touche d'une intendante de grande maison. Sa mise puait la vieille fille un peu masculinisée et que commence à tourmenter la ménopause.

Après tout, il s'agissait peut-être quand même d'un rendez-vous ? Une thune que le type passe de l'autre côté ? Penses-tu, c'est plutôt la rombière qui va se payer le déplacement. Ce serait croquignolant de leur voir faire ça en cadence. On serait aux premières loges, d'autor ! C'est bien ça : on affiche des mœurs sévères dans son bled, irréprochable et tout : et on vient faire les quatre cents coups à Paris. Non, ce n'était pas possible ! Angélique pouffa. La seule idée de les imaginer dans le même lit était trop drôle. Pourtant, il y avait dans leurs gestes un tel calme, un tel souci des petits détails du cérémonial quotidien qu'on pouvait se demander, malgré tout, s'ils n'étaient pas réunis dans la même chambre. Vise donc la vieille, souffla Pactot. Assise en camisole, elle nattait ses cheveux, le menton solennel. Le type, pendant ce temps, avait saisi son pot de chambre et pissait.

Tout ça avait l'air d'intéresser bougrement Pactot et Cambrecis. Monsieur Hermès n'en revenait pas de les voir dans cet état pour si peu de chose. Lui, il était blasé. Ça ne lui faisait ni chaud ni froid. Il avait vu mieux. Et comment ! Angélique et lui se tenaient derrière les deux garçons. D'une façon presque machinale, il s'était collé à la jeune fille qu'il dominait de toute sa taille. Quand il s'aperçut qu'elle ne cherchait pas à s'écarter de lui mais, au contraire, accentuait peut-être sa propre pression, il fut flatté et ne bougea plus. Ce contact clandestin, dans le noir, était délicieusement excitant. Comme ça, pas besoin de paroles. C'était beaucoup plus facile. Les corps se parlaient d'eux-mêmes. Pour lui qui était si timide, c'était tout ce qu'il fallait. A peine s'il distinguait la jeune fille. Cependant, elle se retournait fréquemment vers lui pour rire avec lui des plaisanteries de Pactot et de Cambrecis. Ainsi ses cheveux venaient frôler sa joue. Non, ça ne pouvait pas être involontaire. Allait-il enfin s'enhardir ? Ce qu'il était empêtré ! Il sentait son souffle près de sa bouche. Il la prit doucement dans ses bras et l'appliqua contre lui. Elle se laissa faire. En se penchant un peu, il effleura sa nuque et son oreille de ses lèvres. Cette fois, elle ne se contenta pas de se laisser faire. De tout son être, elle parut vouloir se fondre en lui. Cette étreinte muette, dans cette obscurité, si près des deux autres, avait quelque chose de. Monsieur Hermès avait le sexe durement dressé. Il éprouvait

164

un certain orgueil à se dire qu'Angélique ne pouvait pas ne pas le sentir aussi, contre elle, et qu'elle ne semblait en avoir aucun déplaisir. D'abord, il l'avait tenue légèrement, ses mains simplement posées sur le haut de ses bras. Mais, l'ayant trouvée consentante, il l'avait serrée de plus en plus fort. Alors, vraiment maître de ce corps léger, qui n'avait sans doute jamais songé à se défendre et dont la fragilité même l'émouvait davantage, il le parcourut d'une main caressante.

Angélique le laissait toujours faire. Mais soudain, elle eut peur. Si les autres se retournaient à l'improviste et se rendaient compte du manège ? Bien sûr, se faire tripoter les seins dans leur dos, ce n'était pas de jeu. Elle prit les mains de Monsieur Hermès et les rabattit lentement contre ses flancs. Puis, en même temps, comme si elle avait craint qu'il se vexe de son effroi, par compensation en quelque sorte, elle pivota silencieusemant et lui donna ses lèvres.

Monsieur Hermès fut interloqué. Il ne s'attendait encore à rien d'aussi direct. Les femmes, vraiment, lui en remontreraient toujours ! Quoi qu'il fasse, elles en sauraient toujours plus long que lui. Elles allaient toujours au-delà de ce qu'on pouvait imaginer. Les diablesses ! C'est elle aussi qui, la première, ouvrit sa bouche. Il sentit, sur ses dents forcées, sa langue râpeuse et chaude comme celle d'une chatte. Elle n'avait plus peur, maintenant, ne semblait plus se soucier de rien. Les yeux clos, elle s'abandonnait, extasiée et vacillante, comme si elle avait sucé la vie aux lèvres de Monsieur Hermès. Celui-ci leva les yeux. Juste à cet instant, la lumière, en face, s'éteignit. Toute cette scène n'avait pas duré plus de deux minutes. Le guignol est fini, dit Pactot en ricanant. Allons nous coucher, nous aussi ; il est près de minuit. Cambrecis et lui s'ébrouèrent. Qui est-ce qui allume ? Dehors, des gouttes tombaient, de plus en plus nombreuses. On va se mouiller, dit Cambrecis, j'ai pas de pépin. Un peu confus, Monsieur Hermès s'écarta d'Angélique. Celle-ci, du ton le plus naturel : il tombe de l'eau ? Voulez-vous le mien ? Puis elle redressa prestement une de ses mèches, donna une petite tape à son corsage qui avait bouffé et alla tourner le commutateur. (Quel sang-froid elle avait !) Non, pas la peine, c'est tout près. Y aura qu'à raser les murs.

On se souhaita bonne nuit sur le seuil de la chambre. Vrai, on avait passé une bonne petite soirée. Angélique dit qu'elle laissait son bazar de disques, serra leurs mains et s'en fut. Alors, émit Pactot, elle t'a donné rencart chez elle ? Ainsi, ils avaient tout vu. C'est du tout cuit pour toi, opina Cambrecis. Elle est à point pour être cueillie. Ne laisse pas passer l'occase. Monsieur Hermès se retrouva seul, presque étourdi. Qu'est-ce que ça voulait dire tout ça ? Pourquoi lui était-elle si facilement tombée dans les bras ? Bien sûr, il savait où elle couchait. Mais il n'oserait jamais y aller. Qui sait d'ailleurs si tout cela n'était pas une blague ? Un baiser, ça ne porte pas forcément à conséquence. Demain, Angélique allait peut-être se moquer de lui avec les deux autres. Non ? Vous avez cru que c'était sérieux ? Et de se taper sur les cuisses. Ce qu'il est naïf, par exemple ! Et si, au contraire, c'était elle qui avait pris tout ça au sérieux ? Ce ne serait pas plus drôle ! Comment se dégager, alors ? Scrupuleux comme il était... Bah ! demain il ferait jour. Il n'y voulait plus penser. Vivement, il se déshabilla, se coucha, éteignit.

Il était déjà à demi endormi, un assez long moment avait dû s'écouler, quand il lui sembla, du fond de son inconscience, qu'on grattait contre la porte, que quelqu'un l'appelait à voix basse. Il sursauta. Il s'entendit lui-même répondre, comme s'il rêvait. La porte tourna silencieusement sur elle-même dans l'obscurité. C'était Angélique. Il faisait si noir qu'il ne l'aperçut pas, d'abord, mais il l'avait tout de suite reconnue à son chuchotement. Elle s'excusait, mais elle avait réfléchi : son phono et ses disques pourraient le gêner. Mieux valait qu'elle vienne les chercher avant qu'il ne soit complètement endormi. Elle ajouta, toutefois, comme s'il s'agissait d'une chose secondaire : Je vais vous donner un petit baiser, avant de m'en aller.

Elle fut tout de suite contre le lit. Monsieur Hermès n'avait pas eu le temps de reprendre ses esprits, de préparer une réponse. Peut-être qu'elle l'avait attendu, chez elle ? En désespoir de cause, elle était venue elle-même. Dans ces conditions, c'était donc Pactot qui avait raison ? Elle se penchait déjà sur lui. Il avait le palais desséché par l'émotion. Il n'osait pas bouger. Dès cet instant, cependant, il comprit que le petit baiser n'était qu'un prétexte et qu'Angélique ne repartirait pas comme ça. Cette bonne fortune ne cessait de l'étonner. Il était si peu habitué à ce genre de succès...

Quand il étouffa sous la pression élastique des lèvres d'Angélique, quand il sentit ses petites mains maigres, exaspérées, ouvrir sa veste de pyjama, son désir monta en lui en même temps qu'une audace inconnue. Il avança les bras vers le corps tiède qui s'offrait. Angélique était nue sous un léger peignoir qui bâillait. A peine eut-il effleuré sa taille, elle s'en débarrassa d'un coup d'épaule. Le peignoir glissa sans bruit sur le plancher. Monsieur Hermès tremblait de tout son être. Contre ses paumes moites, il y avait cette peau toute lisse, si lisse, cette chair jeune qui obéissait, qui ployait comme une herbe. Elle devait être docile dans l'amour, faire tout ce qu'on voulait. Presque en même temps, Angélique ouvrant les draps, se coula contre lui, l'enlaça. Il la fit lentement basculer sur le dos, passa son bras sous ses reins, fut sur elle. Elle fit : Ah! Et il la prit sans dire un mot, sans détacher sa bouche de la sienne qui avait un goût de lait, comme s'il voulait l'empêcher de parler et, par ce fait, oublier qui elle était et où ils étaient.

II

Monsieur Hermès n'avait pas une très grande expérience des femmes. Il avait franchi l'âge de la gaminerie sans aller beaucoup plus loin que les attouchements furtifs. Il avait rencontré des fillettes averties comme Aliette ou Suzanne, qui avaient pu se sentir humiliées de sa gaucherie et qui l'avaient vite abandonné pour de plus entreprenants. A part ça, des grues de café ou des putains de bordel. Sans coucher le moins du monde. Et pour couronner le tout : Alice Elvas ! Cependant, chaque fois, dans son innocence sexuelle, il avait été sincèrement émerveillé du don qui lui était fait. Tout du pauvre qui reçoit un cadeau princier. Non ? Vrai ? C'est pour moi tous ces trésors ? Quand une femme, au bobinard, s'asseyait sur ses genoux, étalant ses grosses cuisses nues (Tu baises, mon grand ?), quand une fille le raccrochait la nuit, au coin d'une rue (Tu viens chez moi, chéri ?), quand une petite poule lui laissait entendre qu'elle avait besoin de cent francs et qu'elle n'était pas farouche, ça lui faisait le même effet que si Greta Garbo lui avait accordé soudain ses faveurs.

L'aventure avec Alice Elvas n'avait fait que confirmer ces dispositions. Il s'était senti son obligé. Une femme de cet abattage, son aînée de surcroît, avec tout cet argent qu'elle avait, jeter les yeux sur lui ! Oui, ce premier coup d'œil qu'elle lui avait lancé, quand ils s'étaient rencontrés dans le hall de *l'Hôtel d'Angleterre,* à San Sebastien ! L'audace avec laquelle elle l'avait abordé sous prétexte qu'elle l'avait entendu parler français ! C'était ce quelque chose d'ivre qu'elle avait dans le regard qui lui avait plu. Et plantureuse, avec ça ! Des épaules admirables et les plus jolis genoux qu'il eût jamais touchés. Elle avait accepté tout de suite, quand il l'avait invitée à dîner. N'empêche que c'était elle qui avait réglé l'addition. Le soir, ils avaient été faire une promenade sentimentale sur la route du Monte Igueldo. La mer était d'un sombre ! De là-haut, elle avait l'air chaude et nue, comme une femme qui fait voler ses rubans par une nuit d'été. A un moment, Alice Elvas avait quitté son bras et s'était accroupie sans façons, sur l'accotement, après avoir déboutonné son pantalon. Il s'était détourné par pudeur et avait avancé de quelques pas. Il avait cependant entendu le jet dru sur le sol caillouteux. Un vrai jet de jument. Elle n'était même pas encore sa maîtresse ! Ce réalisme, ce sans-gêne, l'avaient impressionné. Comme elle était sûre d'elle, sûre de ce qu'elle pouvait ou ne pouvait pas oser. Comme elle le dominait ! Elle avait bien quinze ans de plus que lui, il est vrai. Et blonde comme une Flamande, d'un blond insolent, un peu roux, qui rendait plus transparents ses yeux pers. Tu es mon petit enfançon, lui disait-elle, en lui pressant la nuque. Il y avait toujours un côté maternel dans ses étreintes. Maternel, et vicieux en même temps. Pourquoi s'était-elle amourachée de lui ? Drôlement cocu, le mari ! C'était fou ce qu'elle avait dû avoir d'amants ! Que lui avait-elle trouvé ? Il n'était pas beau. Il ne dansait pas. Au lit, il n'était pas si habile... Mais, pour ça, elle avait montré que ça ne l'embarrassait guère. Elle savait s'y prendre. Il ne pouvait pas la regarder sans être excité. Elle avait une façon, notamment, de se poser devant lui, de saisir sa robe à deux mains, de se retrousser et de se tortiller en riant aux éclats comme une folle, qui faisait qu'il se jetait sur elle brutalement. Elle était réellement un peu cinglée. Avec des manies comme pas une. Jamais de corset, des dessous de tulle et de minuscules chaînettes d'or à chaque cheville. Et en définitive, elle le pompait. Littéralement. Qu'est-ce qu'elle avait donc dans le sang ? Mais l'avait-elle aimé au fond ? Il avait toujours eu l'impression d'être un jouet entre ses mains expertes et avides ; pas davantage !

Avec Angélique, c'était tout différent. Pour la première fois de sa vie, il était aimé. Pour la première fois aussi, il avait rencontré un être plus humble que lui et qu'il pouvait dominer. Ça lui procurait une étrange sensation. Elle était à sa dévotion. Le regardait comme la septième merveille du monde. Il n'avait pourtant rien fait pour ça. Que s'était-il passé dans le cœur d'Angélique ? Ça l'agaçait même un peu, cette attitude d'esclave respectueuse qu'elle avait devant lui. Il ne lui était nullement reconnaissant de ses petits soins, de l'indulgence avec laquelle elle excusait ses mouvements d'humeur ou ses manques d'égards. Il lui en voulait même d'être si docile dans ses manières, et si simple dans sa mise. Bien sûr, elle s'habillait pas comme les belles clientes de l'Hôtel. Elle n'avait ni leur chic, ni leurs manières raffinées. Quelle différence même avec Madame Elvas !

Il était plus de dix heures quand, ce matin-là, Angélique entra dans sa chambre. La veille au soir, il lui avait demandé de le laisser dormir tard. Exacte, ses petits yeux de souris fidèle à l'abri de ses lorgnons, elle venait s'inquiéter de son sommeil. Elle avait mis une robe de soie rouge cerise qui faisait paraître son teint plus pâle, mais qui s'harmonisait assez bien avec le noir cru et brillant de ses bas. Telle quelle, en cheveux, il lui trouva quelque chose d'espagnol. Il ne lui manquait qu'une fleur de jasmin à l'oreille. Monsieur Hermès avait beau avoir une passion sourde pour l'Espagne et ses toros, il n'aimait pas les femmes qui avaient le genre espagnol. La vue de cette robe rouge l'irrita. Il était contrarié à l'idée de se promener dans Paris aux côtés d'une femme aussi voyante.

Il n'était d'ailleurs jamais très fier de montrer Angélique. Elle n'avait rien pour flatter sa vanité masculine. Oh ! sans doute, il ne connaissait pas tant de monde à Paris. Mais des gens de Portville, parfois, des amis de ses parents, des copains à lui, auraient pu le rencontrer. Le Salon de l'Auto, la réouverture des théâtres, voilà ce qui attirait les provinciaux. Et s'il tombait sur le Chef du Personnel, sur le Directeur du Restaurant, quelle ne serait pas sa confusion ! Quelle idée ne se feraient-ils pas de lui après ça ? Tous ces gnafs-là, c'est toujours quand on les voudrait à cent lieues qu'ils se jettent dans vos jambes ! Au moins, tant qu'il restait enfermé avec Angélique à la Maison Meublée, ça ne portait pas à conséquence. L'oncle et la tante étaient au courant de la liaison. Elle leur paraissait toute naturelle. Faut bien que jeunesse se passe. Il n'était pas le premier d'Angélique. Elle était majeure. Elle savait ce qu'elle faisait. Quant à Cambrecis et à Pactot, désormais, ils étaient des anges de correction avec la jeune fille. Tout au plus risquaient-ils quelquefois des allusions grivoises. Ça n'allait pas plus loin. Ils étaient réguliers : Angélique était sa poule. Pas touche !

Le soir, quand elle venait rejoindre Monsieur Hermès dans sa chambre, il ne lui demandait pas autre chose que d'être elle-même. Là, chez lui, il n'était plus humilié par son visage, sa tenue ou son langage. Ça lui plaisait même de l'entendre babiller. Ça le reposait. Il ne l'écoutait que d'une oreille distraite. Tu fais pas attention à ce que je te dis, lui reprochait-elle, à chaque instant. Il lui souriait. Oh ! elle n'était pas rancunière. Ce sourire lui suffisait. C'était une bonne fille.

Il n'y avait que leurs relations sexuelles qui se fussent quelque peu ralenties. Angélique trouvait qu'il n'était tout de même pas très amoureux. Elle attendait ça, toute la journée, assise sur sa chaise, les mains sur sa broderie mais l'esprit vagabond. Et le soir venu, Monsieur se faisait prier. La fatigue, arguait-il. Il n'en pouvait plus. Les arpions en capilotade. Le métier échinant. Mais il ne disait pas toute la vérité. C'est qu'on ne contracte pas sans danger le goût des plaisirs solitaires. Le premier soir, pardi ! le piment de l'aventure, la nouveauté de ce jeune corps si soudainement offert avaient suffi. Depuis, tout ça s'était émoussé. La réalité n'était pas assez belle pour lui qui, habituellement, exigeait de son imagination des ambiances mirifiques. A ce régime, sa virilité s'était affaiblie. Ses sens ne répondaient plus si bien aux sollicitations du désir. Il lui fallait s'inventer des représentations de plus en plus suggestives. Les femmes supposées les plus belles en même temps que les plus dépravées, les étoffes les plus chatoyantes, les intérieurs les plus somptueux. C'était rigolo, quand même, de penser au mécanisme de la volupté. C'était la vue de la chose qui faisait tout. Placer devant un homme une femme enfermée dans un sac, et il restait de bois. Mais, si on faisait sortir du sac seulement un pied ou un bras ou la tête de la femme, déjà le désir pouvait s'éveiller. Comment s'étonner donc si les hommes étaient excités d'une façon particulière par toutes les parures vestimentaires susceptibles de voiler sans les cacher et de mieux mettre en valeur les charmes féminins ? Au fond, rien de cochon, là-dedans. Une robe fendue, des dessous transparents, des pieds finement chaussés, des ongles laqués, des cheveux très soignés, autant d'agréments rares. Auprès de ça, bien entendu, Angélique ne l'inspirait pas follement.

Ce n'est pas qu'Angélique ne fût désirable, à proprement parler, surtout, dès qu'elle avait posé ses lorgnons. Mais comment pouvait-elle lutter contre les créatures imaginaires enfantées par Monsieur Hermès ? Son linge était net, mais sans plus. Si elle se parfumait, c'était seulement avec des parfums bon marché, de ceux qu'on respire dans le métro. Et ce n'était certes pas le triste ameublement du 18 qui pouvait suggérer quoi que ce soit de féerique. Comment Monsieur n'aurait-il pas pris prétexte de sa fatigue ? Quand il sortait de l'Hôtel, il n'avait qu'une idée en tête : rentrer chez lui, lancer au loin ses godasses et s'effondrer sur son plumard. Au lieu de ça, il se voyait dans l'obligation de procéder chaque soir à une toilette de circonstance et de présenter ses hommages à la bien-aimée. Non, ce n'était pas une vie ! Mais c'était là qu'Angélique était sublime. Elle avait accepté l'holocauste !

Au début, elle avait bien tenté de réveiller les ardeurs défaillantes de son amant. Ayant elle-même des sens exigeants, elle avait supposé qu'il était de son devoir d'attiser ce feu qui ne se décidait pas à prendre. Les femmes disposent, pour ce faire, de moyens particuliers. Elle devait s'en servir sans préjugés. Quand elle venait dans la chambre de Monsieur Hermès, si elle ne savait jamais ce qui l'y attendait, elle savait du moins ce qu'elle y venait chercher. Elle avait remarqué que Monsieur Hermès avait une propension à la désirer davantage quand elle était habillée, commme si s'était mêlée, dans son idée, à l'étreinte, la représentation d'un viol. Aussi prenait-elle soin de passer parfois une robe sur sa nudité, dans l'espoir que la vue seule de cette robe inspirerait à son amant l'envie de la lui relever. Ou bien, elle dissimulait sous son peignoir le déshabillé le plus libertin qu'elle pût imaginer, comme si l'arrangement de bas roulés en chaussettes ou de jarretelles bien tirées avait dû avoir sur lui un pouvoir épidermique. Enfin, sur le lit même, elle n'avait pas hésité à faire appel à ces dernières ressources que sont, pour une amante entêtée, les cinq doigts de la main et la langue. Mais elle n'avait jamais obtenu que des résultats spasmodiques et capricieux qui l'avaient peu fortifiée dans la conviction de son efficacité.

Alors, elle avait graduellement renoncé à tous ces stratagèmes. Elle s'était résignée à attendre son bon vouloir et, comme une terre desséchée, à souhaiter en silence la venue de la bonne pluie fécondante. Elle entrait dans la chambre, s'asseyait sur le lit, gardant seulement sur elle une très courte chemise de tricot blanc. Elle écoutait son amant, déjà couché, lui raconter sa journée à l'Hôtel. Et, suivant qu'elle le sentait mal ou bien disposé, le laissait en paix ou le lutinait. Monsieur Hermès n'était pas dupe. Quand ça ne lui disait pas, il opposait à ces caresses toute sa force d'inertie, cessait de parler, la laissait bavarder à son aise et même, pris à son propre piège parfois, finissait par tomber dans un engourdissement voisin du sommeil. Elle avait beau picorer son visage et son torse de baisers, faire des frisettes avec ses poils, lui tortiller le bout des seins ou risquer d'autres chatouilleries, il n'y répondait que par des borborygmes ou des soubresauts enfantins. Mais elle ne se lassait pas. Agenouillée près de lui sur le lit, nue et gentille, frêle et maternelle, elle continuait à le bercer de son babil et de ses caresses comme elle eût fait d'un enfant, sans se douter qu'elle finissait par faire taire aussi, au fond d'elle-même, tout ce qu'il y restait de charnel. C'était comme si elle n'eût pas eu d'autre ambition que de pouvoir continuer à l'aimer, dût-il la négliger plus encore. Si peu qu'il y mît du sien, par hasard, elle semblait comblée. Et maintenant qu'il avait pris goût à ses façons, c'était lui qui s'arrangeait, chaque soir, pour qu'elle se plie au jeu et lui permette ainsi de rêvasser sans suite.

Elle parlait de plus en plus doucement, jusqu'à ce que sa voix ne fût plus qu'un murmure. Et quand elle le sentait au bord du sommeil, elle fredonnait de vieilles chansons de berceau. *Do, do, l'enfant do,* ou *Ah ! ne t'éveille pas encore.* Ses mains, autrefois aventureuses et indiscrètes, sa petite langue de chatte n'osaient plus que des caresses immatérielles. Elle ne prenait pas ombrage de cette passivité un peu rebutante de son amant. Au contraire, elle la favorisait. Elle se faisait de plus en plus silencieuse. Bientôt, ses doigts légers s'élevaient au-dessus du corps calme. Monsieur Hermès dormait. Angélique sautait du lit, enfilait ses pantoufles et son peignoir en épiant sur le visage aimé la détente du sommeil. Elle était heureuse, si étrangement heureuse, d'avoir pu lui procurer cette quiétude. Et elle lui était reconnaissante aussi, du bonheur qu'il lui donnait de cette façon. Elle s'approchait du lit sur la pointe des pieds, posait un baiser sur sa tempe, là, à la naissance des cheveux, comme s'il eût été son bébé, un bébé égoïste et médiocre, ce bébé né de sa chair, qu'elle n'aurait sans doute jamais. Bonne nuit, grand garçon! Elle éteignait la lumière et se glissait sans bruit hors de la pièce.

Il y avait une telle servilité amoureuse chez Angélique que si, ce matin-là, Monsieur Hermès, saisi par un désir passager, lui avait ouvert ses draps, toute parée qu'elle fût pour sortir, elle aurait eu vite fait de passer sa robe rouge par-dessus sa tête et de se coucher contre lui. Ça le prenait ainsi certains matins. Elle sortait de là toute décoiffée, ses dessous en désordre, avec quelque chose d'humilié et de glorieux à la fois. Mais ce matin-là il était sans désirs. Il avait fait l'amour la veille avec elle. Il en conservait encore un agaçant goût de cendre.

Pendant qu'Angélique lui préparait, avec quels soins touchants! sa chemise propre et son costume bleu, Monsieur Hermès se leva et commença sa toilette. Il ne se sentait pas de très bonne humeur tout à coup. Encore une journée où rien ne marcherait à son idée. Cependant, à son propre étonnement, il se rasa avec facilité, faisant voler son rasoir sur sa peau.

Dehors le temps était clair et lumineux. Hier, Monsieur Hermès avait agréablement supporté son pardessus. Aujourd'hui, Angélique parlait de sortir en taille avec sa robe rouge. Il ouvrit la fenêtre. L'air était tiède en effet. Le soleil luisait, avec quelque chose de pâle qui rendait la rue plus émouvante. Ça rappela à Monsieur Hermès l'odeur pourrissante des chrysanthèmes blancs en pots, sur la terrasse de sa grand-mère, à Fontanières, lesquels pots elle gardait précieusement pour les porter au cimetière. Il en était ainsi chaque automne. Mais il lui semblait que c'était un passé qui ne reviendrait plus. Jamais! La maison avait été vendue. Grand-mère était morte. Comme il était vieux, déjà! loin de son enfance! Et pourtant, ce souvenir l'envahissait d'une sorte de griserie. Pour un peu il en aurait eu la larme à l'œil. Il se détourna, s'affaira près de son lit, pour cacher ça, enfila son pantalon.

A son tour, Angélique s'était accoudée à la fenêtre. Elle chantait entre les dents. *Non, tu ne sauras jamais, toi qu'aujourd'hui j'adore, si je t'aime ou si je te hais, si je meurs ou si je veux vivre encore.* Ce qu'elle pouvait être romance! Et ça ne l'empêchait pas d'être heureuse, au contraire. Toute la journée elle allait pouvoir se traîner à son bras. C'était ça qui la ravissait. Elle se piquerait avec lui devant les affiches en couleurs, rirait niaisement devant le profil caricatural des plus célèbres étoiles de music-hall, écouterait pendant des heures les rengaines à la mode des camelots délurés sur les boulevards. *Elle s'était fait couper les cheveux. Ah, dis chéri, joue-moi-z-en, d'la trompèèè-tte, d'la trompèèè-tte, ti ta ti ta ta ti ta ta.* Quel rapport entre elle et lui? Elle semblait contente de son sort. Tout était dans l'ordre pour elle. Elle ne cherchait pas plus loin. Il ne lui avait même jamais montré le manuscrit de *La Joie du Cœur*. Qu'y aurait-elle compris? Maintenant qu'il faisait moins chaud, il y travaillait chaque après-midi, à *La Régence*. Ça avançait. Au printemps ce serait prêt. Maouss poil poil! Du coup, il se frotta plus énergiquement les dents avec sa brosse. Ça moussait rose autour de ses lèvres et ça dégoulinait en sirop dans la cuvette. Une gorgée d'aqua. Gargarisme. Cracher. Nouvelle gorgée. Regargarisme. Recracher. Là, ça y était. Plus qu'à se donner un coup de peigne.

Avant de sortir, Angélique glissa quelques billets dans la poche de gilet de son amant. Ils avaient pris l'habitude de partager leurs dépenses. C'était Angélique qui l'avait exigé. Elle trouvait que comme ça c'était plus gentil, plus copain. Elle ne voulait pas lui être à charge. Monsieur Hermès ne pouvait pas cacher à quel point cette combinaison l'arrangeait. Il avait si peu d'argent pour faire le garçon. Si bien qu'il finissait par trouver cette situation toute naturelle.

Après tout, si Angélique prenait plaisir à sortir avec lui, pourquoi n'y aurait-elle pas mis du sien ? Il se laissait donc faire distraitement en s'autorisant de sa lâcheté pour mépriser un peu plus, en même temps qu'il l'aimait moins, celle qui, en voulant lui prouver mieux son amour, ne faisait que se déprécier à ses yeux. C'était d'ailleurs une habitude chez lui. Il acceptait toujours pour argent comptant les services qu'on lui rendait, oubliant vite le fait pour le geste, et ne se gênait pas pour juger sur leurs bienfaits mêmes ceux qui avaient eu l'imprudence de l'obliger.

Il avait été réellement agacé par le chant bébête d'Angélique. La prenant par les épaules et se plaçant avec elle devant la glace de l'armoire, il sourit aigrement à leur image. Ah oui, ils étaient beaux ! Lui qui avait toujours rêvé de faire illusion aux foules ! Quelle pauvre partenaire il avait été choisir là ! A ses côtés, il était catalogué. Ce qu'ils faisaient moche, tous les deux ! Ça ne lui avait jamais été aussi sensible qu'aujourd'hui. Pourquoi les gens se seraient-ils gênés de les bousculer dans la rue ? Il était bien évident qu'on pouvait le prendre pour quantité négligeable. De quoi avait-il l'air ? D'un petit bonhomme toujours assez maladroit pour se coller les doigts dans du papier à mouches. Rien du héros. Bon Dieu, ça compte pourtant d'avoir une personnalité. Ou de ne pas en avoir. Eh bien, lui, il appartenait plutôt à cette catégorie, lui semblait-il. Néanmoins, il n'en était pas tellement sûr. Qu'Angélique l'empêchât d'être lui-même, certes, c'était impardonnable. Il ne pouvait tout de même pas lui déballer ses griefs ! Tant pis pour elle si elle ne pigeait rien à ses humeurs. Il se vengeait d'elle comme il pouvait, en l'accablant de petites remarques perfides et désobligeantes. Elle perdait vite contenance, la simplette. Ça le faisait jouir. Tu vas faire peur aux vaches avec cette robe ! Elle qui la trouvait si seyante ! Qu'est-ce que c'est que cette poudre que tu te mets maintenant ? Qu'il était méchant ! C'était de la poudre Coty. Tout ce qu'il y avait de bien. Même qu'elle l'avait payée assez cher ! Elle a une odeur que je n'aime pas ! Allons bon ! Elle baissait la tête, découragée. Oh ! il y avait des moments, elle en avait plein son sac, de ses remarques ! Tu es un mauvais, tiens ! Mais s'il faisait mine de bouder, de la tenir à distance, elle lui prenait le bras, se serrait contre lui, pitoyable, lui faisait sa soumission. Elle ne porterait plus jamais sa robe rouge. Elle changerait de poudre. Tout, pourvu qu'il ne reste plus avec ce visage fermé. Tout, pourvu qu'il consente à pardonner, à sourire. Elle ne songeait même pas à haïr cette fatuité qui se lisait alors sur son visage. Tout ce qu'elle redoutait, c'était qu'il s'emporte à nouveau à propos d'autre chose. Ou parce que son bas avait un peu tourné, ou parce qu'elle n'avait pas entendu ce qu'il disait, ou parce qu'elle avait mis le pied sur un étron. Il était si mimi, si attentionné quand il voulait ! Elle le trouvait si distingué, si élégant ! Au fond, c'était plutôt flatteur qu'il s'occupât tellement de sa toilette. Il y avait tant d'hommes qui ne vous regardaient jamais ! On pouvait se mettre en jaune ou en vert, ça ne leur faisait ni chaud ni froid. Lui, au moins... Elle arrangeait ça comme ça.

Ils sortirent de la Maison Meublée un peu avant midi. Trop tard pour entreprendre quoi que ce soit. Ils entrèrent dans une gargote de la rue Saussure, fréquentée par des ouvriers du bâtiment. Angélique y était venue souvent, autrefois, du temps qu'elle était l'amie d'un mosaïste. Maintenant, elle y conduisait Monsieur Hermès. Un clou chasse l'autre, ricanait-il à part soi. Pourquoi était-il jaloux ? Est-ce qu'elle lui avait demandé des comptes, elle ? C'est pas une raison pour me traîner partout où tu as été avec tes anciens ! Et pan dans l'œil ! Elle suffoquait d'indignation. Il était trop injuste. Elle lui avait pourtant dit cent fois qu'elle ne l'aimait pas, ce mosaïste, qu'il n'y avait que lui qui comptait. On dit ça ! Quel sale caractère ! Il tenait donc à empoisonner leur journée ? Mais non ! Je m'en fous de ton mosaïste et des autres ! Tu parles !

C'était une salle au plafond bas. Il fallait descendre deux marches pour entrer. Presque un sous-sol. Les maçons, les plâtriers, les charpentiers qu'ils rencontraient là, sentaient bon le gros velours de travail. Leurs mains épaisses et calleuses gardaient encore les stries blanches du plâtre et la poussière des pierres, là, dans les plis de la peau et autour des ongles. Mais ça ne faisait pas malpropre. Ils mangeaient, prenant appui sur leurs coudes, le torse lourd, faisant de grands bruits de mâchoires. Ils avaient des visages glabres et tannés ou vermeils et moustachus. Ceux-ci gardaient des gouttes de soupe ou de vin dans leurs poils et ils les lampaient tranquillement d'un coup de lèvre. Ils avaient tous un air grave, réfléchi, contenu, mastiquant avec une sorte de piété et comme si cette heure du repas avait été consacrée vraiment à l'accomplissement d'un rite vénérable. Entre deux bouchées, ils buvaient de larges rasades de gros qui tache et s'essuyaient la bouche d'un revers de manche, en faisant clapper la langue.

Angélique épousseta la banquette de bois avec la main. Monsieur Hermès s'assit auprès d'elle en tirant sur ses poignets de chemise. Ce qui le choquait dans ces bouchons, c'était la grossièreté du service. Toutes ces taches d'aramon et de sauce piquante sur la toile cirée. La fille de salle, faute de carte, annonçait la couleur du jour à chaque arrivant. Céleri mayonnaise ou salade tomate. Beefsteak aux pommes ou côtelette de porc haricots. Camembert ou tarte. Au choix ! Ça posait vraiment des cas de conscience. Le pour et le contre. Dramatique. De ses mains graisseuses, boudinées et rougeâtres, les assiettes s'envolaient avec un bruit de vaisselle bousculée. Drôlement ébréchée, la faïence ! Allait-elle tout renverser ? Non, d'un agile mouvement de doigts, elle vous collait votre portion devant le nez en chantonnant la nomençlature. Le pain en tranches, croustillant et doré, la chopine suivaient.

Ça indisposait Monsieur Hermès de voir ces ouverreriers si dociles. Plus dociles même que les loufiats de l'Hôtel. Ils parlaient peu. Tout leur courage à manger. Ça devait être épuisant aussi ce qu'ils faisaient. Il n'aurait pas voulu être à leur place. Leurs regards mêmes semblaient las. Mais aucune révolte, aucune hostilité ne se lisait sur ces visages. Comment vivent-ils ? De quelle façon s'organisent-ils ? Ont-ils une idée du bonheur ? Et, si oui, où placent-ils ce bonheur ? Beaucoup ressemblaient physiquement à Monsieur Papa : les moustachus. Avait-il lui-même la tête de Monsieur Papa ? Il aurait fallu qu'il se laisse pousser les bacchantes pour mieux comparer. Ça n'aurait pas plu à Angélique. Ni à lui, d'ailleurs !

Au fur et à mesure qu'ils avaient fini de manger, ils se levaient, remettaient leur musette en bandoulière et repartaient pour le chantier. Etait-ce le repas qu'ils avaient pris, le vin qu'ils avaient bu ou le besoin de s'exciter un peu, qui les poussait à s'interpeller avec autant de bonne humeur ? En partant, ils raclaient le plancher, de leurs godillots cloutés. Après tout, Monsieur Hermès ne se sentait pas grand'chose de commun avec eux. Il oubliait sa misère. Mais, du moins, il savait au fond de lui que, quoi qu'il arrivât, il ne serait pas contre eux, comme Monsieur Papa l'était devenu. Oui, quoi qu'il arrivât, entre les oppresseurs et les opprimés, son choix était fait. Même s'il n'éprouvait aucun plaisir dans la société des opprimés, il ne pourrait pas ne pas être, toujours, de leur côté, avec eux ! Un élan de tendresse le fit se pencher sur le cou d'Angélique. La pauvrette ! Pour elle non plus la vie n'était pas si rose. Pourtant elle rayonnait aujourd'hui, s'amusait de tout. C'était une petite fête pour elle que de manger au-dehors. Afin de rattraper le temps perdu, elle avait pris l'habitude de broder chez elle le dimanche, puisque Monsieur Hermès n'était pas libre ce jour-là. Comme ça, elle se payait un peu de liberté, avec lui, en semaine. Elle lui disait quelquefois qu'elle voudrait qu'ils aient assez de galette pour se payer un soir un souper fin dans un restaurant copurchic. Au *Café Anglais*. Chez *Maxim's*. Voire même à l'Hôtel. Mais il n'y avait aucune chance pour que ça arrive jamais. Elle se résignait à l'avance. A défaut de *Ritz* ou de *Crillon*, eh bien, elle se contentait des crémeries du quartier. Lui, ça le dépassait un peu. Il l'aurait voulue plus inquiète, mieux pénétrée de ce sentiment qu'il avait d'être, avec elle et tant d'autres, victime d'une obscure injustice. Que vas-tu chercher ? N'est-on pas heureux comme ça, nous deux ? Il haussait les épaules. Elle n'était pas difficile, non ! Et puis, d'abord, qu'est-ce qu'il foutait là, avec sa brodeuse ? Si les copains de Portville l'avaient vu ! Un temps infini qu'il ne leur avait pas écrit. Il faudrait qu'il y songe. J'prendrai bien un p'tit rhum, murmura Angélique, au moment où on leur servait le café. Va pour deux rhums ! Au diable l'avarice ! Ça le rendait jouasse chaque fois qu'il pouvait se moquer du péché mignon d'Angélique. Y avait pas à dire, elle aimait le rhum. Et elle le tenait rudement bien.

Leur repas pris, Angélique et Monsieur Hermès descendirent tranquillement vers l'Opéra. La journée était lumineuse.

Les gens avaient un air entreprenant et guilleret. Il y a des moments où on est dans une disposition telle, qu'on prête beaucoup à autrui. Cette heureuse disposition peut d'ailleurs se dissiper sous le moindre choc. Comment naît-elle, comment meurt-elle ? Angélique avait placé sa main sur le bras de son amant qui l'y avait laissée, non sans rechigner intérieurement. Cet enlacement ne faisait que les dénoncer davantage aux regards des passants. Ils n'étaient pas une femme et un homme allant de concert, mais un couple. Bras dessus, bras dessous ! Des tourtereaux ! Angélique parlait. Le mandarin-cu, la côtelette de porc, le gros rouge, le petit rhum, la satisfaction d'être avec lui la rendaient loquace. Figure-toi, il entre dans le collidor. Un espèce de voyou. Attends un peu, que j'me dis. Eh là ! Qui c'est-y que vous voulez, l'homme ! Il a bien vu tout de suite que ça n'irait pas tout seul. Il est ravenu vers moi. Il avait déjà pris les escayers. Je bougeais pas d'un fil. Mon cœur battait, si t'avais vu ! C'est alors que le facteur a poussé la porte. Ça continuait, ainsi, comme de l'eau qui aurait coulé, avec une étrange facilité. Tu ne me trouves pas trop ennuyante, au moins ? Il lui souriait comme on sourit à un animal dressé auquel on veut voir faire de nouveaux tours. Si Tonton Nicolas n'avait pas été de ses parents, mais seulement un ami, il lui aurait fait connaître Angélique. Parfois, elle l'emplissait de pitié. Il aurait voulu lui faire du bien, la combler. Elle était si gentille avec lui ! Il avait le cœur tout attendri. Il l'admirait presque d'être capable de si beaux sentiments. Dommage qu'elle eût tendance à trop élever la voix. Les gens allaient l'entendre. Chut ! Chut ! faisait-il. Elle s'exprimait si gauchement ! Ah, elle ne pouvait pas tromper son monde ! On voyait tout de suite d'où elle sortait, dès qu'on l'entendait. Tais-toi, voyons ! Pas si fort ! Tu vas nous faire remarquer ! Angélique tournait les yeux autour d'elle. Mais non, personne ne faisait attention à eux. Elle se serrait davantage contre lui, attirait du menton ses regards : vois donc ? ce que c'est drôle ! Il y avait toujours des choses si amusantes à voir sur les grands boulevards. Des Chinois qui faisaient mille figures avec des jouets de papier dentelé, des Italiens qui montraient de marrants pantins mécaniques sur le trottoir : Charlot, l'Ours polaire, Herriot et son gros ventre, Carpentier, le Moineau de Paris, Mistinguett. Celle-ci surtout était comique avec sa façon de sautiller. Mais le plus ahurissant était le Pingouin. T'as le bonjour d'Alfred ! La fossette d'Angélique se creusait. Elle était aux anges ! Monsieur Hermès la tirait par le bras. Ce que tu es gosse ! lui disait-il. Et toi, ce que tu es ronchonnot ! Du moins, il fallait lui passer ça, elle ne l'embêtait jamais avec des histoires de famille. Pas de projets non plus. Et on fera ci, et on fera ça. Comme tant d'autres ! Oui, ça, c'était bien agréable. De mariage, à plus forte raison, il n'était jamais question. Elle semblait trouver tout simple qu'il s'agît seulement entre eux d'une liaison au jour le jour, sans serments et sans engagements. En dehors de ça, que cachait-elle dans sa petite tête de rongeur ? Bien malin qui aurait pu le deviner. Monsieur Hermès ne faisait d'ailleurs aucun effort pour ça. Il couchait. Ça lui suffisait. S'il l'écoutait avec curiosité, c'était avec une sorte de condescendance et sans faire le moindre effort de compréhension. Il connaissait son ventre et ses cuisses, il avait mêlé son souffle au sien, il avait respiré doucement l'odeur de ses aisselles, il avait bu avec elle dans la même tasse, dormi sur le même drap, mais elle lui était et lui restait étrangère. Ils pourraient se quitter comme ils s'étaient pris. Sans laisser de traces. Il n'avait que faire du bagage de son passé, de son mosaïste et de tous ceux qui l'avaient sans doute précédé, bien qu'elle s'en défendît. Et il n'entendait pas davantage prendre d'options avec elle sur le futur. Il entendait rester libre. Il ne fallait pas s'engager. Il n'y aurait pas place que pour Angélique dans sa vie. Angélique ne serait qu'un petit épisode, même si elle l'aidait actuellement à moins sentir sa mouise.

Ils s'arrêtèrent en curieux devant l'ouverture d'un grand cinéma. Telle la gueule de quelque dragon géant, elle absorbait une foule noire et pressée. Les gens disparaissaient peu à peu derrière des portes fébriles comme des glottes, pendant qu'une énervante sonnerie ne cessait d'accentuer le sentiment panique dont chaque spectateur se sentait possédé dès qu'il avait pénétré dans cet antre où des glaces impitoyables lui renvoyaient son image avachie et traquée. De place en place, des affiches énormes, aux couleurs meurtrières, semblaient inspirées par des rêves extravagants. Quelles aventures, quels oublis trouvait-on au-delà ? Angélique et Monsieur Hermès se laissèrent tenter à leur tour. Il tendit son argent et reçut deux tickets d'entrée que débitait une machine mystérieuse et nickelée, sous les doigts d'une donzelle parée comme une idole dans son globe de verre. Il la regarda, inquiet. Etait-elle vivante ? Ou allait-elle tomber en poussière ? C'en était impressionnant ! Le rêve commençait : ce visage peint, ces coques de cheveux vernis, ce sourire hiératique, ces gestes mécaniques. Mais la file le poussait. Il glissa ses tickets dans la main d'une autre idole qui, braquant sur leurs pieds un faisceau lumineux, s'avança en dandinant ses fesses maigres, les guidant dans les ténèbres jusqu'à leurs fauteuils. Il chercha vingt sous. Assis-toi, lui murmura Angélique. Oui, c'était commencé.

Les fauteuils étaient profonds, l'atmosphère douce, parfumée, les ombres des spectateurs embellies par l'obscurité à laquelle, cependant, peu à peu, les yeux s'habituaient. Monsieur Hermès était bien. Son besoin d'incognito était satisfait. Ça lui procurait toujours une sensation d'euphorie de se sentir au milieu de tous ces êtres qu'il ne voyait pas, mais dont il entendait la respiration ou les commentaires. Il sentit les doigts d'Angélique s'entrelacer aux siens, et il la laissa faire. Qu'importait dans le noir ! Il était tout yeux et tout oreilles. L'orchestre vrombissait puissamment. Monsieur Hermès était déjà loin d'Angélique. Il commençait à se dédoubler. C'était automatique. Chaque fois qu'il voyait un film, il s'identifiait inconsciemment au héros, qu'il fût gangster, explorateur, journaliste ou banquier. Non point qu'il enviât ses exploits, mais parce qu'il lui semblait que c'était lui qui pouvait serrer dans ses bras et baiser sur la bouche ces femmes si belles qui apparaissaient sur l'écran. Son imagination faisait le reste. C'en était fini des léproseries de la vie. Plus de chambres sordides. Plus de propos misérables. Plus d'amitiés inférieures. Pendant quelques heures, il cessait d'exister pour son propre compte. Le monde n'était plus gangrené. Le monde n'était plus que beauté, luxe et volupté. Mais aujourd'hui, le film était particulièrement idiot. Un truc du dix-huitième siècle. Avec des arquebusades et des coups de poignard dans tous les coins. Sans compter qu'il avait horreur des films costumés. Ce qu'il lui fallait, c'était de pouvoir se rincer l'œil sur des femmes habillées à la mode actuelle. Sans ça, ça n'avait aucun intérêt. D'ailleurs, pourquoi n'aurait-il pas été lui-même un véritable héros, pour son propre compte ? Pourquoi n'aurait-il pas vraiment cette prestance, cette énergie magnifique, cette façon de s'imposer aux êtres en général et aux femmes en particulier ? Alors, tout deviendrait possible. Exactement comme quand il avait trop bu. Tout lui souriait. Un jour, il serait seul, ainsi, dans un cinéma. Dans l'obscurité, quelqu'un viendrait s'asseoir près de lui. Une femme. Une femme au profil éblouissant. En s'asseyant elle aurait frôlé son bras. Il sentirait son parfum. Son cœur battrait. Allait-il prendre sa main, lui caresser le genou ? Non, ça, c'étaient des moyens vulgaires. Il fallait que les choses s'arrangeassent plus joliment. Elle pourrait laisser tomber son sac entre eux, par mégarde. Il le lui ramasserait vivement. Sans marquer la moindre confusion. En galant homme. A peine aurait-il rougi. Mais elle n'aurait pas pu s'en apercevoir. Elle le remercierait avec grâce, mais sans insister. Bon. Pendant tout le film, il resterait sans bouger et sans chercher à lui parler. On a sa dignité. A la fin seulement, aux lumières, elle lui ferait un salut distant et railleur et disparaîtrait dans la foule avant qu'il ait eu le temps de la suivre. Bon. Mais le lendemain, il la rencontrerait à nouveau. Mais oui, cette belle personne qui traverserait la chaussée d'un pas distrait et qui manquerait se faire écraser par un taxi, ce serait elle ! D'un bond, il la saisirait par le bras, la sauverait. Elle le reconnaîtrait. Mon Dieu, qu'elle avait eu peur ! Par quel hasard s'était-il trouvé là ? Une sorte d'ange gardien. Hier, son sac ; aujourd'hui, ce taxi stupide... Voilà la conversation engagée. Et comme l'émotion l'aurait secouée, ils seraient allés s'asseoir dans un salon de thé. Déjà en pleine sympathie. Il ne lui aurait pas dit d'abord qui il était. Mais il aurait bien vu tout de suite qu'elle était riche. Oui, pleine aux as. Ça se sentait aux riens exquis de sa toilette. Et belle, avec ça ! Ils bavarderaient longuement. Elle lui demanderait de dîner avec elle. Elle était justement libre ce soir. Elle parlait français avec l'accent américain. L'art de donner du cachet aux propos les plus insignifiants. Oui, elle était divorcée. Elle voyageait pour son plaisir. Mais elle s'ennuyait dans ce Paris. Non, il lui faudrait un compagnon. Pourquoi n'accepterait-il pas de devenir son secrétaire ? Bon. C'est chose faite. Rien de plus simple. Il serait son secrétaire particulier. Il logerait dans son hôtel. Une chambre près de son appartement. Il s'y voyait déjà, ayant pris son bain quotidien, les mains faites par la manucure, bien habillé. Elle aurait étouffé ses scrupules. Elle avait tant d'argent ! Ça comptait si peu pour elle ! Bon. tout de même, elle avait fait les choses princièrement. Il l'accompagnerait dans ses sorties, chez les couturiers, au théâtre. Il lui dirait ce qu'il faudrait voir, il la conseillerait, il la piloterait. Il lui ferait la lecture, même. Bon. Bientôt, elle déciderait un grand voyage avec lui. Avant de partir, elle multiplierait les achats. Dans l'appartement, ce serait une profusion de fourrures, de robes, de colifichets que les plus grandes maisons auraient livrés. Monsieur Hermès aurait un carnet de chèques à son nom. C'était lui qui réglerait les dépenses. Chaque matin, il ferait monter des fleurs rares dans sa chambre. Il serait onze heures. Il viendrait lui tenir compagnie pendant qu'elle prendrait son chocolat dans son lit. Par les larges baies de l'avenue Montaigne, un Paris aéré et parfumé, un Paris que les Parisiens des Batignolles ou de Ménilmontant ne connaissaient pas, pénétrerait. Elle s'appellerait Princilla, elle serait blonde. Blonde comme Madame Elvas, mais plus jeune et plus belle. Belle comme Princilla Dean, l'actrice de l'écran, avec quelque chose de fascinant, de fatal et de tendre. Bon. Des gestes plus osés s'ébaucheraient. Un marivaudage de paroles laisserait entendre des intentions, des promesses. Un intimité encore platonique, l'heure des aveux n'étant pas venue. Bon. Ils iraient prendre un martini au *Fouquet's* et déjeuneraient dans la vallée de Chevreuse. Sur la route, dans la Packard, conduite par un chauffeur en blanc, ils dépasseraient des coureurs cyclistes à l'entraînement. Parmi eux, il y aurait peut-être les fils de Tonton Nicolas. On les sèmerait rapidement. Bon. C'était décidé ils passeraient trois mois aux Bermudes. Ils s'embarqueraient à Londres. La féerie du voyage. Les deux cabines de luxe, contiguës. Le bar du bord. Les milliardaires et les lords auxquels elle le présenterait. Un gentleman. Les soirées dansantes. Il aurait un habit impeccable. Ils danseraient. Elle serait plus que nue dans ses bras. Les passagères lorgneraient ses robes fulgurantes. Elle se promènerait enlacée à lui sur le pont, s'accouderait au bastingage, regarderait la mer, pendant qu'il lui réciterait ce passage de *Jocelyn* qu'il avait appris pour Nita Brett et qu'il savait encore par cœur. Puis ils s'étendraient sur des chaises longues. Elle serait enveloppée de zibelines. Il la ramènerait enfin vers sa cabine, lasse et grisée. Il lui baiserait la main, lui souhaiterait bonne nuit. Bon. Le matin, tout de blanc vêtus, ils iraient à l'avant du navire. Là, dans le vent joyeux, sous le grand soleil marin, ils respireraient l'air du large. Sa robe légère et plissée se plaquerait contre ses seins menus, contre ses jambes. Mais ce ne serait que là-bas, aux Bermudes, qu'éclaterait leur amour. Bon. Ils habiteraient une villa à elle, au bord de l'Océan radieux, sous de grands arbres extraordinaires, souples comme des éventails. Ils porteraient des flanelles claires. Il ferait une température idéale. Autour du bungalow il imaginait de spacieuses vérandas ouvertes sur des pelouses impeccables. La domesticité serait composée de métis. Leurs cotonnades multicolores et leurs mouchoirs de soie feraient ressortir leur peau brune. Princilla aurait donné une réception en l'honneur de son retour. Cette nuit-là, on aurait dansé au son d'orchestres cubains, à la fois frénétiques et indolents. Des breuvages épicés et glacés auraient circulé. Bon. Et c'est au cours de cette fête, face à la mer apaisée et silencieuse, par un clair de lune parfait, sur la terrasse déserte où ne parvenaient plus qu'atténués les accords de la musique, que Princilla lui abandonnerait ses lèvres...

Mais c'est la chevelure d'Angélique que Monsieur Hermès sentit soudain contre sa tempe. Il ne put réprimer un petit geste de recul. Angélique n'allait-elle pas s'en froisser ? Pour se racheter, il la regarda, lui sourit dans l'ombre et pressa plus fortement ses doigts sans bagues. Angélique prenait son pied. Le film lui plaisait. Regarde si mon cœur bat, lui murmura-t-elle. Il sentit le doux renflement de son sein. Elle était bon public. Mais, Bon Dieu, que faisait-il là avec elle ? Il y avait une de ces chaleurs, dans ce cinéma ! Tous ces gens entassés, à pète que veux-tu, cuvant on ne sait quelle drogue ! Sa main, dans celle d'Angélique, était moite. il aurait voulu l'essuyer avec son mouchoir. Il essaya de rompre l'enlacement. Elle le retint. La main d'Angélique avait quelque chose de peureux et de frisonnant quand elle se blottissait dans la sienne, mais elle savait aussi affirmer sa possession. Ce sentimentalisme de faubourg l'écœurait. Il lui semblait que Princilla pouvait le voir et il en avait honte. Comme il était tombé bas ! Pourquoi n'avait-il pas su mieux se garder ? Quelle piètre aventure, en vérité ! Est-ce que la réalité de la vie était toujours aussi décevante ? Qu'il était sot de croire qu'une Princilla pourrait un jour se trouver sur sa route ! Ne valait-il pas mieux se contenter de l'existence telle qu'elle se présentait et vivre le meilleur de son destin en imagination ? Quand il laissait vagabonder sa pensée, au moins, les choses pouvaient s'ordonner d'une façon idéale. Il n'y avait plus d'instants gâchés, de paroles maladroites ou triviales.

Quelle place Angélique avait-elle dans tout ça ? Lui était-elle malgré tout nécessaire ? Resterait-il toute sa vie pauvre et crasseux ? Les choses prendraient-elles finalement une autre tournure ? Ou était-il voué à ce genre d'amours vulnérables et claustrées ? C'était un fait que les femmes lui foutaient la chiasse et qu'il les méprisait. Mais l'un était-il la conséquence de l'autre ? Ce n'était pas sans orgueil qu'il se croyait misogyne. Roudoudou avait fait beaucoup pour développer ce sentiment en lui. Pendant des années, Roudoudou et lui n'avaient vécu que pour le sport, laissant Fragonard, Paolo, Buddy, Cro-Magnon ou ce coureur de Jojo Légende fréquenter les dancings et les filles. Les lectures qui impressionnaient le plus Monsieur Hermès étaient celles qui lui apportaient l'assurance que les grand hommes avaient vécu seuls, oui, dans l'ascétisme et la pauvreté. Une vie d'étude et de méditation, loin des plaisirs du monde, voilà qui l'exaltait. La condition de tout ça, c'était le célibat. Pas de femmes et, surtout, pas de mariage. Il laisserait les autres fonder une famille, élever des enfants. Son rôle à lui serait de vivre en artiste, pour son art, de ne pas se laisser ligoter par les liens de l'amour. Même une aventure comme celle qu'il avait imaginée serait néfaste. Au bout de six mois, il en aurait la nausée de cette frivole Princilla. Une telle existence pouvait être tentante à certaines heures, mais la vérité n'était pas là. Si ardent que fût son désir d'être heureux, peut-être lui fallait-il y renoncer, s'il voulait s'accomplir. Une Princilla finirait pas l'abêtir. Toutes les femmes, d'ailleurs, étaient les mêmes. Toutes celles qu'il avait connues avaient fait preuve, avec lui, du même réalisme. On parlait toujours de leur pureté, de leur raffinement. Ça ne reposait sur rien. C'étaient les hommes qui étaient purs et idéalistes, malgré la grossièreté de leur langage et de leurs manières. Il revoyait toujours Alice Elvas, pissant devant lui, accroupie dans le crépuscule espagnol, avant même qu'elle fût devenue sa maîtresse. Il n'aurait jamais osé en faire autant. Nita Brett, même, était une matérialiste au fond. Il était sûr qu'elle avait eu un certain penchant pour lui. Pourtant, elle n'aurait jamais quitté le vieux monsieur, marié et père de trois enfants, qui l'entretenait au su et au vu de Madame Brett mère. Très gentille et très douce, la mère de Nita. Toutefois, elle fermait les yeux sur une liaison qui leur assurait le bien-être. Toujours une question de beefsteak. Et la dernière fois que Monsieur Hermès avait été les voir à Nantes, il avait bien compris qu'elles ne souhaitaient pas qu'il revienne, qu'elles ne voulaient pas courir le risque que le vieux monsieur apprenne son existence. Oui, toutes les mêmes ! Des sentiments, elles n'en avaient pas. Elles n'avaient que des intérêts. C'était donc Roudoudou qui avait raison. Coucher avec, à l'occasion, et autant qu'on pouvait. Et ensuite, les laisser tomber froidement. Roudoudou se rejoignait là avec les théories de Palisseau et de Pactot. C'étaient des garces. Cherchant à se faire épouser, vous mettant le grappin dessus, vous forçant à vous intéresser à leurs petits calculs, à leurs petits caprices, futiles, dépensières, et, le plus souvent, exclusives et injustes. Est-ce que Buddy, Cro-Magnon même ou Paolo, malgré leurs grands airs, n'avaient pas toujours été les dindons de la farce ? Est-ce que ce n'était pas navrant de voir des garçons aussi intelligents et aussi doués se laisser mener par le bout du nez, comme des enfants de troupe, par leurs poules ? Lui-même, ce que Régine avait pu le faire marcher ! Tous ces cadeaux qu'il lui rapportait, chaque fois qu'il allait à Bayonne, à San Sebastien ou à Nîmes pour voir une corrida ! Et il n'avait jamais pu obtenir que de malheureux baisers, longuement mendiés. Ah, elles s'y entendaient pour se faire désirer ! Elles se prenaient vraiment pour le centre du monde. Elles trouvaient tout naturel que les garçons fussent à leur dévotion. Alors qu'il y avait tant de choses à faire sur la terre ! Est-ce que ça devait compter, un jupon, quand il y avait la politique, l'art, les exams ou les championnats ? Les filles n'étaient bonnes qu'à vous troubler, qu'à vous distraire de vos problèmes, de vos recherches, de vos discussions, de vos amis. Avec Angélique aussi, il perdait son temps. Lui et Angélique. Angélique et lui. Et les gens tout autour, avec leurs on-dit, leurs mésintelligences, leurs calembredaines et leurs nargues. Oui, lui et Angélique, Angélique et lui. En sortirait-il jamais ? Et pourtant ? Ne lui était-elle pas nécessaire, aussi ? Il fallait être juste. Ça lui faisait une compagnie. Il avait à qui parler. Sa tendresse était parfois douce. Il s'en voulait d'être aussi faible, de n'avoir pas le courage de balancer tout ça par-dessus bord, et de vivre d'une vie plus rigoureuse.

La fin du film les avait déversés sur les Boulevards. L'après-midi s'achevait. Le temps avait fraîchi. Ils étaient éblouis par la violence des lampes à arc et des réclames lumineuses, étourdis par le vacarme de la circulation, par l'intense agitation de la foule. Angélique trouvait son amant un peu nerveux. Chaque fois qu'ils sortaient, naissait quelque incident. Qu'est-ce que tu veux qu'on fasse ? Je ne sais pas. Toujours pareil : elle ne savait jamais. Comme Régine. Mais ce que tu voudras ! Il haussa les épaules. Cette passivité le tuait. Toujours décider ! Angélique lui glissait de petits regards furtifs. Pas possible, elle devait aimer le voir en colère, le visage fermé. Ah, elle était bien femelle jusqu'au bout des ongles, elle aussi ! Il lui broya le poignet dans sa grande main maigre et l'entraîna. Elle le regarda avec reconnaissance. Mais oui, elle aimait ça ! Tout de même, elle frissonna. Elle était peu vêtue et sentait le froid monter sous sa robe de soie rouge. Elle s'en plaignit timidement. N'allait-il pas lui répliquer que c'était bien fait pour elle, que c'était elle qui avait renoncé volontairement à ses lainages ? Mais non. Il était calmé, tout à coup. Il n'était plus que sollicitude. Il lui sourit. On va remonter rue Dulong. Tu prendras un manteau. Ils s'engouffrèrent dans le métro. Là, il régnait une bonne chaleur. Sa sensation d'ennui acheva de se dissiper. Curieux comme il s'ennuyait facilement ! Pourtant il aimait bien la vie. L'ennui lui tombait dessus à l'improviste. Et quand ça le tenait... C'était cette perspective de dîner au restaurant avec Angélique, puis d'aller au théâtre, qui l'avait rendu cafardeux. Sur les boulevards ou au cinéma, dans le noir, ça ne lui faisait rien d'être avec elle. On passait inaperçu. On ne tranchait pas. Tandis qu'au théâtre... Il se voyait d'ici, en compagnie d'Angélique avec son triste manteau de drap noir garni de lapin et sa robe de soie rouge à faire peur aux oiseaux, sous les lumières de l'orchestre, au milieu d'un parterre de femmes élégantes et parfumées. Il entendait déjà des propos perfides dans son dos. Croyez-vous, ma chère, ces filles-là, ça ne se refuse rien ! Une simple bonniche ! Oui, c'était vrai qu'Angélique avait l'air d'être une bonne. Et lui, de quoi avait-il l'air ? D'un miteux, d'un sans-cul, d'un petit mec qui tire le pied de biche. Angélique avait envie de voir jouer *Mozart* à Edouard VII. Pourquoi cette idée ? Elle allait se raser. Mais non, j' t'assure, Guitry est si rigolo ! C'était bien simple. Il faudrait rester tout le temps le derrière vissé à son fauteuil. Inutile d'aller exhiber sa misère dans les couloirs pendant les entr'actes. Pourvu surtout qu'Angélique ne lâche pas quelque bourde à haute voix ! Leurs voisins n'auraient pas fini de ricaner. Et lui, pendant ce temps, il ne cesserait de baigner dans une mauvaise sueur de honte et d'amertume. D'ailleurs, dans ces cas-là, elle n'était pas plus flambarde que lui. Elle insistait toujours pour qu'il prenne des troisièmes galeries. On sera plus à son aise, qu'elle répétait. Non, c'était bien assez de patauger dans la merde durant toute la semaine. Qu'une fois de temps en temps, au moins, il se paie une petite illusion de luxe. Dans une courbe du tunnel, Angélique, déséquilibrée, vint se coller contre lui. Elle avait si peu de choses sur elle ! Il la sentit, toute, et la désira. Pourquoi ne passeraient-ils pas plutôt la soirée à la Maison Meublée ? Comme ça, plus d'atermoiements ! Ils descendirent à Villiers. Sur l'avenue, l'ombre de la nuit naissante, la clarté crue des globes et des devantures, tout cet éclairage factice et désolant, qui donne au visage des femmes des expressions plus sensuelles et plus pathétiques, énerva encore son désir. Il ne disait rien à Angélique. Il se contentait de la serrer avec force contre lui, pendant qu'ils marchaient rapidement vers la rue Dulong. Mais il pensait à l'obscurité grandissante qui, à cette heure, devait régner dans sa chambre. Jamais encore il n'avait pris Angélique par surprise. Il la jetterait toute vêtue sur le lit, fourragerait dans ses dessous, déchirerait au besoin son linge. Lui faire ça vite, brutalement, comme s'il la violait.

Maintenant, Angélique et Monsieur Hermès, à demi dénudés, gisaient sur le lit, comme des corps assassinés. La nuit avait fini d'envahir la chambre qui n'était plus éclairée que par les lumières de la rue. Une clarté rosâtre passait par la fenêtre à travers les rideaux et permettait à Monsieur Hermès de distinguer vaguement le contour des meubles. Il fixait d'un œil stupide, molle surface laiteuse sur la sombre courtepointe du lit non défait, la cuisse pâle d'Angélique, ce morceau de cuisse entre le haut du bas et la blanche lingerie bouleversée, ce morceau de cuisse presque insolite dans toute cette obscurité et comme séparé du reste du corps.

Angélique, tout contre lui, dormait. Son visage sans lorgnon était fondu de douceur. Elle respirait régulièrement, avec confiance. On aurait dit qu'elle était partie pour un lointain voyage égoïste. Monsieur Hermès, soudain, se sentit de nouveau très seul. Aucun bruit précis ne se faisait entendre dans la Maison Meublée. Tout ce qui pouvait encore rappeler la présence de la vie d'autrui : une porte claquée dans les étages, un dialogue de voix décousues, vite né, vite mort, la plainte d'un taxi, voire, là-bas, le souterrain grondement d'un train (toujours ces taxis, toujours ces trains !), tout cela semblait appartenir à un autre monde et ne parvenir aux oreilles de Monsieur Hermès qu'au travers d'une grande épaisseur feutrée. Monsieur Hermès flottait dans cette solitude. Il s'engageait insensiblement dans une sorte de navigation immobile et délicieuse dont il goûtait chaque progrès. Etendu sur le dos, les yeux ouverts, attentif à la moindre manifestation extérieure et cependant tout à fait étranger au milieu, les membres anéantis mais reposés, il se tenait à la limite de l'éveil et du rêve. Il rapprocha sa tête de celle d'Angélique et il respira l'odeur chaleureuse et sucrée de sa chevelure défaite.

Tout à l'heure, il avait pris Angélique avec une grande

allégresse au fond de lui, qui avait monté et qui, bientôt, les avait submergés tous les deux. Angélique elle-même avait secondé sa violence, pressée comme lui de se fondre dans le même oubli. Elle s'était couchée, elle s'était ouverte, elle s'était laissée pénétrer sans un cri, mais tout le temps que cette marée l'avait couverte, elle n'avait cessé de délirer à la manière des enfants qui sont tombés et dont les pleurs, retenus par on ne sait quelle émotion, deviennent comme un chant monotone et sourd. Comme elle s'était bien donnée! Monsieur Hermès jouissait de la vanité de l'homme qui a comblé une femme jusqu'à l'épuisement. C'était elle qui avait fini par demander grâce. Oublierait-il jamais ces instants où il l'avait connue si faible et si ardente, si désarmée et si fraternelle, absolument en son pouvoir, sans souci de l'impudeur de sa jeune chair que le repos avait fixée dans la posture même de l'étreinte, avec cette cuisse blanche, si blanche, et cette autre cuisse blanche si blanche, l'une de l'autre écartées; et que leur nudité avait rendu fraîches au toucher, mais sur lesquelles il ne pouvait passer les doigts sans qu'elles frémissent, comme si Angélique, du fond de son sommeil, avait eu conscience de cette caresse? Elles lui semblaient si fraîches, si ostensiblement offertes, qu'il eût voulu les recouvrir d'une chaude couverture et, dans leur tiédeur retrouvée, les sentir se refermer voluptueusement sur sa main prisonnière. Comme elles étaient frêles! Comme leur chair pouvait être émouvante!

Parce qu'Angélique avait été heureuse grâce à lui, et aussi parce que l'isolement de la chambre aidait Monsieur Hermès à oublier sa vie habituelle, il se mettait à chérir la petite dans son cœur, à s'inventer pour elle un amour de mots et de sentiments immédiats qui ne résisterait pas, sans doute, au réveil de la réalité mais qui, là, lui inspirait des attentions touchantes pour qu'elle ne s'éveillât pas encore, pour que rien ne vînt la troubler dans cette absence qui la possédait. Il lui parlait à l'oreille, lui murmurait de petits mots d'intimité qu'il savait qu'elle n'entendait pas mais qui lui gonflaient le cœur et lui donnaient l'illusion, si longtemps et si vainement cherchée, qu'il pouvait être, aussi, un homme bon et aimant.

La nuit était complète quand Angélique reprit conscience. A son tour, Monsieur Hermès s'était assoupi et le temps s'était écoulé. Si peu qu'Angélique eût remué en s'étirant, cela suffit pour arracher Monsieur Hermès à ses rêves. Il demanda l'heure. Angélique allongea le bras, appuya sur le bouton de la poire. Monsieur Hermès, ébloui, mit son bras sur ses yeux. Angélique rabattit sa jupe, rechaussa ses binocles et, sautant du lit, courut sur ses bas jusqu'à la fenêtre pour tirer les rideaux.

Il était trop tard pour qu'ils aillent au théâtre, même s'ils se privaient de dîner. C'était tout ce qu'avait cherché Monsieur Hermès. Il rallia facilement Angélique à sa cause. Faire une doucette partie de coucouche papattes en rond avec son amant, ça valait mieux que *Mozart.* Ce n'était pas si souvent qu'elle pouvait jouer au ménage à deux. On va se fabriquer un petit repas d'amoureux, tu veux ? Ses soifs de tendresse, sa sollicitude naturelle trouvèrent aussitôt à s'employer. Oubliant sa fatigue amoureuse, avec une activité adéquate, elle se rajusta, donna un coup de peigne à ses cheveux, répandit un nuage de poudre sur ses joues et sur le bout de son nez qui luisait, passa un doigt mouillé de salive sur ses paupières meurtries, tira sur le fond de son pantalon qui lui cisaillait l'entrecuisse, cajola Monsieur Hermès : Repose-toi mon bichon. Je ne serai pas longue. Le temps de faire le tour des boutiques, vite, avant qu'elles ferment, et je reviens tout de suite.

L'absence d'Angélique dura assez longtemps sans que Monsieur Hermès s'en aperçût, repris qu'il fut par une sorte de songerie sans objet, voisine de la somnolence. Quand elle revint, elle s'était changée. Elle avait quitté sa robe. Le peignoir, ça faisait plus douillet. Elle avait défait son chignon et portait ses cheveux noirs sur les épaules. Tu viens ? On va dîner chez moi. J'ai tout préparé. On sera mieux. J'ai un réchaud à alcool. Monsieur Hermès se leva. Est-ce que ça la gênait de croûter dans la même pièce où elle s'était fait tringler ? Il n'aurait pas cru qu'elle pouvait être aussi pudique.

Chez elle, ils s'assirent sur le divan, côte à côte, la table recouverte d'un napperon blanc, devant eux. Elle avait acheté des frites, du boudin blanc. J'adore le boudin blanc.

Pas toi ? Ça fait midinette, hein ? Elle rit, heureuse. Elle avait fait chauffer du café et du lait. Du beurre, de la crème fraîche, des châtaignes complétaient le menu. Monsieur Hermès avait un appétit féroce. Angélique, au contraire, mangeait du bout des lèvres. Manger était, ce soir, le cadet de ses soucis. Elle était toute au plaisir de servir son bichon, de veiller à ce que rien ne lui manque. Elle souriait de sa gourmandise. Tu fais honneur à ma tambouille, c'est mignon ! Pendant qu'ils sirotaient un petit verre de liqueur (de la mirabelle, tu aimes ça ?), elle fit marcher le phono. Ça lui rappela leur première nuit. Il l'attira. Elle s'amusa à lui chatouiller le cou avec ses cheveux. Dis, mon petit bigornot chéri, si tu passais la nuit ici, avec moi ? J'aimerais tant dormir dans tes bras. Il y a si longtemps que j'en ai envie. Oui ? Tu veux bien ? Oh, ce que j'te gobe ! Elle sauta à genoux sur le divan et couvrit le visage de son amant de baisers périmés. Elle en avait tellement assez de vivre en femme responsable ! Son enfance lui remontait au cœur, tout d'un coup. Etre à nouveau une petite fille éphémère qu'on berce de belles histoires ou de chansons rancies et mélancoliques. Si le destin devait lui refuser d'être épouse et mère, qu'au moins, pendant une nuit, elle ait l'illusion de ce repos béant, de cette détente infinie.

Ils se couchèrent tôt, dans ses draps de jeune fille. Pour Monsieur Hermès, il y avait quelque chose de délicieux, parce qu'inhabituel sans doute, à se laisser diriger, à tout accepter d'elle. C'était au poil d'être au page, bien à plat et de la voir s'affairer autour de lui dans la petite carrée pour remettre tout en ordre. Elle posa un foulard de couleur autour de la lampe de chevet pour en atténuer l'éclat. Elle verrouilla la porte. Quelle tiédeur elle savait créer autour d'elle ! C'était ça, le bonheur d'une présence discrète. Elle enleva son peignoir, dégrafa ses jarretelles, fit glisser ses bas. Ses jambes avaient l'éclat mat de l'ivoire dans la lumière rosée. Tu veux te retourner un moment ? Il obéit docilement, amusé. Il l'entendit faire sa toilette. Ça, elle était propre. Plus que lui. Enfin, elle se colla le long de son corps. Dans sa nudité, elle était toute fine et toute lisse. Comme tu as chaud, ma nounette, c'est bon ! Il la saisit doucement dans ses bras, appliqua son sexe contre son ventre. Tu veux ? Elle fit oui, du menton où s'inscrivait sa fossette. La volupté l'anima aussi-

193

tôt. Il en ressentit une espèce de fierté. Les lèvres d'Angélique avaient encore le goût des baisers de tout à l'heure. Il y but l'oubli.

Plus tard, quand l'un et l'autre se laissèrent aller, quand la lampe fut éteinte et qu'Angélique, sans façons, eut niché sa tête dans le creux de son épaule, Monsieur Hermès la garda blottie contre lui. Mais il n'avait plus sommeil. Bien sûr, en ce moment, il aurait pu être à Edouard VII, ou ailleurs. Il n'en avait aucun regret. Aller au théâtre, c'était encore voir vivre les autres. Ici, au moins, il avait vécu pour son propre compte. Mais pourquoi spécialement Angélique dans sa vie? Pourquoi Angélique et pas une autre? C'était l'éternelle question. Une question qui s'obstinait à rester sans réponse. Dire qu'Angélique s'était trouvée sur son chemin, c'était trop commode. Pourquoi l'avait-il remarquée, regardée, recherchée? Pourquoi s'était-elle offerte, elle, justement? Il y avait tant d'autres femmes qu'il aurait pu préférer! Mais cela ne s'était pas fait. Son lot à lui, ç'avait été Angélique. Il y en avait de plus mal lotis, certes! Mais enfin, ne serait-il jamais maître de son destin? Lui faudrait-il chaque fois subir l'événement au lieu de le créer? Cette fatalité avait quelque chose d'abusif. Etre aimé ne suffisait pas. Même quand la bigornette était somptueuse comme ce soir. Bien sûr, si les femmes étaient capables de le guérir de ses habitudes solitaires, ça pourrait valoir le coup de s'émanciper. Mais il n'avait pas confiance. A la première occasion, il serait repris par ses désirs les plus obscurs. Il le savait.

Angélique dormait. Faible dans sa pose d'enfant dormante, elle s'agrippait cependant à lui comme une noyée. C'était l'image même de leur liaison. Elle allait l'entraîner au fond. Il fallait absolument qu'il desserre cette étreinte. Comme Angélique avait tout de suite affirmé son empire! Oui, comme les autres! Dès qu'elles croyaient la partie gagnée, elles s'accrochaient. C'était cela qu'il devait empêcher. Ne pas se livrer pieds et poings liés à la première venue. Angélique n'avait aucun droit sur son avenir. Il voulait rester libre. Peut-être, un jour, aimerait-il vraiment?

Cependant, elle lui avait été douce, quelquefois. Il ne lui

ferait pas de mal. Le moins de mal possible. Qu'elle dorme sa nuit en paix. Il ne la troublerait pas. Il la garderait ainsi jusqu'au matin. Il partirait sans rien lui dire. Mais seulement une fois qu'elle aurait ouvert les yeux, qu'elle aurait vu son sourire d'homme dans le matin. Oui, il la câlinerait, il la bercerait jusqu'à la dernière seconde. Avant de la quitter, il l'étreindrait à travers les draps tièdes. Ensuite, dans les jours qui suivraient, il aviserait. Rien n'était pressé. L'important était que la décision fût arrêtée au fond de lui. Tant de choses pouvaient survenir encore. Et puis, il lui semblait maintenant qu'il avait un peu trop bu. N'était-ce pas un peu romantique tout ça ? Est-ce qu'il n'attigeait pas ? Ah ! qu'il se sentait encore mal à la hauteur. Il ne souhaitait plus que pioncer. Ne plus se creuser le citron. A chaque jour suffit sa peine. Les histoires de cul ? Quel enfantillage !

III

Tout en descendant la rue de Rome, Monsieur Hermès, contrairement à son habitude, marchait d'un pas allègre et se sentait gai. Le froid sec qui, la veille au soir, avait fait sa réapparition, s'était encore accentué pendant la nuit. Monsieur Hermès, strictement boutonné dans son pardessus, gardait donc les mains dans les poches et longeait le trottoir, côté soleil. Pas mal du tout, ces nouvelles chaussettes de fil qu'il avait achetées ! C'était bien agréable de ne plus avoir les pieds moites. Angélique lui avait donné un bon conseil en lui disant de se talquer. Savoir si ce mieux durerait.

Au vestiaire, il vit avec étonnement le Petit Père s'approcher de lui. Quelque tuile inattendue encore ? Mais non ! Monsieur Rigal avait l'air d'excellente humeur. Inutile de passer votre rondin. Vous allez me suivre, comme ça, à la Direction. Là-haut, on a l'indulgence de considérer que votre stage de commis est suffisant. Je n'ai pas à m'élever contre la décision de ces Messieurs. Vous allez maintenant passer dans les étages. Comme garçon de nuit. Vous y resterez le temps qu'il faudra. Après, vous redescendrez au Restaurant et on vous essaiera comme demi-chef de rang avant votre départ pour l'Angleterre. Ça vous va ? D'ailleurs, vous allez rester en pays de connaissance. Monsieur Schott est nommé chef d'étage. Au deuxième. Au vôtre, justement. Comme premier garçon, il a réclamé le Père Hubert, sur qui il sait qu'il peut compter. Vous serez très bien encadré. Le Père Hubert vous sera d'excellent conseil. Pour lui, ce sera moins dur qu'au Restaurant. C'est qu'il se fait vieux ! Mais il a une grande expérience. Et, pour vous, c'est ce qui compte. Nous allons maintenant aller remercier Monsieur le Chef du Personnel. C'est à lui que vous devez ça. Pour ma part, si vous voulez mon avis, c'est prématuré. Mais je ne suis pas fâché de me débarrasser de vous. Ça fera une responsabilité en moins. Vous dépendrez désormais de Monsieur Schott. Nous verrons si vous lui donnez plus de satisfaction qu'à moi. Vous commencerez votre travail ce soir à huit heures. Vous débaucherez demain à midi. Vous dormirez dans l'après-midi, comme les autres garçons de nuit. Seize heures de présence à assurer. Aujourd'hui, vous êtes libre. Vous en profiterez pour vous procurer ce qui vous manque. Vous connaissez la tenue ? L'habit vous ira à merveille. N'oubliez pas la cravate noire. Mais ne choisissez pas un trop grand nœud comme celui de Monsieur Dominique. Ça ferait prétentieux. Et Monsieur Schott n'aimerait pas. Pour la première nuit, votre prédécesseur vous tiendra compagnie. Il vous passera les consignes et vous initiera. Bien entendu, vous serez au tronc de l'étage. C'est le meilleur. Quatre huitièmes. Maintenant, allons-y.

Monsieur Hermès était abasourdi. Il y avait du mauvais et du bon dans tout ça. Porter l'habit, ne plus voir la sale gueule du Petit Père, gagner davantage, voilà le bon. Quitter Pactot, retomber sous la férule du Père Hubert, ne plus dormir la nuit, voilà le mauvais. Enfin ! A Dieu vat ! Il n'y avait pas moyen de faire autrement. A la remorque de Monsieur Rigal, ayant toujours à la main son chapeau, sa canne et la serviette contenant le manuscrit de *La Joie du Cœur* (acte II), il traversa le Hall, passa devant la Réception, s'engagea dans le Grand Escalier. Il y avait des mois qu'il n'était venu là. Ça lui faisait tout drôle. Les clients qu'il croisait auraient pu le prendre pour l'un d'entre eux. Pissant d'être en civil à côté du Petit Père en habit. Ils entrèrent dans le bureau où il avait été reçu au début avec Monsieur Papa. Sombre souvenir ! Le Chef du Personnel lui serra la main et crut bon de lui farcir le crâne de recommandations. Oui, mon général ! D'ailleurs, Monsieur Rigal était presque au garde-à-vous. Quelle bande de tartempions ! Ils étaient vraiment uniques. Et lui, il avait un mal de chien à se mettre à l'unisson. Des as, comme cabots ! La secrétaire de grand style qui les avait introduits, le Petit Père et Monsieur le Chef du Personnel lui-même tenaient leur rôle comme des vieux de la vieille. On aurait dit qu'ils avaient répété ça à l'avance. Pas une fausse note. Un ensemble parfait. Ça lui en donnait le vertige. Pourquoi prenaient-ils tant de mal ? Pour ce que ça lui faisait à lui ! Il poussa un soupir de soulagement quand il se retrouva dans la rue. Libre ! Il était libre toute la journée sur le pavé de Paris. Quelle aubaine ! Ça lui tombait du ciel. Il se sentait justement une de ces cosses !...

Il se gratta l'aine à travers ses vêtements. Une puce ? L'aurait-il ramassée dans le Hall ? Ces impudentes, elles oseraient donc se risquer aussi chez les rupins ? Y avait pas de justice ! C'était pas la peine de péter dans la soie, alors ! Allait-il remonter rue Dulong ? Revoir Angélique ? Non ! Pas maintenant. Ce soir, il demanderait à Pactot de la prévenir. Finies, désormais, les nuits à la Maison Meublée. Une nouvelle existence qui commençait. D'abord penser au frac et à la cravate noire. Le Marin lui avait indiqué une adresse rue de Chabrol. Où qu'ça perche ? Pardon, m'sieu l'agent ? L'autre le salua comme un mylord. Ça fait toujours plaisir. Il sortit son calepin des plis de sa pèlerine. Il paraît que les agents de Paris sont les plus aimables du monde. A vérifier. Il est vrai que ceux de Portville, comme toquards, ils se posaient un peu là ! Oui, il voyait où c'était, la rue de Chabrol. Merci bien ! Il s'éloigna. Ça grouillait sur la chaussée, sur les trottoirs. Ça entrait, ça sortait des magazoches. Ça briquait. Ça fonçait. Mince d'agitation ! A quoi tendaient-ils ? C'était après midi qu'ils couraient ? La carotte devant l'âne pour le faire avancer. Le voilà le symbole de la vie ! Ses narines furent chatouillées par une odeur désagréable. Encore quelqu'un qui... Quels foireux ! C'est dégueulasse de faire ça en public. Les faux jetons ! Ils lâchent leur gaz en douce, dans la foule. Le bénéfice du doute en leur faveur. C'est pas moi : c'est lui ! Trop facile ! Elle a bon dos, la conscience, dans ces cas-là ! Consciences couleur de fond de caleçon. Savoir si Jean-Gabriel Borkmann pétait dans sa chambre ? Les poètes ! Vivre dans l'azur, servir la beauté. *La Vénus de Milo. La Joconde.* Malgré tout, ils ont peut-être le dessous des aisselles douteux, les poètes. Comment concilier tout ça ? Dans *Comœdia* d'hier matin, il y avait un article sur la comtesse de Noailles : l'immatérielle ! Faudrait qu'il achète un de ses bouquins. Il serait fortiche celui qui ne serait pas esclave de ses intestins. Y avait donc pas de cabinets chez la comtesse de Noailles ? Mais alors ? Qu'est-ce qu'on pouvait faire ? Se tuer ? Se laisser clamecer d'une occlusion intestinale ? Ne plus manger ? Ou bien se donner l'illusion que ça n'existait pas, les intestins ? La main droite qui ignore la main gauche. Les pieds dans la merde et le nez dans les roses. Ça n'avait pas encore l'air très au point, tout ça ! Mais tous ces passants, autour de lui, ça n'avait pas l'air non plus, de les inquiéter beaucoup. Ça avait même l'air de leur paraître tout simple, à eux. Quand ils sentaient un gargouillement, une envie, eh bien, ils relâchaient gentiment leur sphincter. Et le petit nuage s'évanouissait dans l'atmosphère. Où était la vérité ?

Voyons ? Est-ce que ce n'était pas là ? Monsieur Hermès pénétra dans une sombre boutique, silencieuse et embaumant la naphtaline. La sonnette, qu'il avait involontairement agitée en poussant la lourde, alerta une grosse dame bouffie et pâle, à l'œil défiant mais au sourire commercial. Est-ce qu'elle avait les intestins comme ceux de la comtesse de Noailles ? Par quel phénomène y avait-il des êtres si différents sur la terre ? Mais étaient-ils si différents ? Il exposa le but de sa visite en bafouillant légèrement comme chaque fois qu'il lui fallait se présenter en solliciteur. La dondon renifla, fit un sourire en cul de poule et, avec autorité le pria aussitôt de la suivre. Elle le précéda, en tanguant sur ses rondeurs, à travers un dédale de pièces imbriquées les unes dans les autres et communiquant entre elles par des couloirs d'angles ou par des marches. Des commises rangeaient des costumes d'occasion à d'innombrables supports. En sarraus gris, comme dans des prisons de femmes. Tu gagneras ton pain à la sueur de ton front ! Elles le croyaient, les sottes ! On leur avait bien répété la leçon. Pas possible qu'on vienne seulement au monde pour s'esquinter le tempérament ! Comme s'il n'y avait pas mieux à faire ! Devait y avoir quelque chose de faussé au départ. Mais comment renverser la vapeur, maintenant ? L'habitude semblait bien prise. Un jour blafard, venu d'une imposte poussiéreuse, donnait à ce lieu l'apparence maléfique d'un Conservatoire de Dépouilles. De tout dans ce capharnaüm : raglans 1860, macfarlanes, rasepets, paletots de chasse, houppelandes, livrées de suisses ou de croque-morts, travestis de pierrots, de Turcs, de conventionnels, de Gaulois... Penser à tous ces gens qui les avaient portés ! Bals masqués... petites existences à uniforme, vieux vestiaire livré par la veuve après le décès : oui, ma bonne dame, mon mari, on l'a rapporté un soir ; le tram l'avait presque coupé en deux ; il travaillait chez un mandataire aux Halles ; il gagnait bien sa vie ; on n'était pas malheureux ; sauf qu'il devenait sourd depuis quelque temps ; je lui avais bien dit de faire attention ; pensez, il me laisse avec trois mioches sur les bras ; enfin !... Son beau costume du dimanche, à qui allait-il échoir ? Mais notre spécialité, avait assuré la dondon, c'est le frac d'occasion. Monsieur Hermès, ayant grimpé encore deux étages, parvint dans une immense salle où, sous les housses de toile noire, pendaient des masses d'habits de tous les styles et de toutes les tailles. Sans trop de mal, la dondon lui en trouva un, de bonne coupe, à peine porté. Il vous va comme un gant ! Ça, elle avait le coup d'œil ! Depuis qu'elle faisait ça, il est vrai ! Tout de même, le compliment ne lui était pas désagréable. Il lissa les revers de soie en se reluquant dans la glace. Les basques avaient du chic. Ni trop longues, ni trop courtes. Voyons la cravate. Il y en avait de pleins cartons. Vous n'en préférez pas une neuve ? Ah ça, c'était tentant. Pourquoi ne pas s'offrir cette fantaisie ? Une neuve durerait plus longtemps. Et puis, avec le noir, pas de blanchissage. Autant profiter de l'économie. Ce soir, il allait en mettre plein la vue à Schott et au Père Hubert. Il étrennerait un col et un plastron. Faudrait qu'il voie aussi pour des manchettes. Il leur montrerait que s'il voulait faire le gandin... Combien ça faisait en tout ? Pactot lui avait bien recommandé de marchander. Il n'aimait guère ça. Est-ce que la dondon n'allait pas le trouver radin ? Mais, d'un autre côté, il ne voulait pas non plus qu'elle le prenne pour une poire. Elle fit tout de suite un gros rabais, comme si, pour elle, cela allait de soi. Il crut même remarquer que depuis qu'il avait protesté, elle semblait le regarder avec plus d'estime. Encouragé autant qu'interloqué, il accentua son avantage. Non, je ne peux pas mettre plus de tant. Partageons la poire en deux ? Ça va ! Le tout serait livré dans l'après-midi, à l'Hôtel. Il se retira sur ce, avec un grand sentiment de dignité. Ce que ça pouvait être commode, parfois, de passer au travers des difficultés !

Une fois dans la rue de nouveau, Monsieur Hermès se sentit en verve. Il trouva de bonnes gueules aux passants. S'il allait tout de même surprendre Angélique ? Non, décidément non, pas d'Angélique aujourd'hui ! S'il allait plutôt se faire payer à déjeuner par tonton Nicolas ? Ça, c'était une bonne idée. Aussitôt dit, aussitôt fait. D'ailleurs, il n'était pas loin. Il déboucha bientôt sur le boulevard Rochechouart. A Barbès, il s'engagea dans la rue de la Charbonnière. Ça le connaissait de passer par là. Il faisait semblant de ne pas voir pour n'être pas racolé, mais il glissait quand même des regards curieux vers les devantures des petits bistros. Comme il passait, les grognasses soulevaient les rideaux derrière lesquels elles étaient tapies et lui faisaient des signes. Leurs têtes fardées de noir et de bleu comme si elles allaient paraître en scène. Une fois, par l'entrebâillement d'une croisée, il avait distingué une femme nue sous une robe ouverte. Dire qu'il n'était pas tenté... Tenté et intimidé, en même temps. Pourtant, il ne serait pas le premier. Elles étaient là pour ça. Et puis, il se ferait faire seulement une pipe. Comme ça, pas de risque ! Psst ! Psst ! Il se retourna et rougit. C'en était une qui l'appelait. Quel ballot il était ! Il aurait bien dû se douter aussi. Une autre cogna du doigt au carreau pour attirer son attention. Ça le fit sursauter. Il prit ses cliques et ses claques. Une de perdue, dix de retrouvées. A mesure qu'il avançait vers le haut de la rue, c'était comme un chemin de croix. Les dernières ne se décourageaient pas. A la septième fois les murailles tombèrent. Allait-il se laisser appâter ? Peut-être qu'elles le reconnaissaient ? Mais non, elles faisaient ça machinalement. Dommage qu'il soit obligé de les fuir du regard. Il aurait bien aimé les détailler, pouvoir les faire jacter sans histoires, en tout bien tout honneur, voir comment c'était installé chez elles.

Là-haut, au sortir de ça, on était comme en province. C'étaient des rues tranquilles, au sol pavé de grosses pierres disjointes entre lesquelles pointait une herbe vivace. Passe pas chouia de voitures par là ! On se serait cru à mille kilomètres des Galeries Lafayette. De petites maisons morfondues, aux entrées douteuses, aux couloirs vermineux. Des nippes pendaient à des fenêtres, sur des cordes. Pour fêter la fête à qui ? A saint Trou d'Uc ? Des enfants jouaient à la marelle sur les trottinoirs. Et l'école, alors ? Il fit attention à ne pas passer dans les rectangles tracés à la craie. Une petite fille sauta à pieds joints dans le ciel. C'était son ciel, à elle. Les commères, drapées dans des peignoirs délavés ou dans des fichus pour fuite en Egypte, des bas de coton chair en accordéon sur les savates et appuyées sur leurs balais, complotaient. Rue Affre, Monsieur Hermès observa le facteur. Celui-ci faisait la rue en diagonale, d'un trottoir à l'autre, comme un ivrogne. Il dépassa la rebutante église pour vieilles flétries. Ce qu'elle faisait minable, la pôvre, dans le décor ! Dans le square aux arbres décharnés, à droite, il aperçut les mêmes bancs, toujours garnis de retraités ruminant leur carrière au soleil, la canne entre les jambes, faute d'autre chose.

Avant d'entrer dans l'échoppe, Monsieur Hermès regarda à travers la glace. Tonton Nicolas était là, en manches de chemise, penché sur son établi, un long rabot au bout des bras. Il travaillait vivement, avec une précision et un calme étudiés. Mais l'ombre du visiteur lui fit lever la tête. Ses yeux lui sourirent aussitôt, derrière les bésicles. Une tête de rat, comme celle d'Angélique. Ils tombèrent dans les bras l'un de l'autre. Comment vas-tu, fiston ? Ah ! ça me fait bien plaisir. On déjeune ensemble, s'pas ? Entre donc ! Tiens, les fils sont là. Ils allaient partir. Entre cousins, il fallait bien aussi se biger. Ça sentait bon le bois sec, la ripe, la résine. Ça faisait sain. Pourtant, on disait que c'était pas un bon métier pour les poumons. Toujours aussi maigre et aussi enroué le tonton. Mais si pittoresque avec ses gestes brusques, ses soudains changements de physionomie. S'il était seulement aussi susceptible que Madame Mère ! Tonton Nicolas avait les mêmes mains que Madame Mère, longues, nerveuses, osseuses, avec tout le réseau de veines saillant. C'était avec ces mains qu'il fabriquait tous ces beaux meubles. Sans faire fortune. En tirant le diable par la queue. Allez, c'est assez pour ce matin, fiston. Pour une fois que tu viens rue Affre, faut en profiter. Déjà, ses deux rejetons s'étaient débarrassés de leurs salopettes, préparaient leurs vélos. On déjeune chez maman, dit l'aîné. Bien sûr ! Il savait. Alors, à un de ces jours ? Au revoir. Ils semblaient pressés. Ils enfourchèrent leurs vélos en voltige et foncèrent. Tonton Nicolas les regarda un instant, hocha la tête. Hein ! Tu les vois ? Que t'avais-je dit ? Puis, prenant d'une main sa veste pendue à un clou, empoignant de l'autre son neveu par l'épaule : On va en face ? Pipo ! L'horrible chien se montra en frétillant. Un tour de clé à la porte.

Le chand de vins où ils entrèrent était bien connu de Monsieur Hermès. M'sieu dames ! Salut la bourgeoise ! Vous remettez mon neveu ? Il est beau gars, hein ? La tête de plus que moi ! Servez-nous quelque chose de bon. Qu'est-ce que tu dirais d'un petit quarante ? Ta religion te le défend ? Non ? A la bonne heure ! Tu es un homme, maintenant ! Pauvre tonton, s'il avait su toutes les bitures qu'il avait déjà prises tant au Fils qu'au kummel, avec les aminches, à Portville ! Tonton grogna parce que la bourgeoise ne lui faisait pas bonne mesure. Faut pas se laisser faire, affirma-t-il dès qu'elle se fut écartée. Il avait l'air d'y tenir, à son apéro. Ça devait être assez récent ce goût pour l'empoisonnement quotidien. Probable que Pipo ne suffisait pas à le consoler de la mort de la petite Marie. Pipo, lui, avait l'air d'avoir faim. Ils quittèrent le zinc et allèrent s'asseoir. Qu'est-ce qu'on mange ?

Tout en déglutissant leurs tripes et leur bœuf miroton, mironton mironton mirontaine, Monsieur Hermès raconta à son oncle ce qui lui était arrivé, son avancement, et la raison pour laquelle il avait la journée libre. Ben tu vois ? Maintenant, tu as le pied à l'étrier. Tu n'as plus qu'à continuer. Au fil de l'eau. C'est les débuts qui sont durs, surtout. Après, on s'y fait. C'est ta mère qui va être contente ! Sa mère ? Il se foutait bien d'elle ! Près d'eux, ça bâfrait en cadence. Une tripes purée, une ! Et verse pour un ! Y en avait donc qui en étaient déjà au café ? Toutes ces tripes ! Des tripes dans d'autres tripes. Et au bout du compte ? Du caca ! Un type au teint vert, tout rasé, avec deux rides profondes autour de la bouche, se curait les dents avec une épingle. Il en retirait de petits fils de viande qu'il mâchonnait à nouveau sans s'émotionner. De temps en temps, il essuyait son épingle au revers de son veston. C'était plein de mouches sur la table. Le froid les faisait rentrer. Bientôt, elles seraient mortes. Une

vie de mouche ! Savoir comment elles avaient passé l'été.
Quelles aventures substantielles avaient-elles connues ? Une
d'elles tomba dans le verre de l'oncle Nicolas qui la but sans
s'en rendre compte. Allait-elle faire bon ménage avec les
tripes ? Jonas dans le ventre de la baleine. Peu de chance
qu'elle ressuscite, elle ! Quelle bêtise, aussi ! Depuis le temps
qu'il y avait des mouches sur la terre, et qui volaient, elles
auraient tout de même pu se douter que le vin ne leur valait
rien. Mais, après tout, elle avait peut-être eu une mort
épatante. Ne s'était aperçue de rien, sans doute. Ivre morte.
Fin saoule. Au septième ciel ! Les pieds devant ! Lui aussi, il
buvait. Tonton Nicolas ne cessait de remplir son verre. Il
sentait que la tête lui tournait. Mais il ne renâclait pas. Au
contraire, ça le revigorait. C'était sûrement tout ce pain frais
qui lui donnait soif. Ça devait ballonner dans son estomac.
Machinalement, il faisait des boulettes avec la mie. Quand
elles étaient bien pétries, il les modelait en forme de toupie
ou de pyramide. Sa sueur finissait par les noircir. Alors, il les
jetait sous la table. C'était pas faute que Madame Mère lui
eût mille fois défendu d'en faire. Dès que ses doigts tou-
chaient la mie, ça le tentait. A mesure que le repas s'avançait,
un insidieux bien-être le pénétrait. Ne plus bouger, ne plus
penser, rester là, béatement. Tonton fit un rot, puis cracha
par terre, dans la sciure, comme pour se donner une
contenance. Ça fit une petite huître, là, dans l'ombre de la
table. Il l'écrasa courageusement sous sa semelle. Au lycée,
aussi, ces cochons de Mougin, dit Napoléon, et de Naud, dit
Pernod, deux taupins, passaient la récréation de quatre à
cinq à lancer des molards énormes en l'air. Ils se collaient à
la verrière du préau et retombaient ensuite, gluants, sur la
tête des autres. Qu'est-ce qu'il y a de plus dégueulasse qu'un
bahutien, demandait Paolo ? Deux bahutiens, disait Pernod !
Et de plus dégueulasse que deux bahutiens ? Une bahutienne,
disait Napo. Ils avaient raison tous les deux. Qu'étaient-ils
devenus ? Disparus, eux aussi ! Entrés à pipo ? Déjà officiers ?
Un beau joueur de foot, Napo ! Comme demi-centre. Et
drôlement trapu en math ! Mais pas encore aussi astucieux
que Pernod. Çui-là, un aigle ! Et à quoi ça les avancerait
d'être des aigles ? Lieutenants d'artillerie en garnison à
Douai ou à Lunel, avec une légitime de la bonne société et

deux gosses. Un enterrement de première classe ! Un petit pousse-café, proposa tonton Nicolas ? Dame, ce n'était pas de refus. La vie était belle, aujourd'hui. Tonton Nicolas alluma sa pipe, après avoir bien glâvioté dans le tuyau. Maison, le moka ; tout à fait maison ! Il est vrai que la bourgeoise l'avait porté elle-même. C'était pas de la repasse. La salle s'était vidée peu à peu. Le soleil automnal entrait sans tambour ni trompette à travers les glaces de la devanture et miroitait sur les tables de bois, sur les carafes. La tête de tonton Nicolas dodelinait. Il aurait bien fait une petite sieste. Excellent pour la digestion. On parlait de papa maman. Tu vas rester longtemps fâché avec eux ? Sais pas. A ta place, je leur écrirais. Jamais de la vie ! Ils ne sont pas mauvais dans le fond. La question n'est pas là. Ils m'ont toujours porté sur le système. On se comprend pas. Y a que l'argent qui compte pour eux. Et moi, ça me fout le noir. Toi, tonton, tu saisis, je sais. Bien sûr, fiston ! Mais qu'est-ce qu'il pouvait y faire, le tonton ? Tout ça manquait un peu de perspective. Les doigts de Monsieur Hermès jouèrent avec les os sucés du miroton qui étaient restés sur la table, entre les assiettes. Encore un qui n'y ferait plus. Mangez-vous les uns les autres. C'est dommage que tu n'aies pas le dimanche. Tu viendrais en passer un avec moi. On irait à Pont-Sainte-Maxence. J'ai un petit coin là-bas. Tout près de l'Oise. J'ai acheté ça l'an dernier. Hein ? Non, je ne pêche pas. Le dimanche, c'est plein de barques qui zigzaguent. D'accord, maintenant c'est plus la saison. Mais tu verras ça au printemps. Et l'été, tu peux me croire, il y fait meilleur qu'à Paname. Le spectre de l'été se présenta aux yeux de Monsieur Hermès. Non, il n'aurait pas la force de s'envoyer un nouvel été comme celui qu'il venait de vivre. Tout mais pas ça ! Mieux valait n'y pas penser. Tonton Nicolas avait extirpé un crayon plat de la poche de son falzar de velours et lui dessinait un croquis des lieux sur une page de son calepin de devis. Là, t'as la route de Paris. L'Oise. Le pont. L'église. Et puis tu prends ce petit chemin à gauche, entre les villas. Tu montes. En haut, tu vois, y a ma tour. J'suis pas gêné par les voisins. Mais tu te rends compte du panorama ? D'un œil, Monsieur Hermès suivait les progrès du croquis, de l'autre, il vit Pipo lâcher une crotte hypocritement, sous la chaise de l'oncle. La sale bête! Il la détestait. Il n'aimait déjà pas les chiens, mais celui-là, avec son poil ras, ses pattes frétillantes et ses crottes puantes, il l'aurait tué! Pipo renifla son excrément. Une agate noire. Etait-il constipé par-dessus le marché? Il remua son bout de queue comme s'il avait voulu se balayer le postérieur. Puis il sauta sur la chaise et s'assit sur ledit. De là, trônant, fébrile et attentif, il pouvait d'un seul petit mouvement de sa patte, toucher la cuisse de tonton Nicolas, en poussant une plainte aiguë. Vois comme il est content! Ma foi, si tonton prenait ça pour du contentement, tant mieux! Tonton Nicolas lui passa la main sur l'échine en descendant jusqu'à la queue qu'il étira doucement. Il va s'en mettre sur les doigts. Mais Pipo, sournois, laissait faire. C'était pas lui qui allait vendre la mèche. Puis, tonton reprenait sa caresse et, transformant sa paume en une sorte de muselière, lui enserra le mufle et finit par glisser deux de ses doigts entre ses mâchoires pour se faire mordiller. Après ça, il fit passer entre ses phalanges les fragiles oreilles tombantes comme il aurait fait d'une mèche de cheveux d'enfant. Complètement maboul avec sa charogne de roquet! O pipo, as-tu bien déjeuné? Oua! Oua! Oua! C'était tout ce qu'il savait dire. Monsieur Hermès se souvenait des regards de mépris de ses chats. Ils ne daignaient même pas répondre quand on leur posait des questions. Ils allaient leur chemin, seulement préoccupés de leurs plaisirs. Pas des esclaves vicieux, comme ce Pipo! Des bêtes indépendantes, toujours prêtes à la révolte et voluptueuses. Voilà, au moins, qui avait de l'allure! Va falloir qu'on se quitte. Promets-moi d'écrire à maman? Non, il n'allait pas l'embêter maintenant avec Madame Mère? Il attigeait. Sans doute, ça partait d'un bon fond, chez lui. Mais il en avait son plein jabot de la famille. Je verrai. Crois-moi, tu y trouveras ton avantage. Puisqu'il insistait, eh bien, autant se quitter. Il n'était pas venu pour que l'oncle lui fasse de la morale. Puisqu'il le prenait sur ce ton, qu'il aille se faire empapaouter, lui aussi.

Vers trois heures de l'après-midi, Monsieur Hermès redescendit vers le centre de Paris. Une petite pluie fine, inattendue, s'était mise à tomber. C'était bien sa veine. Pour une fois qu'il avait un jour à tuer! Elle tombait aussi comme à regret, la pluie. Qu'est-ce qu'elle attend? Qu'on en finisse un bon coup ! Comme elle était pas contrariante, elle avait obtempéré. Et dès la rue de la Charbonnière, ça flottait dru. Heureusement qu'il avait son pardos et son galure. Monsieur Hermès aperçut les mêmes visages effrontés et violâtres, à l'affût, derrière les rideaux transparents, et qui le reluquaient. Drôle de faction ! Il prit un air roide. Non mais des fois, elles ne l'avaient pas regardé ? C'était pas pour leur bec. Imaginer leurs trognes sur l'oreiller. Fallait être bien salingue pour aller avec des pouffiasses comac ! A Portville, chez Lucette, y en avait une qui s'enfonçait une canette de bière dans la choune. Tu parles si elle avait dû servir. Et cette autre qui ramassait des pièces de quarante sous avec ses fesses ? Où est-ce qu'elles apprenaient des trucs comme ça ? Des fainéantes, voilà ce qu'elles étaient. Tu gagneras ton pain à la sueur de ton cul. Tu gagneras ta pine à la sueur de ton con. Ça pouvait faire toute une litanie. Donneuses d'illusions, qu'elles disaient ! Pas à chiquer, *Maya*, ça, c'était une pièce ! Deux fois déjà qu'il l'avait vue. Au *Studio des Champs-Elysées*. Il pleuvait comme vache qui pisse, à c't'heure. Marguerite Jamois dans son peignoir couleur de sang séché, avec ses bas de soie noire et son grand peigne dans son chignon carotte. D'où viens-tu ? Où vas-tu ? Qui es-tu ? Tu remettrais pas vingt sous ? Tomate, petite tomate ! Feu vert, feu rouge... Je te la joue, veux-tu ? Demande au bengali. On l'a apportée, un soir de Veglione, nue, sur un plateau garni de roses rouges. Martini, angustura, glace pilée... Maya, c'est l'illusion, c'est la mère du désir. Les choses, tu crois qu'elles sont ainsi et puis elles sont autrement... Elle dansait... *Boum ba da da, boum ba da da.* Le joueur de guitare envoûté, le barman hindou diabolique. Le mirage, les apparences... Oui... Tu vois, tu fais encore deux mailles, et puis tu continues, tu continues... Un croquant se retourna sur le passage de Monsieur Hermès. Il avait dû le prendre pour un fou. Il faudrait qu'il se surveille. Pas idée de se réciter des bouts de pièce à haute voix dans la rue ! Quand même, ça l'avait tout ému. Il avait envie de pisser. Une pissotière en vue. Il s'y précipita. Cette eau qui coulait sur l'ardoise, est-ce qu'elle était bonne à boire ? Tu viens prendre une ardoise, disait toujours Paolo. Sacré Paolo ! Monsieur Hermès sortit son zob d'une main et tint son pan de chemise de l'autre. Maladies des voies urinaires. Docteur X. Brochure spécimen contre cinq francs. L'avenir dévoilé par le fakir Ki Pa Ti. Discrétion assurée. Marc de café, tarots, lignes de la main. Les préservatifs Minerva. Très instructif tout ça! Savoir ce qu'elle vient faire, la Minerve, là-dedans? Il se fit tomber quelques gouttes d'urine sur la chaussure gauche. Les curieux prendraient ça pour de la pluie. Pardon, monsieur! Un autre client. Un petit fléchissement sur les jarrets pour remettre Rosalie en place, dans le calcif. Une jeune fille l'avait vu faire. Elle baissa les yeux, continua sa route comme si de rien n'était. Mais ça devait déjà la travailler, en douce! Ça la troublait assez quand maman lui donnait à repasser le pantalon de papa. Tu verras, y a un bouton qui manque à la braguette. Ça a donc tant de force que ça?

Il s'engagea dans la rue du Faubourg-Poissonnière. Il pleuvait un peu moins. La flotte dégoulinait de partout, des gouttières, des auvents. Quoi faire? Il se sentait désaffecté. S'il avait su, il aurait pu aller voir Félix Sanslesou. Il lui avait demandé de lire le premier acte de *La joie du Cœur.* Il se piquait de littérature, ce diable de Sanslesou. Mais il était maintenant trop tard pour pousser jusqu'au Boul'Mich'. Et puis, savoir où le trouver? Au *D'Harcourt,* peut-être? Ou à *La Chope Latine?* Faudrait qu'ils reparlent ensemble, de ce projet de revue. Félix semblait avoir des idées. Ça serait amusant de fonder une revue et d'y écrire. Malheureusement, il ne connaissait personne. Voilà le hic! Félix avait peut-être des relations. Buddy Gard aussi pourrait y écrire. On formerait une petite équipe. On aurait des abonnés. Sacrément plus réjouissant que d'être dans l'hôtellerie. Tiens, la boutique où il avait acheté sa canne. Il se remémorait. Encore un mauvais souvenir! Ce samedi où il avait buté dans sa canne, au coin de la rue Tronchet. Elle avait sauté, glissé sur le macadam et floc! comme un seul homme, dans un trou d'égout. Oh! elle avait bien hésité une fraction de seconde sur le bord. Mais elle avait disparu avant qu'il ait eu le temps d'intervenir. Dans la gueule du loup. Médusé, qu'il était resté! Sur place, sans bouger! Même qu'un gosse l'avait foutu en boîte : Oh, quel œuf, Madame! Une canne que

Madame Mère lui avait offerte! Ça, il n'avait pas de chance avec ses cadeaux. D'abord son stylo. Après sa canne. Jamais deux sans trois. A croire qu'ils ne voulaient pas rester avec lui. Ça ne devait pas leur plaire d'avoir été choisis par elle. Ils mettaient les bouts à la première occase. Ils prenaient la tangente. Il devait bien y avoir quelque chose comme ça. C'était pas naturel. Quand même, il s'était rendu tout de suite au poste d'égoutiers du quartier. Ils étaient venus. Ils étaient descendus. Ils avaient cherché. Plus rien. Les eaux du Grand Collecteur avaient tout emporté à ce qu'ils dirent. En définitive, ça lui avait encore coûté vingt balles de plus. Et puis, un jour, en passant dans cette rue, il avait vu une canne toute pareille en vitrine. Il l'avait marchandée. Pas cher. C'était un faux bambou. Mais à s'y tromper. Madame Mère n'y verrait que du feu. Vendu! Coût : deux semaines sans sorties. Il ramassa un prospectus que le vent avait collé contre son pantalon et le lut : Gorgion, achète tout, 36, rue de l'Industrie. Il était tout humide. Il le froissa et le rejeta. Il revint sous son pied. Il le dribbla comme une balle, jusqu'à ce qu'il tombe dans le caniveau. Lecuirot, coutellerie en tous genres. Quelle façade poussiéreuse! Tiens, il avait justement besoin d'un bon cuir. Le sien ne valait plus rien. Un cuir de chez Lecuirot. Ça, ce serait une garantie. Et de ricaner spirituellement. Oui, mais il était raide comme un passe-lacet en ce moment. Pas même de quoi se payer le ciné. Mais la semaine prochaine il aurait des fafiots. Les quatre huitiè-mes de l'étage.

Sur le boulevard Poissonnière, il se remit à tomber des hallebardes. Essayer de passer entre les gouttes. Raser les murs. Dans ces bon Dieu de villes où il pleuvait tout le temps, il devrait y avoir des arcades. Et c'était rien encore à côté de Portville. Une journée qui avait si bien commencé! Sans plus tergiverser, il entra dans un auditorium, s'ébroua. Ça, c'était dans ses moyens. Misère! A côté de lui, deux donzelles et un marmouset dévoraient des brioches toutes chaudes, fourrées à la confiture. Ils avaient dû acheter ça à *La Brioche de la Lune*, un peu plus haut, sur l'autre main. Ce que ça sentait bon! Pas gourmand de pâtisseries, pourtant, d'habitude! Une des donzelles avait de la farine tout autour de la bouche.

Elle restait là, collée, et ça lui donnait l'air d'un clown, frais émoulu. Vous voulez une cabine, mesdemoiselles ? Attendez, on n'a pas fini ! Monsieur ? Oui, Monsieur Hermès voulait bien une cabine. Il s'enferma, compulsa le catalogue, fit son choix, sortit une pièce de son gilet, assujettit l'écouteur à ses oreilles, enfonça la fiche. L'amusement des enfants, la tranquillité des parents. Un petit malin, celui qui avait trouvé ça ! Lieux d'aisance. Agrément de l'isoloir. A travers la glace, il observa son voisin. Un troufion, troufignon. Pas l'air commode, le frère ! Devait se régaler de grande musique. Tout du type qui prend son pied. Encore un solitaire. Un solitaire d'un autre genre, mais un solitaire tout de même. Dans le fond, c'était plein de petits gars comme ça sur la terre, qui se chatouillaient les sens sans s'occuper des copains. Une fois de plus, Monsieur Hermès fut saisi par cette certitude qu'il n'était pas le seul, en somme, à avoir une petite spécialité. Chacun pour soi. Sans vergogne. Et en avant la musique !...

Quand Monsieur Hermès sortit, il faisait nuit, mais la pluie avait cessé. Par quel caprice ? Les trottoirs étaient encore mouillés et reflétaient les lumières. Les nantis s'arrachaient les taxis. Il y avait encore quelques parapluies ouverts. Des ceusses qui n'en avaient pas eu leur content. L'atmosphère était douce. Une impression de sécurité, de détente se dégageait de cette précoce nuit. Au coin de la rue Taitbout, une gamine rougeaude, hydrocéphale, vantait les bouquets de violettes qui embaumaient l'air autour de sa charrette. Ils étaient encore tout perlés de gouttelettes. On aurait dit qu'elle venait de les cueillir. L'affiche de Paris-la-Nuit retint un instant son regard. *Good Luck !* S'il s'achetait des violettes ? La tête de Monsieur Schott quand il le verrait radiner avec son bouquet à la main ! Il regarda sa toquante. Juste le temps de rentrer dîner à l'Hôtel. Comme disait le Marin : Pas de cadeaux, à ces rapiats ! Désormais, fini le réfectoire. Il connaissait le travail ! Il irait chercher son plateau directement aux cuisines et dînerait dans son office, à l'étage, comme un pape. Son frac avait dû être livré. Il l'endosserait. Il allait fouler d'épais tapis, humer la parfumerie des belles clientes, pénétrer dans des appartements aux lit défaits, circuler officiellement au milieu du désordre intime de ces messieurs et dames. Garçon d'étage! Après tout, ça devait valoir le dérangement.

Mais l'envers?

IV

Depuis huit jours, Monsieur Hermès était installé dans ses nouvelles fonctions. Et, en somme, il ne s'en tirait pas trop mal. Si dur que fût encore le service, celui-ci avait ses agréments et sa nouveauté. D'où un zèle ardent et inattendu que Monsieur Schott n'était pas sûr, toutefois, de voir durer.

Monsieur Hermès foulait d'un pas vif l'épais tapis aux fleurs bleues et rouges. L'habit le grandissait. Moralement, c'était comme s'il avait porté un corset. Plus voûté du tout. Plus l'air malheureux. C'est bien vrai que l'habit fait le moine. Pas à tortiller ! Il se zieutait avec complaisance dans les glaces. C'était donc lui, ce grand escogriffe ? Pas si mal que ça ! Le noir de la cravate autour du col cassé était vachement seyant. Un large ruban noir, comme celui de Monsieur Dominique, en dépit des consignes du Petit Père, et qui faisait un peu Chevalier d'Orsay. Dire qu'il s'était fait tout un monde de porter le plateau sur l'épaule ! Il avait cru qu'il n'y arriverait jamais. Il était si encombrant et si lourd ! Comment le tenir en équilibre sur la main à plat ? Le bras devait s'ankyloser dans cette position repliée ? Mais non, l'habitude était venue tout de suite. C'était commode comme tout. Devant le 230, il s'arrêta, tira de sa poche son passe-partout chromé et toqua avec, pour la forme. Puis, sans attendre, il l'introduisit et tourna. La porte glissa sans bruit. Dans l'antichambre, il faisait un peu sombre. Il toqua plus fort à la deuxième porte. *Yes !* Il entra. Monsieur J.-K. Huggard, assis sur son lit, lisait déjà ses journaux, les fenêtres fermées. Ça puait le cigare éteint. Une hygiène rétrograde chez ce businessman éclairé.

Monsieur Hermès louvoya à travers les meubles. C'était toujours un peu comme s'il entrait en scène. Il ne savait jamais ce qu'il allait trouver. L'arrangement des intérieurs changeait du soir au matin selon l'humeur des occupants. Cette chaise, ce tabouret, cette valise, cette paire de souliers qui n'étaient pas là hier pouvaient le faire trébucher. Cependant, il convenait de fixer le client dans les yeux. Il fallait donc sentir les obstacles sans les voir. Quand on avait chopé le truc, c'était tout simple. Alors, on pénétrait partout, chez ces messieurs et dames, avec l'indifférence et les gestes rituels d'un gardien de musée. Après tout, ces messieurs et dames n'avaient pas plus d'importance que les meubles. C'était seulement des meubles qui pouvaient parler et donner des ordres. Mais ça, ça regardait l'oreille. Monsieur Hermès posa le plateau sur une petite table et porta la petite table contre le lit. Monsieur J.-K. Huggard grogna un remerciement. Il portait une veste de pyjama jaune et bleue. Le pantalon, de même couleur, traînait sur le couvre-pieds. Monsieur Hermès aperçut le cendrier qui débordait. Il en prit un autre sur la cheminée et le mit à la place du plein. Des mégots de cigares qui feraient le bonheur d'un clochard ! Tout en cramponnant l'*Evening Post* d'une main, Monsieur J.-K. Huggard saisit un des scones, le pressa entre ses doigts et l'enfourna. Humpff ! Tous les matins, il s'en envoyait une douzaine. C'était sa ration. Encore un qui forçait la machine. Monsieur J.-K. Huggard s'esclaffa. Il avait dû lire quelque chose de drôle dans l'*Evening Post.* Ça ne fit pas l'affaire du scone qui se mit de travers. Et ça se termina par une quinte de toux. Les joues devinrent violacées, les mirettes s'injectèrent. Vivement, Monsieur Hermès lui versa un demi-verre d'eau, le fit boire. Là, ça allait mieux. Un nouveau scone fut dirigé vers l'antre aux sacrifices. La main gauche s'empara nerveusement de l'*Evening Post.* Monsieur Hermès se retira. Sur le canapé, il remarqua un bandage herniaire. Portait ça toute la journée, sans doute ? Il tira successivement les deux portes sur lui. J.-K. Huggard et Cᵒ potasses. Faire dans les potasses comme d'autres faisaient dans les chocolats ou dans les manches de pioche. Y en avait des métiers sur la terre ! Qu'est-ce qui croirait qu'on peut gagner autant de flouze à vendre de la potasse ? Le Père Hubert le dépassa en clopinant. Encore mon bon Dieu de cor ! Il va pleuvoir. File ces bons aux sous-sols. Et puis, y a le plateau du 257 qui attend à l'office. Tu verras si les œufs durs sont à point. N'oublie pas la bouteille de Power. Tu la déboucheras sans l'incliner.

Ah, ça ne valait pas le soir et la nuit ! Le matin, c'était plutôt bousculé. Le Père Hubert et Monsieur Schott ne cessaient d'être sur son dos. On s'engueulait ferme dans l'étroite office. Il y avait toujours des tasses et de la verrerie à laver. A chaque instant, le téléphone retentissait. Allô ! Oui ! Oui Madame. Bien Madame. Tout de suite, Madame. Je prends note. Allô oui ! Ici l'office. Donnez-moi la Réception. Le 208 demande si on a pris ses deux places au Bourget pour Prague ? Alors faites-les monter à l'étage. Allô ! Les Cuisines ? Faites marcher ma sole grillée américaine. Rien avant. J'enlèverai dans vingt minutes. Un nouveau clapet descendait. La lampe du 261 s'allumait. La fiche dans le trou. Allô ! Oui Monsieur. Deux thés de Chine. Entendu. Y a plus de petites cuillères, s'emportait Monsieur Schott. Laisse sonner ces andouilles. Lave-m'en une douzaine en vitesse. Le monte-charge. Le débarrasser. Le charger de matériel sale. Le renvoyer. Et ce plateau ? Le client va encore gueuler que son café est froid ! Porte-moi ça illico au 209. Ils s'en vont demain. C'est pas le moment de gaffer. Pendant ce temps je vais trier le courrier. Tu le distribueras à ton retour. Ah ! bigre de bigre, miss Stratford a déjà réclamé ses roses. N'oublie pas. Rien que des blanches. Qu'est-ce que c'est encore ? Allô ? Oui ! Oui ! Oh ! pardon, Monsieur. Mais parfaitement, Monsieur. Je vais vous porter moi-même nos meilleurs. Le coiffeur ? Un rendez-vous pour quelle heure ? Il va monter dans un instant. Je lui téléphone. Je suis là pour ça, Monsieur ! Monsieur Schott tourbillonnait comme un gros frelon. Le Père Hubert vaticinait. Et toujours l'aigre et impérieuse sonnerie du téléphone ! Quelle çonnerie ! Qu'avaient-ils donc, les clients, à s'agiter ainsi ? Pouvaient donc pas dormir ? Le feu au cul ? La croix et la bannière. Je te leur en foutrais, moi, du petit déjeuner ! Au bout du quai ! Autrefois, quand il avait faim, à la maison, et qu'il impatientait Monsieur Papa : Mange ta main, et garde l'autre pour demain, qu'il ronchonnait. Voilà au moins une réponse !

C'est comme ça qu'on donne une bonne éducation aux enfants. Sont tout de suite fixés.

Tandis que le soir, à partir du moment où il embauchait, il était son maître. Monsieur Schott et le Père Hubert mettaient les voiles. Il restait seul. Oui, il était seul, seul dans son office et dans les couloirs, seul maître à bord de ce navire qui allait poursuivre sa marche insensible dans la nuit, tous feux allumés. Les valets et les femmes de chambre eux-mêmes, les couvertures faites, s'étaient dignement retirés dans leur lingerie. Jamais beaucoup de rapports d'ailleurs avec la valetaille ! Chacun chez soi. La même animosité que contre les cuisiniers. Qu'ils les fassent, leurs chambres, et qu'ils nous foutent la paix ! Quelle prétention parce qu'ils approchaient ces messieurs et dames de plus près ! Bien sûr, ça c'était une chose à leur reconnaître. Rincer les pots de chambre (du moins de ceux qui s'en servaient), refaire les lits, vider les corbeilles à papier pleines de lettres d'amour en petits morceaux, de tampons d'ouate maculés de fond de teint, de flocons de cheveux, de tubes d'aspirine vides ou de bouts de lacet, plier la chemise de nuit de Madame ou le pyjama de Monsieur, changer les draps s'ils étaient tachés, mettre au sale des serviettes pleines de foutre, tripoter les accessoires de soins de beauté, rincer la baignoire et le bidet, balayer, laver, essuyer, épousseter, ranger, sans aucun doute, ça leur donnait des droits sur les clients que ne pouvaient pas avoir les garçons d'étage. Les droits de l'alcôve, en quelque sorte, ou de la garde-robe. Même qu'ils pouvaient ainsi connaître tous les petits trucs, toutes les petites saletés des clients. La moumoute de Monsieur ou la perruque de Madame, les capotes de Monsieur ou les canules de Madame, les caleçons de Monsieur ou les faux seins de Madame, les dragées Hercule de Monsieur ou les suppositoires de Madame. Monsieur et Madame avaient beau faire des chichis quand ils étaient en grande toilette et qu'ils s'apprêtaient à parader dans le Hall ou au Restaurant, pas moyen de dissimuler ça aux domestiques. Savoir si ça les gênait ? Peut-être, certains. Mais la plupart s'en moquaient éperdument et laissaient tout traîner. Pas pudiques pour deux sous, les clients ! Pas du tout ragoûtants à voir de la coulisse ! C'était sans doute parce que les domestiques avaient le privilège de ces bas travaux que les garçons d'étage marquaient une certaine répugnance à frayer avec eux. Ce n'était pas la même caste. Les habits noirs ne pouvaient avoir rien de commun avec les bonnets de dentelle et les gilets rayés. Pourtant, ils n'étaient pas peu fiers de leurs rubans bleus dans les cheveux, de leurs gilets à raies bleues et noires. C'était la livrée imposée par l'Hôtel. A croire que ça leur conférait une sorte de chevalerie.

Non, que les valets et les femmes de chambre restent dans leur lingerie. Monsieur Hermès était à son affaire dans son office. Seul avec lui-même. En tête à tête avec le standard téléphonique. Il s'asseyait devant. Dans l'attente. Sur la table, il ouvrait le manuscrit de *La Joie du Cœur*. Le troisième acte était maintenant en bonne voie. Toute la nuit à lui pour écrire, pour rêvasser à son gré. De temps en temps, il levait les yeux pour surveiller les petites lampes orange. Ça arrivait que ça s'allume sans sonner. Marchait pas épatamment, ce standard. Mais ça valait mieux, dans un sens. Comme ça au moins, il n'était pas dérangé par la çonnerie.

L'office était cependant loin d'être luxueuse. Les clients n'y mettaient jamais les pieds. Auraient été sidérés. Comment pouvez-vous vivre là-dedans, mon pauvre garçon ? Mais c'est ignoble ! Il faut faire quelque chose. Il les imaginait d'ici, remuant ciel et terre pour. On aurait vite fait de les envoyer sur les roses. Qu'ils s'occupent de leurs oignons ! Des empêcheurs de tourner en rond. Oui, se figuraient sans doute que parce qu'ils vivaient dans le luxe et que ceux qui les servaient avaient une si jolie livrée, c'était pareil du côté de la figuration. Voilà ce qui leur manquait, à ces messieurs et dames, pour apprécier la question sociale à sa juste valeur. Blasés, qu'ils disaient qu'ils étaient ! Devraient s'engager pour trois mois dans l'usine. Ça modifierait sans doute leur optique. Auraient vite leurs beaux ongles cassés, leurs cheveux abîmés par la vapeur, les reins en compote, les chevilles en marmelade. Surtout les femmes. Elles tomberaient de haut !

Il n'y avait qu'une fenêtre. Elle donnait sur un puits de jour qui ne laissait guère filtrer qu'une lueur glauque. D'ailleurs on ne l'ouvrait jamais. Il montait d'en bas de telles odeurs de ragougnasse ! A dégueuler du matin au soir. Donc, pas d'autre lumière que l'électricité. Des murs d'un gris jaune, peints à l'huile, toujours gluants d'humidité. Des cafards. Des odeurs d'évier. Et pour tout mobilier, un étroit lit de fer, dur et court, une étuve, une glacière, un buffet, une desserte, deux tables, une chaise. Dans le fond, s'ouvrait une porte donnant sur l'escalier de service, près du monte-charge. L'autre porte donnait sur le beau couloir de l'étage. C'était une porte à va-et-vient, qu'on pouvait pousser du pied. Le bas était protégé par une demi-lune de cuivre. C'était dans la demi-lune qu'on cognait avec les tatanes. Ça s'usait moins vite que le bois. Ils avaient pensé à tout.

De huit à onze, le soir, Monsieur Hermès était vraiment tranquille. A cette heure, oui, presque plus personne à l'étage. La plupart des clients dînaient en bas, au Restaurant ou au-dehors. Peu nombreux étaient ceux qui se faisaient servir dans leur appartement. Parfois seulement une vieille dame, un vieux monsieur, hypocondres et fatigués. Se contentaient alors d'un légume et de fruits cuits. Au bout de leur rouleau. Ménageaient leur machine, eux ! En avaient plus pour longtemps à jouir de la vie, cette putain de vie. Pas sûr qu'elle ait été si bonne que ça, pour eux, malgré les apparences. Avaient pas l'air tellement heureux. Pas beaucoup de recours, les tapis d'Orient, les draps de fil, les fauteuils profonds, les bijoux de la rue de la Paix, les actions de Suez, contre le cancer ou le diabète. Des gens qui chient dans la porcelaine fine. Encore faut-il pouvoir chier. Petites pilules Pink. Jouvence de l'abbé Soury. Les drogues sur les tables de nuit. Les nuits d'insomnie. Les insomnies saumâtres. L'emmerdeur du 257 avec ses crises d'asthme. Possédait des aciéries. A quoi ça l'avançait ? Pas étonnant, après ses crises, qu'il fût si vache avec ses ouvriers ! (A ce qu'on racontait.) Qu'on l'abatte ! La vieille comtesse Vasca avait eu tous les malheurs, soi-disant. Toujours en deuil. Tous les jours, mille francs de pourboire à Schott. Son mari l'avait abandonnée et avait été trouvé assassiné dans un bouge de Belgrade. Tant va la cruche à l'eau... Avait plus personne que ses domestiques. On ne l'avait jamais vue sourire. Ses trois fils étaient morts de la poitrine. Tout de même, ça ne l'avait pas refroidie. Elle dormait avec des chemises de crêpe de Chine noir. Quelque chose d'affriolant. A soixante-dix piges ! A quoi ça l'avançait, elle aussi ? Ne désarmait pas, pourtant. Solide comme un roc. Deviendrait centenaire. Et exigeante, avec ça, dans le service. La terreur des femmes de chambre. Patrouillait la nuit dans les couloirs. Faisait repasser ses robes dix fois par jour. Rien que des robes de mousseline noire, à petits plis. Si c'était pas malheureux ! Pendant que tant de jolies filles étaient obligées de ravauder, ravaudages sur ravaudages, leurs fonds de culottes indémaillables. Pas plus tard qu'avant-hier soir, elle avait fait tout un boucan parce qu'elle entendait des messieurs et dames faire l'amour dans l'appartement voisin et qu'elle prétendait que ça la gênait. Enfin, jeune homme, n'ai-je pas raison ? Faites-les taire ! De mon temps, on pouvait brûler la chandelle par les deux bouts, mais on y mettait plus de formes. Ce n'est plus un hôtel, c'est un abattoir ! Le fait est que c'étaient des estomaquants, aussi, ses voisins ! Prenaient tous leurs repas au lit. Se levaient seulement parfois, au milieu de la nuit, en grand tralala et sortaient. Le reste du temps, demeuraient pagés, à se sucer la pomme. Par l'air de ça, d'ailleurs, ni l'un ni l'autre. Surtout la dame. Une Belge. Tout le temps des attitudes penchées, languissantes. Une fleur en train de mourir dans un vase. Faisait brûler du papier d'Arménie. Parlait comme si elle n'avait pas été sur la terre. Cet après-midi était si triste, si nostalgique, vous ne trouvez pas, garçon ? Nous n'avons pas eu le courage de nous habiller, mon mari et moi. C'est si follement délicieux, cette tristesse, n'est-ce pas ? Elle prenait toujours Monsieur Hermès à témoin. Son monsieur, pendant ce temps-là, la chatonnait, lui bavait sur le bout des ongles, lui relevait une mèche de cheveux, lui tapotait son oreiller. C'était à Monsieur Hermès qu'elle venait susurrer ces histoires ? La délicieuse tristesse de l'après-midi ? Elle en parlait à son aise, la mijaurée, la dingue. Pas étonnant, avec cette vie qu'ils menaient, tous les deux ! Complètement déréglés. Faisant l'amour aux heures des repas, dînant la nuit, dormant le jour. C'étaient eux qui réclamaient soudain, à trois heures du matin, un chateaubriand béarnaise, rien que ça ! avec un solide bourgogne. Enveloppée dans des déshabillés vaporeux, plus immatérielle que jamais, la pâle et délicate jeune femme se jetait à belles dents sur la viande saignante. Une vraie panthère ! Qui aurait cru ça, au premier abord ? Ces petits airs de pas y toucher, qu'elle avait ! La lèvre séraphique, le regard mourant, mais des crocs, je vous dis que ça ! L'âme édulcorée, mais l'estomac réaliste ! Monsieur et Madame Kadéquet ! Ça leur allait à ravir, ce nom-là !

Drinn !... Drinn ! Qu'est-ce qui çonnait encore ? Le 204. Le plus vaste appartement de l'étage. La famille Cisleithan. Pour savoir de quel pays au juste ils étaient, ça ? Mais plus bêtes que méchants. Il y alla. Ils avaient aussi alerté la femme de chambre. Totoche, une brunette aux cheveux coupés, l'air peste et vicieux. Il la laissa passer la première, avec ses jolies petites fesses. Madame Cisleithan et ses trois demoiselles lui sautèrent dessus. Tout ça parlait à la fois. Quelles perruches ! Un coup de fer. Un point à donner. Elles ne seraient jamais prêtes. C'est ta faute, aussi ! Non, c'est la tienne ! Papa Cisleithan ne se démontait pas pour si peu. C'était simple, pour partir du bon pied, il lui fallait son petit whisky and soda. L'indispensable ! Il éventra un paquet de Lucky Strike, alluma sa cigarette, les mains en forme de conque, pour se préserver des courants d'air imaginaires. Avait pas dû être élevé dans le grand monde. Ni les uns ni les autres ne se troublaient parce que la femme de chambre et le garçon d'étage les voyaient en négligé. Aucune importance. Papa Cisleithan était en caleçon. De jolis caleçons courts, et vert d'eau, ma foi. Impeccables ! Mais quels mollets ! Quand Monsieur Hermès revint avec le whisky, il le trouva assis, la cibiche au bec, la tête un peu de travers à cause de la fumée qui lui entrait dans les trous de nez, se changeant de chaussettes. Pose ça là ! Il posa. Maintenant Papa Cisleithan se culottait. Portait à gauche. Bien monté d'ailleurs, à en juger par le renflement. A moins qu'il ait une grosse burne ? Madame Cisleithan réapparut en corset, ses grosses jambes de soie cendrée comme des troncs de bouleau. Des rires expansifs dans la salle de bains. Deux Cisleithan juniors sortaient de leur baignoire, nues sous des peignoirs de tissu éponge rouge. L'aînée, en soutien-gorge, courut à leur poursuite et leur lança une de ses mules. Petites ordures ! glapitelle. Elles riaient aux éclats, toutes, à mouiller ! Et que je te roucoule, et que je me pâme, et que je me boyaute, et que je me fais pipi dessus, et que je m'effondre dans le toutounier, le ventre secoué par la rigolade intense. Il avait plutôt l'air d'un con que d'un moulin à poivre, dans tout ça ! Il ramassa la mule et la tendit à la bacchante, en s'inclinant légèrement. La bacchante, les cheveux sur les yeux, pouffait encore et ça faisait doucement trembler son nombril nu. Un dessin de Fabiano, pensa aussitôt Monsieur Hermès, qui savait apprécier l'art libertin. S'il savait dessiner, serait aux premières loges pour croquer.

Posant son plateau, Monsieur Hermès débarrassa une table ronde. Avaient dû prendre le thé, comme tous les après-midi. Des tasses boueuses traînaient un peu partout, sur la cheminée, sur une console. De la cendre de cigarettes sur le napperon, dans les soucoupes, à la surface du lait. Dégoûtantes ! Ces demoiselles s'énervaient, tiraient furieusement sur leur peigne pris dans une chevelure rebelle, faisaient sauter d'un seul coup de jarret les mailles d'un bas neuf trop tendu, changeaient trois fois de robe, jamais satisfaites d'elles-mêmes, esquissaient des pas de danse sans partenaire. L'aînée se mit à limer consciencieusement ses ongles, assise sur le rebord du lit, balançant au bout de son pied une mule de lamé or. Cette manucure est idiote. Lui ai dit cent fois que je ne les voulais pas si pointus. Ça fait grue ! Zut, zut et sut ! Wanda ! s'indigna Madame Cisleithan, sanglée dans son corset mauve, tirant Totoche et ses belles petites fesses à sa remorque par les lacets. Vous allez me serrer davantage. Tu vas étouffer, bobonne, risqua Papa Cisleithan. C'était vrai qu'elle était déjà un peu essoufflée. Totoche tira plus fort sur les lacets en plaquant son genou contre les reins puissants. Han !... Han !... Han !... Pauvre Madame Cisleithan ! Devait envier les belles petites fesses de Totoche. Mais Totoche se foutait de ses belles petites fesses. Louchait plutôt sur les boucles d'oreilles en diams de la grosse boudinée. Jamais contentes de leur sort !

D'en bas, parvenait le bruit assourdi d'une musique d'orchestre. Une tiédeur insidieuse régnait dans les chambres, incitant à la paresse. Et ils étaient là, à brasser l'air, comme des énergumènes. Ces fourrures, ces soieries, ces brosseries d'écaille, ces cristaux, ces mille petits machins en or ou en argent, ces fleurs, œillets ou mimosas, que le chauffage fanait en quelques heures, mais qui, demain, seraient remplacées par des roses de Nice ou des chrysanthèmes somptueux, tout cela composait un ensemble d'odeurs, de reflets, de moirures qui ne semblait exercer aucune influence bienfaisante sur la famille Cisleithan. Elle vivait au milieu de tout ça comme une portée de lapins dans son clapier. Non, ça ne leur élevait pas l'âme d'un centimètre, ça ne les distrayait pas un instant de leurs jobarderies. Au contraire.

Mais, si on allait par là, tous ces messieurs et dames étaient à mettre dans le même sac. C'était pas bidonnant de les supporter. Du moins, auraient-ils pu avoir un peu plus de pudeur. Ne pas déballer leurs jérémiades devant la domesticité. Voulaient tout de même pas qu'on les plaigne ? Il fallait entendre ce sabir ! Ils baragouinaient dans toutes les langues. Le français éclatait parfois là-dedans d'une manière insolite. Il y en avait qui n'en savaient pas dix mots. Mais ils n'avaient de cesse de les placer à tout propos. Les accents les plus tordus y passaient. Monsieur Hermès ne s'habituait pas à entendre sa langue concassée par les uns, raclée par les autres, nasillée ou chuintée, mitraillée ou zozotée. Pour les humilier, il affectait de répéter les mêmes mots qu'eux, l'air de dire : voilà comme il faut parler, paysans, métèques, avaleurs de sabres ! Ça le vengeait. Dans une certaine mesure. Qu'avaient-ils fait de plus que lui pour échapper à la mouscaille ? Le luxe, l'argent... L'argent, toujours l'argent ! Mais l'argent enlevé, que resterait-il ? Seulement voilà, l'argent était là, et il y était bien. Donne-lui tout de même à boire, dit mon père.

Sans char, ça l'impressionnait un peu cette façon qu'ils avaient de caqueter dans toutes les langues. Dix mots d'anglais. Dix mots d'espagnol. Dix mots de français. Agiter avant de s'en servir. Du charabia de sleeping. Ça suffisait pour marquer les distances avec la valetaille. Monsieur Hermès ne se doutait pas, quand il décortiquait *Enoch Arden* ou *Rip van Winkle*, au lycée de Portville, que ça aurait pu lui être utile un jour. Il n'avait jamais imaginé qu'il pourrait plus tard se trouver nez à nez avec ce beau monde. Maintenant, ça lui arrivait à chaque instant. Et pourtant, il ne faisait rien pour mieux comprendre. Pas à chiquer : il n'était pas doué pour les langues. Ça ne leur faisait pas toujours plaisir à ces messieurs et dames. Mais, comme la nuit, il était seul à l'étage, il fallait bien qu'ils en passent par là, même si leur connaissance du français était rudimentaire. Monsieur Hermès se régalait de les voir patauger. Quand ça avait assez duré, il venait à leur secours, d'un mot, avec un petit sourire en coin. Bien fait pour leur gueule ! Avaient qu'à rester chez eux.

Onze heures. Le tic-tac du réveil dans l'office. L'étage semblait mort. Pas une çonnerie. Rien. Tous en vadrouille. Monsieur Hermès qui venait de laver quelques verres les laissa égoutter sur le zinc, rabattit ses manches, fixa ses manchettes, enfila son frac. Un petit tour de ronde dans les couloirs dégourdirait les jambes. Il y avait un tel silence qu'il entendait son pas résonner sourdement sur les tapis. Il se retourna brusquement. Il avait eu l'impression qu'il était suivi. Mais non, il n'y avait personne. En toute sécurité, il put se contempler dans l'une des grandes glaces murales qui allongeaient les perspectives des couloirs. C'était là, aussi, que les dames s'arrêtaient, au sortir de leur appartement, avant de prendre l'ascenseur, pour jeter un dernier regard sur leur toilette.

Monsieur Hermès avait beaucoup changé en quelques jours. Le port de l'habit avait suffi à faire de lui un autre homme. Maintenant, il était toujours rasé avec soin, portait des cols et des plastrons convenables, des souliers reluisants. Plus de suées, plus de travaux sales, plus d'ongles en deuil. Ça, il en prenait un soin jaloux de ses ongles. Et il les taillait et il les grattait et il les polissait. Il les biglait continuellement. Avec satisfaction. Il n'en fallait pas davantage pour le réconcilier avec la vie. Tout en arpentant les couloirs d'un pas élastique, le corps bien droit, la tête haute, faisant tinter son trousseau de passes au bout de leur chaîne, il jouissait d'entendre, dans la tranquillité de l'étage, une confusion de bruits lointains, qui lui faisaient sentir agréablement la présence de la vie autour de lui. D'en bas, montaient les accords d'airs de danses, le bouhaha du Hall et, parfois, le cliquetis de l'argenterie et de la vaisselle du Restaurant. Presque sans arrêt, le va-et-vient des ascenseurs créait une trépidation, un martèlement, un glissement de machinerie. L'Hôtel n'était-il pas une sorte d'énorme steamer ? Oui, c'était une impression qu'il avait eue dès son premier soir à l'étage. Et depuis, il s'y complaisait. Lui, il était un steward. Les clients étaient des passagers. Leurs chambres, des cabines. Ces messieurs et dames faisaient en général des séjours qui n'excédaient pas ceux d'une traversée. Les arrivées et les départs pouvaient figurer les escales. Jusqu'au fracas des autobus et des fardiers, dans la rue, qu'on prenait, avec un peu d'imagination, pour celui de la mer. Une nuit, peut-être, la tempête ferait rage. Le paquebot serait en danger. Les lustres danseraient dans les salons. Les sièges se renverseraient. La vaisselle se briserait. Monsieur Hermès irait porter ses soins à des passagers malades sur leur couchette. Mais si, Madame, buvez cette tisane. J'y ai mis une pilule contre le mal de mer. C'est souverain. Vous vous couchez sur le ventre et vous ne sentez plus rien. Oh, si vous pouviez dire vrai ! Mais bientôt une voie d'eau se déclarerait. Monsieur Hermès pénétrerait d'autorité dans les cabines. Il ferait lever les passagères couchées, exigerait qu'elles se vêtent chaudement et il dirait d'une voix sépulcrale, comme il avait lu dans un récit de *Mondes et Voyages* sur le naufrage du *Titanic :* Tous les passagers sur le pont avec leur ceinture de sauvetage. Il verrait enfin ces messieurs et dames trembler de peur, se cramponner à lui, implorant des renseignements. Mais lui, il les regarderait d'un air méprisant, répéterait sa formule macabre et irait vérifier avec calme la bonne fermeture des hublots. Bonsoir, Miss Stratford. Bonsoir, Señor Pepe. Elle rentrait avec son danseur espagnol. Ils avaient encore dû se disputer. Elle marchait devant, d'un pas mécanique, toute la raideur orgueilleuse de la Vieille Angleterre dans le buste. Lui suivait, à pas feutrés, l'air sournois, assez chattemite. Paraît qu'il la bat comme plâtre, que disait Totoche. Elle a des bleus plein le corps. Oui, mon vieux, je les ai vus. L'amour vache. Tant va la vache au pieu qu'à la fin elle s'y case. Une façon comme une autre qu'il avait de la marquer, la miss, ce petit voyou de Pepe. Dire qu'il faut tolérer ça dans un hôtel ! s'indignait Monsieur Schott, qui, après avoir profité toute sa vie de la bêtise humaine, rêvait d'acheter un pavillon quatre pièces, eau, gaz, électricité, à Argenteuil pour y cultiver des primeurs. On s'en boyautait avec Totoche. Où que la vertu allait se cacher, quand même !

Miss Stratford et son amant disparurent au 208. Monsieur Hermès continua son chemin. 209, 251, 210, 252, 211, 253, droite, gauche, droite, gauche, des portes, des murs, des portes, des murs, et derrière ces portes, et derrière ces murs, des belles mômes qui ne voudraient pas être seules, des pénitentes qui ne l'étaient pas, des épouses suries qui auraient bien voulu l'être, des mal baisées, des bien baisées, des parties de touche-pipi et des parties pas assez touchées. Ça ne lui faisait plus rien, maintenant. Bizarreries de la satiété. Une fois décrochée la timbale... N'en jetez plus, la cour est pleine ! Quel regard indifférent, blasé, il jetait sur ces appartements qui avaient perdu pour lui tout leur mystère. Des numéros, voilà ce que c'était. Pas plus ! Que n'eût-il donné autrefois pour posséder ce trousseau de passes ! Dire qu'il s'était tant passionné pour les pauvres secrets nocturnes de la Maison Meublée ! Fallait être une salope comme Totoche les petites fesses, pour s'amuser encore de ces cochoncetés. Elle racontait tout ce qu'elle voyait à Greluche qui couchait avec. Histoire de le mettre en verve. Une bandeuse, cette Totoche. Devait vous arracher ça de première. Une championne du bilboquet. Il les imaginait d'ici : Greluche, petit et grassouillet, rond comme une boule, avec la Totoche aux petites fesses qui devait lui rebondir sur le bide. Eh, eh ! La mâtine ! Pas les yeux dans sa poche. Ni le reste !

L'ascenseur. Il s'arrêtait au premier. Ça jactait tant et plus en dessous. Des messieurs et dames qui devaient déjà rentrer. Quelle heure donc ? Mais oui, près de minuit. Allait être plus prudent de se tenir dans l'office ! Ça allait recommencer la çonnerie. Canonniers à vos pièces ! Et en avant le téléphonus, et envoyez le Grand Echanson ! Drinn !... Drinn !... D'où sortaient-ils, excités comme ça ? Au page jusqu'à midi, et la nuit, bien sûr, ça n'avait plus sommeil. Fallait qu'ça bringue ! Une vie de bâton de chaise, aurait dit Monsieur Papa. Des rires, des éclats de voix dans le couloir, le roucoulement snobinard de ces dames. La nuit, riaient pas comme le jour, les pimpesouées. Comme si elles s'étaient senties toute chose, sous les lumières, à demi nues, exposées aux regards plus appuyés des hommes. Vous êtes fou, mon cher ! La voix rengorgée des mâles. Le paon qui fait la roue. Joli cœur, va ! Mais ça drinnait drinnait de plus en plus. Pas le moment d'avoir les jambes dans ses poches. Monsieur Hermès bondissait d'un appartement à l'autre, prenant des commandes. Dans l'office, c'était la danse des clapets, le clignement des lampes orange. La fiche dans le trou. Allô ! Vu. La fiche dans un autre trou. Allô ! Vu. Encore la fiche. Le récepteur d'une main. Le crayon de l'autre. Rédiger les bons. Le jeu, c'était de les laisser tous çonner. Après, se calmeraient. N'y aurait plus qu'à descendre aux sous-sols. Se figuraient seuls sur terre, sans doute. Qu'on soit à leurs petits soins. Payaient pour ça, d'ailleurs. Rien à dire. Se foutaient bien que le monte-charge marche plus après dix heures du soir. N'avaient aucune idée du tintouin qu'ils donnaient. Ne s'inquiétaient point de savoir comment ça se trifougnait une fois qu'ils avaient passé un ordre. A quoi bon se plaindre ? Ce serait peine perdue. Les emmerdements de la valetaille, ils s'en tamponnaient le coquillard. Pauvre couillon de garçon d'étage ! A lui l'escalier de service. Trois étages à descendre et trois à remonter. Soixante-dix-huit marches en tout. Il les avait comptées. La cage à peine éclairée. De quoi se casser la gueule à chaque tournant. Encore un coup en vache de la Direction, cette façon d'arrêter le monte-charge pendant la nuit. Prétendait que ça empêchait ces messieurs et dames de dormir. Et les ascenseurs, alors, salauds ? Mince ! Il avait oublié les fourchettes à huîtres. Quand on n'a pas de tête... Ça gâtait tout, cette descente aux enfers. Et tout ça, pour cette graine de millionnaire. La gueule, elle en tenait une place dans leur vie ! Toujours la dalle en pente, toujours un bout de boyau vide. Ça avait dîné comme trente-six cochons, ça avait bu comme des outres, et trois heures après, ça avait encore faim et soif. Lui, au moins, quand il allait au spectacle, il se pieutait sans se croire obligé de casser la croûte. Ne vivaient donc que pour ça ? Avaient donc pas sommeil ? Tout ça, au fond, c'était caprice et compagnie. Savaient plus quoi faire pour se distraire, pour trouver de l'agrément à la vie. La boustifaille comme remède au spleen. La ribouldingue quotidienne. La phobie de l'obscurité, de la solitude. Eux aussi, ça leur tenaillait les tripes. Alors, allons-y pour le souper fin. On pintera. On rira comme des petits fous. Autant d'heures dérobées au néant (mais c'était peut-être, ça, le néant, justement ?). Demain il fera jour. Vivement le petit froid de l'aube. La bouche pâteuse, la paupière engluée, les mains poisseuses, alors, le plumard a du bon. On peut s'y affaler sans travailler des méninges. La vie consiste à la repousser journellement au lendemain. L'argent est fait pour ça. Dépenser sans compter. Crédié, c'était une politique fameuse pour la Direction. Un peu là, la Direction, pour favoriser toutes ces fantaisies ! Vivait sur le client comme la puce sur le chien. Plus le client était exigeant, plus elle se frottait les mains. Qu'est-ce qu'il pouvait faire, le garçon d'étage, dans tout ça ? La fermer ! La boucler ! Dire : *Amen !* Amener son plus joli sourire. Et même avoir l'air de trouver ça très drôle, comme si vraiment c'était magnifique. Car ils se croyaient spirituels, par-dessus le marché ! Cette manie qu'elles avaient, ces dames, quand elles étaient un peu paf, de vous faire des coups d'œil de connivence qui voulaient dire : hein, est-ce que je suis à la page ! Et les messieurs qui devenaient tout d'un coup familiers, et qui vous tapaient sur le ventre. Tiens, bois un coup. Tu refuses ? Tu veux me vexer ? Ils se seraient fâchés. Valait mieux céder. Monsieur Hermès trinquait. Ce qu'on rigole ! Tu parles ! Lui, il rigolait pas du tout. Il les trouvait collants. Il était trop lucide. Dans ces cas-là, pour rigoler, faut avoir bu. A jeun, c'était triste à mourir. A Portville, que de nuits il avait passées ainsi, avec les copains. Mais là, il était dans le coup. Il s'excitait à bâfrer, à brailler. Il vaut mieux boire et dégueuler que de ne pas boire et de s'emmerder. Suivaient *La Pomponnette, Sur le Mont Sinaï, Dans le Plumard de la Marquise,* et autres chefs-d'œuvre du genre. Mais son grand succès, c'était : *Au Bar de l'Hôtel-Dieu, Nom de Dieu !* Celle-là, il la poussait avec une telle indignation, frappait si violemment sur les tables des caboulots, avait une telle force persuasive pour entraîner les autres à reprendre en chœur le refrain, qu'on la lui réclamait tout le temps. Même qu'il avait trouvé quelque chose d'inédit. A chaque couplet nouveau, comme s'il avait eu trop chaud (et c'était vrai qu'il avait chaud !) il quittait successivement veste, cravate, gilet, chemise, pantalon et caleçon, devant les copains effondrés, absolument suffoqués par l'hilarité (comme les sœurs Cisleithan). Ah! ce qu'il pouvait être poilant, ce cochon-là. Une fois qu'il était venu à Paris, avec l'équipe du Rugby-Club de Portville, c'était pas plus tard que l'an dernier, ils avaient fait une virée pépère, toute la nuit. Ça avait débuté par des tournées d'Anis del Oso, dans des bouis-bouis de la rue Mouffetard. Après ça, un gueuleton maison à *La Pomme de Pin*, avenue de l'Opéra. Le président du Club avait bien fait les choses. Ça, pas à dire ! Jusque-là, ç'avait été à peu près correct. Mais c'était au *Jockey* qu'on s'était déchaîné. Enfoncée la môme Kiki, avec ses chansons de corps de garde. Monsieur Hermès avait poussé *Au Bar de l'Hôtel-Dieu* et s'était mis à poil devant tout le monde, dans un enthousiasme délirant. Les habitués du *Jockey* n'avaient jamais vu ça. Mais les agents avaient fini par foutre Monsieur Hermès et ses compagnons à la porte. A Portville, on en parlait encore. Mais c'était fini maintenant la bamboche. Même quand ces messieurs et dames de l'étage avaient du vent dans les voiles et que ça chahutait ferme dans un appartement, même si on ne se gênait pas devant lui, et même si on l'invitait à participer à la beuverie, il n'était pas sûr que sa chanson aurait été bien accueillie. Jusqu'ici, il n'avait pas osé la sortir. Il estimait que c'était plus prudent. Il se méfiait des retours de flamme.

Comme Monsieur Hermès remontait des sous-sols, il s'aperçut que plusieurs fiches étaient déjà descendues. Ils ne perdaient pas leur temps. Sitôt qu'on avait le dos tourné, ils remettaient ça. Il nota les numéros sortants et alla voir. C'était la poupée du 241 qui attendait sa tasse de lait chaud à l'armagnac, avant d'aller au dodo : Madame Grataropoulos. Elle avait des yeux en boule de loto, à faire éclater les braguettes. Avait dû être femme-canon, au début du siècle. Une belle figure d'ogresse. C'était le puritain du 212 qui, comme chaque nuit, réclamait sa bouteille d'eau d'Evian. Le lendemain matin, on la retrouvait intacte. On se perdait en conjectures sur ce mystère : Monsieur de Beausire de Foix, commandeur de la Légion d'honneur, moustache cirée, tic de l'œil et démarche de ténor italien. C'était Signorina Catapelti qui désirait prendre deux comprimés d'aspirine pour couper sa migraine. Poussait toujours des cris d'orfraie dès qu'on pénétrait dans sa chambre. Se cachait sous son drap ou se réfugiait dans la salle de bains pour vous répondre. Une pudeur plutôt louche. Au 201, c'était Cadavo y Bogas de Mangre, ce cubain podagre et huileux qui, ayant une fois de plus épuisé sa provision de coronas, était prêt à réveiller tout l'Hôtel et, s'il le fallait, tout Paris, pour qu'on lui en procure d'autres, instantanément. Se figurait sans doute que Monsieur Hermès avait le pouvoir d'en faire sortir magiquement de ses basques, comme un vulgaire illusionniste ? Au 269, c'était Mademoiselle Midopalain, des autos Midopa, une péronnelle demi-vierge, à la voix dolente, qui n'appelait jamais Monsieur Hermès que lorsqu'elle était au lit. Oh ! je suis navrée de vous déranger. Auriez-vous la grâce d'entrouvrir la porte-fenêtre ? J'ai un peu chaud. Monsieur Hermès s'exécutait avec la grâce exigée. Mademoiselle n'a plus besoin de rien ? La question était hypocrite. Bien sûr qu'elle avait besoin d'autre chose. Mais c'était plus difficile à demander. Elle soupirait. Non, merci, bonsoir. Il tirait la porte sur lui, pas tellement rassuré. Pourvu qu'elle n'aille pas le rappeler, qu'elle ne lui fasse pas le coup de la souris dans le lit ? Il fallait s'attendre à tout avec ces laissées-pour-compte. Avait-elle une idée de ce qui se passait dans l'appartement voisin, au 270 ? Cela aurait pu l'inspirer. Une étrange famille qui logeait là. Tu me la copieras ! Les deux frères et les deux sœurs, celles-ci chaperonnées par ceux-là. De Princeton, qu'ils venaient. Comme de grandes personnes. Pas froussards, les parents ! Tout à fait dans le ton. En bonnes mains, la vertu des filles. Tous les quatre, en copains, ils avaient fait le classique voyage en France. Se payer une pinte de bon sang au sortir de l'Université. Chaque nuit, Nicholas and Richie découchaient sans vergogne. Ils rentraient à l'aube, grâce aux soins d'un chauffeur de taxi compatissant. Les gens de la réception les saisissaient respectueusement sous les aisselles, les enfournaient dans l'ascenseur et hop ! dans les plumes, à couver leurs alcools jusqu'au milieu de l'après-midi. Deanna and Jean, quand elles voyaient leurs frères dans cet état, ça les faisait glousser d'aise. Elles, elles ne se donnaient pas tant de mal. Elles se pochardaient à domicile. Froidement. C'était réglé. De minuit à deux heures du matin. Comme des machines. Ainsi, ni vu ni connu (du moins elles le croyaient). Elles se foutaient à poil pour avoir moins chaud et appelaient Monsieur Hermès. Tchemm-pègne ! Tchemm-pègne ! Une bouteille toutes les dix minutes. Des langoureuses, dans leur genre. Faisaient une consommation monstre de melons, de concombres et de pamplemousses. Voulaient garder la ligne. Quand elles s'étaient bien poivrotées, elles s'allongeaient sur le pucier et nasillaient pâteusement des airs de valses qu'elles avaient entendus à Saint-Moritz et des romances qu'elles se souvenaient avoir demandées aux chanteurs calabrais de Santa Lucia. Quand on leur rapportait Richie and Nicholas, Jean and Deanna dansaient autour de leur cadavre une frénétique danse du scalp, se tapant sur les cuisses, clac, clac, clac, clac, et mettant une main sur leur bouche de façon à faire vibrer leur voix, ou ou, ou, ou. Clac, clac, clac, clac, ou, ou, ou, ou, claclaclacla, ouououou ! Oh, darling ! Et ça se terminait dans des hoquets, pendant que Monsieur Hermès s'employait à faire disparaître les bouteilles vides de Roederer et les assiettes souillées par l'écorce des pamplemousses. Voir le Gay-Pariss ! Paris at night ! Paris to night ! Farandoles et Jarretières !

Psst ! Garçon ! Tiens, ce vieux dégoûtant de Panserat ! Le client favori de Monsieur Rigal. Logé à l'année à l'Hôtel. Veuf trois fois. Maintenant, vivait seul. Poil gris, moustache grise, teint cuit par la fine. Mais, de temps en temps, ramenait encore dans son appartement des tapins des grands boulevards, voire des poules du *Café de la Paix* ou de chez *Weber*. Avaient mal aux pieds. Talons trop hauts. Mauvais pour les chevilles de faire le pied de grue. Pourquoi en ramenait-il toujours deux à la fois ? Ne tutoyait jamais le personnel. Trois couverts dans une demi-heure. Bien, Monsieur ! Pas besoin de montrer la carte. Menu invariable. Et il n'aimait pas être dérangé. Pour ça, sans doute, qu'ayant aperçu Monsieur Hermès dans le couloir, il l'avait hélé. Probable qu'il ne se sentait pas très bonne conscience, le barbon. Devait bien se douter qu'on se payait sa fiole, par-derrière. A son âge ! De la chair si jeune. Car il choisissait toujours des jeunesses, des débutantes, de la pintade encore tendre. C'était du suicide. Il s'en ferait crever. Totoche assurait, toutefois, qu'il ne pouvait plus. Il avait une tête, c'était vrai, à se faire tripoter. Ou à tripoter lui-même. Pas dégoûtées, les courtisanes ! Il en venait parfois d'adorables, le linge fin, les ongles faits, pas connes et bien élevées ! Fallait-il qu'elles aiment l'argent. Il savait bien le pouvoir du pèse, lui, le cagot lubrique ! Monsieur Hermès les imaginait, fermant les yeux et songeant aux fanfreluches qu'elles pourraient s'offrir ensuite. Manière de se donner du courage. Quand il entrait pour apporter un plat ou desservir, il surprenait des gestes, des attitudes qui éclairaient sa lanterne. Dès que le vieux avait un peu bu, il ne faisait plus attention au garçon d'étage. Obsédé par la chair fraîche. Oui, quelle corvée pour les petites morues. Sentir sur elles ces pattes indiscrètes. Un soir, l'une d'elles l'avait appelé le père la tremblote. C'était cruel, mais exact. Il n'avait pas relevé l'insulte, s'était traîné à ses pieds, à quatre pattes, comme un petit chien, comme Pipo. Oua, oua, oua ! Se doutaient-ils de ça, les messieurs importants qui venaient chez lui dans la journée ? Monsieur Panserat est en conférence avec le trust des huiles. Monsieur Panserat a demandé le câble de New York. Et des courbettes par-ci, et des courbettes par-là. Je t'en foutrais ! Non mais des fois ? Respecter un type qui se donnait en spectacle avec des putains ! Si ses ouvriers le voyaient dans ces moments-là ? Millionnaire chevronné ? Chevrotant, plutôt ! Et après ? Un puissant de la terre ? Impuissant, oui, plutôt ! Dire qu'il commandait à des milliers de pauvres mecs ! Ce fantoche ! Ça rendrait un fameux service au genre humain si on faisait sauter l'Hôtel à la dynamite, avec toute sa cargaison de négriers. Tout de même, ça chagrinait un peu Monsieur Hermès de sentir que sa révolte n'avait pas d'autre but que la vengeance. Mais, pour le quart d'heure, il ne pouvait pas voir plus loin. Une affaire à régler entre lui et eux. Il était dominé par son drame personnel. Son orgueil n'acceptait pas la sujétion. Il suffoquait d'injustice. Ah ! il enviait toujours le cran du petit gars qui avait flanqué un plein plat de crème à la vanille à la figure des Maîtres d'Hôtel. La bouille du vieux Panserat s'il lui écrasait cette omelette norvégienne sur le crâne ! Y avait vraiment des tentations mimi, dans le métier ! Mais Monsieur Hermès reculait devant les conséquences possibles. Ses vengeances, il les ruminait tout bas. Il se voyait, faisant une sortie retentissante au crabe, devant les poules médusées, lui disant ses quatre vérités. Qui sait ? lui donnant une belle paire de baffes. Et si les mignardes avaient le malheur de prendre le parti du miché, il les traînerait par les cheveux dans la salle de bains, les doucherait et les jetterait ensuite dans le couloir, pour qu'elles aient bien honte, avec leurs ondulations défaites, leur fond de teint en rigoles et leur robe collée à la peau. Pas d'histoires. En réalité, ça se passait bien autrement. Il n'était pas maître de ses réflexes. Si l'une d'elles tirait une cigarette de son sac, vite, Monsieur Hermès frottait une allumette et la présentait aux lèvres gonflées, tendues vers lui. Ça ne faisait pas un pli. Garçon, je voudrais des pailles. Mais oui, Madame. Tout de suite. Fini de monter sur ses grands chevaux. Des courbettes, il était le premier à en faire. Comme des princesses du sang, il les traitait, ces demoiselles. C'était plus fort que lui. C'est le métier qui entre, aurait encore dit Palisseau. Ah! que ça finisse, bon Dieu, que ça finisse!

Heureusement, après deux heures du matin, en général, ça revenait plutôt au calme. Ou bien Monsieur Hermès s'échinait sur *La Joie du Cœur* (et avec une hargne accrue par sa révolte), ou bien il s'étendait sur le lit de fer de l'office. Il enlevait son frac, dénouait sa cravate, déboutonnait son col et allait même parfois jusqu'à se déchausser, bien que tout cela fût expressément défendu. Bah! Si un client appelait, il le ferait attendre deux minutes de plus. Ça ne manquait pas, d'ailleurs. Pas moyen de rêver une minute, pas moyen de dormir tranquille! Ils ne pouvaient donc pas se passer de lui? C'était toujours comme ça. Dès qu'il trouvait de bonnes répliques pour sa pièce ou dès qu'il commençait à perdre conscience, tac! le drinndrinn de la çonnerie. Les tyrans! Il leur fallait un souffre-douleur, une proie à persécuter. Tout de même pas possible de croire qu'ils étaient stupides au point de ne pas savoir se servir de leurs dix doigts. C'était donc seulement du vice. Désir d'empoisonner son prochain. Le déranger parce que la chasse d'eau fonctionnait mal, quoi encore? parce que les radiateurs se refroidissaient, parce qu'une porte d'armoire grinçait ou qu'on voulait un verre d'eau! Et cela en pleine nuit, au lieu de dormir, comme s'il y avait urgence! Les pourris! A casser des cailloux en plein soleil, voilà où il aurait voulu les voir!

Greluche l'avait mis en garde contre ces appels nocturnes. Selon lui, c'était souvent des clients en quête d'aventures qui prenaient cette liberté. Lui-même prétendait avoir bénéficié de plus d'une bonne fortune en ces circonstances. Le désagrément, c'est si tu tombes sur un type. Moi, j'aime pas ça. C'est pour ça que je te dis de te méfier. Il se vantait, Greluche. Avec son petit trois mois, sa forêt de poils sur le sternum et son crâne mouchodrome, devait pas faire tant de conquêtes. Il est vrai que Totoche... Et puis, bien sûr, il y avait ses yeux de velours... On disait que c'était avec ses yeux qu'il les tombait, les clientes. En tout cas, lui, Monsieur Hermès, il fallait croire que ses charmes étaient bien cachés, parce qu'il ne s'était jamais aperçu que ces dames lui aient fait des avances directes. Ou alors il ne savait pas les voir. Ça lui aurait dit, cependant! Mais non, il n'avait jamais rien remarqué qui l'autorisât à penser que... Ni assez beau gosse pour faire un béguin, ni assez moufflet pour tenter une vieille rombière. Cette vieille matrone décatie de Madame Cisleithan avait-elle encore des ardeurs rentrées? Serait-elle tentée par des amours ancillaires? La bonne fortune!... Oui, beaucoup plus rare qu'on l'assurait. Tout ça, c'était du feuilleton, du cinéma. Il avait passé l'âge.

Pourtant, une nuit, Monsieur Hermès avait bien eu l'impression que ça y était presque. Une Brésilienne, que c'était. La cinquantaine bien tassée. Une pataude que le moindre mouvement cramoisissait et dont la chair débordait de partout les dentelles de ses déshabillés tapageurs. Oui ou non, lui avait-elle fait des signes? Des clignements d'yeux, des sourires, des appels de tête. Alors quoi? Si c'était pas des invites! Il y aurait mis sa main au feu. Heureusement que la mémère ne lui disait rien, ah! mais là, rien du tout. Il avait fait semblant de ne pas comprendre et s'était esbigné en douce. Après il s'était demandé tout de même si c'était du lard ou du cochon. Elle avait peut-être simplement des démangeaisons faciales. Ça se rencontrait ces choses-là. Et alors, elle aurait crié au vampire, au satyre, à on ne sait quoi. En somme, il avait plutôt eu le nez creux.

Avec l'aube, la vie reprenait dans l'étage. Oh! l'aube, c'était une manière de parler. S'il se rendait compte de l'heure, c'était à cause du réveil de l'office, du bruit croissant dans la rue, de la crise de téléphonite matinale de ces messieurs et dames. Le jour, comment savoir autrement s'il pointait ? Il l'apercevait seulement pour de bon quand il soulevait les jalousies des fenêtres des chambres. Un petit jour blafard et gris, mangé par les toits. Mais dans l'office, dans les couloirs, c'était toujours la nuit, l'éclairage faux et cuisant des ampoules électriques. Cette aube, chaque fois, elle lui tombait dessus, entre les omoplates, entre les deux yeux, l'assommait. Il se sentait tout raide. Il s'étirait, comme après une nuit dans le dur, filandreux et acagnardé. C'était l'heure où il se serait assoupi avec délice. Toute la nuit, il avait veillé sur le repos des clients. Il entrait. Il les voyait, là, étendus sur leurs lits moelleux, dans leurs draps fins. Les veinards ! Ils s'en payaient de bons sommes ! Bien sûr, dans ces conditions, ça devait être du nanan, la vie ! Pas difficile ! Encore à demi engourdis de sommeil, ils n'avaient qu'à tendre une main paresseuse vers l'appareil : Allô ! Et Monsieur Hermès accourait, Monsieur Hermès dont la seule raison de vivre, apparemment, était d'être à leurs petits soins, prêt à satisfaire leurs lubies. Mais pourquoi s'éveillaient-ils si tôt ? Leurs nuits, qui auraient dû être parfaites, étaient-elles à ce point troublées ? Faisaient-ils de mauvais songes ? Avaient-ils des cauchemars ? Chacun ses emmerdements. Oui, ça devait être ça qui leur donnait la bougeotte. S'agiter, agir, comme s'ils avaient besoin de s'assurer, dès leur réveil, que le cœur faisait toujours tic, tac.

Monsieur Hermès se dirigea vers le 264. Madame était déjà en robe de tweed, Monsieur en pantalon de golf (ce que Palisseau appelait : le-pantalon-qu'on-s'est-fait-couper-par-le-tramway). Madame et Monsieur consultaient des cartes. Des touristes. De la grande famille des globe-trotters. Monsieur Hermès posa près d'eux le thé et les toasts traditionnels avec la marmelade d'orange. Comme ils étaient corrects et dignes ! Des touristes appliqués, qui ne laisseraient rien de côté, qui auraient tout vu. Monsieur Hermès jeta un coup d'œil sur leurs cartes. Les Champs de Bataille. Reims, Saint-Quentin, Verdun, Saint-Mihiel. Raconteraient ça à leurs petits-enfants. Des voyeurs aussi, dans leur genre. Le genre humain composé de voyeurs. La seule différence entre les uns et les autres, c'était qu'il y avait des visions licites et des illicites. Mais, dans le fond, c'était du pareil au même. La même salacité. Le même sadisme. Pas belle, l'humanité.

Voulez-vous demander à la Réception si notre chauffeur est en bas ? Allaient courir les routes à l'heure des maraîchers et des porteurs de lait. Quel vice !

Plus tard, vers huit heures, le Père Hubert s'annonçait. A neuf, enfin, Monsieur Schott faisait son apparition, la tête déjà farcie de pronostics pour Auteuil ou Enghien. Drinn ! Drinn ! Drinn ! Ça n'arrêtait plus. C'était le grand branle-bas. Un va-et-vient continuel de plateaux chargés. De la mangeaille, toujours de la mangeaille ! Affamés ! Où mettaient-ils tout ça ? Et allaient cuver ensuite, au lit, jusqu'à des onze heures, midi, ou folâtreraient interminablement dans leur salle de bains. La volupté d'une toilette lente et raffinée. Le linge frais sur la peau. Ce contentement de soi à se sentir bien sapé. Non, ils ne connaissaient pas leur bonheur. Ce qu'elles pouvaient être hideuses, ces heures du matin, pour Monsieur Hermès ! Encore une heure ! Encore vingt minutes ! Encore dix ! A midi, ça serait enfin fini jusqu'à ce soir. Maintenant, avait plus sommeil. Ça le prendrait surtout après déjeuner. Affaire d'habitude, disaient les autres. C'était vrai, dans un sens. Mais lui, ça finissait quand même par le foutre à plat. Qu'est-ce que tu me laisses comme consignes, grognait le Père Hubert ? Ranger son frac dans le placard de l'office, se changer, faire un peu de toilette (ça faisait du bien de se rincer les yeux, de se savonner les menottes), prendre son repas en tête à tête avec le Père Hubert, sur un coin de table. Les chefs d'étage étaient servis à part, dans un salon particulier, à l'entresol. Toujours deux poids et deux mesures. La manie de la hiérarchie chez les partisans de l'ordre !... Et hop, la tangente !

C'était le seul moment où l'escalier de service ne parût pas trop sinistre à Monsieur Hermès. Il s'y engouffrait comme s'il avait eu toutes ces dames de l'étage à ses trousses. Il jetait son nom au pointeur, et le voilà dans la rue. Ouf ! Plus personne derrière lui pour le surveiller, le commander. C'était peut-être pas encore tout à fait ça, la liberté. C'en était tout de même un petit commencement. Mais comment en profiter ? Greluche et Pactot, de même que Monsieur Dominique l'avaient bien averti. Il fallait dormir. Sinon, il ne tiendrait pas le coup. Le sommeil de la nuit, autant valait n'en pas parler. Et c'était bien exact qu'il avait les paupières douloureuses. Mais c'était vexant aussi de passer tout l'après-midi à en écraser. Ça il ne pouvait pas s'y résoudre. Quand il se regardait dans une glace, il se découvrait une binette de fêtard, de déterré. Eh bien, tant pis ! Ça durerait ce que ça durerait. Il ne voulait pas perdre ces quelques heures de répit. Avait toujours voulu profiter de la vie au maximum. La vie de Paris surtout, le tentait, ce grouillement génital et maléfique des après-midi parisiens...

Il ne remontait même plus rue Dulong. Dans sa chambre, la proximité du lit l'aurait attiré. Il s'endormait facilement quand il se mettait à lire. Et puis, il y avait Angélique. Pendant quelques semaines, Angélique l'avait distrait. Mais que restait-il maintenant d'Angélique ? Tout naturellement, il la fuyait. Leurs relations s'étaient espacées par la force des choses. La nuit, je turbine. Je ne suis plus libre que l'après-midi. Et toi, l'après-midi, tu travailles. Tu comprends ? Oh, elle avait parfaitement compris. Pas bouchée du tout, Angélique. Pas besoin de lui expliquer longtemps. Saisissait même à demi-mot, la maigriote. C'est elle-même qui l'avait dissuadé. Au moins, comme ça, elle s'était donné le beau rôle. Et lui, le lâche, il avait profité de l'aubaine, faisant semblant de lui céder. Bien sûr, je ne veux pas te déranger. Je te verrai à mon jour de sortie. On n'aura que plus de plaisir à se revoir, hein ? Mais oui, mon chéri, tu as raison. Empoche ça, et mets ton mouchoir par-dessus. Qu'est-ce que ça changeait ? Angélique ne s'était jamais fait beaucoup d'illusions. Peut-être qu'il serait plus amoureux s'il la voyait moins souvent ? Elle n'était pas jalouse. Elle y allait uniquement de sa petite ruse. Comme aurait fait n'importe quelle femme éprise. Mais c'était presque perdu d'avance, elle s'en doutait bien. Enfermée dans sa propre chambre, le nez sur sa broderie, la pensée ailleurs, elle l'imaginait, durant ces après-midi où elle le savait libre de venir vers elle et où il lui préférait sa solitude. S'il avait voulu, s'il l'avait aimée... Ils auraient bavardé... Elle l'aurait eu, là, près d'elle, elle l'aurait entendu respirer... Mais non ! Ça ne l'intéressait pas. Il prétendait qu'il avait besoin de se détendre, de penser à autre chose. Il y avait cette pièce qu'il voulait finir : il allait à la Régence, prenait un crème, noircissait son manuscrit. Elle aurait bien pu s'habiller et aller le surprendre. Mais elle n'osait pas. Ça ne lui plairait peut-être pas. Et pour elle, ce renoncement était une nouvelle preuve d'amour qu'elle lui donnait. S'en apercevrait-il ? Quand on n'aime pas, on interprète toujours les sacrifices qu'on vous fait, comme agréables à ceux qui vous les font. Si elle ne venait pas, c'est que ça la dérangeait. Il se fourrait le doigt dans l'œil volontairement. A la fin des fins, Angélique se posait la grande question : Pense-t-il au moins un peu à moi ?

Non, il ne pensait pas du tout à elle. Ça l'agaçait même quand, par une fortuite association d'idées, son esprit accrochait quand même le nom d'Angélique. Angélique, Angélique ! Mais enfin, il ne pouvait pas se forcer à l'aimer. L'amour n'était pas une chose qui se commandait. L'évocation seule d'un mariage possible avec elle lui donnait froid dans le dos. Elle n'était pas assez reluisante. Plus tard, s'il devenait un auteur dramatique célèbre, c'est alors qu'il pourrait entendre ricaner les petits amis. Vous avez vu sa femme ? Où a-t-il été la pêcher ? Quel couple désassorti, mon cher ! Comment a-t-il pu avoir si mauvais goût ? Et elle s'habille comme une souillon ! Mais l'avez-vous entendue parler ? Ma concierge aurait l'air d'une femme du monde à côté. Non, pas de blagues ! Heureusement qu'elle n'avait jamais parlé mariage. Pour ça, elle avait toujours été correcte et discrète. Rien à craindre. Mais s'il venait à lui faire un lardon ? Ça en ferait une histoire, avec Monsieur Papa et Madame Mère ! Je te maudis ! etc... Tu ne remettras plus les pieds à la maison, fils dénaturé ! Et je te déshérite !... Après tout, il avait déjà entendu ça plus d'une fois. Et pour bien moins ! Tout de même, s'il l'engrossait, il l'épouserait. Coûte que coûte. Il pouvait être lâche, il n'était pas un voyou. Mais comme il la haïrait, ensuite ! En attendant, mieux valait ne pas agir à la légère. Oh, il ne la soupçonnait d'aucun calcul. Elle était trop simple, trop bonne fille. Elle ne le ferait pas chanter. Ce n'était pas dans ses façons. Au contraire, elle était si effacée, si soumise... C'était même à cause de ça qu'il n'osait pas rompre. Il n'aurait pas voulu lui faire de la peine. Il ne savait comment s'y prendre. Il retardait chaque jour.

Et, dans le fond, ça l'irritait d'hésiter ainsi. Il aurait voulu
que les choses se défassent d'elles-mêmes, sans qu'il ait à
décider. Allons! l'occasion finirait bien par se présenter.
Inutile de rien brusquer.

V

L'étouffante atmosphère des sous-sols de l'Hôtel, pendant l'été, n'était plus qu'un mauvais souvenir pour Monsieur Hermès. Depuis l'entrée de l'hiver, il trouvait l'existence un peu plus tolérable. Le dimanche après-midi, il jouait au rugby avec l'équipe du Racing à Colombes. Ça lui faisait une heureuse diversion. Du moment que ça lui plaisait, il ne songeait pas à la fatigue supplémentaire que ça lui imposait. A l'Hôtel même, il avait fini par se faire au manque de sommeil. C'était même curieux, mais enfin il avait découvert qu'il n'avait plus jamais envie de dormir. En revanche, impossible de nier l'évidence, il devenait maigre comme un clou. Plus que la peau et les os. Et, pardi, le dimanche, sur le terrain, il se sentait plutôt mou. Pourtant, jusqu'ici, il tenait sa place. On était même très gentil avec lui. Le Club l'envoyait chercher en taxi, lui payait à déjeuner, lui faisait cadeau d'équipements. Que demander de plus ? La seule chose qui le gênait, c'est que c'était plein de rupins dans l'équipe Il faisait un peu parent pauvre parmi eux. Du moins, c'était lui qui se faisait cette idée. En réalité, ils étaient tout ce qu'il y a de chouette avec lui. Et c'était pas parce qu'ils amenaient leurs femmes ou leurs amies qu'ils le tenaient à l'écart. Lui, quand même, il s'était bien gardé d'amener Angélique. Il en avait toujours un peu honte. Il aurait bien voulu qu'elle le voie, avec son beau maillot cerclé bleu ciel et blanc, quand il débouchait du tunnel, avec les autres, sur le grand terrain de Colombes ! Il se contentait de le lui raconter. A Buddy, à Roudoudou, à Maisonvieille aussi, il avait écrit son entrée au Racing. Un prétexte, en somme, pour renouer des relations épistolaires avec eux. A Portville, sans doute, au Rugby-Club, il jouait en équipe première, tandis qu'au Racing, il n'avait sa place qu'en réserve. Mais il valait mieux être le second à Rome que le premier dans son village. Il l'avait toujours entendu dire. La réserve du Racing, sans charrier, aurait mis quinze points dans la vue à la toute première équipe du Rugby-Club de Portville. Lui-même était le benjamin de cette réserve. Ses coéquipiers étaient de beaucoup plus âgés que lui. Rien que des chevronnés. De vieilles gloires de grounds, internationaux ou sélectionnés, et qui connaissaient le jeu à fond. D'ailleurs, s'il n'avait pas fait un métier aussi tuant, il aurait sûrement réussi à monter en équipe première, bien que celle-ci fût une des plus fortes de France. Ses joueurs étaient très cotés. Y jouer était atteindre la célébrité. Eh ben, pas plus tard qu'au jour de l'an, on l'avait invité à participer à la tournée que cette équipe accomplissait chaque année, à la même époque, en Angleterre. Il aurait joué à Twickenham contre les Harlequins et contre Blackheath. Il s'en était fait une telle fête à l'avance ! Mais il avait dû refuser. Impossible d'obtenir la permission. Le Chef du Personnel n'avait rien voulu savoir, la brute ! Il lui conservait une de ces dents, rien qu'à cause de ça ! Mais c'était tout ce qu'il pouvait faire. Il fallait s'incliner.

Monsieur Hermès ne voyait pour ainsi dire plus ceux du Restaurant. Seul, parfois, Monsieur Dominique montait à l'étage. Ils bavardaient, comme autrefois. Monsieur Dominique l'avait recommandé à la richissime Miss Stratford. Semblait avoir un faible pour Miss Stratford, Monsieur Dominique. Ce petit coquin, qui l'aurait cru ? Avait pas mauvais goût, tout compte fait. Elle était charmante. Entre parenthèses, c'était drôlement douillet cette bonne chaleur de l'étage pendant ces sales jours d'hiver. Le matin, il entendait la pluie tomber sur le toit de zinc de la cour intérieure. En cette saison, on l'appréciait, le confort de l'Hôtel. Pas du tout envie d'aller courir dehors. Maintenant, il ne sortait même plus l'après-midi. Il avait obtenu une petite chambre pour lui sous les combles. Il s'y reposait ; il y travaillait à *La Joie du Cœur*, éclairé par la tabatière. Il y avait là un certain nombre de mansardes comme la sienne, réservées au personnel célibataire de l'Hôtel. Dangeau,

Fondant et Matrousse, du Restaurant, y couchaient, deux de la Réception, quelques garçons d'étage et certaines soubrettes dont Totoche. Jusqu'ici, Monsieur Hermès avait conservé sa chambre à la Maison Meublée, à cause d'Angélique. Il cherchait toujours l'occasion de la laisser tomber. C'était à peine s'il allait la voir quand il était de sortie. Ça ne lui disait vraiment plus rien. Il n'y avait plus qu'à l'Hôtel qu'il se sentait bien. Oui, à l'étage, c'était là qu'il était chez lui. Il en connaissait tous les recoins. Il posait la main avec familiarité sur les radiateurs, téléphonait à la chaufferie s'ils n'étaient pas réglés à son goût. Le travail, lui-même, lui paraissait supportable. Plus de chemises trempées, plus de séances de bains de pieds. Il se souvenait du temps où il ne s'approchait jamais de l'Hôtel sans éprouver une sorte d'appréhension, à l'avance rétracté par les rebuffades et l'esclavage qui l'attendaient. Maintenant, il avait presque hâte de revêtir son joli frac. Malgré les tracasseries dont l'accablaient encore parfois Monsieur Schott et le Père Hubert, il jouissait d'une relative indépendance et en profitait. Il pouvait s'entretenir à sa guise avec les clients. Il était même devenu le préféré de quelques-uns. Sa petite soirée au théâtre toutes les semaines, avec ou sans Angélique. De temps en temps, une visite à tonton Nicolas. De Constant Fragonard, il n'était plus question. Il était parti en Amérique avec un grand orchestre de jazz. Restait Félix Sanslesou avec lequel il potassait toujours son projet de revue littéraire. Etrange, la vie ! Ça lui était entré un beau jour dans la tête. Et maintenant, il était parfaitement incapable de déterminer la raison pour laquelle ça l'avait pris. Il s'y abandonnait sans chercher plus loin. Aurait bien été étonné, le Père Hubert, s'il avait pu savoir tout ce que Monsieur Hermès mijotait. Mais n'avait pas fini d'être étonné, sans doute.

Qui aurait pu prévoir que Monsieur Hermès finirait par s'intéresser au travail de l'étage ? Etait-ce le port du frac qui l'avait métamorphosé ? Etait-ce parce qu'il était délivré du Petit Père Rigal ? Monsieur Hermès lui-même ne se reconnaissait plus. Néanmoins, il n'avait renoncé à aucune de ses haines. Et sa hargne, à l'occasion, était aussi vivace. Mais la curiosité qu'il avait d'autrui, de la vie privée des êtres, l'avait emporté sur tout le reste. Il s'était machinalement attaché à ces messieurs et dames inconnus qui habitaient l'étage, tantôt comme des passagers fugitifs, un jour, deux jours, huit jours, tantôt s'installaient à demeure pour des mois. Il sentait tout ce qu'il pouvait apprendre à leur contact, bien qu'il n'eût jamais eu grande confiance dans ce que Monsieur Dominique appelait l'éducation dirigée.

Chaque soir, quand il embauchait, son premier geste était d'ouvrir le Grand Livre de l'étage et d'y déchiffrer les noms des nouveaux arrivants en face du numéro de l'appartement qu'ils allaient occuper ainsi que Monsieur Schott l'avait décidé. A l'étage, les numéros allaient du 201 au 284. Du 201 au 240, c'étaient les appartements de luxe. Là logeaient les clients à esbroufe, les milliardaires. Du 241 au 284, c'étaient des appartements encore très confortables, mais plus ordi-naires. Ils donnaient sur la cour, et non sur la façade, comme les autres. Beaucoup de gens très fortunés, mais n'aimant pas les flas-flas, les choisissaient de préférence. Monsieur Schott y casait aussi tout ce petit monde de parasites qui proliférait généralement autour des clients de marque de l'étage : parents et amis indécramponnables, secrétaires particuliers ou particulières, gouvernantes, nurses avec les enfants, demoiselles de compagnie et autres coryphées. Enfin, ces appartements étaient également recherchés par les toqualos de province qui, sous prétexte de redouter le bruit de la rue, trouvaient le moyen de réaliser là une économie tout en bénéficiant auprès de leurs relations du renom d'un Hôtel qu'on savait n'être pas à la portée de toutes les bourses. Ceux-ci, Monsieur Hermès avait vite fait de les dépister. Il avait acquis du flair. On ne lui en imposait plus aussi facilement. D'un rapide coup d'œil, il jaugeait son monde. Et après ça, son idée était faite. Inutile de jouer au grand seigneur devant lui. Il souriait et n'en pensait pas moins. Poussé par un sentiment de justice tout personnel, il allait jusqu'à leur faire sentir leur incongruité à ces singes-là. Il les traitait même d'assez haut.

Mais pour les autres, les vrais pansus, il était tout dévoue-ment. Il mettait à satisfaire leurs manies un zèle enfantin et patient. Ça créait entre eux et lui une complicité à fleur de peau. Si Monsieur Hermès, chaque matin, faisait acheter discrètement par un groom les derniers magazines cochons parus, et s'il les plaçait sur son plateau, enveloppés dans un numéro du *Times* ou de *Heraldo de Madrid*, ça ne regardait que lui et le Péruvien du 239, un sombre planteur qui avait besoin d'être émoustillé à l'heure du breakfast. D'ailleurs, dès qu'il les avait lus, le Péruvien lui en faisait cadeau. C'était à peine s'il avait découpé une ou deux reproductions pour sa collection particulière (une collection qui devait sûrement être mieux montée que celle de Monsieur Hermès). Monsieur Hermès pouvait se rincer l'œil, dans sa mansarde, avec les magazines non défraîchis et se donner des idées. Un frère, ce Péruvien! Dans toute la force *du* terme, comme disait le Mammouth, son prof' d'histoire au Lycée de Portville, qui chantonnait en parlant et appuyait sur certains mots. Savoir s'il se tapait aussi sur la colonne, le Péruvien? Et le Mammouth? Ce qu'il avait des yeux vicieux! Devait aussi se faire ça. Rien qu'à voir la façon dont il se caressait les mains, quand il interrogeait un élève... Eh *bien* oui, il ne *sait* rien. *C'est* un cancre. Dans toute la force *du* terme. Lui, Monsieur Hermès, il avait toujours été premier en histoire et géographie. Une spécialité. Une exclusivité aussi, comme Cro-Magnon avait celle des math ou Buddy Gard celle du français. Pour en revenir au Mammouth, fallait croire que ça le travaillait, les histoires de bigoudi et de tirelire. A preuve qu'à la dernière classe qui précédait chaque départ en vacances, il avait l'habitude de lire à ses élèves des contes grivois. Si on riait, ou si on n'avait pas l'air de piger la gaudriole, il en questionnait un à l'improviste, la face écarlate, l'œil noyé, le ventre exultant. Eh bien, je vous l'*avais* dit, il n'a rien *com*pris. C'est un âne *bâté*? Dans toute la force *du* terme. Et sa bedaine s'agitait davantage, d'un rire contenu et dédaigneux. Vieux souvenir, le Mammouth! Qu'était-il devenu? Passait-il toujours ses mois d'été à faire du cyclotourisme pour essayer de maigrir? Ce que les élèves se fendaient la pipe quand ils le voyaient traverser les rues de Portville, sur son lourd vélo, éléphantesque, avec une petite casquette blanche de jockey enfoncée sur le crâne, le torse moulé dans un gros chandail de laine verte! Vas-y Mottiat, que gueulait Paolo, l'insolent! Le Mammouth faisait semblant de ne pas entendre. Alors, Paolo, plus fort, les mains en porte-voix autour de la bouche : Baisse *la* tête, t'auras l'air d'un *cou*reur ! Dans toute la force *du* terme !

Non, Monsieur Schott n'avait rien à voir dans ses petits secrets. Pas plus vis-à-vis du Péruvien du 239 que vis-à-vis de la Hollandaise du 229, une divorcée solitaire, toujours à dire son chapelet, qui détestait la crème, ou que vis-à-vis du 273 qui ne buvait que du chocolat froid, voire que les deux butors du 250 qui se faisaient beurrer leurs tartines par Totoche comme si ça les mettait en appétit, tandis que leur fille salait son café. Un peu percutés, tous, dans leur genre ! Mais ça ne déplaisait pas à Monsieur Hermès. L'instinct de révolte était si fortement développé en lui qu'il était séduit par les marques d'originalité de ces messieurs et dames, fussent-elles ridicules. Il se souviendrait toute sa vie de cette vieille folle qui ne vivait que de lait caillé et qui passait sa journée à astiquer les meubles de sa chambre, de Lord et de Lady Wise qui faisaient eux-mêmes leur thé. Avaient vécu trente ans à Delhi. Garçon, apportez-nous de l'eau bouillante ! Ils n'en demandaient pas plus. Pas si atteints, tout de même, que le fils du roi des bananes, Hiéronimus Boylan, un garçon de quarante-cinq piges, qui s'avalait chaque matin, à jeun, dès son réveil, une pleine tasse de jus de viande. L'air idiot et comblé qu'il prenait quand il regardait Monsieur Hermès presser devant lui les tranches de bœuf cru entre deux dos d'assiettes !

Pour un curieux comme Monsieur Hermès, plein d'enseignement aussi, le Grand Livre de l'étage ! N'avait qu'à le consulter pour savoir ce que les messieurs et dames auxquels il s'intéressait avaient fait durant l'après-midi. Miss Stratford avait encore commandé une bouteille de gin. Picolait vraiment trop avec son damné Pepe ! Comment conciliait-elle ça, le gin et les roses ? Señora Sagasta s'était fait porter deux douzaines d'éclairs au chocolat. Madame Elvas avait raison. Les Madrilènes se ressemblaient toutes. Jolies à croquer jusqu'à dix-neuf ans. Mais dès qu'elles étaient mariées, n'ayant plus à conserver la ligne pour trouver un mari et quasiment cloîtrées au fond de leurs somptueuses propriétés, ne songeaient plus qu'à se gaver de sucreries et devenaient comme des outres. Monsieur Oersted et sa maîtresse avaient demandé Copenhague. Et il y avait eu cinq communications. Avaient pas l'air d'être très argentés. Devait y avoir du tirage. Greluche prétendait qu'il passait ses nuits à jouer. Exact qu'ils rentraient à des heures impossibles. Mais, à part ça, si comme il faut ! Lui, avait toujours un pied de verre dans sa poche. Lui servir de fétiche quand il jouait. Une belle tête de joueur. Pâle et flegmatique. Un teint à avoir une maladie de cœur. Elle, un peu cheval. Mais distinguée et pas crâneuse, pourtant. Le 218 avait réglé sa note. Les veaux ! Qu'ils s'en aillent ! Des gens mal élevés. Ecrasaient leurs cigares sur le tapis, pissaient dans le lavabo, vous pétaient presque au nez. De Lima, qu'ils étaient. Que venaient-ils faire à Paris ? Bon débarras ! Plus de place pour la clientèle française, maintenant, dans les hôtels, avec tous ces métèques ! C'était la faute au change. On n'était plus chez soi. Jusqu'à des mineurs du Pays de Galles qui se payaient une virée sur les Champs-Elysées grâce à Cook. On les logeait en vrac au cinquième. Des gens qui ne savaient même pas manger. Il en avait assez servi, au Restaurant, avec Pactot. Du travail de série. Déjeunaient au prix fixe. Pour rien, avec leur livre à deux cent cinquante ! Lui aussi, il aurait pu s'en payer, de beaux voyages à l'étranger, dans ces conditions ! Ah ! la dame du 267 n'était plus seule. Un monsieur qui n'avait pas le même nom. Il faudrait qu'il aille le reluquer. Voir quelle tête il avait, l'amant de madame. Encore un mari d'occasion. Et qui se feraient saluer bien bas par le portier. Monsieur ! Madame ! Oh, dommage ! La tribu des Constantini partait le lendemain. Ils avaient fait arrêter leur compte. Pourquoi n'étaient-ils pas restés plus longtemps ? A peine cinq semaines ! Les bons s'en vont, les mauvais restent. La grand-mère, surtout, était épatante et ses deux petits-fils avaient une façon irrésistible de l'appeler maître d'hôtel ou de le saluer comme s'il avait été un grand d'Espagne ! C'étaient des Italiens. Des Italiens d'Ancône. Ancône, où est-ce que ça perchait exactement ? A quelle hauteur de l'Adriatique ? Faudrait qu'il regarde sur son dico. Oui, des Italiens et qui ne mangeaient jamais de pâtes ! Le monde renversé ! Passaient leur temps à recevoir des compatriotes, des gens d'une allure épiscopale avec un quelque chose dans le vêtement qui sentait tout de même son rastaquouère. Monsieur et Madame ne se levaient qu'au début de l'après-midi et se recouchaient dès que leurs visites avaient pris congé. Aussi, Monsieur Hermès ne les avait-il jamais vus qu'au lit. Madame était toujours nue. Monsieur aussi. La grand-mère, toute en noir, passait la soirée dans leur chambre et ils bavardaient entre eux, pendant des heures, avec une volubilité et une véhémence acharnées. Pendant ce temps, la vieille dame ne cessait de tricoter. Pour ses œuvres, qu'elle disait ! La Bienfaisance ! Monsieur mâchait philosophiquement de longs cigares milanais, aux formes tourmentées, bagués de vert blanc rouge. Madame, la poitrine découverte, elle avait des seins de statue, lissait sa chevelure opulente, couleur de bisque d'écrevisse ou vernissait ses ongles, longs comme ceux d'un mandarin. Des gens bien simples. Sans façons. Qui ne se dérangeaient pas de leurs petites occupations quand il entrait. Comme s'il avait fait partie de la famille, lui aussi. Souvent, même, Madame lui demandait de poser le plateau sur ses genoux. Il y avait une telle douceur dans son regard, qu'il finissait par oublier qu'elle était nue. Son mari n'était pas du tout choqué. Ni la grand-mère. D'ailleurs, tous leurs actes paraissaient étrangement naturels. Peut-être qu'ils étaient fous, tous les cinq ? Un genre de folie douce, inoffensive ?

Voyons ces nouveaux ? Appartements 215 et 216 d'une part, 277 et 278 d'autre part. Toute une smala ! Famille Bartono. Arrivés d'Amsterdam. Monsieur Schott ne lui avait-il pas laissé d'instructions spéciales ? Il les connaissait, les instructions spéciales de Schott. On aurait dit qu'il n'y avait que ça qui comptait, pour lui : les marottes de ces messieurs et dames. Ne l'aurait pas cru si estomaqueur. Ah ! mais là, c'était le client lui-même qui avait rédigé une fiche. Qu'est-ce qu'il y avait comme originaux sur la planète ! 1º Ne jamais réveiller la Comtessa avant onze heures. 2º Mais non plus jamais après. 3º Noter que la Comtessa prend, à son réveil, un demi-pamplemousse non sucré, une tasse de Ceylan et deux biscottes non beurrées. 4º Veiller à ce que les six pékinois de la Comtessa aient fait leur promenade quotidienne. 5º Miss Anna Brangan, sœur de la Comtessa, prendra chaque matin, un café au lait complet. 6º Mistress Brangan, mère de la Comtessa, se fera servir une côtelette de porc avec son thé. 7º ...... 8º ...... Il y avait ainsi une trentaine de recommandations, signées Bartono, et que Monsieur Schott avait soulignées au crayon bleu. Monsieur Hermès songea qu'on devrait bien ouvrir un concours d'excentricités pour ces messieurs et dames. Succès assuré! Combien de temps allaient-ils rester, ceux-ci? La fiche n'en portait pas mention. Bah! Après tout, il avait bien tort de se tracasser. Ce n'était pas la première Comtessa qui passait à l'étage. D'autant plus que cette Comtessa-là était anglaise. Tout de même, ça devait faire un drôle de couple. C'était ça qui était xistrophonant dans le métier. A chaque instant devant de nouvelles énigmes. S'en foutent, les collègues. S'occupent pas de ça. Les passes, les bons, les plateaux, les pourboires. Vont pas plus loin. Disent qu'ils aiment ce qu'ils font. Mais les clients, au fond, ils les ignorent. La vie, les gens, c'est du théâtre. Du théâtre qu'on verrait par un petit trou sans que les acteurs sachent qu'on les voit jouer. Il avait beau ricaner, elle l'intriguait, la smala des Bartono. Sans savoir comment il était sorti de son office, Monsieur Hermès se surprit marchant dans le couloir en direction du 215. A ces heures calmes, ç'aurait été facile de faire le voyeur. On entrait en douce dans l'antichambre. Puis, une fois là, y avait qu'à soulever le couvre-fente de la boîte à lettres particulière. C'était Totoche qui lui avait révélé ce truc-là. Bien meilleur que le trou de serrure. Par cette large fente rectangulaire, on pouvait embrasser tout le panorama. Prétendait, Totoche, que femmes de chambre et valets passaient la moitié de leur temps à ça. Avait fait l'indigné, Monsieur Hermès, cachant son jeu. Et posant des petites questions curieuses, de l'air de pas y toucher. Tiens, tiens, tiens, n'était donc pas le seul à cultiver la spécialité? Etonnant ce qu'il avait de frères sur cette terre! Dans toutes les catégories. Ça l'humiliait même un peu de ne plus se sentir aussi exceptionnel qu'il l'avait cru d'abord. Totoche: avait aussi une tête à se toucher. Peut-être que les hommes et les femmes prenaient plus de plaisir seuls qu'à deux. Pourquoi n'avaient-ils pas le courage de leur opinion, les uns et les autres? Serait tellement plus commode pour tout le monde. Au diable, tous ces couples inutiles. Travailler la question. Il réfléchit à certains cas. A ces hommes qui apprenaient à leurs chastes épouses à les branler. A ces femmes qui se finissaient en catimini dès que le mari s'était rendormi sur le flanc gauche. A ces statistiques qui affirmaient qu'il y avait à peine une vaginale pour dix clitoridiennes. C'étaient des preuves, ça, pourtant ! Et palpables. Le cas de le dire ! Le couloir était désert. Dé-sert. Des airs. Il frappa. Silence. Il saisit son passe, ouvrit. Le couvre-fente ? Non, y avait peut-être mieux encore. Frapper à la deuxième porte et, aussi sec, entrer. S'il y avait quelqu'un, pas difficile de s'excuser. Il connaissait la formule. Ne vous dérangez pas ! C'était un stratagème courant dans les étages. Ou bien on faisait semblant de croire que ces messieurs et dames avaient sonné. Ces messieurs et dames ne sourcillaient pas. A peine s'ils vous regardaient, un instant distraits de leurs petites affaires. On comptait si peu, pour eux. Des ombres, qu'on était ; des automates. Pas des hommes, bien sûr. C'était peut-être ça le plus rageant. Mais voulaient pas s'en rendre compte. Non, il n'y avait personne au 215. Et pas davantage au 216. Devaient être sortis. Il referma la porte. Quel niais il était. Pourquoi n'y avait-il pas songé ? Ça aurait valu le coup de voir si elle avait déballé ses malles, la Comtessa. Devait avoir des dessous soua-soua ! En aurait eu plein la main des crêpes mats, des lourds satins. La transparence un peu sèche des batistes de linon. La légèreté impalpable des voiles de soie. Toute une littérature, là-dessus ! Oui, pourquoi n'y avait-il pas pensé plus tôt ? Et, maintenant qu'il y pensait, pourquoi ne se décidait-il pas ? La peur ? Non. Du respect pour la Comtessa ? Peuh ! Plutôt une sorte d'indifférence. Ça ne l'empêcherait pas de faire l'amour sur son drap, en évoquant ses formes. Pour une fois, elle remplacerait Lily. Il la connaissait un peu trop par cœur, la Lily de ses rêves. Si imaginaire qu'elle fût, il pouvait bien lui être infidèle à l'occasion. Dînait-elle au Restaurant, la Comtessa ? L'office. Le récepteur. Le côté magique de la vie moderne. Le plus petit merdeux pouvant se payer des joies réservées aux fées et aux enchanteurs. Allô ! Pas plus malin que ça. Ça parle à l'autre bout. Immédiatement renseigné. Sans se déranger. A travers murs et plafonds. Non, la Comtessa n'était pas dans la salle. Deuxième coup de baguette. Allô, la Réception ? Oui, la Comtessa était sortie. Les oreilles devaient lui tinter en ce moment. Se doutait-elle que le garçon de son étage s'occupait d'elle avec tant de zèle ?

Les belles comtesses, toujours inconsciemment amoureuses de leurs domestiques mâles. En rêvent la nuit. A l'insu du seigneur et maître. A chaque instant, des situations telles, exploitées au théâtre. N'ont donc rien à dire, les auteurs ? Un tantinet enfantin, pourtant ! Mais le public aime ça. Faudrait avoir le courage de se foutre du public. Devait être ravissante ou riche à crever pour que le Comte l'ait épousée. Un mariage d'amour. Donne-moi tes fafiots, je te donnerai ma couronne. Comtessa ! De quoi faire rêver toutes les jeunes vierges de la brumeuse Angleterre. Sur-les-bords-de-la-Tamise, nous-nous-en-irons-tous-les-deux... Ça se fredonnait. La main dans la main, les yeux dans les yeux. En connaissait un bout, Greluche, sur le flirt anglais ! Les misses qu'il enfilait, à la nuit tombante, dans Hyde Park ! Cette famille protestante dans laquelle il avait été invité à dîner avec ses parents, du côté de Paddington. Les voyait pour la première fois. On l'avait placé à côté de la demoiselle. En plein repas, sous la nappe, tout en mangeant d'une main, elle lui avait fait une branlette soignée. Sans autres préambules. J'étais plutôt gêné, que disait Greluche. Mon père était assis en face de moi. Je devinais qu'il se rendait compte de tout. Son silence même m'écrasait. J'étais rouge comme une pivoine. Et pas seulement de confusion. Après, qu'est-ce qu'il m'a passé, le father ! Avait pas l'air d'en être à son coup d'essai, la demoiselle. Ça lui était jamais arrivé, des machins comme ça, à Monsieur Hermès. Il aurait bien voulu la connaître, cette petite demoiselle. Elle lui était sympa. Les gens étaient cons de faire tant d'histoires. Ça les démangeait et ils faisaient les dégoûtés. C'était gentil de sa part, à cette petite. Elle ne lui avait pas fait de mal, à Greluche. Au contraire. Probable même qu'il avait mieux apprécié ça que le repas. Quand on a envie de faire plaisir à quelqu'un... Ça pourrait être si simple, la vie, si tout le monde voulait ! Et qu'est-ce qu'il y avait de répréhensible là-dedans ? A qui faisait-elle du tort ? Toutefois, ça en aurait fait un drame, si on les avait surpris ! Tandis que si elle disait que sa cousine Peggy était laide et bavarde, même si c'était faux, c'était admis. On riait. On la trouvait drôle. De la calomnie ? Oh, n'employez pas de grands mots ! On ne pouvait plus rien dire, alors ! Oui, il voudrait bien savoir comment elle était balancée, la Comtessa. Vhvhvhvhvhvhvh !... L'ascenseur. Des pas dans le couloir. Passaient devant l'office. La dépassaient. Monsieur Hermès poussa sa porte. Devant, une femme, menue, perdue dans des fourrures. Derrière, un homme important. Marchaient comme des qui n'avaient rien à se dire. Monsieur Hermès ne les avait encore jamais vus. Eux ? Mais oui ! S'arrêtaient devant le 215. Bonsoir ! Parlaient français. Langue d'échange. Langue des changes. Langue, langue, fais-moi une langue. Langue fourrée. Pas moyen de voir son visage. La lui masquait, le gros Bartono. Baise-main. Et chacun chez soi. Comme des étrangers. Chambre à part. Ça se défend, dans le fond. Conservent plus longtemps leurs illusions. L'esthétique du caleçon et du bidet, plutôt contestable. Est-ce qu'il ferait chambre à part avec sa femme, lui, Monsieur Hermès ? D'abord, ne se voyait pas marié. Très peu pour lui, le mariage. Et sa liberté, alors ? Pas si bête ! Avait bien le temps de se mettre la corde au cou. Comme famille, Madame Mère et Monsieur Papa lui suffisaient. Et puis, pour avoir une femme, il fallait de l'argent. Une chaumière et un cœur ? Il connaissait le boniment. A la gare ! Il en avait fait l'expérience. Vite souillés, les beaux sentiments, s'il y avait de la gêne dans le ménage. Donc, ou bien devenir riche (mais serait-on alors aimé pour soi-même ?), ou bien se faire aimer d'une femme riche (mais serait-on jamais assez beau ?). C'était pas si tarte. Le reste ? Du réchauffé ! Est-ce que la Comtessa allait l'appeler ? Soudain, il tressaillit. Ce que c'est que la transmission de pensée, quand même ! La çonnerie. Il jeta un regard anxieux sur le tableau. Le 215 ? Non, le 216. Que lui voulait-il, le Bartono ? Il décrocha. Allô, oui Monsieur le Comte. Je viens immédiatement. Et si maintenant le 215 appelait, à son tour ? Il serait fait comme un rat.

Voulait savoir si on avait pris note de son paplard. Pas moyen de placer un mot, avec lui. Monsieur Hermès écoutait, l'air féroce. Ça ne bicherait pas entre le Comte et lui. Avait une binette qui ne lui revenait pas. Va bene, va bene ! On n'expliqué yamais assez les chosé. Lé personnel, il a la manie dé commeprenndré tout dé travers. Oui ma belle ! Et mon œil ? Quel gadouilleux encore, celui-là ! La Comtessa aura souvent bésoin dé vous. Capriciosé. Exigeannté. Vous vous mettrez à sa dispositionné, tutti i giorni. Ma, attenti, attenti !

Né la contrariez pas. La Comtessa, elle était violennté. Dé grandé colèré, poveretta ! Per fortuna... Non, cameriere, céla né vous régardé pas. Sono proprio confuso. Ça allait-il durer longtemps ? Et dire qu'il y en avait qui prétendaient qu'il n'était pas patient ! Alors quoi, c'était pas de la patience, ça ? Où allait-il en venir, ce gros plein de soupe ? La Comtessa, elle est rentrée assez fatiguée. Si ! Elle a voulu sé coucher tout dé suite, subito. Déyà elle doit dormir. Lo ferei se potessi. Démain onze heures. Frapper à sa porté. Cosi. Pamplémousse, thé, biscottes. N'oubliez pas. Pour les deux toupies... Hein ? Si la mère et la sœur dé la Comtessa. Tutta la famiglia ! Commé des pies. Peccato. Yé n'insisté pas. Ah, ténez, apportez-moi ouné fine, dé la bonne, avec dé la glace pilée. Porca miseria ! Touyours soif. Benissimo ! Allez ! e grazie encora una volta. Oui, ça va, ça va ! Lâche-moi cinq minutes !

Dans l'office, le premier regard de Monsieur Hermès fut pour le standard. La Comtessa n'avait pas appelé. Il allait la lui préparer, sa fine. Et bien tassée, patron, comme pour un malade, ainsi que disait tonton Nicolas. Ce qu'il en avait déjà entendu de ces radotages ! Ne se voyait donc pas dans une glace, le perroquet ? Eh, vilain ! Quelle plaie, ces clients-là ! A fuir comme la peste. Se figurait peut-être qu'il faisait illusion parce qu'il avait un nom à rallonges ? Il ne devait pas attacher ses chiens avec des saucisses. Pas besoin d'avoir le coup d'œil américain pour le deviner. Et ça veut crâner ! Et ça exige ! Tout pour soi et rien pour les autres. Quand il y a tant de malheureux qui meurent de faim ! S'il était si regardant, il n'avait qu'à descendre dans un hôtel de deuxième ordre. Faut ce qu'il faut ! Pour Monsieur Hermès, il n'y avait qu'une sorte de clients qui avait grâce à ses yeux. Il fallait qu'on soit déférent avec lui. Il avait un sentiment très chatouilleux de la politesse qui lui était due. Il ne pardonnait pas qu'on lui manque. Après tout, il les valait bien. Là, tout de même, il butait. Savoir ce qu'on valait, à tout prendre, c'était rassurant. Mais est-ce qu'on le savait jamais ? Les autres n'avaient pas l'air de l'apprécier tellement. Madame Mère, par exemple, qui connaissait ses habitudes solitaires, l'admirait-elle, malgré tout ? Et Monsieur Papa, toujours à le morigéner à cause de sa paresse, de sa nonchalance ? Buddy

Gard lui avait dit, bien souvent : Te frappe pas. Ils sont comme ça devant toi. Mais, en réalité, ils t'aiment bien. Et, par-derrière, aux étrangers, ils font tous les compliments de toi. D'autant que les étrangers, eux, te jugent un fils accompli. Soit. Entendu. Toutefois, ça ne résolvait rien. Les étrangers le jugeaient accompli parce qu'ils ne le connaissaient pas. Et ses vieux le jugeaient impossible parce qu'ils le connaissaient trop bien. Mais le connaissaient-ils si bien ? Ce qu'ils appelaient le connaître, c'était déterminer dans quelle mesure il était ou non conforme à l'idée qu'ils auraient voulu se faire de lui. Paresseux, nonchalant, etc., disaient-ils. Mais Monsieur Hermès ne voyait rien de mauvais là-dedans. Il n'était pas tellement plus paresseux que les autres. Paolo, à commencer par lui, ou Jojo Légende, ils en avaient un de ces poils, dans la main ! Et puis, pourquoi n'auraient-ils pas été paresseux ? La paresse, la mère de tous les vices. Encore un abruti par le travail qui avait dû trouver la formule. Et c'était entré dans les mœurs. Lui aussi, il avait subi en partie cette déformation. Il avait beau dire et beau faire, chaque fois qu'il s'abandonnait à son penchant, une voix, en lui, le lui reprochait. Il était obligé de se cravacher. Il se répétait tout bas : Mais non, ça n'existe pas ! Ce sont des fadaises. Tu as bien le droit d'être comme tu es. Il n'y a aucun mal à ça ! Ah ! s'il n'y avait pas eu les gens, cela aurait marché tout seul. Bizarre d'être ainsi fait. Toujours balancé entre des tendances opposées. La tendance à lutter contre la paresse, il savait bien d'où il la tenait, hélas ! Madame Mère, Monsieur Papa, les instituteurs, les professeurs, ensuite, tout le cortège des éducateurs, étaient passés par là. Mais la tendance à la paresse, d'où la tenait-il ? D'où aussi la tendance aux pratiques solitaires ? As-tu fait ton devoir ? As-tu appris tes leçons ? Pardi, si au lieu de ça, il avait musardé ou s'il avait profité de sa solitude à la maison pour se coucher sur un tapis, sur le plancher, sur un lit, n'importe où, pour se déculotter et pour sentir son ventre nu et son sexe dans un contact qui finissait par le faire jouir, oui, pourquoi n'aurait-il pas menti ? Est-ce que ça les regardait, ses créateurs ? Ensuite, bien sûr, ils le traitaient de menteur. Eh bien, le mensonge, la tendance au mensonge, d'où la tenait-il aussi ? Ça lui venait-il d'un ancêtre ? Ou de Madame Mère qui savait si bien plaider le faux pour savoir le vrai ? Ou de Monsieur Papa qui était un champion de la rouerie commerciale ? A moins que ça ne lui soit venu petit à petit dans son désir de se dérober aux questions indiscrètes, de préserver sa vie personnelle ? Faire respecter son intégrité est un droit sacré. Les autres n'avaient rien à voir dans ses petits secrets. Une sorte de défense élémentaire. En voilà-t-il pas assez pour justifier ses dissimulations quotidiennes ? Toutefois, il ne s'y sentait pas tellement habile. Et ça l'embêtait. Car enfin, s'il s'interrogeait sur son propre cas, il ne se blâmait pas tellement d'être tel qu'il était. La preuve, c'est qu'il savait fort bien se justifier des actes qu'il avait commis, quand ils n'avaient que lui pour témoin. Mais c'étaient les autres qui étaient gênants. Il était amusant, Buddy ! Tu vis trop pour la galerie, lui reprochait-il. Le moyen de faire autrement ? On se contenterait fort bien d'être celui qu'on est, si on était seul. Mais il y a toutes ces oreilles qui vous écoutent, tous ces yeux qui vous observent. On se sent à chaque instant espionné, jugé. Comment ne pas vivre en fonction d'autrui ? Pour être vraiment celui qu'on est, il faudrait pouvoir vivre enfermé dans une coquille ou sur une île déserte. Etait-il lui-même devant Fragonard, devant Angélique, devant le Petit Père Rigal, devant les clients ? Dès qu'on ouvrait la bouche, dès qu'on remuait le petit doigt, on cessait d'être tout à fait maître de soi. L'individu qu'on croyait être, de même que celui qu'on voulait être, vous échappaient. Et tout ce qu'on faisait, et tout ce qu'on disait, une fois que c'était sorti de soi, ça ne pouvait plus s'effacer, se modifier, se raccommoder. C'était fichu. Devant soi, se formait aussitôt un nouvel être qui n'était jamais au diapason et dont on ne pouvait qu'être mécontent. Les seuls moments de son existence où il avait eu la sensation réelle de vivre, conformément à ce qu'il y avait de plus vrai en lui, étaient ceux qu'il avait vécus au bord de la mer, couché, nu, à même le sable, les yeux fixés sur le large, sans bouger, sans parler, et seul, absolument seul. Dès qu'il fallait vivre, on devenait tarte, on commettait des fautes. Mais impossible de supprimer le monde extérieur ! Bon Dieu, on n'en sortait pas ! Les autres étaient là, prêts à vous inventer, à vous croire ceci ou cela, sur une phrase, sur un mouvement qu'on n'avait pas su retenir. Et c'était aussi irrémédiable qu'une tache sur du buvard, qu'une raie sur du verre. Des heures de commentaires, de mises au point, n'y auraient rien changé. Ça avait suffi pour engendrer des océans de malentendus. Fiche-toi des autres, conseillait Buddy. Vis comme tu dois ! Très joli, comme consigne. Mais comment ne pas tenir compte des autres. Si on ne peut pas se passer de leur approbation ? Si leur connivence est nécessaire ? Bien obligé, alors, d'adopter un comportement déterminé par l'opinion qu'ils se font de soi. L'opinion que se faisait de lui tonton Nicolas. Celle que se faisait de lui Monsieur Dominique. Celle que pouvait se faire de lui Miss Stratford. Savoir ce qu'ils diraient de lui, tous les trois, s'il les mettait en présence ? A quelles conclusions aboutiraient-ils ? C'était un peu affolant. Que chaque être en relations avec lui puisse se faire une idée si particulière de sa personne, que lui-même puisse s'en faire une, non moins particulière, cela n'était-il pas troublant ? Où est-ce qu'il était, dans tout ça ? Ici ? Ou bien là ? Ou bien là encore ? Ou bien un peu partout à la fois ? Ou bien nulle part ? De quoi vous faire tourner le cabochon. Un vrai, un profond malaise. Avait horreur de ce genre de vertige. Moi, moi, moi, et si je n'avais pas de moi ? Il y a la Terre, les Etoiles, le Système Solaire, le Planisphère Céleste, tout ça qui existe. Si ça n'existait pas, est-ce qu'il existerait autre chose que nous ne connaissons pas ? Ou bien, est-ce qu'il n'y aurait rien ? Rien ? Rien ? Absolument rien ? Une fadeur insupportable envahissait sa bouche chaque fois qu'il pensait à ça. Oui, s'il n'y avait rien d'autre que ce qu'on savait qui existait ? Alors, pourquoi ça existait-il ? Comment ça existait-il ? Par quel hasard des hommes sur la terre ? En vue de quoi, la vie ? Et quelle justification donner à la mort ? Des questions, des questions. Tourner en rond. Tourner en rond. Les autres s'étaient-ils posé aussi la question ? Se l'étaient-ils posée ainsi ? Il avait déjà interrogé Buddy, Cro-Magnon, Monsieur Dominique. Ça n'avait pas eu l'air de les frapper. Sans doute, n'avait-il pas bien su leur faire toucher du doigt son angoisse. D'ailleurs, c'était un fait, il ne savait jamais bien exprimer ce qu'il ressentait. Pas la parole facile. Bien la peine qu'il eût passé ses bacs ! Que lui en était-il resté ? Des math et de la physique. Toujours. Le français, la philo, bah ! ce qu'on s'en branlait. Pourvu qu'on n'eût pas un zéro pointé. Il se souvenait de ces heures de cours où, au lieu d'écouter le prof de littérature ou d'anglais, il chiadait des probls avec Cro-Magnon. Total, il ne lui restait pas grand-chose de ses études. Plus un pet. Nul, archi-nul. Mais voilà, il fallait d'abord être reçu. Alors, on cultivait de préférence les matières qui pouvaient donner beaucoup de points d'avance. Et maintenant, il se mêlait d'écrire une pièce de théâtre ! Est-ce que Pascal se l'était posée la fameuse question ? *Les Pensées*, en explication de texte. Quelle barbe ! Il ne les avait pas rouvertes depuis. Oui, se l'était-il demandé, ce qu'il y aurait d'autre, Pascal, s'il n'y avait rien de ce que nous connaissons ? Buddy devait savoir ça, lui à qui les lectures profitaient tant. Il le voyait encore, à Portville, arriver à la Taverne Anglaise, avec des masses de journaux sous le bras et des bouquins plein les poches, de gros bouquins emmer-dants. Gentil, pourtant ! Il voulait toujours les lui faire lire. Mais depuis qu'il lui avait prêté les *Réflexions sur l'Intelli-gence*, de Maritain, Monsieur Hermès s'était découragé. Un pavé, tout ce qu'il y a d'indigeste. Rébus et compagnie. Le vrai casse-tête chinois. Faudrait tout de même qu'il se replonge un jour dans Pascal. C'était trapu. Mais il n'y avait pas à hésiter. Tant qu'il ne s'y mettrait pas, il resterait aussi bouché qu'il était. Quel retard il avait sur Buddy ! Que de choses à lire pour le rattraper ! Buddy était toujours à lui citer des auteurs dont il n'avait jamais entendu parler. Ça, les classiques, il pouvait dire qu'il les avait négligés. Mais les modernes, alors là, il nageait complètement. Il n'était même plus sûr de son orthographe. Pendant ses années de lycée, il avait perdu toute la sûreté acquise à la communale. Il ne pouvait pas écrire dix lignes sans s'interroger, sans avoir envie de consulter une grammaire. Se doutaient-ils de ça, ceux qui savaient qu'il écrivait ? S'il avait un peu de courage, il prendrait le Lanson qu'il avait dans sa petite malle et le lirait de la première à la dernière ligne. Ça lui fixerait au moins les idées. C'était rasoir, bien sûr ! Il avait déjà essayé plus d'une fois. Les paragraphes étaient trop compacts, la typographie trop fine. Il s'endormait dessus. Tout de même, c'était un manuel coté que celui de Lanson. Avait dû écrire des choses passionnantes sur Pascal, le bougre ! Tous ces grands génies, si difficiles à lire ! Fallait croire que c'était fameux puisque tout le monde s'extasiait. Ça, pour ça, Monsieur Hermès avait bon fond. Quand il ne pigeait pas un chef-d'œuvre, il s'inclinait. Au lieu de le déprécier, il se persuadait que c'était lui qui était idiot. Les autres, ils exagéraient. Se prenaient pas pour des merdes. Ils disaient que le *Discours de la Méthode*, ça ne voulait rien dire ou que Rabelais était un fumiste. Eh bien non ! C'était plutôt eux qui étaient des fumistes. Lui, il avait bien conscience de sa médiocrité. A priori, chaque fois qu'il était dépassé par un texte, il se disait que s'il avait été plus cultivé, ça ne lui serait pas arrivé. Aux yeux des copains, et, à plus forte raison, aux yeux d'un Pactot ou d'un Dominique, il pouvait passer pour un type intelligent. Mais, en fait, il ne se sentait pas aussi intelligent que ça. Il avait encore pas mal de chemin à faire pour y parvenir. Il voyait bien, souvent, qu'il était à côté. Dès que la pensée d'un auteur devenait un peu subtile, les lignes lui passaient devant les yeux. Il essayait de s'accrocher, mais ça ne mordait pas. Parfois, tout de même, il croyait que ça allait s'éclairer. Mais, bernique, il pouvait s'y remettre à dix fois. Ça restait aussi obscur. Etait-il tellement fada ? Monsieur Schott ne se gênait pas pour le lui envoyer dire. Alors quoi, vous êtes fada ? Ça ne fait jamais plaisir d'entendre des choses comme ça. Et pourtant, à d'autres moments, il sentait bien qu'il n'était pas du tout fada. S'il était placé dans des conditions différentes, tout changerait. Il leur ferait voir, à ces forbans de l'Hôtel... Il les haïssait toujours en bloc, patrons et clients. Toujours autant. Ce Bartono, par exemple, non ! mais avait-on vu comment il s'était permis de lui parler ? Parce qu'il n'était qu'un garçon d'étage ? Et sa Comtessa, quels chichis elle allait sans doute faire, elle aussi ? Ces messieurs et dames, c'était quand ils se montraient le plus aimables, parfois, qu'ils vous méprisaient le plus. Il faudrait toujours se tenir sur ses gardes. Pas de familiarité. Leur faire comprendre à chaque instant qu'on ne marche pas. Qu'on n'a rien à voir avec eux, sauf pour le service. Mais ils ont le chic pour vous humilier. On dirait qu'on leur a appris comment faire, durant leur enfance. Les plus bêtes d'entre eux font ça avec une de ces facilités... Ils trouvent tout de suite les mots qui blessent le plus votre fierté. Pas moyen d'entrer en lutte contre eux. Ils ont toujours le dessus. Quelque attitude qu'on prenne. A croire que ce sont des secrets qu'ils se transmettent de père en fils, de générations en générations. Et sans jamais dire de gros mots. Cinglants avec décence. Ces dames ne sont pas les moins terribles. Plus perfides encore. Encore, avec elles, pourrait-on avoir une chance de les amadouer. A supposer qu'on leur plaise. Savoir si on en trouverait qui seraient capables d'oublier ce qu'elles sont par amour pour un inférieur ? Une belle réaction animale qui enverrait par-dessus bord principes et préjugés ? En tenir une, là, à merci, sans broncher d'un poil, jouant d'elle comme un chat d'une souris ; l'humilier à son tour. La forcer à sortir de ses gonds. Obtenir d'elle, par amour, ce qu'elle n'aurait jamais donné sans honte dans des circonstances normales. Et la laisser sur sa soif. En ricanant. Pour bien lui montrer qu'on ne vaut pas moins qu'elle, qu'on ne lui doit rien, qu'on est libre. Drinn !... Drinn !... Drinn !... Mais qui est-ce qui çonnait encore ? Il bondit de sa chaise. Bien dressé qu'il était, tout de même ! Il l'avait eu, le réflexe professionnel ! Il pesta contre lui-même. Mais d'un geste rageur, Monsieur Hermès décrocha quand même l'appareil. Allô ? Oui, Mademoiselle, je vais voir. Bien chaud. C'est entendu. J'en ai pour deux minutes. Non, inutile de rappeler. Je vais faire le nécessaire, Mademoiselle...

Le lendemain matin, dès que le Père Hubert eut jeté les yeux sur les consignes du Bartono, il sut à quoi s'en tenir. Tu t'en occuperas, de ceux-là, ordonna-t-il à Monsieur Hermès. Les bonnes gâches, il se les octroyait. Son petit traintrain, ses clients habituels. Pas à le sortir de là. Les nouveaux, les gens à tuiles, il avait le chic pour les renifler à distance. Pas de risques. Pas de responsabilités. Se tenait drôlement à carreau, l'ancien ! Eh bien, puisque le sort en était jeté, il l'affronterait, la Comtessa, Monsieur Hermès. Elle ne le boufferait pas tout cru. Il passa la main sur sa barbe. Ça avait poussé depuis hier au soir. Etonnant ce que ça poussait durant la nuit ! Pas très net pour aborder la Comtessa. Tout de même, il changea de manchettes, se lava les mains et se cura les ongles. Là, il était présentable. Si elle savait, la précieuse, qu'il faisait des frais pour elle ! Le monde entier mené par les femmes. Quand y a une femme dans un coin... Vous font tout de suite tourner la tête... Y a un homme pas bien loin... Un jupon qui passe, et hop ! plus personne. Les farouches résolutions, les malins orgueils, pas plus que de beurre au cul. Après tout, elle n'était qu'une pouliche comme les autres, la Comtessa. Même si elle avait un petit ventre satiné. Et elle avait peut-être la moule moins bien tenue que celle de Totoche. Il avait beau se répéter tout ça, ça lui faisait tout de même quelque chose de penser au moment où il se trouverait en face d'elle pour la première fois. D'ailleurs, pourquoi s'était-il tout de suite imaginé qu'elle était belle, celle-là ? Des suppositions qu'il se faisait, comme ça, sans rime ni raison. Toute la matinée, bien qu'il cherchât à s'en défendre, ça ne cessa de lui trotter dans le potiron.

Mais, à onze heures précises, ji ! il chargea sur son épaule le plateau du 215. Il allait en avoir le cœur net. Toc, toc ! Pas de réponse. Le passe dans la serrure. Ça le faisait rigoler en douce, de se sentir si calme, tout d'un coup. Comme il débouchait dans la pièce, un léger grognement parvint du lit. Elle était là, sous le drap fin, en chien de fusil. Pas le moment de se prendre le pied dans le tapis, de tout flanquer par terre. On n'y voyait guère dans cette sacrée piaule. Avait laissé les fenêtres ouvertes, mais les rideaux étaient fermés, les jalousies baissées. Devait être habituée à ce qu'on la réveille en douceur, la Comtessa. Les cordons grincèrent. En bas, dans la rue, les passants grouillaient, les véhicules s'excitaient à faire la queue leu leu. Le pavé était gras. Il brouillassait. Le ciel était terne, plombé. Un ciel à vous foutre le cafard pour la journée. Un temps à rester dans les plumes. Tout de même, la fraîcheur du matin faisait du bien à la peau après toute une nuit de veille. Ça allait la faire sortir du sommeil comme une caresse. Une gâtée, qu'elle était. Allons-y, maintenant ! Il pivota sur ses talons, prêt à s'incliner, les mots rituels sur le bout de la langue. On savait se tenir, quand on voulait. Mais quoi ? Où était-elle ? Envolée, la poupée ? Le lit était vide, entr'ouvert, les draps encore tièdes sans doute. S'il avait le temps, irait y mettre son nez. Très significatif, l'odeur de femme. Ça agit tout de suite sur le cervelet. Faut croire qu'on n'est pas si loin des animaux, sur ce plan-là. Les chiens, les chats, entre autres, faut voir le don qu'ont les odeurs d'agir sur leur intelligence, de susciter tous leurs actes. Pourquoi avait-elle fui ? Serait-elle de ces serre-les-fesses qui refusent de se montrer en liquette au garçon d'étage ? Ce ne serait pas la première. Et savoir ce que ça cache au fond ? Des mères-la-vertu ou des tentatrices ? Monsieur Hermès entendit du bruit dans la salle de bains. Qu'est-ce qu'elle bricolait là-dedans ? Un petit pipi d'enfant ? La pauvre nounette ! C'était mauvais quand l'urine pesait sur la vessie. Le matin, des fois, on voudrait rester au dodo, mais, va te faire en l'air, ça vous tord le système. On a beau se retenir, ça pince, ça pince ! Ça en devient presque jouissant. Et puis, subitement, on sent que ça va partir. C'est ça. Cela avait dû la presser. Elle avait oublié ses mules sur le tapis. Il l'imagina, dans la salle de bains, les pieds nus sur le carrelage. Ses petits petons roses. Les tenir dans le creux de la main. Les paumes de l'homme avaient été faites exprès pour ça. On remuait des flacons de l'autre côté. Avait-elle été se faire un raccord ? Le petit nuage de poudre, le coup de peigne, le regard sévèrement interroga-teur dans le miroir ? D'Angélique à la reine de Saba, elles prenaient toutes les mêmes précautions. Coquette, alors, la Comtessa ? On ouvrait la porte. Elle apparut. Elle s'avança, un regard de surprise parce qu'elle le trouvait là, planté, et sourit. Fameusement au point, son entrée ! Toujours ce sens théâtral qu'elles avaient. Inné ! Jamais en défaut ! Semblait pas gênée du tout, en tout cas. Le regard de Monsieur Hermès alla des petits petons nus aux mules. Des miniatures d'arches de Noé pour ces oiseaux. Elle passa devant lui, s'approcha de son lit. Il fallait faire quelque chose. Le plateau. Elle enleva son déshabillé. Qui était mousseaux et blanc, avec des rubans bleus. Tout à l'heure, le plateau. D'une main préve-nante, il saisit le nuage de mousseline au moment où elle en sortait, et le déposa sur le dossier d'une bergère. Il remarqua qu'elle avait des dormeuses de diamants aux oreilles. De quoi se payer un voyage autour du monde ou une villa à Cabourg. Mazette ! Dès le matin, comme ça ? Ne se refusait rien. Des picaillons à ne savoir où les mettre. Qu'est-ce que ça pouvait bien leur faire, comme sensation, à ces femmes-là, d'être dorées sur tranches ? Devaient trouver ça tout naturel.

Le berceau garni par les bonnes fées. Naître sous une bonne étoile. Tirer le bon numéro. La vie considérée comme une loterie. Ça pouvait se défendre comme conception. Surtout si on tenait le bon bout, si on gagnait le gros lot ! Elle avait aussi le sens du confort, la Comtessa. Assise dans son lit, elle tapotait et entassait derrière son dos ses deux oreillers. Jouer toute sa vie à la malade. Se laisser gâter par un mari aux petits soins. Le Bartono avait dit hier au soir qu'elle était fatiguée. Avait peut-être ses... Les anglais de l'Anglaise. Grandeurs et misères de la femme du monde. D'ailleurs si c'était ça, elle aurait été garnie sous sa chemise. Or, il n'avait rien vu. Ressassant ces hypothèses, Monsieur Hermès lui installa le plateau sur les genoux, avec la tablette. Je voudrais bien être ficelle pour m'attacher à toi toujours ! Je voudrais bien être tablette pour... Elle le regardait à peine, les yeux déjà gourmands. Ce qu'elles sont voraces, ces petites bêtes de luxe ! Dormir, pisser, grignoter, se pomponner. La chatte du coin n'avait pas dû faire autre chose depuis ce matin. Et quand ça les prend, se rouler sur le dos jusqu'à ce que le mâle en chaleur y aille de sa crampette. Frère Paul, Frère Jacques, Frère Oremus, quand tu as tiré une bonne petite crampette, que fais-tu ? Je me lave le cul dans la cuvette, domini mini, domini mino. Ça c'était le grand succès de Cro-Magnon. Il chantait ça comme au temps où il était enfant de chœur, avec des mines papelardes. L'enfant de putain, ce qu'il était gonflant. Le thé, les biscottes, le demi-pamplemousse. Rien ne manquait. La Comtessa hocha la tête. Etre couverte de perlouzes et se faire mettre au régime, c'était vraiment une dérision. Devait avoir tendance à engraisser. Et le Bartono, il voulait sans doute se la garder en bon état, sa colombe. Avoir la ligne. Dame ! il ne lui avait pas donné sa couronne pour rien. Si la marchandise s'avariait pendant la durée du contrat, ce n'était plus de jeu. Des diams et des fanfreluches d'impératrice, tant qu'elle voudrait. Mais pour ce qui était de la ration : inflexible ! Toutefois, Bartono avait compté sans le garçon d'étage. Monsieur Hermès avait pas du tout respecté la consigne. En tapinois, faisant ça à l'innocence, il avait glissé un beurrier et un sucrier sur le plateau. Histoire de faire pièce au Comte. Elle les avait tout de suite repérés, la Comtessa. Elle sourit. Ça lui allait bougrement bien de sourire. Elle avait des lèvres molles, épaisses, qui découvraient une belle denture de prognathe. L'homme descend du singe, mais les Anglais descendent du lapin. Des rongeurs. Pas dupe de l'astuce, en fin de compte, la Comtessa. Elle fit comme si. Et que je te sucre. Et que je te beurre. Roulé, le Bartono. Cocufié. Ah, ces lèvres ! Ça devait vous fondre dans la bouche. Des bonbons fondants. Maintenant qu'elle était servie, qu'elle mordait hardiment dans ses biscottes, il n'y avait plus qu'à se retirer. Des lèvres à faire des pompiers qu'elle avait, pas d'erreur ! Je voudrais bien être biscotte..., etc. Monsieur Hermès salua et, tout en se dirigeant vers la porte, grava dans sa mémoire l'image de ses bras blancs, relevés, tenant la tasse vers laquelle sa bouche se tendait. C'était gracieux, en vérité. Un instant, il fut amoureux de ce geste. Malgré lui, ça l'inclinait à un peu plus d'indulgence envers la jeune femme. Ça l'intimidait même d'être admis dans cette intimité. Pourquoi donc ? Il y avait des femmes, elles pouvaient lui faire voir toute leur batterie de cuisine, ça l'excitait, mais ça ne lui causait pas d'émotion. Et puis parfois, il s'en trouvait une, il suffisait qu'il aperçoive le lobe de son oreille, les friselis de sa nuque, la tendre musculature de sa cheville et ça le tourneboulait. Il entendit encore le bruit cristallin que la tasse fit en choquant la soucoupe et mit la main sur le loquet. C'est alors qu'il eut la sensation de recevoir de l'eau froide entre les épaules. Comment vous appelez-vous, garçon ? Hmmmmmm !... Il se retourna et répondit. Elle fit de la tête un petit signe de satisfaction et le congédia.

Il reprit seulement son sang-froid dans le couloir. Elle l'avait bien possédé ! Il l'aurait pilée. Mais voilà, il était trop tard. Il n'avait pas su trouver la repartie à temps. Il lui avait répondu comme un enfant bien sage et obéissant. Ah, ça ! elles avaient la manière. De vraies virtuoses pour se payer la tête des hommes. Imbattables ! C'était toujours le même tabac. Tant qu'il restait sur ses gardes, ça allait, à la rigueur. Mais dès qu'il y en avait une qui lui tapait un peu dans l'œil, il se conduisait comme un novice. Si c'était une fille gentille et tendre comme Nita ? Il imagina ce qu'aurait pu être son aventure avec Nita si, au lieu de la connaître à Portville, comme ça s'était trouvé, le hasard avait voulu qu'elle descende à l'Hôtel, à son étage même. Pourtant, là-bas, à Portville, il lui semblait avoir fait montre d'une grande audace. Tandis que devant la Comtessa... Dans un éclair, la grosse figure de matamore, en forme d'œuf, le crâne à moumoute, les prunelles quêteuses, les joues lasses du comte Bartono lui apparurent. Tout de même, il n'était pas aussi abîmé. Il pouvait avantageusement supporter la comparaison. Elle était une femme, aussi. Et peut-être pas de bois. S'envoyer le garçon d'étage. Pourquoi pas ? Depuis le temps que les autres lui bourraient le crâne avec leurs succès d'alcôve ! Ce serait bien son tour. Elle devait en avoir soupé, du vieux. Même si c'était une crâneuse, un cœur de pierre, une antisentimentale, peut-être qu'elle ne boudait pas sur la bagatelle. Comment vous appelez-vous, garçon ? Voyez-moi ça ! Tous les toupets. Si elle avait le béguin, peut-être qu'elle le répéterait tout bas, son nom, pendant que le Comte lui ferait ça. Vous tromperaient avec leur pantoufle, avec leur traversin. S'il s'attendait à ce qu'elle lui demande ça ! Et d'abord, qu'avait-elle besoin de savoir son nom ? Voilà où il aurait fallu avoir de l'à-propos. Riposter du tac au tac. Savoir ce qu'elle avait dans le ventre. Et lui, comme un benêt...

Hep ! Tiens, Greluche. Que venait-il faire à l'étage ? Dis donc, t'as un moment ? Alors, viens par là. C'est rapport à Totoche. Tu la connais. Elle commence à me courir. Après déjeuner, je suis de sortie. Et j'ai rencart avec une nouvelle. Si elle le sait, tu vois d'ici le drame ! Tu peux me rendre un service. Je voudrais que tu lui parles. N'importe quoi. Que tu lui dises que ma mère est venue me voir, par exemple, et que je suis obligé de rester avec elle. Arrange-toi pour que ça prenne. Je te revaudrai ça. D'ailleurs, je lui ai fait un petit mot pour l'endormir. Tu le lui remettras. Tu vois ? T'auras qu'à broder autour. C'est pas malin. Que tu dis ! Ça l'enchantait pas, Monsieur Hermès, oh, mais pas du tout ! ce genre de bonimentations. Et si elle le prend mal, la Totoche ? Tu te rends compte ? Mais non, ça ira comme sur des roulettes. Je suis sûr qu'elle ne se doute de rien. Il faut le lui faire à l'estomac. Demain, je la chatouillerai au bon endroit, pour lui faire oublier. Te fais pas de bile. Une chose à lui reconnaître, il ne savait pas refuser, Monsieur Hermès. Surtout si on le prenait par les sentiments. Il lui parlerait tout à l'heure. Tope là ! On verrait bien...

VI

Hier jeudi, aujourd'hui vendredi. Qui rit vendredi, dimanche pleurera. Encore un farceur, celui qui avait trouvé ça. Drinn !... Le 215 ? Mais oui, pas possible ! Il n'était pas encore onze heures, pourtant ? La Comtessa était donc si pressée de le voir ? Eh bien, ce matin, il lui tiendrait la dragée haute. Il était complètement claqué. Hier après-midi, il n'avait pas pu dormir une minute. Cette petite Totoche, quand même ! Qui aurait cru ça ? Avec ces bon Dieu de femmes, il fallait vraiment s'attendre à tout. Pardi, vis-à-vis de Greluche, il se sentait moins fier, étant donné la tournure que ça avait pris. Dès deux heures, il avait frappé chez Totoche. Elle se trouvait dans sa chambre, avec une copine, une veuve acajou, qui travaillait à la Comptabilité. D'abord, ça l'avait gêné de dégoiser sa petite histoire devant l'autre. Mais Totoche avait fort bien encaissé. Pas une réaction. Elle avait serré le mot dans son sac. Un peu nerveusement. C'était tout. Alors lui, ma foi, il s'était dit qu'il n'avait plus rien à faire là. Il se sentait libéré de sa mission. Il s'était levé pour s'en aller. Pourquoi Totoche était-elle sortie avec lui dans le couloir ? Sur le moment, il avait cru que c'était seulement par politesse. Il était loin de se douter de la manœuvre. A ce début d'après-midi, le dernier étage était désert. On entendait à peine les bruits d'en bas. Huit étages pour arriver jusqu'à eux. A l'angle du couloir, il avait tendu la main à Totoche. Elle l'avait gardée dans la sienne en le rapprochant d'elle. Alors, elle avait commencé à parler, les yeux déjà pleins de larmes. Devant la copine, elle n'avait rien voulu dire, mais elle avait tout compris dès qu'elle avait ouvert la lettre. Elle savait bien que Greluche la laissait tomber et la trompait. Elle se mit à lui casser du sucre sur le dos. Et c'était un ceci. Et c'était un cela. Monsieur Hermès ne savait quelle contenance prendre. Il n'avait pas prévu ça. Mais ça n'aurait pas été chic d'abonder dans son sens, de dire du mal de Greluche. Entre copains, ça ne se faisait pas. Bien sûr, je vous comprends, qu'il disait. Je me rends compte. Maintenant que la bonde était enlevée, ça n'en finissait plus de couler... A l'en croire, ç'aurait été un véritable monstre, ce Greluche. Même que ça commençait à l'impressionner, Monsieur Hermès, tout ce réquisitoire. Malgré lui, il se sentait un peu révolté. Cette gentille petite Totoche ! Non, il n'avait pas été très régulier avec elle, Greluche. Sans compter que ce n'était pas désagréable du tout de se faire tripoter les mains par ces jolies petites mains de femme et de s'entendre dire des choses comme : Vous êtes gentil, vous. Vous n'auriez jamais fait ça. Et quand elle se révoltait, elle les lui étreignait plus fort. Ah, les hommes, les hommes ! Des coureurs, des menteurs ! Et ils voudraient qu'on s'attache à eux ? Alors, il se révoltait aussi : Mais non, ils n'étaient pas tous les mêmes ! (Sous-entendu : Moi, par exemple, soyez-en sûre, je ne suis pas taillé sur ce modèle.) Elle le regardait d'un air sceptique et secouait la tête. Non ! Non ! Non ! Je n'ai plus confiance. Il ne savait comment la consoler. A la fin, elle s'abattit en sanglotant sur sa poitrine. Mon Dieu, qu'elle était malheureuse ! Allons ! Allons ! Soyez raisonnable. Ça s'arrangera sûrement. Mais, farouche : Non, jamais ! jamais ! C'est fini, bien fini, cette fois. Je ne veux plus le revoir. Il me fait horreur. Moi qui. Elle hoquetait un peu. Elle lui pleurait sur le veston. Il respirait l'odeur de ses cheveux. Ça, il l'avait remarqué depuis longtemps. Elle était rudement bien soignée pour une simple femme de chambre. Sans doute, à cause qu'elle était en contact avec la clientèle riche. Ça avait dû lui donner le goût de l'élégance. Au moins, elle, elle avait les mains toujours faites. Pas comme Angélique ! Il imagina tout d'un coup Angélique, se plaignant de lui dans les bras de Pactot ou de Cambrecis. En somme, il n'était pas plus honnête que Greluche. Elle avait un peu raison, Totoche, de prétendre que tous les hommes étaient des cochons. Ce qu'il était en train de faire avec elle, est-ce que c'était bien propre, vis-à-vis d'Angélique ? Ah, que c'était compliqué d'être en règle avec sa conscience ! Mais ce corps mince et tiède contre lui. Cette chevelure. Ce minois. Il bandait ferme. Mais voyons Totoche, vous n'êtes pas toute seule. Je suis là. C'était la première fois qu'il l'appelait Totoche et non Mademoiselle Totoche. Elle n'avait pas protesté. Elle l'interrogeait seulement du regard. Mais oui, je suis là. Vous pouvez avoir confiance en moi. Vous devez. Il lui avait passé un bras autour des épaules. Et de l'autre main, il se mit à lui caresser les cheveux. Elle se calmait tout doucement. Elle ne semblait pas lui déplaire, cette caresse. Elle poussait même un peu sa tête sous sa main. Elle se serrait toujours plus contre lui. Et lui, il resserrait insensiblement son étreinte. Maintenant, ils ne parlaient plus. Plus besoin ! Ils s'étaient parfaitement compris. Ce qu'ils avaient encore à se dire, ma foi ! il était plus facile de se le dire avec des gestes. C'était ça, l'aventure ! Ah, bien sûr, si pareille chose lui arrivait avec la Comtessa... Tendrement, fraternellement, Monsieur Hermès effleura de ses lèvres le front de Totoche. Du front à la tempe, il n'y a pas si loin ; ni de la joue aux lèvres. C'est comme ça que les choses se font. On n'a même pas le temps d'y réfléchir. Et, dame ! les lèvres, on sait ce que ça veut dire. C'est à partir du baiser sur les lèvres qu'on réalise qu'il vient tout de même de se produire un petit événement. Chéri ! Chérie ! Voilà le grand mot lâché. Le monde bouleversé, renouvelé. Pile ou face. Voyez ma main. Zou ! Comme une crêpe. C'était bleu. Maintenant c'est rouge. Plus question de Greluche. D'un seul coup. Défense de toucher. On se brûlerait. Le sujet dangereux. D'autant qu'il y avait mieux à faire. C'était l'heure des premières révélations. La première fois qu'elle pouvait sentir le dard du garçon contre ses cuisses. La première fois qu'il lui mettait la main sur les seins. Tout ça, c'était tacite. On n'en parlait pas non plus. Mais, en revanche : Vrai ? Vous m'aviez remarquée ? Moi qui vous trouvais terrible ! Votre sérieux m'impressionnait. Je me disais : Voilà un type qui n'a pas l'air comme les autres. Je n'osais pas vous parler. Moi non plus ! Vous m'intimidiez. Je croyais que je ne pouvais pas vous intéresser. Et patati et patata. Des chuchotements, des sourires émus, des bisoucailleries dans les coins. Déjà tout à fait intimes. Comme des chatons en train de se lécher la frimousse. Y avait un temps infini qu'ils étaient là. La copine devait s'impatienter dans la chambre de Totoche. Etonnant même qu'elle soit pas sortie dans le couloir voir ce qui se passait. Ils rirent, complices. Ils s'en foutaient. Totoche était radieuse. Envolés, les chagrins ! Le roi n'était pas son cousin. Tout de même, s'ils y allaient voir ? Ils revinrent sur leurs pas, Totoche tenant Monsieur Hermès par la main. On va tout lui raconter. Oh ! la copine ne s'y trompa point. Elle connaissait la vie. Elle connaissait les hommes. Elle connaissait sa Totoche. Elle connaissait tout. Une affranchie. Je me doutais bien que vous étiez en train de faire cette bêtise. Une bêtise ? Totoche et Monsieur Hermès n'avaient pas du tout ce sentiment-là. Ils se récrièrent. Pourquoi la copine faisait-elle une moue réprobatrice ? Qu'est-ce qu'il y avait de mal ? Ça la regardait, peut-être ? Non, bien sûr, elle s'en moquait. Elle considérait seulement que Totoche aurait sans doute pu attendre un peu. Mais ce qui était fait était fait. D'ailleurs, Monsieur Hermès lui était très sympathique. Plus que Greluche. Elle les appela : les amoureux. Ça ne lui allait pas mal, à la copine, de jouer à l'aînée, de faire la désabusée. Et, ce qui ne gâtait rien, l'indignation la rendait tout d'un coup plus désirable. Non, elle n'était pas inappétissante. Tout à l'heure, il n'y avait pas tellement prêté attention, mais elle était rudement bien balancée. Et cette peau laiteuse qu'elle avait, une peau de rousse. Et même une petite ressemblance avec Alice Elvas... Elle affectait d'être sacrément prévenue contre les hommes. Elle semblait cependant ne pas avoir toujours craché dessus. Même qu'elle perdait son temps avec ses conseils. Totoche et Monsieur Hermès ne l'écoutaient que d'une oreille distraite. Voyons Suzy, après ce que Greluche m'a fait, rends-toi compte ! Oui, Totoche avait raison. Toujours un peu superflus, les avertissements, dans ces cas-là. Eux, ils ne songeaient plus qu'à se laisser conduire par les circonstances. L'existence était faite de ces bizarreries. Y avait pas une demi-heure, rien encore entre eux. Et maintenant, ils savaient qu'ils coucheraient ensemble. Ils le savaient, oui, leur esprit en était même obsédé et cependant ça ne transparaissait pas trop dans leurs paroles. Ça se passait même entre eux comme s'il n'avait pas été du tout question de ça. Comme on est en veine de mots aimables dans ces moments-là! Imprégné par mille fadaises qu'on a pu lire. Monsieur Hermès était entraîné à prononcer des mots qui ne lui étaient pas habituels. Totoche, de son côté, raffinait sur ses sentiments. Néanmoins, ni l'un ni l'autre n'étaient de mauvaise foi. Ça leur venait vraiment du cœur. Ils s'en gargarisaient sans pudeur devant Suzy qui n'était pas dupe, elle. Le même genre d'excitation que quand on a bu. Et elle qui n'avait pas bu de ce philtre, elle devait les trouver un tantinet risibles. Surtout quand on savait ce que ça cachait. C'était pourquoi, sans doute, elle était finalement partie. Un prétexte, ça se trouve. On l'attendait à la Comptabilité. On se demanderait même où elle était passée. Totoche, elle, était libre jusqu'à cinq heures. Monsieur Hermès et elle restèrent seuls dans la chambre. Ça l'embêtait un peu, parce que, l'avant-veille, il s'était justement tapé une pignole. Il avait peur de ne pas être en forme. Heureusement, Totoche avait des principes. Non, pas dès le premier jour! Elle devait aimer faire durer le plaisir. S'attarder aux bagatelles de la porte. Ainsi jusqu'à cinq heures! Rien qui vous mettait plus à plat que de se masturber ainsi en veux-tu en voilà. Et pour rien. Toutefois, fallait pas être grand clerc pour voir qu'elle était plutôt dessalée, Totoche. Il ignorait si c'était Greluche qui l'avait initiée, mais le fait est qu'elle possédait un joli petit bagage. Et de la défense, avec ça! Parce que chaque fois qu'il l'avait sentie à sa merci, pâmée et tout, comme il essayait de la renverser sur le sommier et de lui baisser son pantalon, elle avait bien vite maîtrisé ses mains. Non, pas ça, non! Pas aujourd'hui. En y réfléchissant, peut-être qu'il avait eu tort de lui obéir. On ne savait jamais avec les femmes. Oui, peut-être que c'était ça qu'elle aurait souhaité : qu'il lui fasse violence. Avait l'air sincère, somme toute! Pas de la frime. Voulait pas et voulait pas! Et ça, il n'aurait pas voulu la contrarier dès le premier jour. Il tenait à sa réputation de galant homme. Le malheur, vraisemblablement, c'est qu'il prêtait trop à ces diablesses. Il avait le tort de les juger d'après lui. Tantôt les imaginant plus garces que nature et tantôt trop fleur bleue. Mais, qu'est-ce qu'elles étaient exactement ? Ça devait être beaucoup plus compliqué que ça. Et sans qu'elles s'en doutent. Partagées entre des sentiments qu'il n'aurait même pas su analyser. Etait-ce une façon de se prouver à soi-même qu'elles avaient une personnalité ? Pas une raison cependant pour lui faire tirer la langue ainsi. Maisonvieille assurait qu'il n'y avait rien de plus mauvais que de s'astiquer comme ça avec une fillasse. A Portville, qu'est-ce qu'il avait passé à Paolo, à cause de cette commise des Galeries qu'il allait raccompagner chez elle, tous les soirs, et avec laquelle il faisait tout, sauf le principal. Baise-la ! Ou bien, si elle ne veut pas, va tirer ton coup au bouic. Mais, sacrebleu ! cesse de frotter ! Ça t'épuise sans que tu t'en rendes compte. La nuit, allumé comme tu es, ton poireau se dégorge tout seul et le lendemain tu as des jambes de coton. Oui, néfaste pour le sport, ces manèges-là ! C'était un sage, Maisonvieille. Et qui la connaissait dans les coins ! On aurait toujours dû l'écouter. Il lui mettrait le marché en main, à Totoche. Manière de parler. Plus de frotti-frotta. Qu'elle le dise si elle n'était qu'une allumeuse ! Il en avait marre de ces pincées dont le plaisir semblait être de jouer avec le feu et qui prenaient des poses. La Comtessa, sans chercher plus loin, où voulait-elle en venir, celle-là ? Ce matin encore, ç'avait été plutôt suspect. Cette façon de le sonner avant l'heure convenue, d'enfreindre les consignes maritales ! C'était guère respectueux pour le Comte. Pouffant et gâteux, sans doute, mais c'était tout de même son mari. Dans quelle intention avait-elle, elle-même, ouvert rideaux et jalousies ? Pourquoi l'avait-il trouvée assise dans son lit, coiffée et poudrée, comme si elle attendait le prince charmant, avec, sur la peau, une de ces pelures transparentes ?... Néanmoins, il ne s'était pas démonté. Mine de rien, il avait posé le plateau sur le lit. Vas-y ma cocotte ! Mets-t'en plein la lampe ! Sournoisement, il avait ajouté des madeleines et de la gelée de pamplemousse. Semblait toute jeune, la Comtessa. Vingt et un, vingt-deux ? L'âge de Nita Brett. Si elle lui demandait son âge, à lui, il lui raconterait un bobard. On lui avait toujours dit qu'il faisait plus vieux que. Le moment d'en profiter. Eviter de se faire prendre pour un puceau. Humiliant de passer pour son cadet. Elle avait commencé à croquer. Dare-dare ! Et toujours ce sourire narquois au coin des lèvres. Va donc eh, Pompadour ! N'empêche qu'elle les mettait à l'ombre, les madeleines. Tout en posant des questions indiscrètes. Sans avoir l'air d'y toucher. Elle voulait en savoir des choses ! Elle n'en revenait pas qu'il soit parisien et qu'il n'ait pas du tout l'accent des faubourgs. De quel arrondissement ? S'il la questionnait à son tour ? Ça ne se faisait pas. Et pour tout dire, il n'osait pas. On lui voyait les seins à travers sa pelure. Des seins d'enfant. Pas de moutard encore. Devait avoir un ventre étroit et poli. Comme cette brunette, une nuit, dans la chambre voisine de la sienne, à la Maison Meublée. Nita aussi devait avoir un joli ventre, doucement musclé par la danse. Mais était si pudique, Nita. Le plus qu'il avait vu d'elle, c'était quand elle était en maillot. Il se remémorait. A Royan, une fois, il avait déjeuné chez elle. Il y avait sa mère et sa sœur (une mère et une sœur comme avait la Comtessa). On avait mangé des tomates farcies. Entre autres. Dans l'après-midi, la mère de Nita avait voulu lui essayer une petite robe qu'elle venait de retailler. Nita lui avait très simplement demandé de se retourner pendant qu'elle la passerait. Il avait obéi, gardant les yeux fixés sur la fenêtre, jusqu'à ce qu'on lui permette de regarder. Il n'oublierait jamais l'exquise langueur qui l'avait pénétré à ce moment-là. C'était un des souvenirs les plus merveilleux de sa vie. Ça l'avait bouleversé de se sentir si près d'elle et de la savoir presque nue. Bon sang, il était devenu beaucoup moins sentimental depuis qu'il était à l'Hôtel. Question de milieu, sans doute. On pouvait avoir une sorte de contentement intérieur à être grossier et trivial. C'était seulement comme ça qu'on avait l'impression d'être vrai. Et puis, comment réagir ? De même qu'enfant, suivant les régions qu'il avait habitées, il avait successivement pris les intonations et parlé les patois des enfants avec lesquels il jouait, de même, depuis, il subissait très facilement l'influence des milieux, y soumettant son langage et ses coutumes. C'était chez lui une disposition imitative qui restait inconsciente. Pour son goût, il n'aurait pas détesté que les élans délicats pussent prendre plus de place dans son existence. Il imaginait même des cas dans lesquels, heureusement placé, il aurait pu manifester ses tendances à la pureté. Le peu de temps qu'il avait vécu auprès de Nita, il avait bien senti qu'il se montrait tout différent. Est-ce que chacun était également capable de changer de personnalité d'une manière si complète ? Pourquoi était-il si divers ? Pourquoi cette aisance à prendre des tics, des habitudes ? Mais, tout aussi bien, pourquoi cet instinct malin à détoner dans une ambiance nouvelle ? Oui, pourquoi, soudain alors qu'il pouvait si bien s'y fondre, s'il le voulait ? Il lui aurait fallu très peu de choses pour qu'il se laisse aller aux plus cocasses incongruités devant la Comtessa. Histoire de la voir sauter au plafond. Besoin de jouer avec le feu. De faire ce qui ne se fait pas. Les êtres ou leurs actes n'avaient pas qu'un seul visage possible. La carapace n'était pas tout. Les apparences étaient multiples. Il la sentait venir, la Comtessa, dans ses gros sabots, avec son sourire enjôleur, toujours prête à la mystification, sa grâce d'adolescente offerte à tout venant. Mais là-dessous ? La petite machine qui lui servait à faire fonctionner son âme ? Il y avait bien un motif pour qu'elle s'intéresse à lui ? La rouerie ? L'ennui ? La curiosité ? Et quelle rouerie, quel ennui, quelle curiosité ? Il avait de la constance de ne pas l'envoyer au bain. Madame voulait savoir quelles étaient ses heures de service. Elle n'en revenait pas. Sans dormir ? Sans vous déshabiller ? Vous devez nous détester ! Ça, alors, si elle tombait dans la philanthropie !... Il avait horreur qu'on s'apitoie sur son sort. Même si c'était sincère. Il avait toujours préféré être envié que plaint. Une fierté à lui. Peut-être mal placée. Mais il n'y pouvait rien. Alors, quand dormez-vous donc ? Un peu le jour, un peu la nuit, quand je peux, dès que j'ai un moment. Après tout, puisqu'elle en voulait, des détails, pourquoi ne pas appuyer sur la chanterelle ? Se faire plaindre ? Non ! Mais donner un tour tragique à son destin, ce n'était pas si maladroit. C'était tout ce qu'elle désirait, sans doute, qu'il lui fasse un récit qui sorte de l'ordinaire ? C'est terrible ! Il sourit d'un air supérieur. Allons, elle tombait dans le filet. Du reste, il se rendait vaguement compte qu'il était en train de se prendre à son propre jeu. Maintenant qu'il l'avait bien effrayée, il allait pouvoir lui montrer son stoïcisme. C'était le moment de crâner. Oh ! on s'y fait, je vous assure, Madame. Bien dit ! Tout à fait dans le ton de simplicité et d'humilité qui convenait à un vrai héros. Allait-il lui faire venir la larme à l'œil ? Il ne lui aurait jamais cru le cœur si tendre, à la Comtessa. Elle compatissait sincèrement. Mais n'avait pas oublié pour ça de liquider les madeleines et la marmelade.

Toujours réalistes, les femmes ! Avait fait place nette. Restait plus rien de comestible sur le plateau. Peau de balle et balai de crin. Mange donc, affirmait sentencieusement Monsieur Papa, tu ne sais pas ce qui te mangera. Y avait pas besoin de lui faire la leçon, à la Comtessa ! Ça lui coupa son émotion. Il gloussa. Elle s'en aperçut. Aussitôt, son visage se durcit. Ça ne paraissait pas lui plaire. Elle consentait bien à faire la conversation. Mais ça l'offusquait qu'on remarque son péché mignon. Ce qui s'appelait manquer de discrétion. Elle avait dû le trouver mal élevé. Forcément, un garçon d'étage ! On croit qu'on peut les traiter d'égal à égal. Et puis, patatras ! ils ont vite fait de vous décevoir. Monsieur Hermès prit le plateau, vexé. Mais elle ne faisait plus attention à lui. Elle avait saisi le téléphone et appelait son mari. L'audience était terminée. La Comtessa le congédiait. En bon et loyal sujet, il n'avait plus qu'à se retirer sur la pointe des pieds, portant son plateau comme le saint-sacrement, et se retournant sur le seuil pour une dernière révérence. Mais oui, c'était ça ! Quand on avait fini de jouer avec le petit chien, on l'envoyait valser d'un coup de cothurne dans les gencives. Le procédé était le même. Et ça croit faire la leçon aux autres ! Et ça se prétend bien éducaillé ! Avait horreur de la douche écossaise. Elle pourrait lui en faire, des risettes, si elle voulait. Quand on l'avait eu une fois, il était dur à la détente, ensuite. La porte du 212 était ouverte. Totoche était-elle en train de faire les lits ? Non, l'appartement était vide. Dehors, il pleuvait ferme. Un temps de saison. Un temps de chien. Temps de chien, vie de chien. Traité comme un chien. La cabane est tombé su'l chien. Fils de chien. La chiennerie. Le chien de mer. Chienchien. Vraiment prédestinés au pire, ces sales cabots. C'était pas pour rien qu'il les détestait. Toute l'humanité rangée en deux catégories : l'une qui préfère les chiens ; l'autre qui préfère les chats. Lui, il y avait bel âge qu'il avait opté pour les matous. Faudrait qu'il écrive un jour quéq' chose là-dessus. Oui, entre parenthèses, qu'est-ce que ça chagatait ! I tombe des hallebardes, comme disait Paolo. Ou des curés. Croa croa. D'ailleurs, il aurait dû s'en méfier tout de suite, des Bartono. Est-ce qu'elle n'était pas une femme à chiens, la Comtessa ? Avec ses six pékinois ? Impossible de s'y tromper. Sa mère et sa sœur ne valaient pas plus cher. Curieux tout de même que la mère Brangan ait pondu deux oiselles si dissemblables. Autant l'aînée était belle, autant la cadette était laide. Une ratatinée. Une séchée sur pied. Les six pékinois étaient toujours fourrés chez elles. Ça suffisait pour qu'on l'y voie le moins possible. Il fallait le leur reconnaître : elles ne l'embêtaient pas question service. Bonjour, bonsoir, ça n'allait pas plus loin. Pas besoin de se mettre en frais. Et pas difficiles, avec ça. Mais, bah ! il s'était bien trop occupé d'eux jusqu'ici. Maintenant qu'il y avait Totoche, c'était le moment ou jamais de parler à Angélique.

La semaine passée, il était encore sorti avec elle. Ça n'avait pas été drôle. Grognassant, bien sûr qu'il était grognassant avec Angélique ! Mais se figurait-elle que c'était pour son plaisir ? Ça l'embêtait assez d'avoir ce poids sur la poitrine. Et qu'Angélique, aussi bien que lui, sache qu'elle était condamnée, ce n'était pas pour faciliter leurs rapports. D'autant qu'elle n'était pas assez soupçonneuse pour supposer qu'elle pouvait avoir une rivale. Elle se demandait donc ce qu'il avait contre elle. Elle ne croyait pas avoir tellement démérité. Pourquoi ces allusions ? Pourquoi ne pas parler en face ? Monsieur Hermès l'épiait du coin de l'œil. Il sentait bien, lui aussi, qu'elle était inquiète. Oui, quelle journée pénible ! Un jour de repos par semaine, prétendait la Direction. C'était encore à voir ! Pas dans ces conditions, en tout cas ! Une journée à se faire la gueule, à bouder. Avec une Angélique qui voyait bien tout le mal qu'il se donnait pour lui mentir, et qui n'en pensait pas moins. Dommage qu'elle refuse de prendre l'initiative de la rupture ! Ç'aurait été tellement plus commode si elle avait mis les pieds dans le plat. Une bonne petite explication, et puis cela aurait été fini. Hélas ! elle avait sans doute trop peur d'être prise au mot. Elle se cramponnait comme elle pouvait, évitant tout ce qui pouvait ressembler à des paroles irréparables. Aussi long-temps que rien ne serait dit, il lui resterait un petit espoir, si fragile fût-il. Allons, elle était aussi lâche que lui, à sa façon. Pas très brillant, tout ça ! On voudrait imiter les amoureux célèbres, ceux des livres et des théâtres, on voudrait s'élancer dans le sublime, soi aussi, et fallait voir ce que ça donnait. Avec les mots, dans une certaine mesure, on se figure qu'on sauve la face, on s'exténue à tenir un semblant de beau rôle, on se dore mutuellement la pilule. Mais si on avait un tant soit peu de sincérité, ce qu'on se dégoûterait d'être si détestable! On patauge. On marine. On surit. Ah! ce que ça pouvait l'exaspérer, cette obstination avec laquelle Angélique niait l'évidence, cette veulerie avec laquelle elle attendait le choc! Et pourtant, si elle était sortie de sa réserve, l'accusant, n'en aurait-il pas été le premier gêné? Il se connaissait. Il n'était pas non plus des plus courageux quand on l'attaquait de front. Rien que pour échapper à l'attaque, il aurait bien été capable de nier énergiquement le désir qu'il avait de rompre et, niant, n'aurait fait que se lier davantage, par conséquent. Si elle avait su ça, Angélique, probable qu'elle en aurait profité. Tandis que son silence, sa résignation ne faisaient qu'affermir la décision de Monsieur Hermès. Néanmoins, ce jour-là encore, il n'avait rien dit.

Ils s'étaient traînés tout l'après-midi dans le quartier des Ternes. Pourquoi? Ils n'en sauraient jamais rien. Un quartier dont Monsieur Hermès avait particulièrement horreur. Il se revoyait encore, à la sortie du music-hall de l'avenue de Wagram, vers six heures, échouant avec Angélique à la *Brasserie Lorraine*, déjà pleine de consommateurs cossus auprès desquels ils paraissaient encore plus minables. Ah, quand donc pourrait-il se promener, aller où il voulait la tête haute? Etre bien sapé, avoir avec soi une fille superbe, aborder la vie avec des gestes larges, une parole hardie, après tout, ce n'était pas un désir si extravagant. Est-ce que tous ces mâles autour de lui, jeunes et vieux, ne prenaient pas l'air avantageux? Il aurait bien voulu les voir, dans sa situation. Mais, parbleu! ils faisaient bien tout ce qu'il fallait pour ne pas s'y trouver. Ils savaient mieux nager. Des barbeaux, pour la plupart, ou des tôliers, avec leurs poules. Le regard chichiteur qu'elles avaient, ces dames! En voilà, au moins, qui ne doutaient pas d'eux. Semblaient avoir tout de suite compris ce qu'ils étaient en droit d'attendre de l'existence. C'était ça, sûrement, qui leur donnait ces fades visages, ces yeux vides, ces sourires béats, cette morgue obtuse. Mais à lui, ça inspirait un mélange de haine et d'envie insatisfaites. En revanche, l'innocente Angélique était fort impressionnée par tout ce beau monde. Elle en avait plein la bouche. Son rêve aurait été de pouvoir vivre comme eux, de fréquenter les mêmes endroits. Elle parlait de *Fortuné* ou du *Pet de Nonne,* du *Grand Veneur* ou de *Sébillon,* du *Cotti* ou du *Six Cylindres,* du *Manoir Topsy* ou des *Acacias,* du *Mac-Mahon* ou de *Korniloff* avec extase. Et si, ce jour-là, elle s'était tue, ça ne s'était pas moins senti dans ses yeux, ce qu'elle éprouvait, la petite sotte. Comme si elle avait une tête à ce qu'on l'emmène dans ce genre d'établissements! Plus tard, quand elle aurait perdu jusqu'à sa jeunesse, il imaginait qu'elle pourrait se souvenir de tout ça avec nostalgie et qu'elle pousserait de grands soupirs. Renversant, chez elle, ce mélange de simplicité et de frivolité. Faut de tout pour faire un monde. Bref, cette insistance avec laquelle elle avait dévisagé les grues satinées et les beaux marlous de la *Lorraine* avait fini de décevoir Monsieur Hermès. Il lui sembla qu'Angélique n'avait jamais été si laide. Laide et disgracieuse. Avec sa robe de soie rouge sous son manteau râpeux. Avec ses binocles. Pourtant, lui, il faudrait bien qu'il en porte aussi, un jour ou l'autre, des binocles. Il y voyait de moins en moins bien. La dresser? Essayer de lui donner un autre aspect? La peau! Il y avait renoncé tout de suite. Et qu'elle soit là, à le regarder, avec ce sourire malheureux, prête à tout encaisser, à tout pardonner d'avance, c'était le comble! En fin de compte, c'était elle qui avait demandé à rentrer à la Maison Meublée. Elle n'avait plus la force de lutter en public contre la condamnation qu'elle lisait dans ses yeux. Machinalement, ils avaient fini de sucer leur apéritif. Garçon! Régler. Laisser un bon pourboire. Il sentit une puce. Avait dû la ramasser sur la banquette. Avait le chic pour ramasser les puces de luxe. Elles n'étaient pas moins féroces que les autres. Celle-ci, notamment, connaissait le travail. S'attaquait aux parties les plus tendres de son individu. Là où il était le plus difficile de se gratter. Tout de même, en mettant son pardessus, pendant que le garçon l'aidait, il empoigna en douce le tissu de son pantalon à pleine main et frotta énergiquement. A la fois, ça lui procurait une sensation voluptueuse et ça risquait d'étourdir la puce. Avait-elle sauté? Sentant plus rien. Sur le boulevard de Courcelles, Angélique, tout en marchant à côté de Monsieur Hermès, un peu en retrait (par congénitale déférence ou par pudeur?) laissait ses larmes couler une à une sur ses joues. Quand ils se rapprochaient d'un réverbère, elle baissait la tête pour se cacher de son amant. Mais lui, il l'avait bien vue. Alors quoi, il était donc si pervers ? Un de ces types qui font pleurer les femmes ? C'était dérisoire. Et de quel droit pleurait-elle ? Encore un stratagème à elle pour l'humilier. Il accéléra le pas pour la distancer. Avait rien de commun avec cette... Mais elle le suivit. Et la puce, qui remettait ça. Pas partie du tout. Plus vorace que jamais. Un vieux monsieur les croisa dans l'ombre, les regarda avec insistance. Monsieur Hermès rougit. Se sentait condamné par ce témoin. Sûr, le petit vieux avait dû le prendre pour une de ces brutes qui... Et tout ça, c'était la faute d'Angélique. Elle n'en ratait pas une. Il se sentit plein de haine contre elle, contre le genre humain. Cette journée ne finirait-elle jamais ? Malgré tout, une fois dans la chambre d'Angélique, il n'avait plus osé lui parler. Angélique avait séché ses larmes, avait souri. D'où soudain, le désir d'elle lui était-il venu ? Parce qu'elle avait les paupières tuméfiées ? Parce qu'il avait envie de se mépriser un peu plus ? Ils avaient encore une fois fait l'amour. Oh ! sans illusion, sans entrain. Et après ça, n'en pouvant plus, il s'était retiré dans sa propre chambre, prétextant sa fatigue. Il était submergé de dégoût. Et de sa liaison, et du décor sordide de leurs amours et de sa lâcheté.

Eh bien, tout cela avait assez duré ! Maintenant qu'il avait lié partie avec Totoche, il n'y avait plus à hésiter. Totoche avait bien rompu avec Greluche. Il devait en faire autant avec Angélique. Il faudrait régler ça dès aujourd'hui. Il monterait rue Dulong dans l'après-midi. Il en profiterait pour liquider sa chambre à la Maison Meublée. Il n'en avait plus besoin. Un grand coup d'éponge. Rayer le passé. Autre chose. Du neuf ! Il transporterait tous ses bagages, dans sa mansarde du huitième, à l'Hôtel. Totoche pourrait s'occuper de son linge. Ça ne lui coûterait plus rien. Au diable la Maison Meublée ! Quelles nuits de désespoir il y avait passées ! Avec tous ces couples qui s'enfilaient derrière les cloisons ! Et le cri de détresse des trains le long de la tranchée des Batignolles ! Toute sa vie, il conserverait ces bruits dans les oreilles. Ces bruits qui, à chaque instant de la nuit, ponctuaient et avivaient sa solitude et son abandon. Avec l'atroce hantise des réveils. L'obsession causée par tant d'êtres qui avaient leur existence en marge de la sienne, si près de lui cependant, là, dans toutes les chambres qui l'entouraient. Et toujours, au loin, sur les voies, la plainte nocturne des locomotives...

Dès deux heures, Monsieur Hermès se dirigea vers la rue Dulong. Il n'avait pas très bonne conscience. Un curieux cheminement s'était fait dans son esprit. Pourquoi affronter Angélique ? L'important était surtout de retirer ses affaires de la Maison Meublée, de régler son dû au tenancier. C'est ainsi qu'il s'était glissé dans le couloir, dans l'escalier, dans sa chambre. Comme un voleur. Avec, dans la gorge, cette contraction qui se produisait chaque fois qu'il accomplissait une vilaine action, une corvée. Il s'était tout de suite mis à faire sa petite malle, à bourrer sa valise. Occasionner le moins de bruit possible. Oui, mais pas facile. Trop énervé. Ses gestes étaient saccadés. Nécessité de raisonner, de se dominer. Un peu de sang-froid. Dans moins d'une heure tout serait terminé. Il redescendrait pour chercher un taxi au coin de la rue Cardinet. Il ferait ses adieux à l'oncle et à la tante d'Angélique en les réglant. Eviter de donner des explications. Avoir l'air pressé. Voyons, après le linge, maintenant ? Les bouquins ou les costumes ? Non, par-dessus les costars, en dernier. Ne pas les froisser en les pliant. Eviter. Eviter Angélique. Eviter ceci, éviter cela. Après tout, il n'avait pas à se gêner. Il ne les reverrait jamais plus tous ces gens-là. Pas de si tôt qu'il remettrait les pieds dans le coin ! Non, les livres seraient mieux dans la valise, à plat. Savoir s'ils n'allaient pas lui parler de leur nièce ? Angélique sait-elle que vous partez ? Faut-il l'appeler ? Hmmmmm ! Pas facile non plus de répondre à ça ! Décidément, il aurait dû placer les chaussures au fond de la malle. A cette heure, pourvu qu'Angélique reste enfermée dans sa chambre. Oui, elle devait broder, son nez de souris sur son ouvrage. A cent lieues de se douter qu'il était là, déménageant à la cloche de bois. Elle ne l'avait sûrement pas vu arriver. Le tout était qu'elle ne soit pas dans la loge. Sans ça : coincé ! Précaution : choisir un chauffeur costaud. Pourrait porter la malle sur son dos dans l'escalier. Ferait moins de bruit. Lui, descendrait la valoche. Avant tout, pas créer d'agitation insolite dans l'immeuble. S'arranger pour qu'Angélique ne se mette pas non plus à sa fenêtre. Que d'embûches en perspective ! Si seulement il pouvait couper à la confrontation ! Après son départ, elle comprendrait. Il était sûr d'elle. Elle se tairait. Pas du tout une fille à pleurer dans le giron de sa tante, à exciter l'oncle à lui courir après. Pas du tout de ces intrigantes capables d'aller le relancer à l'Hôtel. Restait le procédé. Pour dire ce qui est, il n'était pas très élégant, le procédé. Ni très loyal. Se raconter à soi-même que ça lui ferait moins de peine ainsi, à la petite, c'était de la triche, du laïus pour essayer de se mettre en règle. Mais en fait, il était un beau dégueulasse. Et ça...

Depuis quelque temps, Angélique vivait dans une crainte perpétuelle. Amoureuse, pauvre amoureuse blessée, son visage s'était durci, avait jauni. Réduite à sa broderie, elle se repliait sur elle-même, baissant la tête, arrondissant les épaules, comme si elle se préparait mieux ainsi à recevoir le coup qu'elle savait lui être destiné. Des jours entiers, elle demeurait dans l'attente anxieuse de Monsieur Hermès. Peut-être aujourd'hui ? Peut-être demain ? Dès qu'elle entendait du bruit dans l'escalier, son petit cœur frappait dans sa poitrine. Si c'était lui, enfin ? Mais même si c'était lui, fallait-il s'en réjouir ? Elle espérait et redoutait sa venue. Elle n'osait plus sortir de peur de le manquer. Qu'as-tu ma fille ? s'inquiétait sa tante. C'est-i rapport à ce garçon ? T'es donc aussi dinde que les autres ? Rien n'y faisait. Elle montait une garde vigilante derrière les minces rideaux de sa fenêtre

C'est de là qu'elle l'avait vu se dissimuler gauchement. Elle avait retenu ses larmes. Quelle absurdité ! Ce n'était donc pas assez qu'il la lâche ? Pourquoi se cacher ? Pourquoi agir de la sorte ? Comme s'il voulait qu'elle le méprise, par-dessus le marché. Même ça ! Oui, il aurait fallu qu'il lui gâche même leur rupture. Et quand elle penserait à lui, ensuite, au lieu de se souvenir de tout ce qu'il y avait eu de gentil en lui, parfois, elle savait qu'elle ne pourrait plus s'empêcher de le revoir, là, venant reprendre ses affaires en cachette d'elle, n'ayant même plus le courage de lui dire en face ce qu'il avait mis dans sa tête. Elle frissonna, prise de fièvre, les traits décomposés. Elle couvrit ses épaules d'un grand fichu noir dans les pans duquel elle pouvait cacher ses mains sous ses bras croisés. Au moment de quitter sa chambre, elle eut une seconde d'hésitation. Oui ou non ? Etait-ce encore de l'amour ou de la magnanimité ? Revenant rapidement sur ses pas, elle prit quelque chose dans le tiroir de sa commode, le glissa sous son fichu, tira sa porte, s'élança vers la chambre de Monsieur Hermès. Ça lui avait donné envie de faire pipi. Mais les vataires de l'étage étaient occupés. Tant pis ! Elle garderait ça jusqu'à tout à l'heure. Comme elle marchait vite, un petit pet tranquille partit tout seul. Le couloir était désert, heureusement... A cause de l'odeur possible. Le petit pet lui fit lâcher quelques gouttes d'urine dans son pantalon. Elle serra les cuisses. Elle sentit que ça la cuisait légèrement. Mais elle n'avait plus le temps d'y faire attention.

Elle entra chez lui sans frapper. Il lui tournait le dos. Tu t'en vas ? Tu t'en vas sans rien me dire ? Sans m'embrasser ? Monsieur Hermès s'était retourné, interdit, les mains ballantes. D'où sortait-elle, cette voix frêle, navrée, intolérable ? Angélique !... Angélique ! C'est donc toi ? Il n'arrivait pas à se ressaisir. Bon Dieu que c'était déplaisant ! Que n'aurait-il pas donné pour s'en tirer autrement ! Mais il était trop tard. En plein pétrin qu'il était. Comme un malfaiteur pris au piège. Angélique était là, devant lui, contre la porte qu'elle avait refermée, toute menue dans son fichu noir, et le fixant de ses yeux de myope. Rien de méchant, pourtant, dans ce regard misérable. Plutôt quelque chose d'intrépide. Ça lui coupait les jambes. Lui mentir encore. Ne pas avouer. Lui raconter qu'elle se méprenait, qu'il avait seulement décidé d'habiter l'Hôtel, que ce serait plus pratique pour son travail. Mais que ça ne changerait rien entre eux. Ne lui en avait-il pas déjà parlé ? Bien sûr, il avait raison. Il lui en avait déjà parlé en effet. Elle faisait semblant, la bravette, de mordre à l'hameçon.

Elle commença par poser sur le lavabo le quelque chose qu'elle avait dans la main. Puis, silencieusement, soigneusement, elle vint près de lui et l'aida. Les portemanteaux sont à toi ? Monsieur Hermès était confus et humilié. As-tu un journal pour que j'enveloppe tes brosses ? Quelle leçon elle lui infligeait ! Voilà ce qui s'appelait avoir du ressort. Il aurait voulu le lui dire, lui rendre hommage. Mais les mots ne sortaient pas. Tout ce qu'il pouvait faire, c'était de la regarder d'une certaine façon. Mais elle ne faisait pour ainsi dire pas attention à lui. Elle lui prit le journal des mains, oh, sans colère, et eut un haussement d'épaules, comme si un coup de froid l'avait mordue. Un véritable gâchis ! Singulier, d'aimer un garçon à ce point et de le condamner en même temps. Sans compter qu'elle n'était pas très fière de son impuissance à le haïr tout à fait. Elle soupira. Là, la valise était pleine. Plus qu'un veston à y mettre. C'est alors qu'elle reprit le « quelque chose » qu'elle avait posé. Ce n'était pas autre chose qu'un médaillon de mosaïque, cadeau de ce garçon qu'elle avait eu pour amant avant lui. Elle le donnait à Monsieur Hermès. « Oui, en souvenir de moi. Garde-le. Je le mets là, sur tes chemises. C'est ressemblant, n'est-ce pas ? » Ça représentait, en effet, le profil d'Angélique. Le mosaïste s'était beaucoup appliqué. « J'espère que ça ne t'encombrera pas trop. Moi, je ne le trouverai pas d'à dire. » Ils baissèrent la tête tous les deux. Brrrr ! quelle histoire ! Une de ces envies de chialer ! Il dut se défendre pour ne pas la prendre dans ses bras. Peut-être qu'elle l'aurait repoussé. C'est ça qui le retint en fin de compte. Il ouvrit la bouche pour parler, dès qu'il sentit qu'il avait retrouvé son empire, des sanglots encore plein la gorge. « Inutile d'expliquer, va ! Tais-toi ! Il n'y a rien à ajouter, maintenant. » Elle avait raison : il n'y avait vraiment plus rien à ajouter. Ou alors ç'aurait été trop compliqué, trop long. C'était si pénible d'analyser toutes ces choses qu'on avait au-dedans de soi. Pourquoi on se laissait aller à faire certains actes, sachant bien qu'on se discréditait en les faisant. Et pourquoi, cependant, on ne pouvait pas s'empêcher de les faire. Pourquoi on ne réussissait jamais à se montrer sous son meilleur jour. Et pourquoi, en revanche, il était si facile de paraître plus mauvais qu'on n'était en réalité. Pourquoi tout ce qu'on disait et faisait était tellement sujet à malentendus et à sous-entendus. Et pourquoi, finalement, ça rendait les rapports entre les êtres toujours si faux et si conventionnels. Comment Angélique aurait-elle pu deviner que son sort fû lié à Madame Elvas, à Nita Brett, à la Comtessa, à Totoche, aux nuits turpides de la Maison Meublée, aux plaintes de trains de Batignolles, à tout un ensemble de circonstances médio-

cres et de rêves orgueilleux ? Tout ça s'enchevêtrait. Inextri-
cablement. Monsieur Hermès, lui-même, aurait été bien
incapable de se définir. Il fallait qu'il accepte d'être jugé sur
l'extérieur de ses actions. Si peu d'événements encore, dans
sa vie, et déjà tant de confusion ! Oui, oublier, supprimer le
passé, faire peau neuve, tuer le vieil homme. C'était ce qu'il
avait résolu le matin même. Mais, demain, il recommencerait à piétiner, il en était sûr, à rechercher de nouvelles
intrigues, non moins douteuses, non moins illusoires que
celles où il s'était déjà laissé entraîner.

C'est Angélique qui sortit à la recherche d'un taxi. Monsieur Hermès régla son dû dans la salle à manger aux brise-
bise. Ni l'oncle ni la tante ne firent la moindre observation.
Tout ça avait l'air convenu. C'en était même agaçant. Ils
devaient avoir l'habitude. Et puis, à quoi bon revenir en
arrière ? Néanmoins, avaient pas dû comprendre grand-
chose à Monsieur Hermès. Ni au goût que leur nièce avait eu
pour lui. Oui, habitués à ces départs. Un client en vaut un
autre. Les locataires, on ne savait jamais d'où ça vous
arrivait. Comme s'ils tombaient de la lune. Et, un beau jour,
ils vous quittaient. On ne les revoyait plus. Jamais ! Exactement comme à l'Hôtel. Comment s'attacher à eux ? On s'y
attachait, cependant. Le temps qu'ils étaient là. Ensuite, on
finissait par les confondre, les bons et les mauvais, les petits
et les grands, les maigres et les gros, les renfrognés et les
bavards. Oui, savoir s'il laisserait un souvenir dans la
mémoire de ces gens ? Et Angélique ? Que deviendrait-elle ?
Se souviendrait-il d'elle plus tard ? La vie... Un jour, puis
un autre jour, puis encore un autre. Comme ça, jusqu'à la fin.
Entassés, les uns sur les autres. « Vot'malle, j'la mets à côté
de moi, s'pas ? » Entassés, et sans qu'il soit possible de
revivre un de ceux qui sont dessous. Toujours aller de
l'avant. Impossible de rien effacer. Entasser, entasser les
jours, avec ce qui s'était inscrit dessus, d'une encre indélé-
bile, le médiocre et le pire. Comment arrêter la machine ?
Dire : Non ! pas celui-là ; rendez-le-moi, il est défectueux ; je
vais le refaire ? Impossible. Ce qui est inscrit est inscrit. Et
jusqu'au dernier jour, il faudra porter ce poids toujours
croissant des fautes commises. « Vous n'avez rien oublié »,
que s'inquiétait le chauffeur ? Non, il ne croyait pas. C'était

d'ailleurs au-dessus de ses forces de remonter encore une fois là-haut, de pénétrer à l'intérieur du 19. Les vieux s'apercevraient-ils qu'il astiquait ses godasses avec les rideaux ? Non, il n'avait rien oublié, Angélique en était sûre. Elle avait vérifié. Pourquoi ce zèle ? Pourquoi était-elle si naïve ? Si elle s'était enfermée chez elle, il aurait bien fallu qu'il aille lui faire ses adieux. Il aurait pu alors la prendre dans ses bras, lui donner un dernier baiser. Mais c'était justement ce surcroît de cruauté qu'elle avait sans doute redouté. Elle était là, sur le trottoir, tenant la portière du taxi. Dans ces conditions... Un petit serrement de cœur. Il tendit la main à l'oncle et à la tante. A son tour, Angélique avança la sienne qui tremblait. Il la pressa avec douceur, affreusement gêné. « Au revoir, Angélique, au revoir ! » Il allait dire : « A bientôt ! » mais une sorte de pudeur le retint. Dans ses larmes elle lui sourit mais elle ne pouvait pas parler. Sans même attendre qu'il fût installé dans le taxi, elle se précipita à l'intérieur de la Maison Meublée. Monsieur Hermès se laissa tomber sur les coussins. La capote du taxi lui déroba un instant la vue de l'entrée. Comme l'engin démarrait, il vit quand même les vieux qui rentraient chez eux. Il se passa la main sur la figure. Il était abattu. « Mon Dieu, que c'est désagréable ! Mon Dieu, que c'est désagréable ! » Il ne cessait de répéter ça tout bas. Il avait la sensation qu'il venait de commettre une saleté. Ils virèrent dans la rue Cardinet, dévalèrent la rue de Rome. Fini ! Ouf ! Fini ! N'y plus penser. Ne plus penser à rien. Des rues, des voitures, des passants. Quels liens avait-il avec tout cela ? Il se laissait emporter. Loin de ces maisons, loin de ce quartier. Ce que je suis moche ! Ce que je suis moche ! Ah, alors, ce que je peux être moche ! L'irréparable. Voilà, il avait mis l'irréparable entre Angélique et lui. Il l'avait insultée. Comme elle devait le détester ! Délivré, certes, il l'était. Mais il se demandait si ce n'était pas à partir de maintenant qu'il allait commencer à la comprendre, la petite Angélique, à regretter son égoïsme et à lui vouer un peu de tendresse rétrospective. C'était la faute à Totoche tout ce qui était arrivé. Totoche, pourquoi s'était-elle jetée à sa tête ? Pourquoi avait-il pris feu, lui aussi ? Pas de cuisses, pas de bras, pas même de nichons. Et pourtant, il en pinçait bougrement pour elle. Alors, où allait-elle le mener, cette nouvelle aventure qui s'amorçait ? Une bonniche, voilà ce qu'elle était. Troquer la brodeuse contre la bonniche. Il s'était bien juré... Encore un plongeon fâcheux. L'éternel recommencement. On prend la même et on... Tout ça, parce qu'il avait envie de faire des cochonneries avec Totoche ! Des amours de coin de table, comme disait Monsieur Dominique. Bon ! Et puis après ? Il lui semblait qu'il les palpait déjà, les belles petites fesses de Totoche.

Troisième partie

I

En ces journées de février, subitement, la neige avait recouvert Paris. Sur les trottoirs, sur les chaussées, elle avait vite pris la couleur de la suie. Mais partout où les pas des gens n'avaient pu l'atteindre, elle était restée d'une blancheur que le soleil, à certaines heures, rendait éblouissante. Montant sur une chaise, dans sa mansarde de l'Hôtel, Monsieur Hermès pouvait la voir, couvrant les parties des toits les plus exposées au froid, par plaques plus ou moins épaisses, voire comiquement accrochée à quelque aspérité. Sous le plafond bas du ciel, de rares oiseaux plongeaient, rasant les tuyaux des cheminées d'où la fumée... Buddy, ce campagnard, aurait su dire lesquels. Les hirondelles, non ; elles étaient parties. Des moineaux ? Montaient-ils si haut ? Des pies venues des Tuileries ou du parc Monceau ? Oui, bien la peine de pousser jusqu'en math'élém ! Il en avait déjà fait souvent la constatation. Mais ça devenait de plus en plus évident. A chaque instant, maintenant, il en était frappé. La section d'un cône par un plan, d'accord ! L'utilitarisme de Bentham, d'accord ! La loi de Lavoisier : « Rien ne se perd, rien ne se crée », d'accord ! Mais qu'on leur apprenne à quelle époque de l'année fleurissent les iris ou les fuschias, quels oiseaux volent sur les toits de Paris, l'hiver, pas de danger ! Des ignorants, voilà ce qu'on faisait d'eux. Et on les lâchait comme ça dans la vie, pleins de prétentions inutiles. Quand il avait bien neigé, à Portville, l'amusement qu'il avait à pisser sur elle, dans le jardinet de Madame Mère. Les petits cratères que ça faisait. Ce crépitement. Et la neige qui se teintait d'un joli jaune. Partir au lycée, de bon matin, amasser des épaisseurs de neige sous ses semelles. De plus en plus hautes, comme des patins, et de plus en plus pesantes. La sensation de s'élever au-dessus du sol. Et puis, tout à coup, l'un des patins se détachait. Le déséquilibre que ça produisait. Se mettre à boiter, avec un pied devenu tout léger et l'autre encore si mastoc... Moins drôle, les boules de neige. Les idiots! Il se souvenait de celle qu'il avait reçue dans l'œil droit. Avec un caillou dedans! L'année précédente, ç'avait été une pomme de terre dans le gauche, en jouant à la petite guerre avec de jeunes paysans, chez grand-mère. Capitaine, qu'il était. Madame Mère lui avait confectionné un képi rouge, avec trois galons dorés. Il portait un grand sabre rouillé, dans sa gaine, si lourd, si lourd, trouvé dans la remise. Une relique à grand-père? Bref, c'était sûrement à cause de ces deux accidents qu'il avait la vue basse aujourd'hui. Il faudrait tout de même qu'il se décide à aller voir un oculiste. Il avait peur qu'il l'oblige à porter des lunettes. Pas étonnant qu'il eût de l'appréhension à recevoir le ballon de volée, surtout s'il s'agissait d'une chandelle. Il ne le voyait pas bien venir. Parfois, il lui passait même entre les mains, frrrt! Sans qu'il s'en aperçoive. Les autres riaient. Eh, la passoire! Ce n'était pas féroce. Ils savaient bien qu'il était au contraire très adroit généralement. Mais enfin, il aurait préféré s'entendre dire autre chose. Les deux fois, la patate et la boule de neige, on lui avait raconté qu'il avait fait un saut périlleux. Il ne s'était rendu compte de rien. Comme ces chiens qui se cognent durement contre un arbre, à la chasse. Un choc nerveux? Les lamentations de Madame Mère, à son retour à la maison. Mon pauvre enfant, dans quel état!... Les compresses d'eau bouillie. La visite chez le médecin. Ces appareils étranges. Cette lumière aveuglante qu'il vous dirigeait sur l'œil. Regardez à droite. Regardez à gauche. Fixez ce point. Ça avait dû lui écraser légèrement les globes. Et puis on n'en avait plus parlé. Ça avait eu l'air de se tasser. Cependant, si sa vue faiblissait encore, sûr, il devrait cesser de jouer au rugby. Manquerait plus que ça! Pas à dire, c'était joli, la neige. Ça imposait une sorte de rigueur aux lignes. Surtout en ville. Noir et blanc. Comme un négatif. Plus d'ombres. Une apparence nouvelle donnée aux monuments, aux statues, aux réverbères, aux bancs des squares, aux balustrades, aux fusains taillés des hôtels particuliers. Comme si tout ça avait été souligné d'un gros trait blanc. Comme si, en même temps, le volume de ces choses avait été modifié. Là, d'en haut, même en ouvrant la tabatière, plus un seul bruit de la rue. Etouffés, absorbés. Le silence. Une ville déserte, pétrifiée. Mais non, pas pétrifiée, puisque les gens allaient et venaient comme d'habitude. Plutôt comme si tout cela s'était passé derrière une glace qui aurait permis de voir mais non d'entendre. Pourquoi est-ce que sa queue lui faisait mal comme ça ? Une sorte de picotement. Il avait dû y aller un peu fort, dimanche dernier, avec Totoche. Ce match à la Croix de Berny avait été bougrement dur. Au retour, cette bouteille de champagne qu'il avait sifflée avec Totoche, dans la chambre de celle-ci. En moins de deux. La fatigue du match aidant, ça avait vite fait de le biturer. Et elle, Totoche, la rosse, complètement déchaînée après ça. Il l'avait jamais vue dans cet état. Elle avait à toute force voulu qu'il la baise. Sans perdre une minute. Et il avait fallu remettre ça. Bien sûr, elle, elle s'en foutait éperdument. C'était son jour de sortie. Elle avait toute la nuit pour récupérer. Elle dormait comme un loir. Mais lui, il prenait son boulot à huit heures. Toute la nuit là-dessus sans dormir. Il était frais le lende-main ! Aujourd'hui mardi, il n'avait pas encore retrouvé son équilibre. Même que ce matin, comme c'était assez tran-quille à l'étage, il avait demandé au Père Hubert de le remplacer pendant un moment. Il en avait profité pour grimper dans sa mansarde et hop ! sur le page. Mais mainte-nant il fallait redescendre. La Comtessa allait le relancer. Prétendait qu'elle pouvait pas se passer de lui. Vivement qu'elle s'en aille. Ils s'incrustaient drôlement, ces Bartono ! Toutefois, il aurait du regret quand elle partirait, la Com-tessa. Pas banal, il pensait toujours à Nita quand il était avec elle. Comment expliquer ça ? Ne se ressemblaient pas. Avaient pas du tout le même genre. Et cependant, c'était réglé, elle pouvait pas ouvrir la bouche ou remuer le petit doigt, la Comtessa, sans qu'il imagine que c'était Nita qui était là. Même que ça lui faisait répondre tout de travers. Elle devait le croire distrait. Tout de même, c'était pas ordinaire ce picotement. Faudrait qu'il regarde s'il n'avait pas un petit bouton.

Vers onze heures, il pénétra chez la Comtessa. Pendant qu'il ouvrait les rideaux, il regardait la couche, déjà épaisse, sur les pelouses et sur les branches des arbres nus. Les passants, comme des fantômes. Les flocons tombaient, piquetant les manteaux. La Comtessa s'était levée et était venue voir ça, près de lui. Ce qu'elle sentait bon, ainsi, au sortir du lit! Devait passer son temps à se parfumer. Heureusement qu'il y avait Totoche. A plat comme il était, risquait pas de faire des blagues. Avait jamais pu savoir encore ce qu'elle avait derrière la tête, la Comtessa. Des avances, non, à proprement parler, elle n'en avait pas fait. Mais on aurait toujours dit qu'elle attendait qu'on lui en fasse. Pas si bête! C'était trop gros de risques. Il ne s'y était pas fié. Tant qu'elle ne parlerait pas... Toujours cette peur de tomber sur un bec, avec la cascade de contrariétés qui suivraient, l'engueulade de Schott puis du Chef du Personnel, la mise en boîte des copains, et pour finir, le vidage avec pertes et fracas! Somme toute, ça lui aurait salement dit. Mais qu'elle fasse au moins les premiers gestes. Galant, sûrement il l'était. Mais dans les limites permises par son service. Avisant un manteau de fourrure jeté sur un fauteuil, il s'en saisit et couvrit les épaules de la jeune femme. Madame la Comtessa va prendre froid. Il y avait moins dix ce matin. Elle lui sourit. En voulant mieux assurer son manteau qui menaçait de glisser, sa main rencontra celle de Monsieur Hermès. Simple frôlement involontaire, sans doute. Plus d'une fois, avec Nita, il y avait eu de tels frôlements. Il n'avait pas osé non plus. Alors, ce n'était pas la crainte du domestique mais celle de l'amoureux transi. Toujours cette damnée timidité. Il fallait lui forcer la main. Comme à une fille. Ne comprenait donc pas que c'était au mâle de prendre l'initiative? Il ne voulait tout de même pas qu'une comtesse se jette à sa tête? Pour qui se prenait-il? Petit prétentieux, va!

Oh, voyez donc! s'écria-t-elle, en se rapprochant imperceptiblement. Monsieur Hermès se pencha. Son visage effleura ses cheveux bouffants de blonde. Il n'avait jamais été si près d'elle. Ça le rendait tout chose. Il n'aurait jamais cru qu'elle fût si petite. Semblait pas avoir d'os. Des poignets de fillette. S'il la pressait contre lui, c'était à peine s'il la sentirait. Une étreinte liquide. Oui, elle ne lui arrivait pas à l'épaule. Emouvant cette fragilité! Elle riait à petits coups spasmodiques, un peu comme qui rit en cachette, de peur d'être entendu et, en riant, elle remuait doucement la tête. C'est ce qu'elle avait de mieux, ce sourire. Avait l'air de le savoir, d'ailleurs.

Là-bas, sur le trottoir d'en face, un petit vieux anonyme, serré dans un pardessus aussi démodé que verdâtre, se livrait à un étrange jeu. Pour lui, en égoïste, avec une attention d'enfant. Sans s'occuper des passants, et presque à leur insu, mais sans se cacher le moins du monde, il s'efforçait très minutieusement de mettre ses pieds dans les traces laissées par d'autres semelles dans la neige. Ces traces étant nombreuses, le petit vieux était parfois obligé de piétiner sur place. Ainsi, on aurait cru qu'il dansait, qu'il s'essayait gauchement à danser. Il y avait dans toute sa personne quelque chose de furtif, de vaporeux, d'anachronique. Où allait-il? D'où venait-il? Qui était-il? Un maniaque? Un simple d'esprit? Un superstitieux? Avait-il voulu se tenir à lui-même une gageure? Au bout d'un moment, toujours sautillant, il parvint à l'angle de la rue. Un flot de garçons pressés l'absorba. Il disparut...

Laissez le plateau sur le guéridon. Je ne me recouche pas. Amusée comme elle avait été, reprendre si vite son sérieux! A croire que les choses ne frappaient jamais profondément leur esprit. Le spectacle de ce petit vieux avait plongé Monsieur Hermès dans une sorte de rêverie. Même que ça lui avait donné envie d'aller aux cabinets. Il faudrait décidément qu'il tâche de prendre l'habitude de faire ses, tous les matins, régulièrement, à l'exemple de Monsieur Papa. Il avait raison, Monsieur Papa, c'était l'*a b c* d'une bonne santé. Veiller aux fonctions de l'intestin. Eviter de gonfler. Garder le ventre plat. En sportif. Le ventre, endroit le plus fragile du corps. Les toreros qui recevaient une cornada dans l'aine. Une véronique trop serrée. Une entrée à matar en croisant mal. Et toc! La corne criminelle, fouillant les tripes, mettant toute cette puanteur au soleil. Les chevaux, marchant sur leurs propres viscères, ça ne lui faisait pas le même effet. Mais un torero se tenant la bedaine à deux mains, avec tout ce grouillement bleuâtre-verdâtre qui s'échappait, ça, c'était bouleversant. La vie d'une homme qui fout le camp, là, devant vous. Ce sentiment d'impuissance qui vous immobilise sur votre gradin, l'envie de hurler aux autres, à ceux de l'arène : Vite ! Faites quelque chose ! Et la tête livide du belluaire, avec l'or stupide et si beau de son travesti. Oui, ça n'avait pas eu l'heur de la préoccuper davantage, la Comtessa, cette scène du petit vieux. Une sensibilité toute en surface. Aucune imagination. Avait ri, parce que c'était risible, d'abord. Mais n'y avait rien vu de plus. Versez-moi encore un peu de thé, voulez-vous ? Quelle charmeuse ! Mais derrière ça ? Tout à fait la noble dame des romans. Même pour lui, un vulgaire garçon d'étage, ce besoin de jouer un rôle, d'être en représentation. Devait sûrement penser à l'impression qu'elle lui faisait, à l'importance que ça avait de donner de soi une certaine impression. Romanesque ? Si l'on veut, mais dans le petit sens du mot. Et quelle sincérité là-dedans ? Difficile à dire. Ç'aurait pu être tellement différent avec Nita ! Etait si sincère, Nita, si naturelle. Du moins, il s'était fait à cette idée. Si, elle aussi, avait été fabriquée ? Ne l'était-il pas lui-même ? Pourquoi est-ce qu'on ne pouvait s'empêcher de traîner après soi toutes ces choses qui vous frappaient au fur et à mesure qu'on avançait dans l'existence. Drôle de singerie. Oui, c'était le terme exact : on passait son temps à singer des attitudes qu'on avait vues. On singeait celles-ci, tout particulièrement. Et pas d'autres. Simplement, parce qu'on se figurait, comme ça, qu'on avait quelque chose de commun avec elles. Tandis que le petit vieux... obsédé par son jeu. Une grande pureté en lui. Tout le monde au large ! comme disait Juan Gallardo, dans *Arènes Sanglantes*. Un preux ! Le meilleur homme du monde ! Pas d'influence, pas de chiqué ! Sans se douter même de ce qu'il pouvait y avoir de tragique dans cet isolement. Muré ! Séparé des vivants ! Seul, absolument seul avec son jeu, sa marotte, son gâtisme. Et remuant quelques pensées ?

Monsieur Hermès rechargeait en silence son plateau. La Comtessa avait pris une cigarette et jouait avec, du bout des doigts. Elle se leva, marcha jusqu'aux portes-fenêtres, regarda la rue, puis le ciel et revint vers le fond de l'appartement, une moue sur les lèvres. Je déjeune à Bagatelle, avec le Comte et des amis. Aurons-nous beau temps ?

Bagatelle, le comte, le petit vieux... Toujours ce picotement...
Aller à Bagatelle avec Nita. Un rêve, aussi ! Soudain, elle fut
contre lui et, lui tendant sa cigarette : Allumez-moi, je vous
prie ! Il frotta une allumette, la garda entre ses paumes
creusées, un instant, comme il avait vu faire. Elle tira, rejeta
une longue bouffée. Merci ! Je crois que le ciel se dégage. Ne
pensait qu'à son déjeuner, la poupée. S'il se mettait en civil,
cet après-midi et qu'il aille prendre le café à Bagatelle ?
C'était son droit. Il était libre de ses heures de sortie.
Personne n'avait à se mêler de sa vie privée. Que dirait, que
penserait la Comtessa, si elle l'apercevait ? Sorti de l'Hôtel, il
était son égal. Il l'imaginait, allant se plaindre au Directeur.
Vous comprenez, c'est intolérable. Ce garçon. Mettez-vous à
ma place. Il me semble qu'il y a bien d'autres endroits dans
Paris. Il ne cessait de me dévisager. J'étais affreusement
gênée. Non, tout de même, elle n'avait pas une tête à aller
moucharder. Monsieur Hermès chargea son plateau sur
l'épaule et sortit du 215. Allons bon ! Encore Schott ! Où
étiez-vous donc ? Je vous cherche partout depuis un quart
d'heure. Ah, le 215 ? Bon, ça va ! A propos vous me ferez le
plaisir de reprendre le travail à six heures, ce soir. Oui, un
dîner au 221. Six couverts. Le Restaurant n'a pu me donner
personne. J'ai pensé à vous. Compris ? Pour assister le Père
Hubert. Vous ferez la mise en place. Vous savez à qui nous
avons affaire. Que ce soit impeccable. J'y tiens. Voilà le bon.
Vous le descendrez vous-même au Chef. J'ai mis le nom. Il
saura à quoi s'en tenir. Là-dessus, Monsieur Schott vira sur
les talons et s'en fut de son pas d'alcoolique rhumatisant. Les
veaux ! Pendant qu'il était à se monter le bourrichon rapport
à la Comtessa ! Bagatelle !... Qu'elle aille s'y faire enchoser !
Se moquait bien, sans doute, de ses petits tracas. Pas si petits
que ça, d'ailleurs. Et comme si tout le reste ne suffisait pas,
ce picotement suspect. Mais qu'est-ce que c'était maintenant
que cette sensation pénible dans la verge ? Comme s'il
éjaculait lentement. Oui, comme si quelque chose coulait...
Là, ça s'arrêtait. Ça n'avait dû être qu'une fausse sensation
provoquée par le picotement. Plus rien d'anormal. Même que
le picotement s'était atténué. Mais, un moment plus tard,
Monsieur Hermès eut la même sensation. Singulier ! Et cette
fois, ça avait l'air de se préciser. Ça faisait comme un sirop

s'échappant avec des à-coups, d'un goulot trop étroit. Le bout de son gland devait toucher la couture de sa chemise et c'était ça, sûrement, qui lui procurait cette irritation, ce chatouillement. Tout de même, ça l'intriguait. Il allait falloir y regarder de plus près. Midi, presque. L'heure de débaucher. Enfin!

Dès qu'il put s'échapper, Monsieur Hermès grimpa au huitième, s'enferma dans sa mansarde. Voyons voir! Il déboutonna sa braguette, tira le pan de sa chemise. Horreur! Il était abondamment pollué par une morve verdâtre. Il y en avait partout, de ces taches. Et ce sirop coulait bien de sa verge. Il pressa l'urètre. Il en jaillit une grosse goutte qui glissa le long du pénis. Comme s'il avait pressé un tube de dentifrice. De dentifrice en pâte d'amande. Que faire? Pas d'hésitation possible! C'était la chaude-lance. Cro-Magnon lui avait assez raconté comment ça faisait. Mais comment cette chaude-lance? Avec qui? Il y avait maintenant presque deux mois qu'il couchait avec Totoche. On lui avait assez dit qu'il fallait se méfier à Paris, que la plupart des femmes y étaient malades. Même les femmes du monde. Qu'on se faisait poivrer comme rien. Va y comprendre quelque chose? En avait pas baisé d'autres que Totoche. Donc? Ou bien Totoche avait attrapé ça avec un autre type. Ou bien elle savait ce qu'elle avait depuis le début et n'avait rien dit. Dans l'un comme dans l'autre cas... Cette petite garce! Tout de même, il ne croyait pas qu'elle l'ait si vite fait cocu. Non! c'était plutôt un petit cadeau que lui avait fait Greluche. Peut-être pour ça qu'elle l'avait plaqué. Puis, avait résolu de se venger. Puisque les hommes étaient assez dégoûtants pour la contaminer, eh bien, elle le leur ferait payer cher, à son tour. Tous ceux qu'elle pourrait coincer y passeraient. Oui, bien sûr, ça pouvait se défendre. Un peu mélo, si l'on va par là. Et puis, comment expliquer qu'elle soit restée avec lui près de deux mois? Et que, pendant tout ce temps, il n'ait pas écopé? Il se souvenait maintenant qu'elle lui avait avoué qu'elle avait des pertes. De l'anémie, que lui avait assuré le médecin. Devait prendre des fortifiants, manger davantage. Mais elle n'avait pas d'appétit. C'était vrai qu'elle était un peu pâlotte, parfois. Plus encore qu'Angélique. Des pertes oui. Et lui, fatigué comme il était, après son match, avec tout ce champagne qu'il avait ingurgité, n'en finissant pas de jouir. Si tu baises et que t'es saoul, suffit que la gosse ait des pertes et t'es bon! C'était du moins l'opinion sentencieuse de Paolo. On pouvait le croire. Avait de l'expérience. Oui, c'était ce qui avait dû lui arriver. Dans ce cas, pouvait rien reprocher à Totoche. Ah! i fallait pas, i fallait pas qu'i y aille, ah! i fallait pas, i fallait pas y aller. C'était lui qui était un petit con. Aurait dû faire attention. Ereinté comme il était! Il savait bien pourtant qu'il était long à jouir, dans ces cas-là. Aurait pas dû s'obstiner. Mais voilà, l'amour-propre! Toujours lui. Faire honneur à sa signature. Pas avoir l'air de flancher sur le billot. Surtout que Totoche y avait vraiment mis du sien. Branlette et sucette. Elle en voulait ce soir-là. Une heure, qu'il avait mis. Il avait le gland tout enflammé à force de. Evidemment, avec cette façon qu'elle avait de lui raconter à tout bout de champ les exploits de Greluche. Même que c'était pas tellement agréable pour lui, pas tellement délicat de sa part à elle. Pour rien au monde il n'aurait voulu rester en panne. Et quand il se forçait comme ça, ça le faisait débander. Total... Heureusement qu'il n'était pas à Portville! Qu'est-ce qu'elle lui aurait passé, Madame Mère! Mais qu'allait-il faire? Comment se soigner? Est-ce que ça coulerait longtemps? Pas de danger que Monsieur Papa lui ait donné quelques conseils, l'ait mis en garde. Il était là, comme un innocent, avec ce sirop qui lui coulait de la bite, ce sirop verdâtre. Et sa chemise? En changer tout de suite, bien sûr! Ça s'imposait. Mais pour la faire laver? Impossible de donner ça à la blanchisseuse. La laverait lui-même dans sa cuvette. Est-ce que ça partirait facilement? On frappa. Qui est là? Oh! c'est rien. Te dérange pas. Comme c'était discret ces mansardes qui ne fermaient même pas à clé! Pas un verrou, rien! N'importe qui pouvait entrer à l'improviste, le surprendre. Sans conteste, ça faisait l'affaire de certains. La nuit, pas difficile de passer d'une chambre à l'autre. Lui-même, dans l'après-midi, quand il allait faire ça chez Totoche, pas à se gêner. On mettait seulement une chaise en bascule contre la porte. Mais maintenant! Déjà deux heures! A six, il faudrait remettre ça. Ah, oui, il était beau son après-midi ! De la ouate, en avait-il ? Non, même pas. En acheter le plus tôt possible, par conséquent. Cette chemise tachée. Bleuâtre-verdâtre, comme des tripes de torero au soleil. Voilà à quoi ça aboutissait pour lui, finalement, quand il se lançait dans l'aventure. Toujours à une situation grotesque. Pouah ! Il avait mis les doigts dedans. T'es pourrie ! ricanait Paolo, quand une grognasse boutonneuse venait s'asseoir sur ses cuisses, au boxon. Lui aussi, il était pourri, maintenant ! Combien de jours, ça allait couler, comme ça ? Et comment cacher ça aux autres ? Comme un dadais, avait pas cessé de boire, depuis dimanche. De la bière, surtout. Forcément, c'était ça qui le faisait tellement couler. Se mettre à l'eau. Qu'est-ce qu'on prend ? Moi, ce sera un petit bitter-fraise. Moi, un picon-cass. Et pour Monsieur ? Lui, il faudrait bien qu'il fasse aussi son choix. Alors, ce serait un quart Vittel. T'es malade ? que diraient les autres. Un quart Vittel ? Pourquoi pas une camomille ? Monsieur Hermès chercha un vieux mouchoir et se fit un pansement provisoire. Comment le faire tenir ? C'est que son caleçon en était plein, aussi. Il mettrait un slip. Un slip en tissu caoutchouté qui lui protégeait les parties quand il jouait au rugby. Là, il se sentait mieux. Il remplit la cuvette d'eau, y fit tremper chemise et caleçon. Il brassa avec les mains. L'eau était déjà gluante. Il enfila une chemise propre. Sa verge était douloureuse de nouveau. Envie d'uriner ? Oui, ça devait être ça. Il finit de se reculotter, sortit dans le couloir, poussa la porte des lieux d'aisance. Là non plus, ça ne fermait pas. Pourvu qu'on ne vienne pas l'y déranger. Tuant, de vivre ainsi dans la peur ! Fallait défaire le pansement, dérouler le mouchoir. Drôlement assaisonné, le mec, qu'il était ! Ça avait déjà coulé. A ce train-là, il lui faudrait changer de mouchoir toutes les deux heures. Urgent de se mettre un tampon d'ouate. En parler le plus tôt possible à ce vieux Pactot. C'était le seul qui serait capable de le comprendre. Ne se foutrait pas de lui. Un bon copain. Et puis, était passé par là, lui aussi. Lui indiquerait peut-être un remède. Aïe ! Aïe ! Aïe ! Bon Dieu ! C'était du feu qui lui passait dans la queue. Tiens bon la rampe ! Entendu, on lui avait déjà raconté ça. Cro-Magnon le lui avait dit : Les premiers jours, tu pisses des lames de rasoir. Des lames de rasoir : tout à fait ça ! Peut-être pour ça qu'on fixait des poignées dans les goguenots des wagons ? Se cramponner des deux mains pendant que ça sortait. Ça devait aider. Quelle brûlure ! Les plaisirs de l'amour ! Tu repasseras. Plutôt se taper sur la colonne jusqu'à la fin de ses jours ! Il revint dans sa mansarde, accablé. Tout d'un coup, il venait de prendre une plus claire conscience de ce qui lui arrivait. Par la tabatière, il aperçut un petit carré de ciel bleu. Bleu, d'un bleu de lavis. Plus de nuages. La neige aussi avait cessé de choir. Le soleil brillait, invisible, envoyant ses rayons de biais à travers le carreau. Ça faisait un petit îlot lumineux, là, sur la couverture de son lit. La Comtessa. Bagatelle. C'était si loin tout ça ! Tout ce qui lui était tombé sur la tête, depuis ! Il l'imaginait, là-bas, entourée d'hommes, riant de son énervant rire de gorge. Qui sait ? leur parlant peut-être avec moquerie de ce garçon d'étage et de l'ironie avec laquelle elle s'en amusait. Et lui, ici, avec son début de blenno. C'était pas juste, tout de même, la vie ! Tout pour les uns et rien pour les autres. Qu'est-ce qu'il avait fait au bon Dieu, il s'en foutait d'ailleurs ! S'il existait, ce salaud, tel qu'on le dépeignait, on ne verrait pas ce qu'on voyait. Monsieur Dominique assurait qu'en Italie c'était plein de vérolés. A Venise, notamment. A cause de l'Orient. La Comtessa, serait marrant si elle avait la vérole. Le Comte qui lui aurait collé ça comme cadeau de noces. Pourquoi pas ? Non, il était idiot. Y avait aucune chance. Quoi faire ? Tout à l'heure, irait acheter de la ouate, puis verrait Pactot. Enfin, il faudrait annoncer ça à Totoche. Savoir comment elle allait réagir ? En attendant... Oh ! il n'avait plus du tout envie de sortir. Ça lui avait coupé bras et jambes. Dans la merde, oui, jusqu'au cou ! Et seul, à se débattre. Bon Dieu de bon Dieu ! Et il sentit que ça avait recommencé à couler. A couler dans son mouchoir. Il s'affala sur son lit, la tête enfouie dans le traversin. Il ne faisait pas froid. Il était bien, comme ça. Il était brisé. Ça l'aurait détendu de pleurer. Mais il ne pouvait pas. Autrefois, il avait presque envié ceux de ses camarades qui s'étaient fait saler. Il trouvait que ça les posait. L'air d'avoir vécu. Mais lui, est-ce qu'il avait vécu ?

D'ailleurs, pourquoi vivre ? C'était toujours plus ou moins raté quand on se mêlait de vivre. Il la connaissait, la vie de

ceux qui avaient voulu vivre ! Suffisait de regarder autour de
soi. Cro-Magnon, Paolo, Fragonard, Greluche, en voilà qui
pouvaient se vanter d'avoir vécu. Eh bien ? Aurait-il tellement voulu être dans leur peau ? Oui, sans doute, c'étaient
des types à aller toujours de l'avant, à ne pas regarder en
arrière. Heureusement pour eux ! Pouvaient-ils être fiers ?
Avaient-ils conservé leur autonomie ? C'était très joli de faire
les quatre cents coups. Mais après ? Qu'en restait-il ? Lui, du
moins, pour son propre cas, il était fixé. Le peu qu'il avait
consenti à vivre, en se forçant ! il lui en était toujours resté un
goût amer. Pas facile d'agir. Dès qu'on voulait vivre, il fallait
prendre contact avec ses semblables. Il n'en résultait que
déceptions, compromissions, trahisons, corruptions, tions,
tions, tions... La seule façon de vivre d'une vie à la fois
intense et pure, c'était de la maintenir dans la solitude et le
rêve. C'étaient les autres, c'étaient les approches de la réalité
qui salissaient tout. La réalité ni les individus n'étaient
jamais tels qu'on les désirait. Ses plus grands bonheurs, il ne
les avait pas trouvés dans la chasse des émotions ni dans la
prise. Ils étaient nés des fantaisies de son imagination, tion,
tion, tion... C'était peut-être un bien qu'il n'y ait jamais rien
eu que de platonique entre Nita Brett et lui. A supposer
qu'elle l'ait aimé vraiment, qu'elle se soit donnée à lui, est-ce
que ça n'aurait pas tout abîmé ? Il voyait ça d'ici ! Tandis que
maintenant, rien ne l'empêchait de s'inventer la joie qu'il
aurait pu connaître en vivant des épisodes charmants avec
elle. Il conservait de Nita un souvenir que rien n'avait terni.
Il pouvait penser à elle, le cœur plein de tendresse. Toutes les
images qu'il avait recueillies auprès d'elle venaient maintenant l'habiter délicieusement. Parfois, il regrettait de n'avoir
pas été plus hardi. Mais non, il avait tort. Tout était bien
ainsi. Parce que rien n'avait eu lieu, en fait, tout restait
encore possible dans son esprit. Petit à petit, songeant à Nita,
il s'apercevait qu'il finissait pas la confondre avec la Comtessa. La rêverie avait le don de chasser les laideurs du réel.
Plus besoin de s'embarrasser de contingences. Ce n'était pas
Miss Daisy Brangan qui avait épousé le comte Bartono,
c'était Nita. Nita Brett était donc maintenant comtesse. Le
hasard l'avait amenée à Paris. Elle lui avait écrit. Il n'y avait
plus de Totoche. Il n'y avait jamais eu de Totoche ni

d'Angélique. Il avait vécu tout ce temps de leur séparation occupé par son souvenir. Aujourd'hui, elle lui avait donné rendez-vous à Bagatelle. Comme on balayait facilement les obstacles, en pensée! Il n'y avait qu'à continuer, qu'à s'abandonner à l'illusion. Il se voyait bien vêtu, rasé de frais, volant vers son rendez-vous. Il avait à peine déjeuné. La faim coupée. Mais ce malaise disparaîtrait dès qu'il serait en sa présence. Il se souvenait. Elle avait toujours eu le don de l'apaiser par la seule magie de son regard. Ça devait être ça, la félicité de l'amour. Tout à fait la journée qu'il fallait. A travers la tabatière, le ciel était toujours bleu. Au Bois, ça devait être exquis, avec le soleil jouant dans les branches nues des arbres et la neige scintillant par plaques, dans les allées. Il prendrait l'autobus. La neige avait sûrement fondu dans les rues. Eviter de se crotter. Bagatelle. Etait souvent passé devant. N'était jamais entré. Trop cher pour lui. Ne se sentirait-il pas intimidé? Le mieux était de la supposer assise au milieu d'intimes, des gens de théâtre, des musiciens, des danseurs. Pourquoi ne connaîtrait-elle pas Fragonard? Oui, Fragonard serait là, lui aussi, revenu d'Amérique sans qu'il le sache. Quelle surprise pour lui ! la tête qu'il ferait! Baiserait-il la main des dames? Ça c'était plus épineux. Mais non, il aurait toutes les audaces, il vaincrait tous les obstacles. Ça ne devait pas être si difficile que ça. Si Madame Mère l'avait mieux élevé, aurait su faire ça naturellement. Et les jeunes filles, est-ce qu'on leur baisait aussi la main? Ou s'incliner seulement? Oh! tant pis, c'étaient des détails, ça! Mieux valait passer. Fermer les yeux. Un coup de baguette. Vloufff! Plus de mansarde, plus de lit de fer, plus de pot à eau, plus de tabatière. Il était à Bagatelle. Il s'avançait entre les tables, parmi tout ce beau monde. Les maîtres d'hôtel, arrogants, le cou engoncé dans de hauts cols durs à coins cassés, planant comme des aigles noirs. Aurait-il l'air de chercher quelqu'un des yeux? Non, il faudrait montrer plus d'assurance. Duper les larbins. Se réjouir intérieurement de leur erreur. Pas beaucoup de flair, les frères! Pourtant, Palisseau garantissait qu'on pouvait aisément deviner un de ses congénères sous le complet de ville. Quoi qu'on fasse, on gardait toujours quelque chose dans sa démarche, dans ses gestes, dans son port de tête, qui vous faisait désigner entre mille par les gens du métier. Mais non, c'était de la blague. Les autres, peut-être, mais pas lui. Leur ferait la nique. D'autant plus que Nita le laisserait pas en panne. Elle lui ferait tout de suite signe par-dessus les têtes. Ou mieux, même, elle se lèverait et s'avancerait à sa rencontre, ayant compris qu'il fallait venir au secours de sa gaucherie. Ce mouvement ne ferait que créer une nouvelle confusion favorable. Si une comtesse, jeune et jolie, se levait pour l'accueillir, c'est qu'il devait être quelqu'un de considérable, bien plus haut placé qu'elle dans l'échelle sociale et auquel elle tenait à rendre hommage. Un archiduc ? Un artiste de génie ? Et, dans ce cas, la médiocrité relative de sa mise ne ferait que mieux. On y verrait la preuve même de sa qualité. On sait bien que ces êtres-là négligent les apparences vestimentaires et se suffisent, pour en imposer à autrui, de l'éclat de leur nom de famille ou de la renommée qui s'est attachée à leur personne. On se retournerait. Quel était donc ce nouveau venu ? Et lui, il guetterait les marques de l'établissement sur le visage de Fragonard resté assis à la table de Nita. Passer contre tous ces désœuvrés sans les voir. Les laisser former les hypothèses les plus saugrenues sur son compte. Oui, qui est-ce donc ? Il est beau, d'ailleurs ! Mais pourquoi ne serait-il pas tout bonnement un garçon de cette trempe ? La Joie du Cœur avait été achevée, présentée à un directeur et acceptée aussitôt. On en parlait déjà comme d'un chef-d'œuvre étonnant. Demain Monsieur Hermès serait porté aux nues. Des journaux avaient publié sa photo. Des journalistes étaient venus l'interroger. Peut-être que certaines personnes de l'assistance seraient déjà au courant ? Il entendrait son nom chuchoté sur son passage. Jusqu'à la trogne des maîtres d'hôtel qui se serait modifiée. On le présenterait. Il sourirait sous les compliments. Il y avait longtemps qu'il savait comment il lui faudrait être. Que de fois n'avait-il pas rêvé qu'il était devenu un matador fêté et qu'on le promenait en triomphe dans les rues de Madrid. Juan Gallardo, le meilleur homme du monde ! Son cœur s'enflait sous le paroxysme d'une joie qui lui faisait presque mal. Qu'est-ce que c'était que la réalité, à côté de ça ? Des nèfles ! Il y était vraiment. Tout à fait dans la peau du rôle. Ç'aurait été vrai, que ça ne lui aurait pas procuré une sensation d'ivresse plus intense. Maintenant, c'était au tour de Fragonard de s'extasier. Toi ? Toi ? Eh oui ! C'était lui. L'avait-il assez pris pour la cinquième roue d'un carrosse ! Ah ! c'est comme ça, vous me traitiez en quantité négligeable ? Je cachais bien mon jeu, n'est-ce pas ? Voyez ce que j'ai dans le ventre. Et là, près de lui, Nita, la Comtessa, jouissant de sa revanche, la lèvre moqueuse. Pauvre Fragonard ! Enfoncé, oublié, escamoté. Il n'y en avait plus que pour Monsieur Hermès. Il répondait à chacun sans se presser, sûr de lui, jouant avec ces snobs, les mystifiant de haut. Même cet emploi de garçon d'étage lui serait favorable. Les femmes trouveraient ça follement excitant. Un garçon d'étage, ma chère, croyez-vous ! C'est d'un romanesque ! Et qui a écrit une pièce d'une audace inouïe ! On croirait jamais que c'était Monsieur Papa qui l'avait placé dans l'hôtellerie, pour qu'il y fasse sa situation. Non, sa légende serait vite bâtie. Ce serait par caprice, que Monsieur Hermès aurait fait ça. A l'instar de ces fils de lords qui s'engagent à bord d'un cargo ou de ces jeunes milliardaires américains qui deviennent camelots dans les rues de New York pour se colleter avec l'existence. Pensez donc ! Dans un palace ! Quel merveilleux poste d'observation pour une dramaturge, pour un analyste du cœur humain ! Rien que ça, c'était une idée de génie ! Il est charmant, n'est-ce pas ? Et si simple ! Avec cette pointe de moquerie sous le moindre de ses propos. Ah ! il n'y a que la comtesse pour faire de ces découvertes ! Soufflé le Fragonard ! Maintenant, il n'était plus question de le laisser tomber. Mon petit Hermès par-ci, mon petit Hermès par-là. Il n'avait jamais eu de meilleur ami. Il avait toujours deviné qu'il y avait en lui quelque chose de pas ordinaire. A qui voulait l'entendre, il rapportait des anecdotes de leur passé, de leur vie de lycéens où, par grâce d'état, Monsieur Hermès se voyait attribuer le beau rôle. Suffit de peu de chose, quand même ! Mais Monsieur Hermès ferait son petit modeste. Qu'est-ce que prendra Monsieur ? Amusant de se faire servir, à son tour ! L'automate guindé, attendant la commande. Un café. Oui, c'est ça, il prendrait un simple café comme dans le premier bistro venu. Une originalité de plus. Ne pas s'encombrer de conventions. Le maître d'hôtel encaissait la commande banale sans broncher. Parbleu ! il le connaissait ce respect stupide pour le client de marque. Respect qui n'empêchait, du reste, ni le dédain ni l'animosité. Mais en dessous seulement. Monsieur désire-t-il aussi un armagnac ? Evidemment, ce serait à lui qu'on s'adresserait. Et à la troisième personne. D'un ton obséquieux. Quelle farce ! Mais qui n'aurait que trop duré. Aurait pu savourer tout à son aise ces satisfactions de vanité. C'était surtout pour Nita qu'il serait venu. Pourquoi ne pas lui proposer une promenade ? Un tête-à-tête ? Le moment rêvé pour lui avouer enfin ses sentiments. Que de fois, aussi, n'avait-il pas imaginé les lieux et les circonstances où il pourrait se déclarer ! et jusqu'aux paroles qu'il prononcerait ! Mais jamais encore ça ne s'était si bien présenté. Dire qu'au lieu de ça, Fragonard aurait pu le surprendre quand il se baladait sur les grands boulevards, avec Angélique à son bras ! La vie, c'était un vrai trou à bite ! Un soir, en sortant du théâtre de la Michodière, Fragonard avait manqué se flanquer dans eux. Prenant brusquement Angélique par le coude, Monsieur Hermès lui avait fait franchir la chaussée en vitesse. De l'autre côté : sauvés. Séparés par le flot des voitures. Ils s'étaient perdus dans l'ombre. Y avait rien compris, Angélique. Avait l'habitude d'être mécanisée. Fragonard les avait-il aperçus ? Impossible d'en avoir le cœur net. Encore une parenthèse qui resterait ouverte. Oui, s'en aller avec Nita, laisser tomber les autres. Avec un bruit sec et métallique ! Là, il était là, dans l'allée ensoleillée du Bois, avec Nita. Ils marchaient lentement. Précis devant ses yeux comme s'il y était vraiment ! Pas question de rentrer à l'Hôtel à six heures plutôt qu'à huit. Il n'y avait plus d'Hôtel. Le temps ne comptait plus. Nita avait affermi son bras sous le sien. Avançons par là ! Comme il était doux de lui obéir ! Il lui avait toujours obéi. Il attirait ses regards. Des volatiles évoluaient le long des berges du lac glacé. La neige, sur les pentes exposées au soleil, avait fondu et l'herbe verte pointait partout. L'eau, partiellement solidifiée, ne circulait plus qu'à travers les craquelures et sa palpitation, sous la couche irrégulière de la glace, formait des marbrures irisées. Des canards carolins, des cygnes noir et blanc, nageaient paresseusement dans les méandres. Sur l'herbe, des oies de Magellan et du Labrador, au plumage brun et gris, barré de blanc, cherchaient des vers, battaient des ailes ou encore, soudain choquées par un bruit lointain, tendaient leur long cou. Pas un souffle de vent, la couronne des grands arbres comme un écran qui retenait la bonne chaleur solaire. Cependant, à leurs pieds, le gazon timide frissonnait. D'où tirait-il ces images ? Il n'avait jamais vu le Bois sous la neige. Mais il se souvenait d'un matin d'hiver, à Portville. Régine lui avait donné rendez-vous au jardin public et lui avait posé un lapin. En l'attendant, pour avoir l'air moins sot, il avait engagé la conversation avec le gardien. Celui-ci lui avait parlé avec une passion touchante des palmipèdes qui faisaient l'ornement du jardin. Il lui avait même donné de la mie de pain pour leur lancer et il lui avait appris leurs noms. Ça lui était resté. Pourquoi cette association d'idées ? Labrador. Magellan. Carolin. Caroline. Chambellan. Le Bras d'Or. Le Chambellan tient le bras d'or de Caroline. La chambre de la belle Caroline aux bras d'or. Les champs d'or dans Caroline's bar. Car Line chante la belle du Labrador. On brade alors le caraco du chat bêlant. Allait-il devenir fou ? Ça avait traîné jusqu'au mois de mai de la même année avec Régine. Il avait fallu qu'il la rencontre avec un autre type pour qu'il comprenne. Une nuit de Bordeaux-Paris que ça s'était passé. Il avait été avec les copains voir les coureurs. C'était un événement très couru. Toute la nuit à faire la foire dans le bistro à la terrasse duquel se tenait le contrôle. Régine était assise à une table avec le couillon qui lui succédait. Elle trouvait bien le moyen de se rendre libre quand elle voulait. Et de passer la nuit. Elle lui avait fait le coup du mépris. Il avait noyé ça au vin blanc. Coucherait-elle avec le nouveau ? Après tout, il s'en balançait. Mieux valait rigoler avec les copains. Sans ces bondieu de femmes, nous serions tous des frères ! Vers quatre heures du matin, le téléphone avait annoncé que les coureurs approchaient. C'était Maisonvieille qui était commissaire. On était sorti sur le boulevard. Et au bout d'un long moment, enfin, le peloton avait surgi en trombe, trouant l'obscurité. Les coureurs descendaient en voltige de leur bécane et venaient griffonner leur signature sur la feuille de contrôle. Déjà couverts de boue. Un orage dans la nuit. On cherchait à reconnaître les favoris. Leurs jurons énervés. Le champion de France Brunier, maillot bleu blanc rouge, avait bousculé

Roudoudou. Gare-toi, eh p'tit con ! Ça l'avait vexé, Roudoudou, de se faire dire ça devant tout le monde. Fallait se
mettre à leur place, à ces champions de la route. Un piéton
dans la lune, empoté, pouvait les faire chuter et alors, adieu
la victoire possible, les fafiots réservés au gagnant. Plus tard,
bien plus tard, les isolés avaient commencé à passer. Des
toquards ! Des gars de la province qui faisaient ça de bout en
bout, sans entraîneurs, sans voiture de dépannage, pour la
beauté du coup. Avaient déjà une ou deux heures dans la vue.
Arriveraient au Parc des Princes bien après les vainqueurs,
dans la soirée, les tribunes vides, plus personne pour les
applaudir. Des coriaces qui avaient le feu sacré ! Minables,
crottés, le caleçon en loques, la mine défaite, avec un masque
de boue, tragiques et un peu grotesques. N'étaient pas si
pressés que les premiers. S'arrêtaient un petit moment au
contrôle. Le temps de prendre un café, un viandox, un casse-
croûte à leurs frais. Un, surtout, avait eu l'air mal en point.
Assis à la terrasse. Les gamins, les curieux, autour de son vélo
sale, autour de lui pas à prendre avec des pincettes, l'écra-
sant. Allons, voyons ! Dégagez ! Laissez-lui un peu d'air. Vous
l'étouffez. Comme si on avait pissé dans une passoire. Ils ne
bougeaient pas, le bouffaient des yeux, lui posaient des
questions. Oui, j'étais encore avec le peloton à Barbezieux.
J'ai crevé deux fois. Y a longtemps qu'i sont passés ? Ils
repartaient en solitaires, dans le petit jour, se mettant à
abattre de nouveaux kilomètres. Ça vous serrait le cœur de
les voir. Des types dévoués les aidaient à enfourcher, les
lançaient. Savoir à quoi ils pensaient, les coureurs, quand ils
pédalaient ? Leur face obtuse, en général. Oui, c'était ça leur
force : ne pensaient pas beaucoup. Un peu d'imagination et
ç'aurait été l'abandon immédiat. Après ça, la petite bande
avait décidé d'aller faire une partie de canot. C'était Cro-
Magnon qui l'avait voulu. A l'aube, ça pinçotait. On sucrait
les fraises. La nuit blanche, envie de dormir, rien dans les
bras pour ramer. La gueule de bois. Avaient pris un vichy-
citron dans une guinguette au bord de l'eau. Un rince-
cochon. Puis Paolo avait eu envie de chier. On va chier tous
en chœur. C'est ça ! Dans les pommiers. Ils avaient couru à
travers un pré, plein de rosée. Trempés, qu'ils avaient été.
Avaient tous grimpé dans les pommiers. Avaient chié de là-

haut, accroupis sur la maîtresse branche. Et de se marrer parce qu'ils se voyaient faire mutuellement. Les longues merdes tombaient dans le trèfle, se mettaient à fumer. Ça montait doucement vers les arbres en fleur. Ensuite, il avait fallu sécher ses godasses et ses pantalons au soleil. L'heure du coup de pompe. Même plus de goût à boire. Ne pensaient plus qu'à rentrer chez eux pour roupiller à la revoyure ! On s'était donné rendez-vous à cinq heures à la Taverne Anglaise, au moment où on recevrait les résultats. C'était Francis Pélissier qui avait gagné cette année-là. Lui, Monsieur Hermès, il avait parié pour Bellanger. Manque de chance ! Avait cassé sa roue dans Dourdan. Des nuits comme celle-là, pas facile à oublier. Ça se gravait en vous dans les moindres détails. Et pourtant, y avait des circonstances comme aujourd'hui, à cause des gonos sans doute, où ça le dégoûtait carrément, ce genre de souvenirs. Aurait voulu rayer ça de sa mémoire. Evoquer plutôt d'autres images. Besoin d'idéaliser le passé, faute d'avoir un présent à la hauteur. Pourquoi est-ce que les gens s'offusquent quand on leur rappelle ce qu'il y a eu de plus vulgaire dans leur vie ? Ferment les yeux, se bouchent les oreilles. De l'idéal, de l'idéal. Faire taire la réalité. Ce n'est pas une raison parce qu'on est des cochons et des vicieux pour en avoir la bouche pleine. Vaut mieux parler des anges, du bon Dieu, de la vertu et des couchers de soleil pour cartes postales. Vaut mieux lire *Paul et Virginie*, même quand on est sur le trône. Oui, pourquoi est-ce qu'il était comme ça, lui aussi ? Aurait voulu vivre une vie épatante. N'avoir plus que de beaux sentiments. Toucher le cœur des femmes avec la maestria d'un Lamartine ou d'un Samain. La pureté élégiaque. Vivre d'eau claire et d'amour. Y en avait-il vraiment qui y réussissaient ? Nita même... D'après ce qu'elle lui avait raconté, ça ne devait pas être drôle tous les jours d'être danseuse. Pour ainsi dire jamais de liberté. Des tournées, des répétitions, des essayages. L'esclavage. La vie d'hôtel. Les quais de gares. Le topo classique. Et ce père de famille qui l'entretenait. Elle, si élégante, si fine... Coucher avec ça ! Peut-être même qu'il lui demandait des choses. Dame, entre amants ! Lui, il ne lésinait sans doute pas pour raquer. Fallait bien qu'elle s'exécute. Non, il aimait mieux pas insister. Nita, c'était son seul joli souvenir. Qu'il puisse continuer au moins à se l'imaginer ainsi qu'il la désirait. C'est-à-dire, devenue comtesse, se promenant à son bras à la Croix-Catelan et répondant à son amour. A Royan, au cours de leurs nombreuses conversations sur la plage, elle lui avait raconté sa vie de petite fille à Paris. Ce don qu'elle avait d'embellir les événements, de les animer. Sa mère faisait des journées. Elle vivait dans les rues. Au printemps, elle s'en allait avenue des Gobelins. C'était tout près de chez elle. Elle ramassait les fleurs des marronniers que le vent d'avril avait précipitées sur le trottoir et elle s'en faisait des colliers. Et puis ça, encore : le dimanche, avec Papa et Maman, ils prenaient l'omnibus pour aller voir sa petite sœur qui vivait chez une cousine. Ces gros omnibus, vous savez, à trois chevaux. A l'impériale. En bas, la Maman aurait eu mal au cœur à cause des secousses et du manque d'air. L'escalier en colimaçon. Sa Maman lui recommandait de serrer les jambes et de tenir sa jupe. Sans doute rapport aux messieurs de la plate-forme. A huit ans ! Là-haut, ils s'asseyaient contre le conducteur. En plein vent. Son Papa l'amadouait pendant les arrêts. Vous passeriez pas un bout de vos guides à ma petite fille ? Elle était si mignonne ! On lui glissait ça dans la menotte. Près d'elle, le gros monsieur au fouet, sérieux comme un pape, bien calé sur son siège aérien, les jambes protégées par l'épais et rigide tablier de cuir, excitait ses chevaux de la voix et faisait des sourires à la mignonne. Quelle griserie et quelle frayeur à la fois, quand Nita se sentait emportée par le trot énorme à travers les rues encombrées ! De si haut, les piétons avaient l'air de pygmées. Elle vivait dans la terreur délicieuse d'une catastrophe. Ce fiacre, cette charrette à bras, n'allaient-ils pas leur passer dessus ? Ou bien, les chevaux pouvaient s'emballer, s'abattre sur la chaussée ? Le gros monsieur lâchait un juron, tirait un grand coup sur ses guides. Une fois le danger écarté, il soulevait son cronstadt en cuir bouilli pour se donner une contenance et le revissait sur son crâne. Comme elle était éloquente, Nita, quand elle lui parlait de son enfance ! Lui, il n'avait rien à raconter de la sienne. Peut-être, plus tard, ça lui remonterait. Maintenant, il la reniait. S'il s'y mettait, n'aurait pas fini de vider son sac. Un sac d'amertume !... Plutôt revenir à Nita. Tout de suite, elle l'avait autorisé à l'appeler ainsi. La Comtessa s'alanguissait à son bras. Voilà qu'ils marchaient plus lentement, un peu grisés par les senteurs du Bois, les sens aiguisés par les odeurs d'herbe humide, de taillis pourrissants. Une sorte de lassitude heureuse dans les membres. La splendeur d'un bel après-midi d'hiver qui s'achève. L'air déjà plus frais. Le soleil bas sur l'horizon. Rien que des couleurs d'or et d'azur. Et au-delà du Bois, invisible, Paris qui grondait, qui roulait monotonement comme une marée paresseuse, à cette heure un peu livide où il fait si bon entrer dans les cafés, partout où il y a de la lumière et où on a chaud. Est-ce que des pommadins avaient jamais fait ainsi la cour à Nita ? Et à la Comtessa ? Toutes ces femmes ravissantes, mille hommes pour un, à leurs pieds. Comment se faire remarquer d'elles ? Une folle concurrence ! Tous en chasse. Au plus malin. Au plus adroit. Au plus séduisant. A qui fera les meilleurs ronds de jambe. La neige glacée, de nouveau saisie par le froid du soir, commençait à crisser sous leurs pas. Le lac. Les arbres. Une ambiance lacustre. Oui, comme s'il y était. Elle serrait son manteau. Il boutonnait son pardessus. Le jour perdait de minute en minute de son éclat. Dans la mansarde aussi le jour baissait. Quelle heure pouvait-il être ? Pas loin de six. Allait falloir se lever, se donner un coup de peigne, endosser le frac. Depuis qu'il ne bougeait plus, en boule sur son lit, avait plus senti couler. Etait-ce pas un mauvais rêve qu'il avait fait ? Pas plus de blenno que de... Faudrait bien regarder avant de descendre, cependant. Changer de mouchoir, s'il y avait lieu. Avait plus pensé à la ouate. En ferait acheter par Totoche. Ça lui foutait le trac de regarder si ça avait coulé. Qu'il se sentait loin de Nita, tout d'un coup ! A des milliers de lieues. Que lui restait-il d'elle ? Quelques photos. Qu'il avait prises lui-même, à Royan. Une, entre autres, pendant qu'elle dormait à même le sable, son mouchoir sur la figure, les jambes nues, sa petite robe écossaise flottant au vent. Une autre, qu'elle lui avait donnée, prise sur les bords du lac d'Annecy, l'année précédente, avant qu'il la connaisse. Là, elle était en blanc, les mains appuyées à une balustrade. Sans doute son père de famille qui avait pris la photo. Au verso, elle avait écrit son nom, son âge, la date, et avait ajouté : Il y a huit jours que j'ai mon permis de conduire. Enfin, il possédait d'elle une photo de théâtre, en danseuse, avec un diadème de perles, comme Anna Pavlova dans *La Mort du Cygne*. Oui, c'était tout ce qui lui restait d'elle, avec une ou deux lettres insignifiantes et des coupures de *Comœdia* où l'on parlait d'elle. Tout. A tout jamais. La rencontrer à nouveau, plus tard, quand il serait célèbre ? Pas impossible, au demeurant. Et s'en faire aimer. Mais pourquoi espérer ? A Royan, y avait eu son zona. Maintenant sa chtouille. En guérirait-il jamais ? Certains étaient, paraît-il, condamnés à perpétuité. Rien à faire contre. Toute la vie, ça coulait. Oh, pas beaucoup ! Une goutte tous les matins. La goutte militaire, qu'on disait. Mais ça suffisait sans doute pour infester toutes les femmes avec lesquelles on couchait. Qu'est-ce qu'il n'aurait pas donné pour revenir en arrière ? Si jeunesse savait. Tout ça pour un malheureux coup de queue. Alors qu'il y en avait qui trempaient leur canari n'importe où, à tire-larigot, et qui n'attrapaient jamais rien. Des veinards ! Veinard, pas veinard, la déveine, la poisse... Nita avait la phobie de tous ces mots. Une superstition de métier. Prétendait que ça portait malheur de les employer. Il fallait dire : malchance. Ce souvenir émut beaucoup Monsieur Hermès. Mais il n'eut même pas la force de sourire. Il leva seulement les yeux vers la tabatière. Le ciel s'était mis à tourner au violet. Il allait bientôt se fondre dans le gris vaseux du crépuscule. Là-bas, à Bagatelle, la neige devait se ternir, les arbres noircir, les façades prendre cet aspect désolé de l'heure chien-loup qui donne le spleen. Au bout de la montée douce de l'avenue du Bois, l'Arc de Triomphe apparaîtrait de biais aux passants, comme une haute nef auréolée de rose. Comme il ferait bon maintenant déambuler librement. Il soupira. Il bascula et mit ses pieds sur le plancher. Quelle nuit il allait passer, quelle soirée !

Et les roses de Miss Stratford? Les autres clients, ils pouvaient bien tempêter autant qu'ils voulaient. S'il était capable de faire une exception, c'était en faveur de Miss Stratford. Elle était vraiment chic. De la main à la main, qu'elle lui glissait des pourboires. Sans en parler au Schott. Comme ça, il pouvait se les mettre dans la poche. Et des gros! Du beurre dans les épinards. Oh! à y réfléchir, y avait pas à être fier. Ce n'était que de la sympathie intéressée. Comme les copains, qu'il était. Prêt à se couper en six pour de l'argent. Et cependant, ça, impossible de le nier, s'il n'avait pas pu, chaque matin, descendre à l'entresol choisir ses roses chez la fleuriste de l'Hôtel, ça lui aurait manqué. Singulier comme il finissait lui-même par s'attacher quelquefois à son métier! De proche en proche, on se laissait gagner. Dans dix ans, peut-être qu'il n'y aurait pas plus soumis, plus dévoué que lui. Toujours les plus belles, les plus rares, qu'il choisissait. Pas snob pour deux sous, Miss Stratford. S'en moquait éperdument de savoir que c'était des Madame Butterfly ou des Duchesse de Montpensier. Seules, la couleur et l'odeur la séduisaient. C'était vrai d'ailleurs que ça lui allait bien de vivre parmi les fleurs. Elle-même avait un teint de lys. Comment faisait-elle, avec tout l'alcool qu'elle pintait? Pas une couperose. Rien. Ah, quand les Anglaises se mêlaient d'être jolies et de le rester! Pourtant, elle devait pas être loin de la quarantaine. Et ça devait tout de même lui travailler la carcasse, d'avoir l'estomac baignant dans le gin. Probable que ça la détraquerait tout d'un coup. Belle jusqu'au dernier jour et puis, patatras! Il n'est si belle rose qui ne devienne gratte-cul. Tout ce pognon qu'elle claquait, rien que chez la fleuriste ! Il est vrai qu'à côté de ce que lui coûtait son Pepe ! Une si charmante femme ! Etrange, ces goûts qu'elle avait ! S'alcooliser et recevoir des raclées ! Voilà où ça vous menait d'avoir trop de millions. Blasée. Toujours de l'inédit. Des sensations nouvelles. Comme si on pouvait pas vivre sans avoir sa chambre transformée en serre ! Pendant que des filles crachaient leurs poumons dans des ateliers. Tout cet argent gaspillé. L'injustice sociale. Ça le choquait. Mais la vie ne s'embarrassait pas de ça. Elle continuait, la vie, cahin caha, va comme je te pousse. Des clients, toujours de nouveaux clients. Les anciens qui s'en allaient. Des têtes imprévues, hier encore inconnues et qui, demain, deviendraient familières, puis qui disparaîtraient à leur tour. Un perpétuel carrousel. Etait partie, la Comtessa. Bon voyage ! Avec le Comte et la mère et la sœur. Aurait jamais su ce qu'elle mijotait dans sa petite tête. D'autre part, Totoche avait demandé à changer d'étage. Au quatrième, maintenant, qu'elle était. Et couchait en ville, chez Greluche. Les revoyait pour ainsi dire plus, ni l'un ni l'autre. Et lui, avec sa chtouille pas encore guérie depuis deux mois. Renversante, la vie ! Totoche se remettant avec Greluche ! Après ce qui s'était passé ! Selon Pactot, étaient pas malades. Alors quoi ? D'ailleurs, c'était exact, Totoche n'avait pas avoué. Je t'assure, j'ai jamais rien attrapé. Je suis saine et lui aussi. C'est seulement à cause de mes pertes. On aurait pas dû, ce soir-là. En somme, c'était de sa faute à lui. Il avait encaissé. A quoi bon se fâcher ? Un temps, il avait pensé lui casser la gueule, à Totoche. Il était terriblement en rogne contre elle. Et puis, il avait laissé tomber. Dans le doute, mieux valait s'abstenir. Oui, et la vie continuait. Mars. Avril. La fin de la saison de rugby approchait. Aurait certainement guéri plus vite s'il avait renoncé à jouer. Ces matches l'épuisaient. Et pour ce qu'il faisait sur le terrain ! Avait beau donner le maximum, ne sortait jamais de très belles parties. Pas cette année encore qu'il aurait sa chance de monter en première. Et ce qui était nouveau, chez lui, c'était cette crainte accrue de l'accident, du mauvais coup. C'était si vite fait. Un choc dans les parties. Un gnon dans les yeux. Avec sa vue qui. De plus en plus. Parfois, il se demandait si les gonos n'y étaient pas aussi pour quelque chose. L'avait, de ci, de là, entendu dire. Il était recommandé de ne pas se frotter les yeux, surtout si on venait de se toucher le sexe. Les gonos pouvaient vous rendre aveugle. Des cas s'étaient produits. Mais des gonos, en fait, en avait-il ? Les premiers jours, malgré l'importance des pertes, il avait voulu croire que, peut-être, ce n'était pas aussi grave que ça en avait l'air. Il avait montré ses tampons d'ouate à Pactot. Aucun doute à avoir. C'en était bien une. Et carabinée ! Tu devrais voir un médecin. Tu en connais un, toi ? Non, Pactot n'en connaissait pas. Ça ne faisait rien, il devrait y aller. Mais Monsieur Hermès n'osait pas. Il avait honte. De quoi j'aurais l'air si je lui montre ça ? Ecoute, avait dit Pactot, en fin de compte, tu ne peux pas rester comme ça. Plus tu attends, plus ça s'aggrave. Ce que je peux faire, c'est de t'emmener chez le pharmacien qui m'a soigné. Je suis au mieux avec son potard. Il me donnait un liquide que je prenais en injection. En rien de temps, j'ai cessé de couler. Infaillible. C'est sérieux, tu crois ? C'est que je me méfie. Paraît que c'est de la saloperie, tous ces remèdes pour lesquels on fait de la réclame dans les pissotières. D'accord, c'est des trucs pour avoir un rétrécissement ou une bonne orchite. Mais ce que je t'indique, c'est garanti. Tu peux y aller franco.

Le fait est que c'était fameux. Trois jours après, coulait plus du tout. Juste une petite goutte, le matin, au réveil, dans le tampon d'ouate. Une goutte crémeuse, plus ou moins jaunâtre, plus ou moins verdâtre. Y avait plus qu'à continuer. Ça finirait bien par s'arranger. En attendant, tous les après-midi, il montait dans sa mansarde, s'allongeait sur son lit, se déculottait et se donnait sa petite injection. Le liquide le brûlait en pénétrant, dans l'urètre. Il ne savait pas s'y prendre. Pactot lui avait bien conseillé de se faire faire ça par un infirmier. Mais ça coûtait. Il aurait fallu demander de l'argent à Monsieur Papa. D'où des explications à n'en plus finir. Non ! Tout, plutôt que Monsieur Papa apprenne ça. Et puis, même s'il avait eu l'argent nécessaire, il ne se voyait pas allant tous les après-midi chez un infirmier. Lui racontant ce qui lui était arrivé. Supportant les regards divinateurs de la concierge. Rencontrant d'autres malheureux dans son cas. Sans compter que l'infirmier refuserait sans doute

de le soigner avant qu'il ait vu un médecin. Ça devait se
savoir dans le quartier où il habitait, le genre de gens que
l'infirmier soignait. Tous ceux qu'on voyait entrer ou sortir,
sûr ! C'était pour ça. Les gosses qui le suivaient en ricanant.
Préférait mettre le moins de monde possible dans la confi-
dence. Se soignerait lui-même. Quand même dommage de
perdre tous ses après-midi ! Il est vrai qu'il n'avait plus
aucun goût à sortir. Ça l'avait fichtrement démoralisé.
Dégoût de lui-même, dégoût de tout. Souffrait trop de son
infirmité. N'osait même pas entrer dans les urinoirs publics,
de peur qu'un autre pisseur le voie, décapuchonnant sa
verge, décollant le tampon d'ouate, puis, après, en plaçant un
propre. Pour faire ça tranquille, il entrait dans un café, allait
aux cabinets, mettait le verrou. Comme une femme qui
aurait eu ses affaires. Enfin, se privait de boire ! Jouait la
comédie aux autres. J'ai mal à l'estomac. Tu parles ! Ça
prenait ou ça ne prenait pas. Les autres n'étaient pas
aveugles. Encore, c'était l'hiver. Mais cet été ? S'il n'était pas
guéri ? Lui qu'on savait ordinairement gros buveur de bière.
Il se souvenait de ces moments passés avec Félix Sanslesou,
au début de son stage à l'Hôtel, il y avait maintenant un peu
plus d'un an. Ils se réunissaient, entre trois et cinq, à la
Brasserie de la Bière Brune, près de l'Ecole Militaire,
quartier où Félix habitait à cette époque-là. Mangeaient
chacun leur douzaine d'œufs durs, en bavardant. Pour faire
couler ça, demis sur demis. De la brune, cela va sans dire.
Durant toutes ces semaines, Félix avait été complètement
piqué par des bouquins d'Henri de Régnier qu'un type lui
avait prêtés. Il les avait toujours sous le bras et il voulait
chaque fois en lire des passages à Monsieur Hermès. C'était
tantôt *Les Rencontres de Monsieur de Bréot,* tantôt *La
Pécheresse,* tantôt *La Double Maîtresse.* Qui aurait cru ça de
ce petit jésuite ? Lui qui était tellement collet monté ! Mais le
libertinage de Régnier avait le don de le dérider. Fallait lui
rendre cette justice, à Félix Sanslesou. Il pouvait être collant
et hypocrite, mais il était discret. Un vrai tombeau. Jamais
de questions. Pourquoi ne lui ferait-il pas signe ? On reparlerait de ce projet de revue. Il en avait marre, des femmes !
Pour l'agrément qu'elles lui avaient donné ! C'était encore
entre copains qu'on passait les meilleurs moments. Entendu,

il irait le voir à son prochain jour de sortie. L'après-midi, il préférait rester étendu. Ça le reposait. Et puis, il y avait l'injection. Parfois, la prenant, il s'assoupissait. La seringue sortait de l'urètre. Le liquide se répandait sur le drap. Il fallait remettre ça. Et toujours cette frayeur d'être dérangé avec cette porte qui ne fermait pas. Quelle misère ! Même pas pouvoir se soigner en paix. Cependant, il avait fini par s'en moquer un peu. Ça datait du jour où Monsieur le Chef du Personnel l'avait surpris. Comme un fait exprès, il venait juste de se mettre en position. Pas souvent qu'il montait dans les mansardes, le Chef du Personnel. Une inspection, sans doute. Pour bloquer sa porte, Monsieur Hermès avait imaginé de pousser son lit contre. Ça offrait assez de résistance pour décourager les indiscrets. Mais le Chef du Personnel avait poussé ferme. Ça l'intriguait, cette porte qui résistait. Ayant finalement réussi à l'entrebâiller, il avait vu. Leurs regards s'étaient accrochés une seconde. Puis il avait tiré la porte sur lui et s'en était allé sans lui adresser la parole, mais en grommelant comme s'il avait été confus de le surprendre dans cette posture. Pas de doute là-dessus. Le Chef du Personnel n'était pas un gamin. Il avait compris de quoi il retournait. Mais quoi ? Le règlement ne lui défendait pas d'avoir des rapports avec des femmes. Et, encore moins, s'il se faisait échauder, de se soigner. Quand même, quelle allure il devait avoir sur son lit de fer, les cuisses nues, la bite d'une main, la seringue de l'autre ! S'il se faisait encore maintenant des illusions sur la vie privée de Monsieur Hermès... Pourvu qu'il n'aille pas écrire à son paternel. Il la voyait d'ici, la lettre. Et la tête que ferait Monsieur Papa en lisant ça. Monsieur, j'ai le pénible devoir d'attirer votre attention... Ma responsabilité m'imposait de vous révéler ce... Il m'a paru indispensable de vous permettre de prendre toutes mesures qui... S'il faisait ça, ce croquant !... Toujours des gens qui se mêlaient de ce qui ne les regardait pas. Le genre humain ligué pour attirer les pires tuiles sur votre tête. Obligé de se défendre de tous les côtés. Comme s'il ne suffisait pas de Totoche déjà, de sa chaude-pisse. Fallait que celui-ci s'en mêle. L'imaginait lui passant un savon dans son bureau. Le respect des bonnes mœurs dans notre honorable établissement. L'exemple déplorable que vous donnez à tous vos camarades... Et pendant ce temps-là, Greluche et Totoche continueraient à batifoler. Ce qu'ils avaient pu se foutre de lui. Il y avait mordu, à tous leurs mensonges. Ils l'avaient bien endormi avec leurs micmacs. A l'impression ! Dans quel but ? Oui, pourquoi Totoche lui avait-elle assuré que Greluche voulait se venger ? Tu sais, il t'en veut à mort de m'avoir soulevé à lui. Il prétend que tu es un faux copain, qu'il avait eu confiance en toi, et que tu en as profité pour me faire du plat. Ce que les femmes étaient perfides ! Un dimanche après-midi, rue de la Chaussée-d'Antin, Totoche et lui avaient croisé Greluche. Monsieur Hermès avait eu un instant d'hésitation. Pourvu que l'autre ne lui rentre pas dans le chou, comme ça, sans explications. Il avait senti, à une pression plus forte de sa main sur son bras, que Totoche avait dans les yeux le même éclat dévorant qu'ont les femmes qui assistent à un combat de boxe. Mais, finalement, Greluche avait passé son chemin sans broncher d'un poil. Le coup du mépris. Savoir si elle avait pas été déçue au fond d'elle-même. Aurait peut-être voulu qu'ils se bigornent pour ses beaux yeux. Elles ne pensaient sûrement qu'à ça, pas possible, depuis la naissance d'Eve. Dans le sang. Et s'offrant ensuite au plus fort. Ah, serre-moi bien dans tes bras, mon grand sauvage ! Quelle putasserie ! Et il avait donné dans ce panneau-là, comme un collégien ! Peut-être pour ça qu'elle avait eu le béguin, Totoche ? Parce qu'il était grand et, en apparence, plutôt costaud. Le dimanche, quand elle l'accompagnait à Colombes, car elle l'y suivait, elle faisait sa petite crâneuse avec les autres dames et demoiselles, dans la Tribune d'Honneur. Celles-ci l'avaient tout de suite accueillie gentiment. On l'appelait Madame Hermès. Ça papotait en tapant de la semelle, le bout du nez gelé, pendant que les joueurs s'empoignaient, boueux et fumants, dans la triste grisaille de la banlieue. A la fin de la partie, on se retrouvait tous devant un bon grog au citron qui vous réchauffait. Curieux, cette faculté des femmes à s'adapter. Avec Greluche, Totoche passait ses nuits dans des tripots. A le regarder jouer. Comme la pauvre Alice faisait avec Cro-Magnon. Elle copinait avec les amies des partenaires de Greluche comme, étant avec lui, elle copinait avec celles de ses coéquipiers. Pas du tout la même atmosphère cependant. Pas du tout le même milieu. Et se foutait tout autant du poker que du rugby. Il y avait des fois où c'était à croire que les femmes se rasaient avec les hommes, trouvaient leurs distractions absurdes. Mais alors pourquoi les supportaient-elles, les recherchaient-elles ? Le lit ? Hum ! Y en avait pas tant de chaudes. La peur de la solitude ? Oui, peut-être. Le désir de montrer aux autres femmes qu'elles aussi étaient capables de retenir un homme, de plaire. En se jouant la comédie à elles-mêmes, comme si vraiment elles tenaient à eux. Mais la preuve qu'elles n'y tenaient pas tellement, qu'elles n'étaient pas tellement sûres d'avoir trouvé l'élu de leur cœur, c'est qu'elles n'hésitaient pas à en changer quand ça se présentait.

Oui, fini, bien fini les femmes ! Ou bien elles en voulaient à votre argent. Ou bien elles vous collaient de sales maladies. Ou bien elles vous esquintaient le tempérament. Ou bien, et c'était peut-être là le pire, elles vous prenaient dans la glu de leur médiocrité, de leur dissipation et tuaient en vous tout ce qu'il pouvait y avoir de noble et de généreux. Il avait mieux à faire que de s'embarrasser d'elles. Il avait terminé *La Joie du Cœur*. La donner à lire le plus tôt possible à Félix Sanslesou. La présenter ensuite à un directeur. Mais lequel ? Facile pour les fils à papa. Profitaient des relations de famille. Toujours un ami bien placé. Des recommandations. Des entrées. Lui, il ne connaissait personne. Tout du pédesouille. Passait par la petite porte. Creusait son trou soi-même. Laisserait sa pièce se défendre toute seule. Paraît que les directeurs ne lisaient même pas les manuscrits qu'on leur envoyait comme ça. Les mettaient au panier. Nécessité de se faire pistonner. Comment les autres avaient-ils réussi ? Passionnant, quand des auteurs arrivés (arrivés !) racontaient leurs débuts dans *Comœdia* ! Par où ils étaient passés ! Les refus qu'ils avaient essuyés ! L'âme chevillée au corps. Ne pas se décourager. Le drame du génie méconnu. Jean-Gabriel Borkmann. Avait-il du génie, lui ? Tous les génies plus ou moins malades, détraqués ou bien fous. Et la plupart étaient misogynes. Est-ce que ça pouvait compter pour un signe de génie, le fait d'une anomalie sexuelle ? Se branler n'était pas très original. Mais lui, il ne se branlait jamais. C'était plutôt une sorte d'amour de son propre corps. Comment appeler ça ? Du narcissisme ? Forcément, il n'y avait pas d'expression exacte.

Son cas ne devait pas être tellement répandu. Avait même jamais entendu dire que ça existait. Il avait l'impression que s'il en faisait l'aveu, on le trouverait dégoûtant. Et pourtant ? Il était comme ça, comme d'autres étaient autrement. La fatalité. Elle avait bon dos, sans doute, la fatalité. Tout ce qu'il aurait pu faire, ç'aurait été de lutter contre ce penchant solitaire. Mais pourquoi ? Au nom de quoi ? La religion ? La peur d'être damné ? Il n'y croyait plus. Et même quand il y avait encore cru un peu, jusque vers quinze seize ans, ça ne l'avait pas retenu. Au contraire, ça n'avait fait qu'énerver davantage ses désirs. Alors ? La morale ? Non, il ne se priverait pas d'un plaisir qui surpassait tous les autres, au nom de la morale. Il était plutôt naturellement vertueux, mais ce qui l'irritait dans la vertu, c'était le prétexte à s'enliser dans les pires conformismes. Très peu pour lui. Avait horreur des sentiments convenus. Sa morale à lui tenait en très peu de mots même si elle ne conditionnait pas toutes ses attitudes. Volonté d'être toujours en état de révolte. Refus d'être dupe. Et, quoi qu'il arrive, faire toujours tout ce qui lui plaisait, à condition de ne pas causer de tort à autrui. Or, quel tort son narcissisme faisait-il à autrui, en admettant qu'il en fît à lui-même ? Mais quelle assurance qu'il ait lui-même à en pâtir ? C'était toujours pas comme ça qu'il avait attrapé sa blenno. Vivement qu'il soit guéri, et peut-être qu'il connaîtrait à nouveau les jouissances d'autrefois. Il lui tardait d'être sûr que le pouvoir de se procurer des plaisirs si intenses n'était pas à jamais perdu. C'est que, depuis qu'il était malade, ce n'était plus ça, plus ça du tout. Dès qu'il n'avait plus coulé, il avait voulu recommencer. C'était ainsi que la Comtessa, que Miss Stratford, que les trois petites Cisleithan, et bien d'autres encore y étaient passées. Sans oublier Lily qui revenait sur le tapis à l'occasion. Mais ce n'était plus comme avant. Le sperme irritait son urètre quand il éjaculait. Chaque orgasme toujours un peu douloureux. Et puis, certainement, ce n'était pas fait pour hâter la guérison. Seulement, quand il se forçait à une certaine chasteté, ça ne faisait pas un pli, il avait des rêves érotiques et il lâchait tout dans son caleçon pendant son sommeil, sans avoir rien senti. Cette sensation de se réveiller en plein après-midi avec le ventre humide. En douter d'abord. Puis y porter la main pour s'assurer que c'était bien ça. La retirer toute gluante. Pouah ! Dans ces conditions, autant prendre son plaisir volontairement, consciemment. Depuis quelques jours, la goutte matinale était tout de même un peu plus claire. Parfois elle était même presque blanche. Une petite émotion quand il allait pisser, le matin. Soulever le tampon d'ouate. La goutte qui s'était un peu collée au pénis. Du moins, ça ne le brûlait plus quand il pissait. Sauf, s'il redressait trop sa verge. Sûrement que ce n'était pas fait non plus pour, ces nuits blanches ! A plat comme il était ! Avait encore maigri. Sec comme un coup de trique. Des cuisses de poulet. Et cette tête ! Les traits émaciés. Toujours cette crainte de devenir tubard. Il lui aurait fallu des nuits tranquilles. Pactot le lui avait bien recommandé. Dors tant que tu peux ! Facile à dire ! Redescendrait-il bientôt au Restaurant ? Aurait au moins ses nuits à lui à ce moment-là. Il est vrai que dans la journée, ce serait la galère comme par le passé. D'un seul coup, ça lui remontait à la gorge, ces souvenirs du Restaurant. Pas si vieux cependant. A peine quelques mois. Comme une nausée. Exactement de la même manière que lorsque le mot ricin était prononcé devant lui car alors ça ne manquait pas de lui rappeler les purgations que lui administrait Madame Mère. Que c'était mauvais ! Et comme Madame Mère, dans le but louable de les faire mieux passer, les versait dans une tasse de lait ou dans un jus d'orange, il avait fini par prendre ces breuvages en exécration quand bien même ils ne contenaient plus une goutte d'huile de ricin. Et la vue seule du lait, l'odeur seule de l'orange lui rappelaient encore, de nombreuses années après, les aubes où Madame Mère le réveillait pour lui administrer la sinistre potion. Maintenant, le mot de Restaurant avait le même pouvoir révulsif. Evoquant cette période lamentable, ce n'était pas uniquement le souvenir de tout ce qu'il avait eu à subir qui l'écœurait, mais celui d'un temps où la Maison Meublée avait fait peser sur lui d'étranges angoisses. Il gardait dans l'oreille le bruit des trains de nuit. Il lui semblait encore souffrir de ses pauvres pieds qu'il laissait tremper de longs moments dans l'eau de son bidet pour calmer leurs meurtrissures. La Maison Meublée, c'était aussi cet enfer de tentations qu'il savait tapies dans chacune des chambres. Ah! sans doute, quelles délices ces tentations eussent pu lui procurer si ses journées n'avaient été aussi rudes. Mais les heures qu'il passait à faire le voyeur, pour mieux satisfaire ensuite ses désirs, étaient prises sur son repos. Quel déchirement! Chaque soir, abruti par le travail fourni, il rentrait plein de belles résolutions, sachant qu'il serait le lendemain d'autant moins en forme qu'il aurait davantage sacrifié les heures consacrées à son sommeil. Mais les tentations étaient trop fortes. Tout ce qu'il savait qu'il pouvait voir ou entendre! Comment renoncer à ça? Comment aussi se priver de ce qui était le plaisir de son existence? C'était un cercle vicieux. Plus il assouvissait son désir, plus sa curiosité s'exacerbait. Et plus sa curiosité était satisfaite, plus s'exacerbait alors son désir. Il se souvenait de certaines nuits où, couché nu sur son lit, et faisant ça avec Lily ou la première venue, il sentait monter en lui des vagues d'une jouissance à la fois si puissante et si bouleversante qu'il se jurait tout bas, le visage enfoui dans l'oreiller, oui, qu'il se jurait tout bas, malgré la lassitude et le dégoût qui allaient succéder inévitablement à cette tension, qu'il le referait une deuxième fois aussitôt après l'avoir fait une première. D'ailleurs, chaque fois, ç'avait été en pure perte. La lassitude et le dégoût l'avaient emporté sur le serment. Repu, il s'endormait. Cependant, à une ou deux reprises, comme dominé par une volonté particulièrement lubrique, à peine venait-il de souiller son drap, il s'était jeté sur son propre sperme d'une bouche avide, s'en barbouillant les lèvres et cherchant ainsi à obtenir un réveil immédiat de ses sens. C'était aussi ce que faisait Alice Elvas quand elle le suçait. S'il l'avait écoutée! Elle préférait ça à tout. Le sucer, et se faire décharger dans la bouche. Ensuite, elle lampait un grand verre de cognac. Cul sec! Ça fortifie, affirmait-elle avec un rire. Mais après ça, il n'y avait plus moyen de la tenir. Enfile-moi, enfile-moi bien, mon lapin, suppliait-elle. Ce qui ne l'empêchait pas de jouer à la femme du meilleur monde une heure après. Rougissant si on prononçait un mot un peu leste, levant le petit doigt pour boire sa tasse de thé, gardant les genoux serrés quand elle était assise, baissant sa jupe à chaque instant, s'offusquant s'il voulait lui prendre en public un petit baiser dans la nuque et faisant la dégoûtée si elle trouvait un bout de paille dans son pain. Où avait-elle pris ce goût, elle aussi ? Etait-ce son vieux mari qui l'avait initiée ? Ou un amant parmi tous ceux qu'elle avait eus ? En somme, quand on couchait avec des femmes comme Alice ou Totoche, pour lesquelles on n'était pas le premier, il fallait bien se résigner, malgré tout l'amour qu'elles prétendaient vous porter, à les voir pratiquer un certain nombre de gestes, à les entendre dire un certain nombre d'obscénités qu'elles avaient apprises dans les bras de leurs amants précédents, mais que, cependant, elles répétaient exactement comme si elles les avaient inventées à l'instant à votre seule intention. Ce n'était pas sans faire souffrir l'orgueil de Monsieur Hermès. Bien qu'il n'eût aimé ni Alice ni Totoche, il éprouvait de la jalousie, rétrospectivement, à l'idée de tout ce qu'elles avaient fait et dit dans d'autres lits et, venant s'ajouter encore à cette morsure, à l'idée de tout ce qu'elles avaient pu dire et faire, depuis qu'il les avait quittées, dans les lits de leurs nouveaux amants.

De quel droit pouvait-il être jaloux ? On était un imbécile si on en venait à prendre ombrage des écarts de certaines femmes. On devait bien se rendre compte, par la facilité même de l'aventure qu'on avait eue avec elles, qu'elles n'étaient pas de celles dont on peut vanter la constance. Néanmoins, Monsieur Hermès ne pouvait s'interdire telles visions d'Alice ou de Totoche dans les bras d'inconnus, prononçant les mots mêmes et recommençant les caresses qu'à son tour il leur avait appris. A cela, il aurait pu opposer Angélique, dont les sentiments avaient paru plus fermes. Mais quelle assurance également avait-il de ce côté-là ? La rapidité avec laquelle elle s'était donnée à lui n'indiquait-elle pas, au contraire, chez elle, un manque total de défense ? Si malheureuse qu'elle eût été peut-être de leur rupture et de l'abandon dans lequel il l'avait laissée, il n'était pas certain qu'elle eût assez de caractère pour repousser maintenant d'autres avances. Elle n'était pas exempte de veulerie. La Maison Meublée même, le Bar-Tabac voisin étaient des lieux propices aux rencontres, à l'ébauche de nouvelles liaisons. Pactot, que Monsieur Hermès continuait à voir de temps en temps, lui avait raconté que Cambrecis sortait depuis peu avec Angélique. Il ne lui avait pas dit s'il couchait avec. Mais que Cambrecis sortît avec elle, c'était assez pour que vagabonde l'imagination de Monsieur Hermès. Ça lui faisait un petit pincement au cœur, chaque fois qu'il y pensait. Il voyait Angélique, non seulement livrant à Cambrecis ses lèvres et les parties les plus secrètes de son gentil corps, non seulement lui répétant les mots tendres et passionnés qu'il s'était habitué à entendre, mais encore lui divulguant des particularités dont Angélique avait été la confidente, mais que Monsieur Hermès n'aurait pas voulu qu'elle dévoile. Tous les travers, toutes les mesquineries, toutes les défaillances qu'Angélique avait excusés avec tant d'indulgence quand elle était sa maîtresse, n'allait-elle pas aujourd'hui en déballer le détail devant Cambrecis, pour lui montrer qu'elle était loin d'avoir été satisfaite, comme loin d'avoir été dupe, bien qu'elle eût toujours fait semblant de le prendre au mot. Ça le tracassait terriblement. Il finissait par se persuader que Cambrecis était déjà son amant. Il n'en avait pas positivement la preuve, mais il n'en bâtissait pas moins les hypothèses possibles concernant les indiscrétions fâcheuses qu'elle avait pu commettre. Ce n'est que lorsqu'il avait été au bout de ces hypothèses et qu'il s'était bien humilié, qu'il reconnaissait l'outrance de son raisonnement et que, par un mouvement tout opposé, il s'accrochait soudain à l'idée que, tout de même, elle n'était peut-être pas devenue sa maîtresse.

Que Monsieur Hermès fût, après coup, jaloux d'Angélique, cela ne manquait pas de l'étonner. Jamais femme ne lui avait moins donné d'occasions de l'être. Autrefois, une petite salope comme Régine, qui ne pouvait pas dire une phrase sans mentir, puis Alice Elvas, dont les débordements n'avaient pas de frein, jusqu'à Totoche, dont le visage chlorotique exprimait si bien la gruerie, autant de femmes qui, par leur attitude même, provoquaient à plaisir ses soupçons. Il n'était jamais sûr de les avoir à lui sans partage. En leur compagnie, il était tout le temps assombri par l'idée que quelque chose d'elles lui échappait. C'étaient des femmes pleines d'ombres, expertes aux dérobades et laissant toujours planer un certain doute sur leurs relations, sur leurs sorties, sur leurs penchants. Insaisissables. S'ingéniant à créer autour d'elles une atmosphère d'insécurité. Tandis qu'avec Angélique c'était tout différent. Dès le premier jour, il avait lu en elle comme dans un livre ouvert. Pas de cachotteries, pas de mensonges, pas de caprices. Tout d'une pièce, qu'elle était. L'aveu même de son aventure avec le mosaïste, oui, même ça ! ç'avait été tout simple. Et pendant toute leur liaison, elle n'avait pas une seule fois donné prise au doute. Jamais un regard sur un autre homme. Jamais le désir de sortir sans lui. Jamais, enfin, n'avait laissé voir qu'elle pût avoir quoi que ce soit à lui dissimuler.

A moins que son adresse à ne pas le lui laisser voir ne fût le fait d'une duplicité encore plus grande ? Si elle avait été plus habile que les autres, justement ? Habile au point de lui donner l'illusion de la parfaite innocence ? Cette incapacité à savoir jamais qui étaient les êtres le crispait. Le dilemme n'était pas moins obscur quand il s'agissait de créatures en apparence aussi élémentaires qu'Angélique. Plus il s'interrogeait à son sujet, moins il y voyait clair. Les faits, les faits ! Oui, mais les faits ne trahissaient encore qu'une apparence. Alors, quand on se mêlait d'identifier des individus, dont les apparences seules étaient embarrassantes, il n'était pas étonnant qu'on échoue. L'été, à Royan, s'il allait s'asseoir sur les rochers, il ne tardait pas à se perdre dans la contemplation de l'océan. Fixant un même endroit de la surface des vagues, il découvrait avec un léger malaise que cette surface ne cessait de changer de teinte et de dessin, suivant qu'elle se bombait ou se creusait, s'offrait ou se dérobait aux irisations de la lumière, devenait plus limpide ou plus écumante. Eh bien, il en était de même des êtres. En perpétuelle métamorphose. Ne changeant pas dans les grandes lignes de leur personnage, mais sujets à modifier indéfiniment les nuances de leur caractère suivant les circonstances de la vie ou les rapports extérieurs. Lui-même, n'était-il pas ainsi ? Qui pourrait jamais le connaître dans sa totalité ? Il était sûr que les autres ne faisaient que se tromper sur son compte. Le croyant ceci ou cela, parce qu'ils l'avaient vu être ceci ou cela à tel moment donné. Mais qu'est-ce que ça prouvait ? Est-ce qu'on était deux instants de suite identique à soi-même ? Le principe d'identité. Oui, en philo. Mais des mots ! Seule, l'expérience. Stupéfiant d'ailleurs, le dégoût congénital qu'avaient les humains à vivre en bonne intelligence avec toutes leurs identifications possibles. Ils se fabriquaient d'eux-mêmes une marionnette de leur choix et n'en voulaient plus démordre. C'est ce qui expliquait sans doute l'intensité de l'hypocrisie dans les échanges sociaux. Il leur semblait que le seul fait de reconnaître la plus petite imperfection entraînerait, dans l'esprit d'autrui, la méfiance à l'égard de toutes les qualités possibles. Donc, ne laisser jamais paraître que ces dernières. Cacher farouchement, au fond de soi, tout ce qui pourrait prêter à caution. Et pourtant, si un type était à la fois intelligent et sale, généreux et médisant, chevaleresque et libertin, pourquoi taire systématiquement ses aspects les moins valables ? Mais voilà le drame : C'est que si, effectivement, ce type laissait accréditer dans les esprits l'opinion qu'il était sale, médisant ou libertin, personne ne voudrait plus croire ensuite à son intelligence ou à sa générosité. Il lui fallait donc brouiller les cartes s'il ne voulait pas se voir bafouer. C'était cela qui déconcertait tellement Monsieur Hermès. Il rêvait toujours d'un être qui aurait le courage sublime de braver le qu'en-dira-t-on et de s'affirmer tel qu'il était, en bien ou en mal. D'autant que toutes ces dénominations de bien et de mal étaient assez sommaires. La paresse, la gourmandise, l'orgueil pouvaient parfaitement être considérés par certains comme des vertus de premier ordre. Inversement, d'autres pouvaient, de la même manière, mépriser comme des vices les vertus convenues d'économie ou de chasteté. Non, on ne savait jamais au juste qui on était. Tout ça dépendait pour beaucoup du point de vue auquel on se plaçait. Par rapport à la vitesse du vent et à la rapidité du courant. A boire et à manger là-dedans ! Pour sa part, il n'avait jamais eu le sens d'une culpabilité quelconque. Il acceptait de bon cœur de prendre ses responsabilités mais, après ça, il ne se reconnaissait pas en faute. On pouvait lui infliger des sanctions et des semonces, il n'en admettait pas le bien-fondé, estimant qu'il avait agi selon sa volonté.

Tout seul, agitant telle ou telle pensée, il s'amusait parfois à se demander ce qu'il adviendrait de lui s'il tuait quelqu'un qui lui aurait fait beaucoup de mal. Eh bien, il savait que, l'acte étant accompli, il n'en aurait aucun remords. On pourrait le battre, le torturer, le couper en petits morceaux, le trucider, ce n'est pas cela qui éveillerait ses regrets. A ses persécuteurs, à ses juges, il répliquerait : « Vous êtes les plus forts, c'est entendu, vous me tenez, vous vous arrogez un droit de vie et de mort sur ma personne, mais vous n'avez pas le pouvoir de faire que je sois honteux de ce que j'ai accompli. Quoi que vous me fassiez, vous n'empêcherez pas qu'au fond de moi, j'aie la certitude d'avoir bien agi. En admettant même que vous m'arrachiez un aveu dans les supplices, vous seriez encore bloulés car je m'arrangerais pour n'être pas sincère et garderais au fond de moi ma conviction. Ceci, notez-le bien, non par attitude arbitraire, non par obstination stupide, mais le plus sincèrement du monde. »

Tout de même, ce qui était plutôt stupide, c'était d'imaginer qu'il pourrait un jour tuer quelqu'un ! Il avait, en effet, un respect farouche de la vie d'autrui. Il se savait capable d'infliger des souffrances morales. Mais il savait aussi qu'il était incapable de donner un coup. En présence d'un corps, il était pris par les sentiments. Aucune considération de haine ou de vengeance ne comptait plus. Tout s'effaçait. Il ne pensait plus qu'à la fragilité de ces enveloppes humaines qu'il suffisait de la griffe d'un chat ou de l'épine d'une rose pour faire saigner. Devant la vue du sang, le sien ou celui d'autrui, il gardait son courage. Mais il se fût méprisé de le faire couler volontairement, désespéré de le faire couler involontairement. Non-sens ! Oui, car enfin, en paroles, il était mauvais. Il parlait toujours de leur faire pisser le sang, à ceux qui l'avaient trahi, desservi, à ceux dont les agissements lui paraissaient odieux. Mais en réalité... Même que ça faisait l'objet des remarques de Maisonvieille au temps où Monsieur Hermès jouait dans l'équipe de Rugby-Club, à Portville. Tu t'indignes, tu te fous en rogne, et puis tu ne ripostes pas. Tu n'es pas assez bagarreur. Réponds, si on te cogne ! Tu encaisses toujours sans rien dire. Et c'était vrai qu'il n'aurait pas fait de mal à une mouche. Inoffensif ! C'était plus fort que lui.

Cette impuissance aurait pu lui venir d'une répulsion des corps. Mais non ! ce n'était pas ça. Bien sûr, il détestait s'agglutiner aux gens, se trouver dans une queue, dans une foule. Ça le faisait fuir. Le contact d'un corps contre le sien, même accidentel, même imperceptible, lui était déplaisant,

319

lui procurait une gêne. Mais, par ailleurs, avec ses familiers, il était franchement cordial, leur flanquant de grandes bourrades dans le dos, leur mettant le bras autour des épaules, leur pressant les cuisses pour mieux leur marquer son affection.

Ça l'indisposait de voir que Paolo ou Cro-Magnon ne jouaient au rugby que dans l'espoir d'amocher leurs adversaires. Se faisaient une joie de rencontrer une équipe réputée dure, exactement comme s'ils avaient eu des instincts de voyous et qu'ils eussent trouvé le moyen, grâce au rugby, de se tabasser licitement sans risquer la correctionnelle. Pour Paolo, c'était certainement ça. Est-ce qu'il n'allait pas rôder, la nuit, sur les quais du port afin de chercher querelle aux dockers ? Il se battait férocement, rentrant chez lui en loques, heureux comme un roi. S'était fait une réputation à cause de ça. Les autres ne sortaient jamais le couteau contre lui. Non, à la loyale ! Du réguyer ! Ils en bavaient des ronds de chapeau que lui, l'étudiant, avec sa gueule toujours poudrée et ses ongles façonnés par la manucure, leur fasse toucher les épaules. Il est vrai qu'il avait de ces biceps ! Des cuisses d'éléphant ! Un dimanche après-midi, Paolo passait avec Roudoudou devant la terrasse bondée du grand café de Portville. Rien que des bourgeois, sirotant leurs mixtures, culs sur chaises, en grand tralala. Lacourse, un maq célèbre de la ville, et ancienne vedette du Rugby-Club, Lacourse, dont on disait qu'il était ou qu'il avait été le meilleur dribbleur de France, vint à les croiser. Ils se haïssaient. Lacourse s'arrête net. Il était avec deux autres malabars. Il empoigne Paolo par le revers : Eh ! dis donc, poussière, j'aime pas qu'on me regarde comme ça ! Non sans blagues ? que lui fait Paolo. Et, sans se démonter davantage, il enlève sa veste, la jette sur le trottoir, se met en garde. Quand tu voudras ! qu'il ajoute. Lacourse s'était dégonflé. Haussant les épaules, il avait disparu dans la foule. Probable que les poussifs de la terrasse n'avaient rien compris à la scène, tant elle avait été rapide. Voilà de quoi était capable Paolo. A dix-neuf ans ! Monsieur Hermès n'aurait pu en dire autant. S'était jamais battu de sa vie. Vieille histoire ! Dans les disputes, il intervenait toujours en médiateur. C'était lui qui réconciliait les exaltés pris de boisson. Comment se serait-il conduit en brute sur les terrains ? Il avait cependant deux mauvais souvenirs.

A Auch, menant un dribble irrésistible par terrain gras. Plus que l'arrière à passer. Monsieur Hermès fonce plus vite. A l'instant précis où son adversaire se couche sur le ballon pour l'arrêter, aïe ! Qu'est-ce donc que sa godasse a heurté de mou ? Pas le ballon qui roule, là, devant lui, en tout cas. A dû percuter en plein dans la poitrine du joueur adverse. Ne s'est pas relevé. Lui porter secours, s'excuser ? Mais là, tout près, la ligne blanche. Plus que dix mètres à parcourir. Plutôt le sauter. Continuer sur sa lancée, s'effondrer dans les buts avec le ballon. Tout ça en l'espace d'un éclair. Décision prise. A lui l'essai. Ce n'était qu'après qu'il s'était retourné. On avait relevé l'arrière. Plié en deux, qu'il était. Même pas pu lui parler. On l'avait emmené aux vestiaires. Pendant que Buddy transformait l'essai, Paolo s'était approché de Monsieur Hermès avec son petit rire sardonique. Qu'est-ce que tu lui as mis au frère ! Il était ravi. Oui, qu'est-ce qu'il lui avait mis ! Un déloyal, voilà ! Il était un déloyal, lui aussi ! Ça l'avait assombri. L'autre avait sûrement dû croire qu'il l'avait fait exprès. Mais ne l'avait-il pas justement fait un peu exprès ? Oh ! sans désir de l'esquinter, mais en se disant vaguement qu'en frappant très fort ça le forcerait peut-être à lâcher le ballon. Avait pas prévu que sa godasse pourrait rencontrer autre chose que le ballon. Et si le malheureux avait pris ça en pleine figure ?

A Toulouse, ç'avait été encore plus vilain. Une touche longue. Monsieur Hermès complètement démarqué. La balle arrivait droit sur lui. Une occasion splendide. A lui la trouée fulgurante ; peut-être l'essai. Au moment où il sautait pour happer la balle, il se sent ceinturé solidement par un adversaire. Défendu, pourtant, de plaquer quand on n'a pas la balle. Incorrection flagrante ! Son sang ne fait qu'un tour. A même pas eu le temps de réfléchir. Il virevolte et pan ! son poing dans le nez du type qui pavoise. Malheureusement, l'arbitre, qui n'a pas vu l'obstruction, a fort bien vu le coup de poing et met Monsieur Hermès à la porte du terrain. Monsieur Hermès rejoint la touche sous les huées du public des tribunes. Hou ! la brute ! Hou ! Il en aurait chialé. Et pour comble, l'arbitre n'était autre que l'international Vendeur qui avait instrumenté autrefois au Rugby-Club de Portville. Monsieur Hermès le connaissait un peu. Tout à l'heure, avant le début de la partie, Viardot et lui avaient eu l'occasion de lui parler. C'était vraiment pas de chance! Le match fini, sous la douche, l'incident avait fait l'objet des conversations. Monsieur Hermès avait tenu à expliquer sa mésaventure à Vendeur devant tous les autres, pour se justifier. Vendeur avait bien ri. Les autres aussi. Tous, autant qu'ils étaient, ils avaient trouvé ça boyautant. Mais pas lui! Et longtemps après, quand un copain de l'équipe voulait le chiner, il ne manquait pas de lui rappeler le coup de poing des Ponts Jumeaux. Parfaitement, on le sait bien que tu n'es qu'une grosse brute! que tu matraques par plaisir!

En réalité, dans le courant du jeu, il était comme un mouton. Aussi doux qu'un mouton. Toujours prêt à faire la passe à un coéquipier mieux placé. Ne tirant jamais la couverture à lui. Jouant pour l'équipe, pas pour la galerie, comme tant d'autres. Mais c'était idiot de jouer comme ça. Le meilleur moyen de ne pas se faire remarquer par les dirigeants. Consciencieux et obscur. Il connaissait le compliment. Le Docteur, le meilleur troisième ligne du Rugby-Club, n'avait pas de ces scrupules. Vous arrachait le ballon des mains, évitait de pousser en mêlée pour être libre de ses mouvements en cas d'attaque, se mettait en retrait à la touche pour mieux sauter. Le sport, c'était comme la vie. Les plus malins qui réussissaient. Savoir se pousser, se mettre en valeur. Les timorés, les effacés restaient sur le carreau.

Pareil, à l'Hôtel. Aurait dû faire du zèle depuis des mois, chercher à se faire bien voir des supérieurs, des clients. Non seulement s'appliquer, mais profiter de tous les subterfuges pour tromper son monde. Ce que ça pouvait le débecqueter, cette comédie! Un médiocre. Il n'était pas autre chose qu'un médiocre. Et il ne se sentait pas assez d'énergie pour triompher de cet état de choses. Il prit un compotier sur une étagère. Deux pommes luisantes, d'un beau jaune. Comme il les séparait, il s'aperçut qu'elles s'étaient pourries au contact l'une de l'autre. Il avait suffi qu'elles se touchent pour s'abîmer. Il aurait pu les porter au client comme ça. Qui aurait pu deviner à les voir? Maintenant, elles étaient bonnes à jeter. Il les mit en évidence pour les montrer à

Monsieur Schott. Au cas où celui-ci n'aurait pas confiance. Chchchchch... La bouilloire. L'eau qui passait toujours par-dessus. La faute au gaz. Soulever le couvercle. Zut! Venait encore de se brûler le bout des doigts. Zut, zut et zut! Badabang! Le couvercle par terre. Pensait jamais à le prendre avec un chiffon. Une théière pour deux. Une petite poignée de tilleul. Enlevez, c'est pesé! Tout faire dans ce cochon de métier! Des tilleuls à neuf heures du matin! A pas idée de ça! Les paupières comme des chapes de plomb. Il bâilla. A se décrocher la mâchoire. Vaseux. Dormir! Dormir! Salut, ô mon dernier matin! Trois thés complets au 244. Bien Madame. Eh! Père Hubert, vous avez encore pris mon plateau. Allô? Oui? Deux œufs frits au bacon. Très cuits? Mais parfaitement, Monsieur. Tout de même l'heure d'aller choisir les roses de Miss Stratford. Il descendit à l'entresol, bavarda deux minutes avec Mademoiselle Clémentine, la fleuriste, qui lui conseilla une brassée de roses écarlates à peine ouvertes, mais dont le parfum était extraordinairement pénétrant. Il remonta, repassa par l'office pour prendre son plateau et se dirigea vers l'appartement. Toc toc! Qui est là? risqua une voix surprise. Pepe en train de lui faire l'amour, sans doute. Il entra. Vite, ils s'étaient sagement couchés l'un à côté de l'autre. Cachés par les couvertures. Se figuraient donner le change. Et l'oreiller par terre? Et les cheveux en broussaille? Et les pommettes congestionnées? Et la chemise de nuit rose en boule sur une chaise? Devaient être à poil dans les plumes. Pour ça que Miss Stratford relevait le drap jusqu'au menton. Encore un honneur qu'elle lui faisait, de lui cacher sa nudité. N'en manquait pas qui n'avaient pas cette délicatesse. Tu as faim, chérie? Le sourire gourmand de la chérie. Les veinards! Le petit déjeuner au lit. La grasse matinée. Ne connaissaient pas leur bonheur. Oh! garçon, vous nous apporterez quatre brioches de plus. Bien, Miss Stratford. Il était là pour ça. Le couloir, l'office de nouveau. Schott en plein bousin. Encore levé du mauvais pied. Sa bourgeoise avait dû lui faire une scène. Ou bien les canassons qu'il avait joués avaient dû tomber dans les choux. Voyons, qu'est-ce qui n'allait pas? Je ne veux pas que vous serviez ces oranges. Elles sont trop petites. Bonnes simplement pour faire des jus. Demandez-en des grosses à la fruiterie. Dégustation. Spécifiez-le sur le bon. Pas malin. Oui, Monsieur. Quel con, ce Schott! Il faudrait qu'il pense à en planquer une ou deux. Les sucerait dans sa mansarde cet après-midi. Si y avait pas de quoi devenir anarcho? Il voudrait le voir, le Schott, avec une blenno. Bah! Après tout, en avait peut-être eu une, lui aussi, dans son jeune temps. Les titulaires de l'ordre de la Sainte-Chtouille, avancez au ralliement! Une véritable confrérie. Sans jeu de mots. C'est la faute à l'amour! Ah, ce que Portville lui manquait ce matin! Avril à Portville! L'éclosion du printemps. La pêche à l'alose dans le fleuve, en amont du pont. L'air salin de la mer. Les premiers bains. L'eau encore un peu froide, mais tellement vivifiante. La bonne chaleur du soleil de midi, sur le sable, à l'abri du vent, contre les baraques. On rentrait le soir à Portville, par l'autocar, la peau déjà un peu cuivrée, légèrement fiévreux... Ça l'avait tout attendri d'évoquer ces vieux souvenirs du Rugby-Club. Bête de perdre ainsi tous ces bons copains! Vendeur, par exemple, aurait pu le fréquenter bien davantage autrefois, quand il habitait Portville. Mais il était si jeune alors! Avait eu peur de l'importuner, de lui courir après comme les autres lycéens. Tous ces êtres qu'il avait approchés à un moment de sa vie! Avait jamais rien cherché à en tirer. Trop candide, trop sentimental qu'il était. Avec les femmes, c'était kif-kif. Avait peut-être raison, au fond, le Marin. Cette goutte, tous les matins, qui persistait, c'était pas catholique. Prendre son courage à deux mains et aller voir un toubib. Le potard qui lui vendait son liquide devait bien en connaître un. A examiner. Allô? Oui, Mademoiselle. Attendez une seconde, je vous prie. Monsieur Schott? C'est la Réception qui vous demande le détail du 204 pour la note. Passez-moi l'appareil. Le moment de faire disparaître les oranges. Hop! dans les basques. Penser à ne pas s'asseoir dessus. Et prudent de s'esquiver. Pour qui ce plateau? 268. Allons-y!

III

Son jour de sortie! Une nuit complète au pucier. Se prélasser dans la tiédeur des draps. Rien de plus délectable. Il était bien. A demi endormi encore. Et puis, quel délassement d'être tout seul, sans femmes pour vous asticoter. Monsieur Hermès s'étira longuement. La veille au soir, il avait été voir jouer *Peer Gynt* à la Porte Saint-Martin. La pièce lui avait fait une impression profonde. Cette musique si frémissante, si végétale, ces danses, cette féerie, la chanson de Solveig, les Trolls, la mort d'Aase, la Tempête, le drame, enfin, de l'échec du héros, l'aveu de l'impuissance humaine à triompher des conventions, le pot de terre contre le pot de fer, l'éternelle lutte de l'individu contre la société, lutte où l'individu était chaque fois broyé et précipité dans le grand moule pour être refondu... Peer, je t'attendrai au prochain carrefour, et alors cette fois... C'était bon d'échapper ainsi pendant une soirée aux laideurs de sa propre existence, de se laisser exalter par cette magie du théâtre grâce à laquelle on pouvait s'identifier à un rêve sublime. Depuis qu'il avait rompu avec Totoche, l'atmosphère de l'Hôtel lui était redevenue irrespirable. Depuis hier midi il était délivré. Et toute une grande journée encore devant lui. Pour dormir, il avait laissé la tabatière entr'ouverte. Par là, pénétrait l'air frais du matin. Il sentait sa caresse sur ses cheveux. Il faisait soleil, ma parole! Derrière la vitre, le ciel était déjà tout bleu. Le printemps était venu, s'était installé, s'épanouissait maintenant et bientôt ce serait l'été. Il passa sa main dans la ceinture de son pantalon de pyjama, alla à la rencontre de sa peau. Sa hanche était douce. Il gratta. Et ça aussi, c'était agréable. Malgré tout, il se sentait vanné. C'était pas une nuit mais dix qu'il lui aurait fallu pour se retaper. Quand il se réveillait, il avait toujours envie de se gratter partout. Comme si le sang de nouveau en mouvement avait été la cause de cette irritation. Une simple démangeaison. Comme ça. Savoir d'où ça venait ? Madame Mère, elle, avait de l'urticaire. Dès qu'elle mangeait du poisson ou des fraises, vlan ! couverte de boutons. Peau fine, qu'elle disait. Pas d'erreur, elle avait dû avoir les cuisses satinées quand elle était jeune. C'était Monsieur Papa qui en avait profité. Ça lui faisait tout drôle de penser qu'ils avaient pu faire ça ensemble, autrefois. Qu'ils le faisaient, sans doute, encore. Quand il vivait près d'eux, il ne pensait jamais qu'ils eussent des désirs. Asexués pour lui. Ah, ça, ils ne lui donnaient pas le mauvais exemple. Leur vie conjugale, leurs heures d'alcôve, un mystère ! Pourtant, il était là, lui. Il n'était pas venu dans un chou comme le prétendait Françoise, sa nounou. Mais dans le ventre de Madame Mère. Incroyable ! Comment avait-elle fait ? Il avait du mal à l'imaginer dans cette situation-là. C'est-i vrai que je suis né dans un chou ? Nous t'avons acheté dans un grand magasin. On t'a livré dans une jolie boîte, toute enrubannée. Il y avait contradiction entre la nounou et Madame Mère. Néanmoins, s'il y avait cru si facilement, à ces histoires, pendant toute son enfance, c'était pas étonnant. Madame Mère donnait bien l'impression de l'avoir acheté dans un magasin, en effet ! Pas de pensées troubles quand il la regardait. Ça aussi, ça accentuait maintenant ce sentiment qu'il avait toujours eu qu'il n'était pas leur fils. Pas possible. Il n'avait strictement rien d'eux. Tout se passait dans son esprit comme s'ils avaient été seulement des parents adoptifs. Une sorte d'orphelin, voilà ce qu'il était au fond. Né de mère et de père inconnus. Peut-être qu'il les retrouverait, un jour, ses vrais paternels ? Comme dans *Les Misérables*.

Monsieur Hermès se retourna sur le flanc gauche. Une vague envie de pisser. C'était-i ça qui le faisait bandocher ? Tudieu, il ferait bien l'amour ! Dans la tiédeur des draps. En prenant son temps, en faisant durer le plaisir. Bah ! maintenant, la saison de rugby touchait à sa fin. Un peu plus, un peu moins en forme... Et puis, ça allait être si bon. Presque machinalement, il s'allongea mieux sur le ventre. Une sensation délicieuse de prurit s'infiltra dans sa chair. La ravissante Américaine du 265, avec ses seins pointus sous sa blouse. Dorothy, qu'elle s'appelait. C'était marqué sur sa fiche. Eh bien, ce matin, il serait Dorothy. Il sentait déjà les seins légers de Dorothy greffés sur sa propre poitrine. Un corps fluide, délié. Un petit saxe, vicieux et souple. Imaginer quelque chose de sentimental, de vaporeux. Comme si Dorothy jouait avec le feu. Venue en pyjama dans la chambre de son frère. As-tu bien dormi, frérot ? Fais-moi une bise, grand paresseux. Ah, tu ne veux pas te réveiller ? Tiens, tiens, attrape ! Des chatouilles, des pincements, des rires, des luttes... Ah, c'est comme ça ! Et il la faisait basculer sur son lit, jambes en l'air. Non, finis, tu me tires les cheveux. Et toi, sale rosse, tu m'as mordu le pouce. Puis, de fil en aiguille... Des caresses, des baisers... Oh ! Dorothy ne s'en formalise pas tout d'abord. Entre frère et sœur, n'est-ce pas ? Mais, soudain : Voyons, Freddy, tu n'y songes pas ? Il ne songe qu'à ça, au contraire. Pourquoi est-ce qu'il avait posé ses lèvres sur son cou ? Il lui respirait dans la nuque, dans l'oreille. Elle en était toute chose. Oh ! et sa main dans la cordelière de son pyjama. Divin cette sensation du pyjama qui glisse sur les fesses, jusqu'aux pieds. Le frisson du dénudement. Sentir les jambes du garçon contre elle. Se coller à lui. Tant pis ! Il arrivera ce qu'il arrivera. Si maman entrait nous surprendre, tout de même ? Freddy, mon chéri. Tu veux donc la baiser, ta petite sœur ? Ça ne se fait pas, tu sais ! Ah, tu me fais perdre la tête. Viens, viens vite, prends-moi ! Je te désire, moi aussi, depuis si longtemps, si tu savais. Eh, là, doucement. Monsieur Hermès reprit souffle et se raidit, s'efforçant de penser à autre chose. Trois secondes de plus, et il n'aurait plus pu se retenir. Ç'aurait été dommage d'en finir si vite. Il reprendrait ça tout à l'heure. C'était bon de se laisser engourdir par la sensation voluptueuse, de s'abandonner dans cet état à la somnolence. Pas pressé du tout de la faire jouir, la petite Dorothy. Dorothy, avec sa courte jupe à fond bleu, à pois rouges, qui s'envolait autour d'elle quand elle courait dans le couloir de l'étage. Ses chemisiers d'organdi. Ses souliers sport. Ses bas si fins, chaudron. Passer la main entre le bas et la cuisse. Défaire la jarretelle. Descendre le bas jusqu'au genou...

Mais oui, il s'était un peu assoupi. Ça l'avait fait complètement débander. Dorothy, Dorothy... Le sommeil avait été le plus fort. Il y repensait souvent, c'était tout de même étonnant que Nita ne lui ait jamais inspiré de pensées érotiques. Elle avait un corps charmant, pourtant. Mais voilà, une fois pour toutes, il l'avait faite inaccessible dans son esprit et il était heureux qu'elle le fût. Pourquoi ces deux êtres en lui : celui de Dorothy (ou de tant d'autres) et celui de Nita ? Il n'en était pas, cependant, à une profanation près. Mais pas avec Nita. C'était plus fort que lui, nullement concerté. Même s'il s'y était forcé, il n'aurait pas pu. Et, en réalité, s'il se raisonnait, ça ne tenait pas debout. Il ne pouvait pas ne pas avoir l'intuition du genre de vie que pouvait mener Nita. Il n'était pas innocent à ce point-là. Elle-même se serait gaussée de lui si elle avait su à quel point il se montait la tête à son sujet. Eh bien, qu'elle le prenne pour ce qu'elle voulait. Il était incapable de changer, incapable même de déterminer les raisons qui le faisaient si différent avec elle de ce qu'il était avec les autres. L'amour ? L'amour avec un grand A ? Oui, c'était le mot qui venait d'abord à l'esprit. Mais n'était-ce pas plutôt une disposition mentale d'un caractère un peu spécial ? Comme quelque chose dont il aurait eu besoin pour vivre ? Quelque chose qui aurait été aussi indispensable que son plaisir solitaire ? Et d'ailleurs, ne se faisant pas plus mérite de ce sentimentalisme qu'il ne s'imputait à crime sa débauche. Après tout, il pouvait employer le mot de débauche pour qualifier ce qu'il faisait dans son lit, mais c'était seulement parce qu'il n'en avait pas d'autres à sa disposition, parce qu'il ne savait pas comment appeler d'un nom connu les sensations qu'il recherchait. Mais, ce mot, selon lui, n'était nullement péjoratif. Dans son imagination, il y avait toujours une identification si parfaite entre lui et l'image de la femme choisie sur le moment, qu'il était loin de considérer qu'il se dépravait. Non, il ne faisait que s'incarner successivement dans telle ou telle créature. Il n'était donc chaque fois que cette créature, telle qu'elle pouvait être effectivement quand elle se livrait à un homme. Inutile d'aller chercher plus loin. Et ces dédoublements ne l'empêchaient pas de rêver avec ravissement à ce qu'auraient pu être de nouvelles heures vécues auprès de Nita.

L'autre jour, il avait eu une fameuse idée en imaginant qu'il avait pu retrouver Nita à Paris. Cette promenade supposée à Bagatelle lui avait procuré un merveilleux moment d'oubli. S'il continuait ? De même qu'il entretenait en lui la légende érotique de Lily, pourquoi n'entretiendrait-il pas pareillement la légende sentimentale de Nita ? Il se voyait avec elle dans les rues de Paris, lui montrant, au cours de longues promenades, des quartiers perdus, des coins des quais ; un jour au Trocadéro, un autre jour au Sacré-Cœur. Il l'accompagnerait au restaurant, au théâtre. Il n'ambitionnerait pas, auprès d'elle, d'autres bonheurs que celui de sa présence. Pouvoir simplement l'appeler Nita, lui donner le bras, l'aider à mettre ou à enlever son manteau, la protéger contre les bousculades, se préoccuper de sa faim, de sa soif, de son contentement, de son bien-être, deviner à l'avance ce qui pourrait lui faire plaisir ou lui déplaire, lui épargner une fatigue, lui faciliter une obligation. Même si parfois un tel comportement provoquait sa raillerie, même s'il en venait à s'accuser de sensiblerie, il n'en demeurait pas moins attaché à l'illusion qu'il avait que tout cela fût possible un jour. Que de mois déjà, depuis les semaines enchantées de Royan ! Que c'était loin ! Plus le temps passait, plus s'amenuisaient ses chances. Se ferait-il jamais à l'idée de ne plus la revoir ? Il restait deux jours, trois jours sans trop y réfléchir, et puis subitement, ça le travaillait à nouveau. A supposer que Nita cessât de vivre à Nantes ? Comment la suivre ailleurs ? Encore, si elle continuait à danser, il aurait de ses nouvelles par les journaux. Mais si elle renonçait au théâtre ? Prendre les photographies qu'il avait d'elle et les contempler une fois de plus, ainsi qu'il l'avait fait si souvent, jusqu'à ce que le chagrin serre sa gorge, certes, ce n'était pas une solution. Il aurait dû avoir honte d'être aussi pommade. Et malgré ça, il ne pouvait tout de même pas nier maintenant le bonheur qu'il avait eu grâce à elle. N'était-il pas le plus fier des hommes lorsqu'il sortait avec elle, à Portville ? Ce n'avait pas été un rêve, mais la réalité, et la plus belle des réalités. Alors, il ne s'inquiétait pas des scènes qu'auraient pu lui faire Monsieur Papa et Madame Mère s'ils l'avaient aperçu en sa compagnie. Il était tout occupé de l'orgueil de se montrer avec elle, afin que ses camarades puissent l'envier. Ce qui n'avait pas manqué. Ils lui avaient posé des questions. Quelle est donc cette fille avec qui tu étais hier matin ? Petit cachottier, tu ne nous avais pas dit que tu... Ils ne l'auraient jamais cru capable, lui qui ne passait pas pour un conquérant, de forcer l'amitié d'une femme si exquise et apparemment si inabordable. Présente-moi ? avait même eu le culot de lui demander Paolo. Le présenter ? Des clous. Est-ce que Paolo lui avait jamais fait connaître les petites filles avec lesquelles il couchait ? Aucun rapport, sans doute. Mais enfin, il n'allait tout de même pas mettre Paolo en rapport avec une femme comme Nita ? Il ne s'était pas regardé. Mais quoi ? Aujourd'hui, vis-à-vis de Nita, il n'était pas plus avancé que Paolo. On se met martel en tête, on se casse la nénette et puis, au bout du compte... Des bribes de souvenirs, des images qui s'estompent avec le temps, des riens, comme ces rubans que les dames de l'Hôtel oubliaient au fond des tiroirs.

Hier, justement, Miss Stratford et son Pepe étaient partis pour Nice. Monsieur Hermès avait fait un tour dans l'appartement vide, pendant qu'on nettoyait. Plus de fleurs, plus aucun objet sur les meubles, les armoires béantes. Son parfum même s'était dissipé. Plus rien, non, de Miss Stratford. Comme réduite en cendres. De toute sa présence, pendant des mois, de tout son univers, il n'y avait plus que ces résidus dans la pelle du valet de chambre : un petit tas de poussière au milieu duquel gisaient des mégots encore teintés par son rouge à lèvres, des allumettes noircies, un bouton de nacre, un prospectus pharmaceutique roulé en boule, une étiquette de fond de teint, une ficelle dorée, un morceau de bretelle de combinaison. Le valet de chambre s'appliquait méthodiquement à imposer aux pièces une nouvelle façade de banalité. On pourrait y installer d'autres clients. Ce serait pour eux comme si personne n'y avait jamais vécu. Le lit recouvert, les sièges bien en place, des papiers blancs sur les étagères, des serviettes propres dans la salle de bains. On aurait dit que Miss Stratford venait de mourir. Une sorte de toilette mortuaire du décor. Le symbole même de la vie. Quand un être décédait, c'était ainsi qu'on agissait vis-à-vis de lui. On liquidait, on époussetait, on remettait tous les sentiments en ordre, on passait en revue les paroles qu'il avait dites, les gestes qu'il avait faits. Ensuite, les survivants pouvaient lui succéder sur la scène. Celle-ci était nette. Etait-il inévitable qu'il en soit toujours ainsi ? Ce mélange de passions et d'indifférences... Curieux que ça n'empêche pas d'aller, d'agir, de se lier à des inconnus, de faire surgir des inquiétudes du néant, comme si on ne savait pas, pertinemment, qu'elles ne tarderaient pas à y retourner !

Pourquoi même s'était-il attaché à Miss Stratford ? Toujours le dindon de la farce avec ses emballements. Pourtant la première condition du métier. Pas faire de sentiment avec ces messieurs et dames. Les considérer comme un ensemble de pions interchangeables. D'ailleurs, depuis quelque temps, il avait bien l'impression qu'il finissait par se désintéresser complètement de cette faune de l'étage, qui, d'abord, l'avait passablement amusé. Plus du tout de curiosité pour ces originaux. Il en avait trop vu. On ne pouvait pas dire qu'elle n'avait pas été gentille jusqu'à la dernière minute, Miss Stratford. En réglant sa note, elle avait même donné un très beau pourboire à Monsieur Hermès. Et elle lui avait tendu la main. Mais ça n'allait pas plus loin. Maintenant qu'elle était à Nice, elle devait être aussi gentille avec le garçon d'étage qui la servait au *Ruhl* ou au *Negresco*. Lui, Monsieur Hermès, il était rayé des contrôles. A tout jamais. Dès qu'elle avait quitté l'étage elle avait dû cesser de penser à lui. Et tous, ils étaient ainsi. Même les meilleurs. Alors, pourquoi se préoccuper de leur plaire ? Et puis, il n'avait plus grand-chose à apprendre à l'étage. Bien que ce n'eût pas l'air d'être l'avis du Père Schott. Pourquoi ne demanderait-il pas à redescendre au Resto ? Puisqu'on lui avait promis une place de demi-chef. Au moins, comme ça, il aurait ses nuits pour lui. Le dîner servi, il monterait dans sa mansarde et dormirait enfin tout son saoul. Il ne pensait plus qu'à dormir. En écraser toujours plus, essayer de soulever cette affreuse barre de fatigue pesant sur son front. Aujourd'hui même, il irait voir un médecin pour sa blenno. De ce côté-là aussi, il fallait

331

en finir. Avait pas envie de traîner ça avec lui pendant des années. Tout de même, la perspective de montrer sa bite au toubib lui gâchait sa journée à venir. Qu'est-ce que l'autre allait lui dire ? L'engueuler peut-être ? Lui apprendre qu'il était plus attigé qu'il n'avait cru ? Après ça, il demanderait à être reçu par le Chef du Personnel. On verrait bien. Au besoin, pourrait arguer de son état de santé. Lui expliquer qu'il n'avait vraiment pas une vocation de noctambule. Qu'il n'avait pas pu arriver à s'habituer. Sa gueule de déterré parlerait pour lui. Toutefois, il n'avait pas grand espoir que sa requête soit bien accueillie. Le croquant était bien capable de lui jouer un tour à sa façon. Ah ! mon gaillard, tu veux quitter les étages ? Eh bien, attends un peu ! Nous voulons bien vous accorder satisfaction. Mais nous vous prévenons : pour l'instant, il n'y a pas d'emploi de demi-chef. Vous devrez réintégrer comme commis. Impossible d'en sortir : ils auraient toujours le dernier mot. Ils pourraient le coincer comme ils voudraient. Mais il se l'était maintenant fourré dans sa caboche : il n'y renoncerait pas. Plus d'étage ! Le Resto ! Fût-ce comme commis ! Avec la sale figure du Petit Père prêt à lui sauter dessus à chaque coin de table. Et tout le reste !... N'importe quoi pourvu que ça change. Il deviendrait dingo s'il continuait à veiller la nuit. Il s'y voyait déjà, au Resto. Pourquoi pas dès demain ? Si le Chef du Personnel était bien luné, ça pouvait se faire illico. C'était pas Monsieur Schott qui chercherait à le retenir. Il serait enchanté de le refiler au Petit Père. Dire que Monsieur Hermès avait eu peur du Petit Père, autrefois ! Il avait mûri depuis. Désormais, il se foutait du tiers comme du quart. Qu'il ne vienne pas s'y frotter ! Il le recevrait. Aux œufs ! On ne la lui ferait plus. Il se rebifferait. Et comment ! Tout allongé qu'il fût dans son plumard, Monsieur Hermès imaginait déjà ce qui pourrait se passer. Il sentait sa hargne monter. Il ne se laisserait plus malmener comme avant. Il lui tiendrait tête. Il n'était pas une chiffe. Il n'avait aucune raison de plier servilement devant ce tordu !

Ainsi, voilà qu'il repartait de l'avant. De nouvelles perspectives en vue. Ça devait être ça qui aidait à vivre, qui meublait l'existence. On passait son temps à laisser des choses derrière soi, des choses, des faits, des êtres, qui s'enfonçaient toujours davantage dans le brouillard du passé. Une bobine, on peut s'arrêter d'y enrouler le fil pour une raison ou pour une autre, le débobiner comme on veut si cela n'a pas été fait à son goût, puis rebobiner derechef. Avec la vie, pas possible. C'était ça qui était tellement déprimant. Il n'y avait jamais que le temps à venir qui pouvait compter. Tout ce qui était accompli était en même temps révolu. Toutes ces créatures, déjà, Régine, Madame Elvas, Angélique... qui étaient sorties de sa vie, et qu'il ne reverrait sans doute jamais. Et là, devant, bien d'autres créatures, vivantes et bien vivantes, ou même, pas encore nées, mais qui auraient malgré tout leur personnalité, leur état civil, leurs liens de famille et d'amitié, leurs résidences, et qui, un beau jour, entreraient à leur tour dans son univers. Ces créatures étaient là, anonymes, noyées dans la masse de l'humanité, mais une heure viendrait où elles se trouveraient en conjonction avec lui. Dans trois mois, dans un an comme dans vingt, elles lui apparaîtraient avec des cheveux d'une certaine teinte, une voix bien caractéristique, des jambes et des bras comme ceci ou comme cela, un prénom de prédilection et des diminutifs pour l'intimité, une façon à elles de donner un baiser ou de se refuser à une caresse, avec des idées conscientes sur une foule de sentiments et de coutumes. C'étaient elles qui étaient en somme les bornes de son destin. Elles l'attendaient sur sa route, sans qu'il sache à quel endroit elles se manifesteraient à lui, ni comment. Peut-être que c'était cet inconnu, la séduction possible de cet inconnu, qui aidait les individus à vivre. La vie, ce n'était pas autre chose que l'attente souvent vaine ou souvent déçue de ces hasards. Et il n'était pas douteux qu'on pouvait attendre ainsi, sans se décourager, jusqu'aux limites les plus avancées de la vieillesse. Pourquoi était-on ainsi ? Pourquoi ne pouvait-on se contenter du quotidien ? Trouver son bonheur et sa paix dans l'accomplissement banal des choses, même s'il n'arrivait jamais rien d'imprévu ? On vivait donc en constant état d'angoisse. Même les plus équilibrés. Même les mieux assis. Ce matin. Ce soir. Cette nuit. Demain. Demain encore. Toujours demain. Comme si demain allait enfin apporter le miracle. La sagesse, pourtant, aurait été de savoir goûter l'heure présente. Comme maintenant, dans le lit.

En fait, n'était-il pas bien ? Il ne dépendait de personne. Pouvait se lever à l'heure qui lui plaisait. Il fallait donc essayer de savourer l'instant. Béatement. Et ne pas se tracasser au sujet de ce qui pourrait survenir cet après-midi ou demain. Etait-ce donc si malin ? Il avait un bon lit. Etroit, certes, mais moelleux. Tout le monde ne pouvait pas en dire autant. Il se passait les mains sur la peau, il la sentait tiède, souple et ferme en même temps. En bas, Paris grondait sans s'occuper de lui. Pourquoi donc se serait-il préoccupé lui-même de ce grondement ? Maladif, de perdre son temps à avoir la nostalgie des ailleurs, à toujours désirer être là ou on ne pouvait pas être. Bien sûr, hier soir, il s'était promis de faire une balade ce matin. Il aurait pu aller du côté de la rue de Rivoli, des Tuileries, traverser la Concorde, flâner le long de l'avenue Gabriel. Le matin, comme ça, avec ce petit soleil qu'il y avait, ç'aurait dû en effet être tout à fait délicieux. A cette seule idée, il lui semblait déjà sentir sur son visage le souffle frais de Paris, ce souffle où se fondaient en un mélange subtil l'odeur benzinée des autos, celle des arbres encore trempés par la pluie de la veille ou de l'herbe des jardins, celle encore du tabac blond d'un passant, ou de la fourrure parfumée d'une jolie marcheuse au pas vif. Tac, tac ; tac, tac ; tac, tac ; le bruit de ses talons fins sur l'asphalte grisâtre. La ligne de ses jambes. La soie douce du bas avec la couture en relief, un peu plus sombre. L'adorable renflement du mollet au-dessus de la minceur nerveuse de la cheville. Les pieds soignés que devaient avoir ces femmes-là. A toute heure du jour. Une peau affinée, patinée, polie par le contact des soieries. Pas de poils superflus, ni de duvets disgracieux. La peau lisse, la police. Des mœurs. Oh ! avec ou sans mœurs ; et plutôt sans. Facile à comprendre qu'elles n'hésitent pas à coucher, voire à se faire épouser par un gros plein de soupe, par un vieux tout décati ! Jamais qu'un petit mauvais moment à passer de temps en temps. Pas de témoins en général. Pouvaient garder ça pour elles. Personne n'y venait voir. Peu agréable, sans doute. Mais, en compensation, tout le reste du temps, dans les délices. Moralement, l'argent, le mariage couvraient tout. Le luxe. Le confort parfait. La satisfaction des caprices. L'agrément de se sentir admirées, enviées, d'être toujours dans la meilleure note. Un certain idéal esthétique, en quelque sorte. Donner de soi, de son physique, de son chic, la meilleure idée possible. La délicatesse d'âme, le raffinement de l'esprit, ça, elles s'en moquaient éperdument. Le reste suffisait pour meubler leurs existences. Au nom de quoi les mépriser? Il y en a qui pouvaient appeler ça de la frivolité. Mais elles? Il leur semblait bien qu'elles étaient dans le vrai. Et comme elles étaient persuadées que toutes les femmes, sans exception, tendaient au même but, le fait qu'un très petit nombre y parvenait, dont elles, leur donnait une haute idée d'elles-mêmes.

Chez les hommes, ce n'était guère différent. Le style gravure de mode. Une véritable hantise. Dans la crainte perpétuelle du détail qui pourrait clocher. Penser à tout. Assortiments, harmonies, contrastes, adaptations au lieu, à l'heure, à la fonction, à la circonstance, au rang. Du mouchoir de poche aux gants, des chaussettes au parapluie. Des préoccupations susceptibles de faire éprouver à cette catégorie d'êtres toute la gamme des émotions humaines. Une journée empoisonnée pour un bouton cousu un peu trop haut ou un peu trop bas. Une vanité puérile, tout aussi bien, vis-à-vis d'un rival en élégance, parce qu'on inaugure avant lui une coupe de veston exceptionnelle. L'envie, l'égoïsme, la pédanterie, le dédain... Est-ce qu'il n'aurait pas été tenté, Monsieur Hermès, par ce programme, s'il avait eu les moyens de le réaliser? En tout cas, ça dépendait de ces éventualités nombreuses, qui étaient encore tellement loin devant lui. Comme autant de poires pour la soif. Oh! ne risquait pas de sombrer tout de suite dans l'ennui. Rien du blasé. Que de choses à désirer! Que de choses dont il lui semblait qu'il avait le plus urgent besoin! Que de choses dont la possession lui eût paru délectable! Madame Mère ne l'avait guère gâté. Etrange! Tout gosse, elle l'avait pomponné comme un marié. Tous les jeudis chez le friseur pour un coup de fer. Même que ça lui faisait une touffe exagérée. Encore heureux que les autres bambins ne l'aient pas appelé Riquet à la Houppe! Des costumes en velours et en dentelle, des cannes à manche d'argent, des bérets de cuir blanc, des chaussures de chevreau rose. Puis, soudain, dès qu'il avait commencé à se sentir pisser, ça avait cessé. Juste au moment où il aurait eu du plaisir à faire le gandin pour plaire aux filles. On aurait dit qu'elle avait deviné ça, Madame Mère. Jalouse? Prudente? Quoi qu'il en soit, depuis, elle s'arrangeait pour qu'il ne porte plus que des vieilleries retournées, avec la trace des anciennes boutonnières à l'emplacement des nouveaux boutons, avec la pochette pour le mouchoir du côté droit au lieu du côté gauche, et l'étoffe montrant le vilain aspect de son envers. Comme si les copains ne s'en apercevaient pas! Et les petites copines, donc? Se doutait pas, Madame Mère, de toutes les fois que son fils avait rougi parce qu'il sentait des regards s'appesantir sur son costar. Eh bien, chaque fois qu'il avait rougi à cause de ça, elle ne se doutait pas non plus, Madame Mère, que ça avait terriblement fait grandir la haine qu'il nourrissait contre elle. Elle n'avait qu'à ne pas le mettre au monde si elle n'était pas décidée à lui assurer les possibilités d'une vie décente et à l'aider à vivre sur un pied d'égalité avec ceux de son âge. En tout, ç'avait toujours été comme ça. Dès qu'il avait un désir vestimentaire, au lieu de lui acheter du neuf, Madame Mère lui dégotait une occasion ou un rossignol abandonné par Monsieur Papa. Elle ne savait donc pas ce que c'était que cette joie pour un adolescent de porter un complet qui semblait créé exprès pour lui? Etant enfant, il n'y avait pas trop fait attention, mais à partir de quinze ans, ça l'avait réellement humilié. Si seulement ç'avait été par pauvreté que Madame Mère le lui imposait, il aurait pu lui pardonner. Mais non, c'était par instinct sordide. De l'or! Il aimerait pouvoir en garnir tout leur cercueil quand ils passeraient l'arme à gauche. Des idées à se faire traiter de fils dénaturé. Et pourtant... Son troisième acte était mauvais. Il n'aurait pas dû montrer son héros pardonnant à ses parents, mais au contraire, restant inflexible. Il n'éprouvait aucune honte à vaticiner ainsi. N'était-ce pas naturel? Tout de même, s'il ne les aimait pas? S'ils avaient tout fait pour qu'il se détache d'eux? Pas de sentiments de commande! C'est alors qu'il se serait méprisé. Et quant à encourir un mépris, mieux valait encore que ce fût de la part d'autrui. Au moins, de cette façon, il pouvait conserver une certaine fierté vis-à-vis de lui-même.

Qui est-ce qui faisait ce raffut dans le couloir? Onze heures déjà? C'étaient les femmes de chambre qui remontaient chez elles avant le déjeuner. Tout de même, depuis qu'il avait posé une targette, il était plus tranquille. Plus peur qu'on entre à l'improviste. Une reposante sécurité. Se lever ? Non, pas encore, il était trop bien. Il avait bien le temps. Etait tout à fait réveillé, maintenant. S'il lisait ? Mais quoi ? *Chantecler* traînait sur sa table de nuit. Il le saisit. L'ouvrit. Tomba sur une scène qu'il savait par cœur. Il referma le livre. Se la récita pour voir s'il ne l'avait pas oubliée... Et vous ne serez plus, vieux Cocâtres qu'on casse, Que des Coqs rococos pour ce Coq plus cocasse ! Encore des mots. Il reposa le livre, enfouit la tête dans son oreiller. Une odeur animale, venue de son corps, énerva ses narines. Ses désirs se ranimèrent. Autant retrouver tout de suite Dorothy. Monsieur Hermès se redressa, fit passer sa veste de pyjama par-dessus sa tête, puis il se recoucha sur le ventre pendant que ses mains pressées faisaient glisser son pantalon le long de ses cuisses. Là, il était nu. Qu'il était grisant, ce contact de sa nudité avec le drap tiède. Merde ! Il n'avait même plus le temps de penser à Dorothy. Le plaisir était là. C'était comme si l'excitation érotique s'était poursuivie à son insu dans son subconscient. Il n'avait même pas à bouger. Il savait qu'il suffirait qu'il passe ses mains autour de sa taille, qu'il se caresse douce-ment les hanches pour qu'il jouisse. Mais il cherchait plutôt à retarder cet instant et cet effort même était déjà une jouissance merveilleuse. Alors, il eut une vision parfaite de Dorothy. De quelle ombre de sa mémoire surgissait-elle ainsi blonde et rose ? Elle avait une chemise très courte, blanche, transparente, garnie de rubans cerise. Les bretelles étaient si longues et si minces qu'on était tenté de les lui arracher. Elle avait aussi des bas de soie blancs, roulés au-dessus du genou. Viens, lui souffla son frère. Nous allons le faire une deuxième fois. Comme elle se laissait posséder enfin, Monsieur Hermès sentit qu'il était Dorothy elle-même et il se crispa dans un spasme qui n'en finissait pas. Là, dans le bas de son ventre, c'était tout mouillé et chaud. Toujours la même chose, toujours le même recommencement. Mais ce matin, la volupté avait été aussi irrésistible et suave qu'autrefois. Oh ! s'engourdir. Ne pas reprendre conscience. Rester là, indéfini-ment. Avec l'image de Dorothy, de la Dorothy qu'il venait d'être, lui, qu'il était encore, comme si c'était lui qui s'était donné sous les apparences charnelles de Dorothy. Divine sensation d'être une femme sensuelle et d'avoir un petit con dans lequel jouissaient les hommes ! Par extraordinaire, sa rêverie continuait d'être occupée par Dorothy. Bien entendu, il n'en avait pas été question tout à l'heure, mais Dorothy était mariée, en fait. Ça ne l'empêchait pas de coucher avec son frère, mais elle n'en restait pas là. Elle se payait aussi d'autres amants. Son mari était bien cocu. Une fois de plus, le pauvre bêta ! Dès ce matin, elle l'avait trompé avec son frère. Et maintenant elle lui avait dit qu'elle allait faire des courses. Le hasard avait voulu qu'un type l'accoste dans la rue. Un hasard qu'elle n'avait rien fait pour écarter, encore excitée par son inceste matinal. Le type lui avait dit des saletés à l'oreille. Elle avait fait semblant de ne pas l'écouter. N'empêche que ça lui avait durci le bout des seins d'entendre ça. Et les jambes en coton. Avait même pas protester quand il l'avait poussée dans le couloir d'un petit hôtel. Ensuite, la chambre infâme, ses bras autour de lui, ses baisers, la rapidité avec laquelle il l'avait déshabillée. Si son mari était entré et l'avait vue ainsi, folle de luxure, avec cet homme poilu qui actionnait en elle sa grosse queue rouge ! Mais il ne saurait jamais. Une fois lavée, rajustée, repoudrée, recoiffée, il n'y paraissait plus. Peut-être seulement les yeux un peu mâchés. Mais elle lui raconterait des idioties pour détourner ses soupçons possibles. Et, ma foi ! comme elle n'aurait pas encore été rassasiée, elle l'asticoterait pendant le déjeuner pour qu'il lui fasse ça, à son tour, son petit mari. Dans le salon. Tout habillée. Sur une chaise. Le pantalon d'une main, la jupe retroussée de l'autre. Surpris par la bonne portant le café. Non, non ! Marie, une minute. N'entrez pas. Oh ! chéri, vite, vite !

Ça l'avait fait rebander. Mais maintenant, ça lui causait une sensation de froid, ce mouillé. Comment faire pour que la femme qui retaperait son lit ne s'aperçoive de rien ? Aurait dû y songer plus tôt. Fini, le plaisir ! Déjà de nouveaux soucis. Ballot, qu'il était ! Il aurait dû mettre une serviette. Où avait-il la tête ? D'ailleurs, même s'il y avait pensé, ça n'aurait rien changé. Quand il était sur le point de jouir, ça le paralysait sur place. Aucun raisonnement n'avait prise sur lui. Comme un fou. Se doutait pas, sans doute, la vraie Dorothy, tout ce que Monsieur Hermès lui avait fait faire ce matin. Et dire que cela aurait peut-être été bien moins affolant s'il avait tenu véritablement Dorothy dans ses bras !

Ainsi, la matinée s'était écoulée. Une fois de plus, il avait succombé. Oh, avec délices ! Mais maintenant que c'était accompli, qu'il était calmé, il éprouvait sa vieille indifférence bien connue et mêlée de lassitude pour toute cette pornographie mentale. L'idée même d'un corps féminin, toute figuration libertine lui devenaient insupportables. Au diable, cet assujettissement des sens ! La bête repue, tous les mirages qui avaient fait naître, puis qui avaient fini par satisfaire sa chiennerie, avaient disparu et il ne subsistait plus que la réalité du moment. Qu'il était près de midi. Qu'il allait devoir expédier sa toilette. Qu'il ne savait pas encore où aller déjeuner. Qu'il aurait un après-midi de corvées (le toubib et le Chef du Personnel). Que ce soir, il faudrait reprendre le turbin. Qu'on s'apercevrait inévitablement de la tache qu'il avait faite à son drap.

Allons ! autant en finir tout de suite. S'il restait trop longtemps couché sur son mouillé, ça pénétrait et ça tachait le matelas par-dessus le marché. Alors, là, plus rien à faire. Même sec, il restait une auréole. D'un bond, Monsieur Hermès sortit de son lit. Avec une serviette, il épongea la souillure, puis frotta énergiquement en tendant le drap de l'autre main. Il en avait bien besoin, tout de même. Formidable ce qu'il avait lâché ! Des millions de spermatozoïdes dans la serviette pour la blanchisseuse. Autant de petits Hermès qui n'auraient pas droit à l'existence. S'il avait vraiment baisé Dorothy, il aurait pu naître d'elle un petit Hermès, un composé imprévu de Dorothy et d'Hermès. Pourquoi, ce matin, avait-il songé à cette Dorothy plutôt qu'à n'importe quelle autre ? C'était un peu agaçant, cette limitation du destin. Sa matinée, par exemple, il l'avait là, devant lui, d'une façon très nette, telle qu'il l'avait vécue. Eh bien, il n'en était pas moins vrai qu'il avait suffi d'impondérables pour la faire ce qu'elle avait été et qu'il aurait suffi aussi d'impondérables très légèrement différents pour la faire devenir tout autre. Il n'y avait pas que les spermatozoïdes qui restaient à l'état de possibles. Toutes les secondes vécues de cette matinée restaient également à l'état de possibles.

Pourtant, quoi qu'il fasse, cette matinée s'inscrirait dans le cours de sa vie sous la forme d'un dessin très précis et immuable. Il n'y pourrait plus rien changer, qu'il l'oublie ou non. C'était ça, oui, qui était agaçant. Car enfin, les circonstances qui avaient meublé cette matinée avaient été parfaitement gratuites, inopinées et banales même. Qui les avait choisies pour lui ? Tout à l'heure, quand il serait rasé, la tache étant déjà presque sèche, il la gratterait avec l'ongle, sur les bords, pour la faire disparaître. Monsieur Hermès se souvenait des nuits de jadis, à Portville, chez ses parents où, faisant ça dans son lit, la lumière éteinte, et n'osant pas se lever pour prendre une serviette de peur de réveiller Madame Mère dans la chambre voisine, il essuyait son sperme avec sa main, frottant contre le drap jusqu'à ce que ça ne lui paraisse plus trop gluant. Ça poissait ses doigts, avec une écœurante odeur de chlore. Il les séchait au drap sec et cherchait le sommeil dans le coin opposé du lit, en appréhendant la colère de Madame Mère si elle découvrait la trace que ça aurait laissé. Mais, le plus souvent, ça n'en laissait pas plus que si ç'avait été de l'eau. Il n'y avait qu'à force d'éjaculer toujours au même endroit, que ça finissait par jaunir la toile. Madame Mère ne lui faisait jamais d'observation à ce sujet. Il pouvait croire qu'elle n'y prenait pas garde. Elle n'en pensait pas moins, en fait. Sans doute en avait-elle pris son parti.

Oui, la vie n'était que confusion. Chaque geste qu'on ébauchait, en vue de constituer inconsciemment la trame de son existence, était parfaitement arbitraire. Et plus les gens croyaient faire leur volonté, plus ils exaltaient leur énergie, plus cet arbitraire apparaissait. Quel rapport intime avait-on avec chacun des gestes qu'on faisait ? Tout se passait en somme comme si on était détaché de ses propres mobiles. La seule façon sans doute amusante de vivre sa vie serait de s'en tenir à une seule circonstance donnée puis, à partir de là, d'épuiser toutes les combinaisons à mesure qu'elles s'offriraient. La vie était devant soi comme une étendue infinie de voies et d'aiguillages. On courait là-dessus à toute vitesse et, à chaque instant, on pouvait se trouver aiguillé sur l'une ou l'autre de ces multiples voies, sans avoir le temps de réagir. Une autre, encore une autre, encore, tout le temps ainsi. Et toutes les voies qu'on avait laissées continuaient à s'allonger parallèlement à la vôtre, comme pour vous narguer ou vous inspirer des regrets, mais on ne les rejoindrait plus jamais. C'était autant de chances ou de malchances qu'on ne pourrait faire figurer dans son destin, quoi qu'il arrive.

Ce matin même, le champ des possibilités qui auraient pu s'offrir à lui était si vaste, il y avait tant de questions en l'air... S'il s'était levé plus tôt ? Si le feu avait pris à l'Hôtel ? S'il avait reçu une lettre de Madame Mère ? S'il avait eu rendez-vous avec Félix Sanslesou ? Si on était venu lui annoncer qu'il était guéri de sa chtouille ? S'il n'avait pas pensé à Dorothy ? Si tonton Nicolas l'avait invité à déjeuner ? S'il n'avait pas été de sortie ? S'il n'y avait pas eu de targette à sa porte ? S'il avait plu ? S'il avait eu la migraine ? Si, si, si... si, si, si... do, si, la, sol... Si la mer bouillait, les poissons seraient cuits. Il n'y avait pas de si qui tenait. Sa matinée avait été parfaitement déterminée. Qu'importait ce qui aurait pu être ! C'était ce qui avait eu lieu réellement qui comptait. Mais, cela même, est-ce que ça avait bien eu lieu ? La tache était là, la serviette polluée, *Chantecler* sur la table de nuit, la targette poussée et le ciel toujours bleu derrière l'étroite tabatière. Mais, en vérité, on aurait pu soutenir que tout cela n'était pas.

Tout en tournant et retournant ces pensées, Monsieur Hermès avait commencé de repasser son rasoir sur son cuir. Puis il avait humecté ses joues avec son blaireau mouillé. A présent, il faisait mousser le savon. Là ! Le rasoir, de nouveau, entre le majeur et le pouce. Bientôt devrait se coller à la glace pour y voir, tellement sa vue... C'était plaisant, ce raclement du tranchant bien effilé sur sa peau. La mousse blanche s'enlevait facilement et s'accumulait en un gros paquet mou sur le plat de la lame. Il l'écrasait alors, délicatement, sur un morceau de papier de journal. C'était la gueule à Clemenceau qui venait d'en prendre un coup. Tout à fait les tartes à la crème des films comiques américains. Avait un peu la bouille d'un Beaucitron blanchi, Clemenceau. Des scènes pas banales on pourrait tourner, avec des acteurs comme Clemenceau, Poincaré, Lloyd George, la reine de Hollande, le petit roi d'Italie, Mussolini. Tous des comédiens nés ! Enfoncé, Charlot. Oui, Mussolini et Poincaré auraient sûrement fait recette à l'écran. Vachement photogéniques. Encore des pensées inexprimables en famille. Monsieur Papa aurait été indigné par tant d'impertinence. Surtout que Poincaré était son grand homme, envers et contre tout. Capricieux, ces rasoirs! Des matins où ne voulaient rien savoir. Ramassaient la mousse et laissaient les poils. Inutile d'appuyer. On ne faisait que s'emporter le portrait. De vraies rages, parfois. Aujourd'hui, c'était du beurre. Monsieur Hermès se rasait à petits coups précis et nets, en faisant des grimaces qu'il ne voyait que d'un œil. Ça lui donnait envie de rire, mais il se retenait pour ne pas se couper. Une face de clown, il avait, avec tout ce blanc qui faisait ressortir ses lèvres plus rouges. Hi, hi, hi! Dité môa, Môssieur Lôyâl? Sâvez-vô compter? Ouais! Compter. Un, dé, trrois...? Ça devait être passionnant d'être clown. Mais pourquoi les clowns prenaient-ils l'accent anglais? Le fait est que leur jeu aurait été bien moins expressif, s'ils avaient parlé comme tout le monde. Allez, dépêchons! Le savon va sécher. Pas de danger qu'il se taillade aujourd'hui. En virtuose! Le rasoir vole, vite, toujours plus vite. Jolie, cette mousse dans le bol. Des œufs battus en neige. Savoir si on pourrait aussi faire des bulles avec? N'avait jamais essayé. Le temps où il faisait de l'eau de savon, chez sa grand-mère, à Fontanières, aux environs de Portville. On raclait un peu de savon de Marseille dans une cuvette à demi pleine d'eau. Quand c'était bien fondu et qu'on avait bien remué, on allait au pailler, on tirait de belles pailles, on les taillait, et au travail. Pendant des heures! Formidable, les teintes qu'elles prenaient, les bulles, en s'élevant dans l'air. Comme des ballons irisés et translucides, qui prenaient parfois la forme d'un grain de noa. Il y aurait bien joué encore. Y jouerait peut-être d'ailleurs, mais en cachette. Les grandes personnes étaient tellement infatuées d'elles-mêmes! Ce n'est plus de ton âge, voyons, que disait Madame Mère. Ah, elle n'était pas rigolote, non! Pourquoi avait-elle la manie de s'imposer ainsi des occupations et des distractions strictement réservées à son âge, alors que personne ne l'y avait jamais forcée? Et elle ne trouvait pas le moyen d'y déroger sans s'exposer, croyait-elle, à une réprobation universelle. Quelle couillonnade l'humanité! La liberté, qu'ils braillent! Mais, dans le fond, ils ne la désirent pas. Ils ne savent même pas ce que c'est. D'ailleurs, ils n'en sont pas dignes. N'ont de cesse qu'ils n'aient fabriqué de nouveaux fouets pour se faire fouetter, de nouvelles chaînes pour s'y enchaîner. Une planète de cinglés. De dangereux cinglés. Voulant toujours être conséquents avec eux-mêmes là où la raison n'a que faire et jamais là où c'est l'instinct qui est de trop. C'était justement parce qu'il fallait vaincre certaines retenues que des actes enfantins pouvaient avoir du prix pour un adulte. Inversement, le problème était le même. Bon! N'insistons pas. Elle sentait bon, la peau, quand elle était rasée. Mais plus de chérie pour la lui étrenner. Toujours la même chose : quand on en avait une, on l'aurait voulue aux quatre cents diables et quand on n'en avait pas, on passait son temps à pleurer après. Sacré bon Dieu, n'était-il pas tranquille ainsi ? Personne pour lui empoisonner ses plaisirs. Et cependant, c'était agréable d'avoir quelqu'un près de soi, à qui communiquer ses pensées, ses impressions. Oui, à condition que ça colle entre l'autre et soi. Sinon, si c'était pour se quereller, si c'était pour se crêper le chignon à propos de tout et de rien ou pour se bouder pendant des semaines... Il avait toujours eu horreur de dominer, de s'imposer. Sa tendance naturelle était de céder, de donner de la corde. A preuve, avec ses vieux, il pliait toujours, ou presque toujours, sachant bien qu'il n'aurait pas finalement le dessus s'il les affrontait. Il préfé-rait biaiser. Dire amen et tâcher d'agir quand même à sa guise, en douce. Il était pour le libre arbitre absolu. Que les autres voient midi à leur porte. Aucun inconvénient. Mais surtout, qu'ils le laissent, lui-même, libre de ses mouve-ments. C'était là l'impossible, sans doute... Tiens, est-ce que le temps s'assombrirait ? Mauvais signe sur le coup de midi. Pourrait bien pleuvoir. Mais oui, le bleu faisait place à des nuages. Ça l'aurait amusé d'être sûr que Félix Sanslesou voie ces mêmes nuages au-dessus de sa tête, à cet instant précis, s'il levait les yeux. Peut-être bien qu'il irait faire un tour au Quartier Latin, vers la fin de l'après-midi, pour essayer de le rencontrer. Il lui demanderait s'il avait zieuté le ciel à midi. Comme ça. Rien que pour se rendre compte s'il y avait de telles coïncidences. Et puis, plus de temps à perdre pour placer *La Joie du Cœur.* Il avait raison, Félix. C'était à Jean-Jacques Delorme qu'il devrait la porter. C'était encore l'auteur dramatique qui serait le plus sensible au sujet qu'il avait traité. Il avait trouvé son adresse dans l'annuaire. Au culot, sans se tracasser, il irait lui rendre visite. Pourquoi pas ? Si sa pièce lui plaisait... Quel changement de décor ! Tu vois ça d'ici, mimi ? Et là-dessus, Monsieur Hermès esquissa les entrechats d'une danse frénétique qui le remplit d'allégresse. Un gosse, un vrai gosse, voilà ce que tu es, se répétait-il, tout en lavant nerveusement son blaireau dans sa cuvette.

IV

Il ne s'était pas trompé. C'était bien la galère, le Restaurant. Surtout comme commis de rang ! Bien entendu, elle lui avait passé devant le nez, la place de demi-chef. C'était leur méthode, aux patrons : toujours vous faire miroiter monts et merveilles et, au moment de s'exécuter, plus personne. Ça, de bonnes raisons, ils n'en étaient pas avares. Ils avaient beau jeu. Dans votre intérêt, qu'ils insinuaient. Vous n'êtes pas encore au point. Vous avez encore à apprendre. Nous ne vous perdons pas de vue. Dès juillet, vous partirez pour Londres. C'est promis. En attendant, il fallait se remettre à faire la suite. Il n'avait même pas pu reformer équipe avec le Marin. On lui avait collé un nouveau chef : Pézenas, qu'il s'appelait. Avec une tête en coin, toute maigre, de comique neurasthénique et un sourire de dents pourries. Déjà au moins, la trentaine ? Avait longtemps travaillé dans les wagons-lits. Il y avait acquis un style médiocre mais plein de célérité. Tout ce qu'il fallait en somme pour servir les Cooks qui recommençaient, avec le printemps, à envahir l'Hôtel. Pas question de fignoler avec Pézenas. Du boulot rapide, un peu cochonné, mais efficace. Jamais Monsieur Hermès n'avait dû tant trotter. Du moins, il s'entendait avec lui. Pas du tout à cheval sur le service, et mettant la main à la pâte. Mais il fallait supporter ses galéjades. Vingt fois par jour, content de lui, il répétait entre haut en bas, avec un rictus cocasse, des choses de ce goût : Az vist Pariss, az pas vist Pézenas, az rien vist ! Fallait voir comment il les faisait valser les assiettes et les couverts, devant les yeux médusés des touristes ! Des fournées identiques à celles de l'an dernier. On prend les mêmes et on... Pour la plupart, des Gallois ou des Ecossais de petite condition, mineurs ou retraités qui s'offraient le déplacement à peu de frais. Il leur souhaitait bien du plaisir. Ils arrivaient par cargaisons entières, restaient quatre ou cinq jours, de plus en plus fripés à mesure que le voyage s'allongeait, de plus en plus affamés, le kodak en bandoulière, les poches pleines de prospectus vantant les mérites respectifs de Chantilly ou de Robinson, du Louvre ou des Catacombes, du Moulin de la Galette ou de la Tour Eiffel, du Musée Grévin ou des Folies Bergère. On les parquait toujours à de grandes tables, par vingt ou trente. Le même menu pour tous. Le prix fixe. A la galope. Que ça leur plaise ou que ça leur plaise pas. On se serait cru à une noce de campagne. Sauf qu'ils ne chantaient pas à la fin du repas. Mais, à mesure qu'ils s'emplissaient la panse en cadence, ils devenaient plus verdoyants, plus communicatifs, plus rubiconds. Le flegme anglais ? Eh! dis donc, Simpson, qu'est-ce que tu en dis de tes compatriotes ? Le fait est qu'ils étaient plutôt exubérants. Parlaient haut, riaient comme des tonneaux, se tapaient sur l'échine, faisaient un de ces volumes! D'ailleurs, fort sympathiques. Ça vous changeait des petits guindés habituels. Même les madames s'y mettaient. Elles jacassaient avec une volubilité étonnante. Tu parles! Une fois sortis de chez eux, plus moyen de les tenir! On avait lâché la bonde. Simpson rigolait doucement. Ça n'avait pas l'air de le gêner le moins du monde de les voir gesticuler. Oh bien sûr, ils n'avaient pas de belles manières. Regardaient les rince-doigts comme une poule qui aurait chié une pendule. N'osaient pas se servir des couverts à poisson. Mais avaient tout de même le sentiment de ce qui leur était dû et parlaient sans timidité, avec leurs accents locaux, à Monsieur Rigal, qui, comme bien l'on pense, tordait le nez parce que, si vulgaire qu'il fût lui-même, il ne savait être poli qu'avec ceux qui lui en imposaient par le rang ou la richesse. D'ailleurs, il n'était pas le seul à tordre le nez devant cette clientèle un peu spéciale qui semblait échappée d'une kermesse flamande. La plupart des chefs, comme Matrousse ou Palisseau, la traitaient de haut et rouspétaient d'avoir à servir des gens si peu à la page. On râle comme ça, disait le Marin avec bon sens, parce qu'on est habitué aux rupins, mais si c'étaient des visiteurs de n'importe quel autre pays, ils seraient encore dix fois plus manches! Il avait raison, le Marin. Ils se tenaient pas si mal que ça, les angliches! On sentait qu'ils avaient ça dans le sang, les voyages. A leur aise partout. Conscients et organisés.

Bon, bon, ça va, passe la main! Vingt fois déjà qu'on la reprenait, cette discussion sur les angliches, entre rondins et habits noirs. De vrais concierges, qu'ils étaient. Pour ce que ça l'intéressait, tout ça! De plus en plus dégoûté. De l'Hôtel, du boulot et de l'humanité. Et, comme par fait exprès, il ne savait pas ce qui lui arrivait, depuis quelque temps il ne pouvait passer une nuit sans se faire jouir. Etait-ce dû au printemps? Sans compter que ça l'achevait positivement, c'était ça qui devait lui donner cette humeur si morose, cette propension à broyer du noir. Le Marin, Cambrecis, auxquels maintenant se joignait Pézenas, avaient voulu l'emmener, le faire participer à leurs petites virées nocturnes. Non, il en avait marre de ce genre de rigolades. Faire avec des tordues stupides et, le cas échéant, plus ou moins vérolées, ce qu'il faisait si bien tout seul, pas la peine! Et puis, où aurait-il pris le pèse? Monsieur Papa continuait à les attacher avec des élastiques. Se figurait sans doute que son héritier vivait de l'air du temps. Ou bien se persuadait que, comme ça, il ne risquerait pas d'avoir de mauvaises fréquentations. Alors quoi : vierge et martyr? Cette manie de faire des gosses pour les mettre sous cloche : Tu ne feras pas ce que j'ai fait ; tu ne diras pas ce que j'ai dit. Ce besoin de tyranniser sous prétexte d'éducation! Les Maîtres d'Hôtel n'agissaient pas autrement. Eux aussi, c'était soi-disant pour son bien qu'ils le tarabustaient. Mais au point où il en était ce n'était toujours pas eux qui allaient lui damer le pion. Désormais, il n'en faisait plus qu'à sa tête. Qu'ils soient contents ou pas. Pézenas, qui s'en foutait tout autant que lui, mais qui avait du moins la prudence de s'en cacher, lui disait qu'il travaillait à la mords-moi-le-nœud. Vas-y mou, lui glissait-il, quand Monsieur Hermès bousculait un peu trop brutalement la vaisselle sous le nez d'un client. C'est plus de la carte, c'est du pancrace! Oui, il se faisait trop souvent jouir, en définitive. Tout devait venir de là. Oh! bien sûr, dès qu'il avait joui, c'était comme si sa spiritualité s'était développée tout d'un coup. Il rejetait alors loin de lui avec impatience et répulsion les hantises lascives. Il ne songeait plus qu'à mener une existence d'ascète studieux. Plus il s'était vautré durant la nuit, plus il aspirait maintenant au sublime. Il se promettait de vivre exclusivement entre ses livres et son manuscrit, d'entretenir son esprit et sa mémoire de sujets élevés. Mais ça ne durait pas. Dès le soir venu, il était repris plus implacablement par ses désirs. Dans un sens, plus à se gêner. La saison de rugby s'était achevée en queue de poisson. L'équipe réserve du Racing était allée se faire battre à Bayonne par l'équipe correspondante de l'Aviron Bayonnais. Il n'avait même pas su faire le déplacement et avait été remplacé. Ses coéquipiers avaient eu la gentillesse de lui dire que c'était à cause de ça qu'ils s'étaient fait torcher. 3 à 0. Après prolongations. Oh, ce n'était pas que sa valeur fût si considérable. Mais c'était un fait à constater : quand il jouait, son équipe gagnait toujours. Un peu comme s'il en avait été la mascotte. C'était dommage, cette défaite. S'ils avaient gagné, ils auraient rencontré l'Union Sportive Perpignanaise en finale et ils auraient pu devenir Champions de France. Le club leur aurait fait cadeau à chacun d'une petite breloque. Monsieur Hermès aurait pu la porter toute sa vie en chevalière, au bout d'un ruban de moire, à la place de sa médaille de première communion. Ca l'aurait posé aux yeux des copains de Portville. Enfin, il n'y fallait plus penser.

Ce qui était appréciable, c'était d'être guéri. Avait tout de même eu raison d'aller voir ce toubib. Un grand maigre, avec des lunettes à monture d'or et une minuscule moustache grisonnante en forme de brosse à dents. L'air glacial avec lequel il l'avait laissé lui débiter sa petite histoire. Eh ben, voilà, docteur... Je... Impressionnant ! Mais ça avait un peu cassé la glace. Il avait sorti Charles le Chauve. Bon ! Qu'est-ce qu'il avait fait jusqu'ici comme traitement ? Oui ! pas assez efficace. La gono avait dû s'habituer. Il lui avait filé une ordonnance en règle. Revenez me voir dans quinze jours. Vous avez l'adresse de mon infirmier dans le bas. Qu'il vous fasse deux injections par jour. Il sait très bien. Ça, il savait très bien. Il n'avait pas menti. Un gentil petit jeune homme pâle, blond et doux. Sa femme, une brunette, le faisait entrer dans leur salle à manger. Voulez-vous attendre un moment,

Monsieur ? Mon mari a fini tout de suite. Et, sur un dernier sourire, elle filait dans sa cuisine d'où s'échappait une bonne odeur de soupe aux choux. Ça la laissait parfaitement froide que tous ces types viennent chez elle pour se faire soigner la queue. Sans doute qu'elle manquait d'imagination. Se voyait pas, pour son compte, dans la peau d'une femme qui aurait un tel mari... Quel métier ! Tous les jours, pendant des heures, en tripoter, des courtes, des longues, des tordues ou des grosses. A en avoir une indigestion. Et toutes avec quelque chose de sale au bout, amochées, honteuses d'avoir traîné dans des trous douteux. Mais lui, le petit infirmier, il s'occupait de vous comme s'il vous avait soigné un bobo au doigt. Tant que Monsieur Hermès était resté à l'étage, il y allait à midi, en débauchant, puis à sept heures, avant de dîner pour l'embauche. Depuis qu'il était redescendu au Resto, il y allait après le lunch et le dîner, prenant ça sur ses moments de liberté. On le connaissait, maintenant, dans la maison. Personne ne se moquait de lui. Il n'y avait pas de gamins pour lui courir après. C'était une idée qu'il s'était faite. Si quelqu'un le rencontrait dans l'escalier, on le saluait. L'infirmier et sa femme l'appelaient par son nom. Il était devenu comme un intime du ménage. Forcément, pendant l'injection, il bavardait avec l'infirmier. Alors, quand il arrivait dans la salle à manger et que la brunette l'accueillait, c'était tout à fait comme s'il avait été un copain qui serait venu partager leur frichti. Même que ça allait lui manquer, à présent que c'était fini. En effet, le toubib avait dit que ça suffisait. Les dernières analyses avaient été excellentes. Plus de gonos. Plus rien. Il se contenterait de lui faire des massages de la prostate, tous les huit jours. Jusqu'ici, il n'y avait encore été que deux fois. Il baissait son froc et s'étendait sur le billard. Le toubib mettait un gant de caoutchouc et là, en douceur, il lui enfonçait le majeur dans l'anus et pressant et en malaxant à l'intérieur. La sensation n'était pas déplaisante. Ça l'aurait presque fait érecter. Obligé de penser à autre chose pendant qu'il le besognait en toute conscience professionnelle. Ça devait en somme ressembler à ce que les pédés ressentaient quand ils se faisaient mettre. Les femmes n'ayant pas de prostate, ça devait être moins jouissant pour elles. Tous ces hommes et toutes ces femmes, des milliards, sur toute la surface du globe, qui ne pensaient qu'à ça, en réalité, et qui ne voulaient pas qu'il en soit dit. Toutes ces histoires d'amour dans les livres, de ceux qui les écrivaient à ceux qui les lisaient, en passant par ceux qui en étaient les héros véritables ou fictifs, de belles histoires d'amour avec des sentiments éthérés et tout ça, finalement, pour aboutir à quoi, je vous le demande, sinon à une partie de jambes en l'air, sur un lit, avec toute la cochonnerie obligatoire ! Oh ! qu'elle l'aimait, mon Dieu ! qu'elle l'aimait ! Chut, ma chérie, chut, chut ! Ah, mourir dans tes bras adorés, ma bien-aimée, avec ton nom sur les lèvres... Ma vie, mon âme, mon être ! Mais pendant ces épanchements angéliques, les mains s'employaient et les sens faisaient le reste. Ce serait magnifique si on pouvait aimer vraiment sans désirs, sans que ça finisse par une coucherie. Parfois, Monsieur Hermès pensait que c'était ça qui vaudrait d'être vécu. Mais on avait beau avoir en soi des aspirations à la beauté et à la pudeur, il venait toujours un moment où la salacité l'emportait. Et alors, adieu les délicates résolutions ! Plus rien qu'une bête avide, acharnée, et brisant les obstacles. Sans doute aurait-il fallu pour sublimer un amour que la femme se refuse, qu'une raison impérieuse empêche à jamais les amants de se livrer l'un à l'autre ? Mais, même encore, qui pouvait répondre de sa chasteté ? L'être le plus farouchement épris était à la merci d'un rêve érotique, d'une défaillance nocturne, fût-elle inconsciente, mais où la pensée maligne aurait peut-être, pour ces instants, substitué à l'image de la créature aimée celle d'une autre créature, subitement surgie du néant ou récemment entrevue. Que tout cela était fragile, médiocre, décevant !... A quoi bon, donc, se perdre dans les nuées du sentiment, pleurer des larmes de crocodile sur son âme, comme les poètes, cultiver les raffinements romanesques, porter l'amour dans des sphères de visions supraterrestres, du moment que ça n'avait pas d'autre fin que la bête à deux dos ? Quelle perversion ! Monsieur Hermès appelait à son aide certains passages de *Jocelyn* qu'il avait sus par cœur, du temps de Nita : ... et son âme, que n'échauffe jamais le rayon de la femme... toute âme est sœur d'une âme. Dieu les créa par couple et les fit homme et femme... reviens, reviens au ciel qui te pleure et qui t'aime, si ce n'est pour ton âme, ô Laurence! pour moi... oh! quand, jetant ton âme aux voluptés impures, tu ternis ce lis blanc que je t'avais gardé... Oui, c'en était truffé. Des centaines, des milliers de vers semblables, de vers grouillants, des centaines, des milliers de pages et de recueils qui avaient été écrits avec ce jus blanchâtre et tout ça, pourquoi? Est-ce que ça n'était pas plus répugnant, en fin de compte, toutes ces images faussement édulcorées et à double entente, que d'appeler simplement les choses par leur nom? Ou alors la pureté intégrale, quelque chose d'aussi rigoureux que certaine sainteté laïque, mais pas ça, pas ce compromis vaseux, pas ce honteux trompe-l'œil, pas de ça! Oui, il était plus honnête d'appeler un chat un chat et, dans un certain sens, plus sain. Mais surtout, c'était encore moins vulgaire et moins laid que de dissimuler sa lie sous des fleurs de rhétorique. Et pourtant, lui-même ne renonçait pas facilement au mirage. D'où avait-il hérité cette appartenance? Pourquoi imaginait-il qu'il aurait du plaisir, et le plus rare, le plus précieux, à s'embarquer à son tour sur ce bateau? Il n'y avait pas de jour où il ne fût disposé à succomber à la tentation. Seule, la partenaire manquait. Mais si, une fois ou l'autre, une jeune fille, une femme, passant sur sa route, se montrait favorable au jeu, il savait bien qu'il n'aurait rien de plus pressé que de répondre à cette étrange exigence intérieure d'un amour idéalisé. Ah, comme il mentirait bien! Comme il lui mentirait bien à l'élue! Comme il se mentirait bien à lui-même, enfin, pour le plus grand ravissement de sa petite âme d'homme, pervertie. Un maître en la matière, il deviendrait. Il en devinait en lui tous les éléments. Sa sensibilité était naturellement tournée de ce côté. Avec quelque chose de féminin, à n'en pas douter. Et cela aussi était incompréhensible. Trente-six tendances en lui. Il n'avait jamais connu la chaleur du sein maternel. Madame Mère n'avait guère le temps de s'occuper de lui. Solitaire avant la lettre. Un bébé privé d'affection. Cependant, toute son enfance avait été fleurie par la présence féminine de sa nourrice, Françoise, la douce nounou bretonne, puis des bonnes de l'appartement. C'était à peine s'il voyait Madame Mère dix minutes par jour, mais elle le faisait habiller comme un prince. Vieux radotage! Ensuite, il

avait été un farouche amateur de soldats de plomb mais, en
même temps, il avait eu pour poupée un petit paysan russe,
dont les yeux se fermaient quand on le couchait et dont il
confectionnait tout le vestiaire, ayant très vite appris à lui
couper ses chemises et ses pantalons dans des chiffons
multicolores et à les lui coudre. Une autre contradiction de
sa nature venait de cette passion qui avait fait de lui la jeune
brute des terrains de rugby, malgré ses penchants pacifiques
et caressants. Peut-être qu'il y avait en lui un côté féminin
dont il n'arrivait pas à prendre conscience. Bizarres, en tout
cas, chez lui, ces sensations doubles de mâle et de fille. Une
certaine ressemblance avec l'hermaphrodite, en somme. Le
dico, comme toujours, n'était guère explicite. Chez lui, était-
ce du lesbianisme ou de l'hermaphrodisme ? « On a souvent
parlé de l'hermaphrodisme humain, mais cette monstruosité
n'est qu'apparente, aucun cas d'hermaphrodisme vrai
n'étant connu. » Monsieur Larousse le prononçait aussi le
fameux mot de monstruosité. Mais voici qui était plus
troublant : Hermaphrodite : « Etre fabuleux qui réunissait
les deux sexes. Fils d'Hermès et d'Aphrodite, il fut aimé de la
nymphe Salmacis, qui obtint des dieux que son corps fût
confondu avec celui de son amant. » Tout de même, il ne
voyait pas Madame Mère en Aphrodite ! Ce qui était plus
troublant, c'était cette histoire avec Salmacis. S'il comprenait bien, l'Hermaphrodite avait été victime de la femme. Ne
l'était-il pas lui-même ? N'était-ce pas les femmes qui lui
avaient toujours valu ses malheurs ? Ne leur devait-il pas
cette maladie qui avait compromis sa santé ? N'était-il pas
obsédé par leurs charmes ? Par ailleurs, Hermès lui-même
était fils de Zeus et de Maïa. La légende avait bien fait les
choses. Fils de Zeus, quoi de plus symbolique ? Fils de Maïa
aussi, l'une des Pléiades. Mais Maïa, ça pouvait être aussi la
Mâyâ hindoue. Il n'était pas très ferré sur ces questions-là.
Mâyâ, c'est la mère du désir, Mâyâ, c'est l'illusion. Les
choses, tu crois qu'elles sont ainsi, et puis elles sont autrement... Apsara, Apsara !... Fils de Maïa et de Zeus... De quoi
rêver ! Tout ça n'expliquait pas pourquoi il se sentait irrésis-
tiblement devenir une femme quand il faisait l'amour, au
point de ne plus croire à l'existence de son propre sexe, au
point de s'imaginer avec un visage peint, des cheveux

odorants, des seins sensibles aux caresses et jusqu'à de la lingerie transparente. Il tournerait en rond jusqu'au jugement dernier. De quoi donner sa langue au...

Ce qui était moins réjouissant, chez le toubib, c'était la séance de sondage. Haha ! Oh ! Ouil ! Aïe ! Vous me faites mal ! Tu parles, il lui enfonçait dans l'urètre de longues tiges nickelées. Un si petit orifice et une si grosse tige ! De plus en plus grosses, les tiges, d'ailleurs. A croire que le toubib avait juré de le supplicier. Il avait bonne mine sur son billard, les miches à nu, se tortillant comme un ver, cramponné à la rampe ! Tiens bon, sacré fi de garce ! Ça lui pénétrait jusque dans la vessie. Sévèrement traqués, les gonos ! Ce qu'on allait chercher quand même ! Le fait est que pour ce qui était de lui triturer les tissus, c'était soigné ! Et tout ça parce qu'il avait tiré un coup malheureux. Y avait pas de justice sur cette terre. Et même pas la satisfaction de passer pour un héros, pour un mutilé de l'amour. Les autres se foutaient de sa tronche. Car ça avait fatalement fini par se savoir. De quoi ? Pour une malheureuse chaude-lance ? Quand tu en seras à sept, tu pourras parler : tu auras droit à un bureau de tabac. Oui, évidemment, c'était une façon de voir les choses. Par le petit bout de la lorgnette, en quelque sorte. Ils attrapaient ça comme d'autres un rhume de cerveau. Mais lui, il avait plutôt mal réagi ! Des mois que ça avait traîné. Quand la semaine passée, le toubib lui avait dit qu'il pouvait recommencer à boire du vin, ç'avait été un rude soulagement. De la bière, même ? Mais bien sûr ! Parce que ça, il le savait, la bière avait une action particulièrement excitante sur les gonos. S'il en restait un seul, dans un repli, déjà moribond, ça suffisait pour le faire ressusciter et pour lui permettre de fonder une colonie immédiatement prospère et proliférante. Donc, pas à hésiter. Le moment de faire la preuve par neuf. Avec Félix Sanslesou qu'il avait tenté l'expérience. A *La Chope Latine*. C'était là qu'on rencontrait Félix depuis qu'il avait quitté le quartier de l'Ecole Militaire et qu'il avait émigré rue de la Harpe. Pas de détail ! Six demis l'un après l'autre. Eh bien, il n'avait pas bronché. Sans contestation possible il était bien guéri. Plus de rechute à redouter. Ce ne serait plus qu'un mauvais rêve. Pas de si tôt qu'il se ferait pincer ! Pour les autres, le bureau de tabac. Ça lui avait déjà coûté assez cher comme ça. Pactot avait dû lui prêter quelques billets pour payer les injections et les sondages. Il ne savait pas du tout quand il pourrait les lui rembourser. pouvait-on s'endetter plus sottement ? Et par-dessus le marché, il serait peut-être contraint, avant peu, d'aller voir un spécialiste pour sa vue. Y avait vraiment de quoi jeter le manche après la cognée. Les autres, ils pouvaient dépenser leur mois en apéros ou avec des personnes du sexe. Lui, à vingt ans, il devait tout consacrer à sa santé. Et encore, il n'y arrivait pas. Sans compter que ça le gênait terriblement d'y voir si peu. Notamment dans le service. Il appréciait mal les distances. Il était obligé de faire effort, d'écarquiller ses mirettes. Quand il servait à boire à un client, il ne voyait plus très bien le niveau monter dans le verre, ou même mettait le goulot à côté. Des lunettes ? Pas question, du moins dans le métier. C'était interdit. Pourtant, il n'y couperait pas : un jour ou l'autre, il faudrait qu'il se décide à en porter. Le Marin lui avait bien dit qu'on pouvait se rendre aveugle avec les gonos. Du char ? Peut-être pas. Il avait souvent la manie de se frotter les yeux, quand il était au lit. Qui sait s'il n'avait pas commis d'imprudence, surtout dans les premiers temps ? Il s'en souviendrait, du cadeau qu'elle lui avait fait, Totoche ! Les lunettes lui iraient-elles bien ? A Portville, quand il mettait celles de Roudoudou, pour s'amuser, et qu'il se regardait dans une glace, il se trouvait le genre américain. Le jour où il avait bandé pour la première fois ; le jour de sa première barbe, de sa première femme ; le jour où il se mettrait à porter des lunettes ; le jour de son mariage, s'il se mariait jamais ; le jour où il apercevrait son premier cheveu blanc ; le jour où il ne pourrait plus baiser ; le jour où il ne pourrait même plus pisser... Alors, il ne serait plus loin de la fin. C'était pas long, la vie. Ponctuée, qu'elle était, la vie, par un petit nombre, par un tout petit nombre de relais où il fallait changer, chaque fois, de dégaine et de déguisement. Elle n'allait pas en s'améliorant, la machine. C'est dans les vieux pots qu'on fait la bonne soupe. Peut-être. Mais ça, c'était encore de l'attrape-nigaud. Toute atteinte à sa jeunesse, à son intégrité corporelle lui semblait affreusement injuste. Un jour, aussi, peut-être, sa chair s'affaisserait, il aurait du ventre. Horreur ! Il y en avait qui passaient leur temps à se faire prendre en photo. Lui, ce qu'il aurait voulu, c'est poser pour un sculpteur, de façon à conserver de lui l'image de sa sveltesse. Il n'osait en parler à personne, de peur de provoquer des railleries. D'ailleurs, qui est-ce qui le comprendrait jamais? Auprès de qui, ici, pourrait-il se confier intimement? Du moins, s'il était à Portville, auprès de Buddy Gard... Mais qu'attendre de ce pauvre Monsieur Dominique, par exemple? Il pataugeait de plus en plus malgré sa bonne volonté. Et puis, Monsieur Hermès finissait aussi par le décourager. Monsieur Dominique ne pouvait pas se mettre à dos le Petit Père Rigal et compromettre sa situation pour le défendre. D'autant qu'il n'était même pas défendable. Monsieur Hermès osait se l'avouer à lui-même dans ses heures de lucidité : du métier, il n'avait retenu aucun des bons principes. Ce qu'il avait le mieux assimilé, sous l'influence des autres, c'étaient les trucs, les ficelles, les mille façons de rouler les Maîtres d'Hôtel et de se payer la tête des clients, sagouins d'un côté, empiffrés de l'autre. Il avait cultivé ça avec une sorte de parti pris enfantin. Il tenait davantage au prestige qu'il pouvait avoir aux yeux des commis qu'à celui que lui eût valu son zèle aux yeux de ces Messieurs de la Direction. Il était tout ce qu'on voulait, mais pas un jaune. Bien qu'il les détestât, pour des raisons très particulières, il se sentait obligatoirement lié à ceux qui, comme lui, étaient dans la mouscaille.

A l'office, y avait encore de bons moments, parfois. C'était à qui réussirait le tour le plus fort. Phénomène de l'émulation. Ensuite, chacun racontait la sienne. C'était autant de pris, à leur idée, sur les sagouins qui les exploitaient. Monsieur Hermès n'était pas en reste. Un jour, servant une sole grillée à un empiffré, il avait glissé sur le parquet. Par chance, le Petit Père lui tournait le dos. Avec une certaine délectation, il avait compris qu'il avait le temps de maquiller le coup. Du culot, il n'y a que ça, lui avait toujours dit le Marin. Il ne fallait pas se démonter. Fût-ce dans les cas les plus désespérés. D'un geste vif, Monsieur Hermès avait ressaisi le plat au vol et l'avait posé sur une desserte. Seuls, la sole et le demi-citron dentelé, fleuri de persil, artistement disposés sur un papier gaufré, lui avaient échappé. Pas de temps à perdre. Tant pis si quelqu'un avait les yeux posés sur lui. D'un seul coup d'un seul, il avait ramassé la sole dans sa main droite, le citron dans la gauche et, allez donc ! en l'air et à plat, comme à la foire, pour gagner une bouteille aux anneaux (les trois pour vingt sous), il les avait collés en vitesse sur l'assiette de l'empiffré qui, heureusement, le nez plongé dans son journal, n'avait rien vu d'insolite. Janicou avait apprécié en connaisseur. C'était du beau travail, nécessitant une réelle présence d'esprit. Et des réflexes, avait renchéri l'aigre Palisseau, qui lisait *L'Auto* et savait jongler avec la phraséologie sportive. Le fait est ! Mais ça ne valait tout de même pas le coup que Monsieur Hermès avait réussi avec le chariot. Un coup involontaire. Mais que le hasard avait si bien servi... Pas souvent que Monsieur Dominique laissait un commis conduire son chariot. Mais ce soir-là, ça pressait. Dominique était retenu dans un autre coin de la salle. Pézenas voulait servir deux plats du jour. Même que c'était de la dinde truffée aux marrons. Fais-moi avancer la voiture devant le 51. Discrètement. Bien sûr ! Pourquoi pas ? Aussitôt dit, aussitôt fait. Monsieur Hermès se croyait revenu au temps de ses débuts, quand il le conduisait ce sacré chariot, sous les ordres de Monsieur Dominique. Mais il avait perdu l'habitude. L'ayant poussé devant lui un peu trop brusquement, dans une ligne droite, il lui avait échappé et était allé s'emboutir dans une table ronde qu'il avait fait pivoter comiquement d'un seul coup, sur elle-même. Les deux vieilles dames en grand décolleté et le monsieur en habit qui dînaient à cette table étaient restés tout pantois, assis sur leurs chaises, leurs couverts à la main, leurs serviettes sur les genoux et rien devant eux. Un machin comme on en voyait dans les films de Charlot. Des rires avaient fusé. Par bonheur, les deux vieilles dames avaient pris ça du bon côté. C'étaient des Anglaises. Elles assuraient qu'elles ne s'étaient jamais tant amusées de leur vie. Grâce à ça, le Petit Père n'avait trop osé rien dire. Oh ! il était intérieurement furieux, ça se sentait. Mais puisqu'elles étaient ravies, il ne fallait pas être plus royaliste que le roi. Il riait jaune, le Petit Père. Pour un peu, il se serait vu contraint de leur présenter Monsieur Hermès comme un directeur de théâtre peut présenter un des membres les plus obscurs de sa troupe à des personnalités qui l'ont remarqué et qui désirent le connaître. Mais, dans l'office, quelles dégelée, mes aïeux ! De tout, il l'avait traité, une fois de plus, le macaque. Ce jour-là, ça avait glissé. Monsieur Hermès était de bon poil. Le Petit Père pouvait bien lui postillonner sur le plastron tant qu'il voulait. C'était tout de même gondolant, ce qui était arrivé.

Oui..., hélas ! tout ne l'était pas toujours. De coups durs en humiliations ; d'humiliations en coups durs. Ils n'étaient plus des hommes, mais des carpettes. Serveurs ! Tout un programme ! Et c'était Monsieur Papa qui avait voulu ça. Il n'avait donc aucun sens de la dignité ? Et les autres, là, sur leurs chaises dorées, ils trouvaient donc tout naturel d'avoir ces esclaves stylés autour d'eux, à leurs petits soins, comme s'ils étaient des nourrissons ? Aux gosses, au moins, quand on est trop crispé par leurs caprices, leurs questions et leurs pleurnicheries, on peut leur flanquer une bonne fessée. Mais là, pas un mot. Oh ! certes, la main démange. Il y en a tellement à qui ça ferait du bien, semble-t-il, de recevoir une paire de taloches sur le coin du museau... Il faut rentrer ces envies, encaisser et mettre encore son sourire par-dessus. Est-ce que ça n'éclaterait pas, un jour ou l'autre, toute cette colère comprimée ?

Néanmoins, les empiffrés évoluaient là-dedans en toute sécurité. Rien ne leur paraissait douteux. Pour eux, les choses étaient bien telles que les apparences les montraient. Ils n'avaient pas peur que le parquet sur lequel ils dînaient puisse soudain se dérober sous leurs pieds. Curieuse niaiserie ! Comme il suffisait de peu pour les rassurer ! Ce parquet brillant, ces lambris, ces lustres, ces petites lampes d'argent et de satin cramoisi, ces cristaux de Bohême, ces nappes damassées, ces garçons en habit noir, cette virtuosité précise de leurs manipulations, oui, il n'en fallait pas plus pour qu'ils se croient en règle avec la société et qu'ils fussent satisfaits de l'ordre des choses. Mais là-dessous ? Sous cette façade trompeuse ? Eh bien, c'était à croire qu'ils n'imaginaient pas ce qu'il pouvait y avoir. Ou alors, ils s'aveuglaient volontairement. Est-ce que leur propre existence n'était pas tissée d'impostures ? Si on avait pu soulever le couvercle de leur crâne, que n'y eût-on pas découvert ? Dans ces conditions, pas étonnant qu'ils acceptent sans vergogne la servilité hypocrite de la valetaille.

Mais ils se gardaient bien de mettre leur nez là où il ne fallait pas. Pas de danger qu'ils descendent aux cuisines, qu'ils s'inquiètent de la façon dont on leur préparait leur rata. Comme ça, au moins, ils ne se coupaient pas l'appétit. Lui, Monsieur Hermès, quand il les voyait faire, en bas, les marmitons, trempant leurs doigts charbonneux dans les sauces pour les goûter, se mouchant avec l'index au-dessus des feux où tombait leur morve, mais si près des plats qu'il s'y en égarait un peu, voire sauvant à force d'épices une viande avariée, à force de stratagèmes chimiques une crème qui avait mal tourné, il se sentait un peu vengé. Ce qui faisait sa joie, c'était de contempler les aides qui confectionnaient les hors-d'œuvre. Les tripotages auxquels ils se livraient pour rendre plus ragoûtants les arlequins éventés et défraîchis, couvrant la marchandise de mayonnaises ou de tartares joliment tomatées. Ou bien, les manches retroussées jusqu'aux épaules, la façon dont ils brassaient les salades de pommes de terre ou de concombres, dans d'énormes chaudrons, avec leurs bras velus, mêlant leur sueur à l'assaisonnement. Non, ils n'étaient pas dégoûtés, les empiffrés! Presque tout ce qu'ils mangeaient était frelaté et, tout le reste de leur vie l'était également : le décor dans lequel ils vivaient, leurs intérêts, leurs sentiments, et jusqu'à leurs amours.

Monsieur Hermès se souviendrait toute sa vie du stage de plongeur qu'il avait dû faire dans les débuts. Oh! pas longtemps. Huit jours. Le métier n'était ni long, ni difficile à apprendre. Vraiment à la portée du premier venu. Cependant, il fallait avoir bon estomac. Pendant huit jours, il n'avait rien pu manger sans dégueuler aussitôt. Comment faisaient-ils, les bonshommes qui trimaient là à demeure? Ils prétendaient qu'on finissait par s'accoutumer. Huit jours dans les eaux grasses, nu sous un pantalon de toile, les pieds dans de gros sabots de bois, le torse éclaboussé par les résidus, les mains et les bras dans le bain gluant qui poissait la peau. Sans oublier l'odeur! Ah! les sauces parfumées, les salmis excitants, les jus capiteux, les crèmes délectables, voilà ce que ça devenait tout ça, quand les empiffrés s'étaient régalés, une boue merdeuse et nauséabonde. Malgré les ablutions quotidiennes, trois mois après, il se figurait encore qu'il puait. Et peut-être que c'était vrai ? Dans la rue, il lui semblait toujours qu'on allait se retourner sur son passage, incommodé par le relent. Il s'inondait d'eau de cologne. De l'eau de cologne bon marché, qui ne sentait pas tellement bon. Voilà à quoi les sagouins l'avaient contraint ! Est-ce qu'il pouvait avoir autre chose que de la haine pour ceux qui permettaient que de tels avilissements de l'homme fussent possibles ? Tout était pour le mieux dans le meilleur des mondes, selon eux ? Eh bien, pas selon lui.

Il leur en aurait fait mastiquer, de la merde, s'il avait pu. Du moins, chaque fois qu'il pouvait cracher dans leurs plats, il ne se gênait pas. Mais il ne fallait pas se faire prendre. Matrousse allait plus fort encore. Quand il le pouvait, il versait dans les potages ou autres liquides onctueux le fond de ses poches de rondin. Le fond des poches, c'est toujours plein de miettes de pain séché, de poussières, de moutons, de saletés. Il remuait le tout. Il n'y paraissait pas. Ils avalaient la mixture sans sourciller. Lui-même, Monsieur Hermès, avait réussi un assez joli camouflage dans le genre. Ça remontait assez loin. Avant qu'il passe dans les étages. Sortant de la pâtisserie, les bras chargés de deux plateaux de tartelettes aux fraises, et se précipitant dans l'escalier, boum ! il se prend le pied dans son tablier, trébuche, s'étale et répand la marchandise. Comme les marches étaient toujours saupoudrées de sciure, c'était un bon endroit pour que les copains y jettent leurs mégots et y molardent. Les chats y trouvaient également des coins propices pour leurs petites diarrhées et pour leurs pissous acides. A la guerre comme à la guerre ! En moins de deux, les tartelettes avaient réintégré les plateaux. En y regardant bien, on voyait la sciure sur les petites fraises des bois ; et peut-être autre chose aussi. Mais ça avait passé comme une lettre à la poste. Pas la moindre réclamation, rien ! Il n'en était pas resté une. Les empiffrés les avaient trouvées délicieuses. Oui, on aurait pu leur faire manger ce qu'on voulait, en s'y prenant bien. Tenu compte du risque à courir. Car, tout de même, pendant un moment, Monsieur Hermès avait pu se demander comment elle allait tourner, la plaisanterie ! Mais, tonnerre ! y avait-il à hésiter une seconde après les avanies qu'il recevait chaque jour ?

Obéir n'est rien. Mais qu'on vous traite comme un chien ou pis encore, qu'on vous ignore, comme on pourrait ignorer une machine automatique, non, ça ne pouvait pas aller. Monsieur Hermès conservait quelques souvenirs particulièrement cuisants. Ça ne s'oubliait pas, ces choses-là. Est-ce qu'il pourrait jamais chasser de son esprit la vision qu'il avait eue un matin en pénétrant dans une chambre de l'étage ? Après avoir frappé comme d'usage et avoir reçu l'autorisation d'entrer, il avait aperçu sur le lit défait une jeune femme complètement nue, accroupie, la tête entre les jambes largement écartées, une pince à épiler à la main. A sa vue, elle n'avait pas bronché. Elle avait seulement relevé la tête. Pas la moindre surprise, pas le moindre effroi et, bien sûr, pas le moindre geste de défense, de pudeur. Madame a sonné ? Il fallait tout de même dire quelque chose. C'était un fait : elle avait sonné. Mais que voulait-elle donc ? C'était une brune piquante aux formes opulentes, avec un visage olivâtre. Arrivée depuis la veille. Avec un mari qui sortait le matin et ne rentrait que le soir. Sans doute satisfaite de voir que c'était bien le garçon qui avait fait irruption chez elle, elle avait repris son épilage minutieux, toute à son ouvrage. Mais ainsi, la tête penchée : Faites-moi passer ma poudre, je vous prie. Elle est sur la coiffeuse dans la salle de bains. C'était uniquement pour ça qu'elle l'avait dérangé. Monsieur Hermès, tout en s'exécutant, se posait la question. Il était soufflé. Rien vu de tel encore. La catin ! Quand il revint dans la chambre et qu'il s'approcha d'elle pour lui tendre la boîte, elle ne bougea pas davantage. Posez ça là. Merci. Et, là-dessus, il était parti comme il était venu. Ça l'avait travaillé un long moment, cette petite aventure. Il revoyait le désordre de la salle de bains. L'eau savonneuse dans la baignoire. Des serviettes trempées sur le carrelage. Un parfum de produits de beauté qui flottait. Et la femme ouverte, à croupetons sur le drap de lit. Pourtant, il n'y avait eu aucune provocation de sa part. Non, elle n'avait pas fait ça pour l'aguicher. Avait même idée qu'il aurait été plutôt mal reçu s'il avait voulu profiter de la situation. Elle l'avait seulement ignoré en tant qu'être humain. C'était cela, justement, qui était intolérable.

Elle ne lui avait même pas fait l'honneur de le considérer comme un de ses semblables. Pour cette femme, il n'avait donc pas eu plus de réalité vivante qu'un objet. Moins même, car, peut-être aurait-elle eu plus de pudeur devant sa glace. Tout bonnement, elle l'avait effacé de son existence. Des humiliations d'autant plus cruelles qu'elles étaient plus inconscientes. Moins qu'une glace ! Ça, il n'avait pas pu l'encaisser.

A propos de glace... Il avait vu certaines femmes qui ne se gênaient pas le moins du monde devant leur miroir. Ça lui remettait en tête une autre histoire. Cette nuit, où portant des rafraîchissements dans un appartement occupé par trois jeunes filles seules, il était tombé en pleine séance de rigolade. Il pouvait être deux heures du matin. Au téléphone, elles lui avaient demandé du champagne. Déjà, dans l'antichambre, il avait été frappé par l'éclat de leurs rires hystériques. Il en avait vu d'autres ! On pouvait s'attendre à tout, ici. Malgré tout, s'il avait pu se douter de ce qui allait suivre ! Elles étaient là, toutes les trois, devant la psyché, ayant enlevé leur robe du soir, dans le plus simple appareil, les bas en tire-bouchon sur les chevilles. Oh ! garçon, nous faisons un concours. Vous allez faire le jury. C'était bien ça, elles étaient noires. Et le champagne brut allait les finir. Il dut d'abord boire avec elles. Ce n'était pas la première fois qu'on lui en faisait la proposition. Comme il n'y avait que trois verres, l'une des nudités lui passa le sien. Vous connaîtrez mes pensées, darling ! Elles gueulaient toutes à la fois. Une drôle de foire. Pour le jury : Hip ! Hip ! Hip ! Hourrah ! Un concours de fesses, qu'elles voulaient faire devant lui. Une idée de pochardes, bien sûr ! Rien à en tirer d'autre. Les voilà tout d'un coup en position. Mais ce n'était pas du tout ce qu'il avait prévu. Ce n'était pas précisément un concours de fesses auquel elles lui demandaient d'assister. Tournant le dos à la psyché, aussi sec, elles s'étaient pliées en deux et passant la tête entre leurs cuisses cambrées, elles s'examinaient la motte, en gloussant comme des perdues. Des scènes comme ça, il avait pu en voir dans des bordels crasseux. Jamais ailleurs. Elles ne faisaient plus du tout attention à lui, les petites sales. Elles se parlaient entre elles dans une langue gutturale dont il ne comprenait absolument rien, si ce n'est qu'il se doutait bien du genre d'obscénités qu'elles devaient débiter. Ça l'aurait soulagé, de leur envoyer comme ça, une bonne coupe de champagne glacé dans la raie. Peut-être que ça les aurait dégrisées. Il la leur avait envoyée moralement du moins. Mais il sentait qu'il ne serait désormais en règle avec lui-même que le jour où il serait en mesure de la leur envoyer réellement. Mince alors ! faire un tel affront à un garçon de vingt ans ! Mais c'était toujours le même drame. Elles ne faisaient pas plus de cas de lui que de leur descente de lit. Il s'était esbigné pendant qu'elles continuaient à déconner et à comparer leurs avantages naturels. Il pensait à la figure qu'elles feraient le lendemain quand elles se retrouveraient devant lui, à l'état normal. Mais j't'en fous ! Elles n'avaient pas accusé le coup. Elles avaient repris avec aisance leur masque de respectabilité. De haut qu'elles lui avaient parlé. Plus du tout question de la nuit passée. Oubliée, la nuit. Oubliée, l'exhibition cochonne. Rayée des contrôles. Un souvenir pour elles seules. Dont ni papa, ni maman ne sauraient jamais rien. Et que le mari qu'elles épouseraient l'an prochain ne soupçonnerait même pas. Mais lui, Monsieur Hermès, il gardait ça gravé dans son cerveau, comme un stigmate. Ça lui avait semblé plus ignoble, ce qu'elles avaient fait, que si elles lui avaient craché à la figure.

Impossible de le nier, c'était bien un métier de chien. Mais n'étaient-ils pas même moins que des chiens ? Lui, on l'avait abaissé jusqu'à servir de domestique à des chiens et jamais un chien ne l'avait servi, lui ! Voilà comment ça s'était passé. Cinq personnes gratinées s'étaient installées, un soir, à une grande table ronde, pour le dîner. Des Argentins que la Direction traitait comme Dieu le père. Sans doute, pleins aux as ! Deux hommes, grands, minces et beaux, en habit. Trois femmes ravissantes, avec des têtes d'idoles indiennes. L'une d'elles traînait trois chiens, trois affreux chiens noirs, bas sur pattes, à gueules de bouledogues. Elle ne se séparait jamais d'eux. Même que ça devait cocotter dans sa chambre, malgré les débauches de vaporisateur. Enfin ça, ça la regardait. On leur servait leur repas auprès de sa chaise, pendant qu'elle se nourrissait elle-même. Et pas de la bouillie, qu'ils mangeaient ! Elle leur commandait un menu, comme s'ils avaient été des individus distingués, viandes et poisson, gâteaux et autres friandises de luxe. On préparait ça aux cuisines avec le plus grand soin. Pendant qu'eux bouffaient des bas morceaux et sifflaient de l'eau de vaisselle au réfectoire! Eh bien, durant tout le temps qu'elles avaient avalé ça, les sales bêtes, il avait fallu qu'il reste à genoux sur le plancher, pour les surveiller, à quatre pattes ni plus ni moins, comme elles. Au-dessus de sa tête, au niveau de la table, les précieuses jacassaient avec leurs chevaliers servants. De tout ça, il n'avait qu'un panorama de pantalons noirs et de jambes de soie. Elles étaient là, à le frôler, avec leurs chairs offertes, les belles garçonnes, sans se préoccuper le moins du monde de sa présence. Quel jeton il avait pris! Même que les potes l'avaient chiné. T'en as de la veine, cochon! Tu te les renifles, hein? Mince de veine! Il était rouge et honteux. Sûr, ça ne le laissait pas indifférent. Parce que comme point de vue, pas de doute, ça valait l'os! D'autant qu'elles ne cessaient de remuer les gambilles. Comme si elles avaient eu des fourmis dans les mollets. Envie de danser. De se trémousser dans les bras d'un godelureau. Elles les croisaient, les décroisaient... Il venait de tout ça, à chaque mouvement, des murmures de satin froissé, des bouffées de parfum intime. Fasciné qu'il était, Monsieur Hermès. Pouvait plus en détacher ses prunelles. Fasciné, oui! et écœuré en même temps. Pas pour lui, ces appas. Lui, il était ravalé au niveau des clebs. Il existait pas dans le champ de courses. Tout ce qu'on lui demandait, c'était de tenir convenablement son petit rôle d'esclave. C'est-à-dire se faire ignorer, être respectueux quoi qu'il advienne et opiner du chef. Le minus entre les minus. Parfois, il voyait l'un des bouledogues tirer sur sa laisse et frotter son poil rugueux contre les chevilles nerveuses de sa maîtresse. La maîtresse n'en semblait pas affectée. Et même, comme si ce contact lui avait été agréable, elle gratifiait le monstre de caresses. Sa jolie petite main pâle, ses doigts bagués aux ongles vernis sur le mufle humide, encore tout barbouillé de moelle de poulet ou de frangipane. Monsieur Hermès aussi aurait bien aimé palper ces charmantes chevilles et sentir sur ses joues les caresses qu'elle réservait au bouledogue. Mais c'était un désir présomptueux. Ses chiens avaient tous les droits. Lui n'en avait aucun. S'il avait seulement posé sa paume sur son genou, elle aurait sursauté d'effroi, comme si elle s'était sentie mordue par un serpent. Non, sa main n'avait pas le droit de s'égarer un seul instant sur cette chair réservée. Tout ce qu'il pouvait, c'était durcir du cigare sous son tablier blanc. Et à la fin, encore avait-il dû accepter la pièce qu'elle lui avait glissée dans la main après avoir farfouillé dans son réticule d'or, parce que M. Rigal était là, tout près, qui guettait comme toujours, avec son crâne et son cou de vautour, songeant sans doute que ça allait grossir le contenu du tronc.

Quand il avait le malheur d'y repenser, à ces incidents-là, ça lui collait des démangeaisons de tout foutre en l'air et de taper dans le tas comme un possédé, jusqu'à ce que ça saigne ! Ce que c'était détraquant, tout ça ! Ils le possédaient, les sagouins et les empiffrés ! Du haut en bas de l'échelle. Toutefois, pas moyen d'en faire fi. Ils étaient une réalité. Et puis, s'il voulait bien faire appel à sa propre conscience, il devait admettre qu'il n'était pas lui-même un petit saint. Si les êtres pris en bloc lui paraissaient si peu dignes d'estime, comment pouvait-il s'estimer lui-même ? Fallait-il en conclure que tous les humains, sans exception, ne valaient pas la corde pour les pendre ? Etait-il préférable, au contraire, de se résigner à croire que tout allait pour le mieux dans le meilleur des mondes possibles ? Avoir en soi une confiance indéracinable ? Cesser de se désavouer à tout instant ? Etre quelqu'un pour qui les choses étaient bien telles qu'elles étaient ? Non ! Il n'avait jamais eu une mentalité de satisfait. Il était plutôt un rouspéteur-né, un petit gars qui avait toujours envie de ruer dans les brancards. Alors ? Un peu à boire et à manger, dans tout ça. Une position en porte à faux. Il fallait se décider. L'accepter ou le refuser, ce monde qui laissait tant à redire. Et, du même coup, s'accepter soi-même ou se refuser. Allons, pas aujourd'hui encore qu'il rendrait la sentence. Pas au point. Renvoi à huitaine, à quinzaine, à la semaine des quat'jeudis. Pour l'instant, ça lui faisait du bien, ça calmait sa hargne, de pouvoir foutre tout le monde dans la même macédoine. Les sagouins et les larbins ; les larbins et les empiffrés. Et lui-même par-dessus le marché. Les hommes, disait le Marin, sont plus bêtes que méchants. Bêtes et méchants, rectifiait Janicou. Ça l'embêtait aussi, Monsieur Hermès, de s'ériger en juge aussi gratuitement, sans avoir de preuves. Après tout, ils ne manquaient pas d'excuses, les uns et les autres. La vie n'était pas si réjouissante par elle-même. Ces super-riches, paraît qu'ils s'ennuyaient, qu'ils étaient blasés, à force d'avoir tout à gogo. Il n'y avait que les gens assez fortunés, mais pas trop, qui avaient quelque chance d'être heureux, parce que, eux, au moins, il leur restait toujours des choses à désirer. Mais le menu fretin, les larbins minables, toute cette petite population obtuse, toutes ces chenilles processionnaires des sous-sols et des étages, qu'est-ce qu'elle leur apportait de fameux, la vie ?

Plus il les fréquentait, plus il les jugeait insensés. Bêtes et méchants : l'étiquette aussi leur convenait. Tous ces trafics mesquins qui les occupaient ! Cette manie maladive de la combine. Toujours à l'affût d'un tuyau plus ou moins crevé pour jouer aux courses. Toujours bien placés pour satisfaire les caprices de la clientèle, en lui refilant la camelote au prix fort. Se prenant pour des malins parce qu'ils pipaient les dés, sans se douter un seul instant que les dés de leur destin personnel avaient été pipés, bien avant leur naissance, par ceux qui tenaient les leviers de commande. Mais ça ne faisait rien. Ils s'en donnaient à cœur joie. Les grooms qui escamotaient la moitié du texte des câblogrammes et qui facturaient la totalité. Les femmes de chambre qui chapardaient des parfums et de la lingerie de luxe à ces dames des appartements, pour les refiler à des receleuses du Sentier. Les duplicités du concierge pour maquiller sa note hebdomadaire, monnayant le moindre de ses gestes, la plus insignifiante de ses démarches. Les entremises suspectes du barman, ayant toujours des produits de contrebande cachés sous son comptoir et mieux placé que n'importe qui pour approvisionner sans dommage les amateurs de drogue. Les chantages des réceptionnaires de nuit, dès qu'ils flairaient un couple irrégulier, en leur imposant l'appartement le plus cher et en ne leur trouvant miraculeusement une chambre moins coûteuse que s'ils avaient la présence d'esprit de leur graisser la patte. Du premier au dernier, tous les mêmes. Faisant argent de tout. Gaspillant le matériel ou les victuailles (m'en fous : c'est pas à moi !). Le maquignonnage verbal des commis dans le dos des belles clientes. Les valets et les femmes de chambre, souvent mariés, qui se réunissaient la nuit pour faire les voyeurs, dans l'antichambre des appartements. Les trois costauds en smoking, mis par la Direction à la disposition des messieurs et dames en quête de distractions spéciales et pimentées. Ils étaient là, chaque soir, dans le Hall, impeccables et oisifs. Un signe du Chef de la Réception et ils accouraient, parlant toutes les langues, connaissant tous les tôliers de la capitale et toutes les boîtes louches. Les curieux pouvaient se laisser piloter par eux en toute confiance. Il ne leur arriverait rien. Ce genre d'équipées s'accomplissait avec une sécurité garantie. Greluche avait été pressenti pour lâcher la Réception et faire le truc. Il était sorti plusieurs fois avec un des costauds chargé de le mettre à la coule. Il avait tout raconté à Totoche qui, elle-même, le lui avait rapporté. Faites donc des confidences à une femme après ça !... Il paraît qu'il existait des bordels où c'étaient de jeunes hommes qui composaient le personnel. Ces dames du meilleur monde pouvaient choisir. Les étalons portaient sur la poitrine un discret médaillon où était inscrit le chiffre certifiant le nombre variable de leurs hommages. Dans d'autres maisons, ces dames pouvaient s'intégrer elles-mêmes aux putains et faire autant de passes qu'il leur plaisait, histoire de se donner des sensations inédites. Il existait, assurait Totoche, des endroits où ces dames devaient se déshabiller complètement pour participer à l'orgie générale. Ça se présentait d'abord sous la forme d'un dancing, à cela près qu'on dansait à poil. Bien entendu, il était convenable de ne pas danser entre gens de la même bande. Il était bien plus original de se livrer aux lascivités d'un tango dans les bras d'un inconnu, poil contre poil. Suivant l'humeur, la danse pouvait s'achever sur des baisodromes particuliers, derrière des tentures tirées, en bordure même de la piste. Un moment après, la dame sortait de son box, et revenait s'asseoir tranquillement auprès de ses amis. Mon mari n'est pas là ? Non, ma chère. Tenez, il danse là-bas avec cette grande rousse. Elle est adorable, n'est-ce pas ? Mais le plus étonnant, de l'avis de Totoche, c'était l'existence de ces tripots où l'on jouait des parties de cartes dont l'enjeu n'était pas des billets de mille, mais les maîtresses ou les épouses mêmes des partenaires. Je te la joue, veux-tu ?

C'était Pézenas qui prétendait qu'il avait été dans une maison de danses à Barcelone, dont l'originalité dépassait tout ce qu'on pouvait imaginer. Là, disait-il, les entraîneuses devaient se frotter contre leurs danseurs jusqu'à ce qu'ils jouissent. Dans leur pantalon ? Ben oui, ils lâchent ça dans l'étoffe même. Il y a des lavabos pour se laver. C'est très bien organisé, je t'assure. Les habitués, d'ailleurs, se foutent un mouchoir tampon autour de. Moi, entre parenthèses, j'ai pas pu y arriver. J'ai dû aller me finir tout seul dans la venelle. Mais c'est très couru. Elles vous arrachent ça en un temps record. Des frotteuses. Et elles, dis, ça les émoustille ? Sans doute. Faut qu'il y ait des types dégueulasses, quand même ! Quoi ? Mais c'est pas plus dégueulasse qu'autre chose, si tu réfléchis. Et puis, si tu sais y faire, tu la fais jouir aussi, la môme. Elle demande pas mieux. Alors après ça, elle te rencarde. Et de ricaner...

Mais, bon sang ! qu'est-ce qu'il avait tout d'un coup ? Voilà qu'il y voyait double, que tout se mettait à tourner autour de lui ! Est-ce qu'il allait se trouver mal en pleine salle ? Ça allait encore en faire, une histoire. S'appuyer au mur. Là. On aurait dit que ça allait un peu mieux. Il avait vraiment exagéré tous ces temps-ci. Il se vit dans une glace. Il était blanc, verdâtre. Fou ce qu'il avait maigri depuis deux mois ! C'était cette blennorragie. Des sueurs froides partout. Rien que de se regarder, ça lui avait donné un haut-le-cœur. Et voilà qu'il avait envie de vomir. Il aurait voulu être à cent pieds sous terre. Avant tout, ne pas se donner en spectacle. Quelle honte, s'il dégobillait sur le parquet, devant ces messieurs et dames ! Il aurait peut-être le temps d'atteindre l'office avant. Il essaya de faire quelques pas. Mais il lui sembla aussitôt que le plafond basculait. Que devenir ? Aussi dignement qu'il put, il gagna un coin de la salle, se dissimula derrière un paravent, s'affala sur une chaise...

A partir de là, il ne s'était plus souvenu de rien. Les instants qui avaient suivi s'étaient déroulés dans un rêve douloureux et flou. Pézenas et Cambrecis s'approchant de lui, affolés, lui tapant sur les joues, lui pétrissant les mains, lui passant une serviette mouillée sur le front, lui faisant respirer du vinaigre. Tout ce remue-ménage autour de lui, ces chuchotements... C'était finalement le Marin et Monsieur Dominique qui l'avaient emmené, le soutenant sous les épaules. Dans sa mansarde. Par l'ascenseur de service. Une fois déshabillé, couché, il avait repris ses esprits. La première fois de sa vie qu'il s'évanouissait ! Et Rigal dirait encore que c'était du chiqué.

Maintenant, c'était fini. Vingt-quatre heures de repos avaient suffi pour le remettre d'aplomb. Oh ! il n'était pas encore très solide. Il voyait bien la sale mine qu'il avait. Mais le principal était de ne plus souffrir, de ne plus se sentir le cœur soulevé par cette affreuse nausée qui avait précédé et annoncé son malaise. Comme la douleur physique était capricieuse ! Réellement insoutenable tant qu'elle durait. Et dès qu'elle cessait, on avait presque une impression de bien-être. Pour l'instant, Monsieur Hermès se réjouissait d'être au lit. Qu'y avait-il de meilleur au monde qu'un bon lit ? Là, était le vrai, le parfait nonchaloir. Tout petit garçon déjà, toujours, il avait eu un sens aigu du plaisir du lit. Comme un instinct animal. Le sens de la tanière, du gîte, du nid clos, douillet, secret, fermé de toutes parts, du cocon. C'était tout ça à la fois, le lit. La tête sous les couvertures, bien au chaud, étendu ou en boule, suivant le caprice des muscles, il n'y avait plus alors qu'à s'abandonner au vagabondage de la rêverie. Il y en avait qui ne se plaisaient que dans l'action ; d'autres qui trouvaient leur bonheur dans les belles histoires qu'ils racontaient et d'autant plus s'ils pouvaient y croire. Lui, c'était cette navigation mentale qui lui agréait le plus.

Que resterait-il plus tard, en lui, de toutes les expériences de ces derniers mois ? Monsieur Papa n'avait pas cru si bien dire quand il avait parlé de stage. Dans tous les domaines, c'était bien une sorte de stage qu'il venait d'accomplir. Est-ce que sa vie se passerait toute à subir des événements imprévus, à entrer en contact avec des êtres imperméables ? Rien n'était jamais pareil. A chaque seconde, il fallait réformer ses jugements. En état de perpétuelle alerte. Passer de noviciats en noviciats. Un bisu, voilà ce qu'il était en réalité. Comment faisaient-ils, les autres, pour paraître si avertis ? On ne la leur faisait pas, à les entendre. Mais lui, au contraire, toujours comme l'enfant qui vient de naître. Il s'en laissait par trop raconter. La vie devait pouvoir être dominée. Il exagérait sa sincérité, sa bonne foi. Il croyait toujours ce qu'on lui disait, ce qu'il voyait. Ça lui avait déjà valu pas mal de bévues. Mais, de se faire échauder, ça ne lui profitait pas. Aussi béjaune après qu'avant. Aussi empoté ! Et pourtant, parfois, il se sentait extraordinairement lucide. Même que c'était bizarre chez lui, cette persistance de la naïveté la plus enfantine, alors qu'il ne pouvait s'empêcher de voir les choses en noir. Pourquoi était-il ainsi ? Crédule et perspicace à la fois, oui, c'était bien ça. Les choses les plus belles, les plus nobles, il ne pouvait faire qu'il n'y découvre quelque tache imperceptible. Ou bien c'était un signe de vulgarité chez lui, un besoin pervers de déceler partout, avant tout, la laideur ? Ou bien c'était une exigence si absolue de la beauté, de la pureté, que son âme était blessée par la plus petite imperfection ? Comment savoir ? Ça l'usait, ça le déséquilibrait, cette incertitude. Qu'il soit fixé, une bonne fois. Pourquoi un poète comme Lamartine avait-il écrit *Jocelyn* ? C'était bien le fait d'un tempérament particulier qui l'avait poussé à voir les choses sous un certain angle, à chasser délibérément de sa vue, contre l'évidence même, tout ce qui aurait pu ternir sa vision. Mais la vérité ? Est-ce que les choses étaient vraiment telles qu'il les peignait ? Plus que n'importe qui, peut-être, Monsieur Hermès aurait voulu pouvoir s'incarner dans un monde comparable à celui de *Jocelyn*. Il ne le pouvait pas. Dès qu'il sortait de son rêve intérieur pour se mettre à vivre, il se sentait requis immédiatement par des forces qui lui interdisaient l'accès de ce monde enchanté. C'était comme s'il avait soulevé le couvercle d'un coffret précieux, qui aurait été, à la fois, plein de diamants et de crapauds, de bijoux rongés par la rouille, de fleurs mangées par d'affreux insectes, de brocarts ternis par les moisissures, de fines porcelaines ébréchées. Partout, toujours, si peu qu'il eût vécu, la vie n'avait cessé de l'éclabousser au moment précis où il avait été pris par l'émotion la plus sincère. C'était la fumée d'une cheminée d'usine, salissant un paysage sublime. Le voisinage d'un spectateur grossier et bruyant, au théâtre. Une démangeaison mal placée au moment d'un rendez-vous d'amour. Une parole horrible échappée de la bouche la plus fraîche. Moins encore, une faute de goût dans une toilette ravissante, une page écornée à un livre, une tache sur un mur, une infime délicatesse chez un être cher, un manquement à la courtoisie chez autrui, rien en somme, mais autant de légers heurts qui le faisaient se rétracter douloureusement. Toujours la limace sur la feuille verte, la punaise dans le beurre. Et c'était ça, d'abord, la limace et la punaise, qu'il voyait et qui suffisaient à lui gâcher tout ce qu'il aurait pu ressentir d'exquis. Cela avait l'air d'être de la délectation. Ce n'en était pas, cependant. Mais alors, est-ce que c'était dans sa nature d'avoir les yeux constamment fixés sur la terre au lieu de les avoir fixés sur le ciel ? Heureux les aveugles qui ne voyaient au-dedans d'eux-mêmes que le monde idéal enfanté par leur cerveau ! Heureux les illuminés qui n'avaient pas d'autres visions que celles de leurs rêves et qui marchaient sur les immondices de la vie sans les apercevoir ni les sentir ! Heureux ? Non, tout compte fait, il n'en voudrait jamais, d'un bonheur taillé dans cette étoffe-là ! Il se mépriserait trop. Que la vie, que les événements, que les êtres soient aussi décevants qu'ils le voulaient, du moins, ce qui importait, c'était de les voir tels qu'ils étaient, à la fois charmants et laids, grandioses et inintelligibles. Il refusait de foncer sur le leurre. Il ne serait pas la bête qui se laisse mettre le bât. Derrière chaque prétexte, il verrait l'homme, comme derrière la cape le toro éprouvé savait voir le diestro, chamarré d'ors et de rubis, le pantin scintillant au soleil, mais cachant quand même, sous sa ceinture de soie écarlate, son pauvre sac à tripes.

Ça le fit rire en silence, ce sérieux inhabituel avec lequel il remuait des pensées. Lui aussi, il ne fallait pas qu'il se force beaucoup pour s'envoler vers les nuées. A croire que c'était bien une maladie humaine, cette tendance à former des images, à enfanter des concepts, et puis, à y croire, dur comme fer. Mais, quand il aurait brassé tout ça, pendant des heures et des heures, il ne serait sûrement pas plus avancé. Il se remettrait à vivre comme avant. Comme si ça n'avait pas eu plus de réalité que le vent qui faisait remuer les fils télégraphiques, que l'eau qui coulait dans les rigoles, que l'air qu'il respirait, que le grincement même de son sommier... Monsieur Hermès se retourna dans son lit. Ils avaient bien fait de lui accorder deux jours de convalescence. C'était après-demain, seulement, qu'il redescendrait au restaurant. Il ne savait pourquoi, mais ça lui semblait loin tout d'un coup, loin, si loin... A croire que ça n'arriverait jamais. Et après, que se passerait-il ? Les jours à venir, de quoi seraient-ils faits ? Jamais l'horizon ne lui avait paru plus bouché. Rien devant lui. Rien ! Une existence au jour le jour. Sans prolongements. Et le plus fantastique, peut-être, c'est qu'elle se déroulait quand même, heure par heure, minute par minute. Allant son petit bonhomme de chemin. Ainsi, on pouvait vivre comme ça, sans destin, sans futur, comme si chaque instant avait renfermé en lui sa raison d'être... Rien !

V

Tant pis, cette fois ça y était. On l'avait vidé. Comme une vieille chaussette! De cette façon, on n'en parlerait plus. Inutile d'y revenir. En moins de deux, ça s'était fait. Mais avec son petit air de pas y toucher, il leur avait tout de même montré, aux autres, qu'il avait des couilles au cul. Il en éprouvait un réel contentement. C'était pas son genre de vendre la peau de l'ours avant de l'avoir tué. Trouillard et rechigneux dans les petites circonstances, peut-être, mais plutôt à la hauteur dans les grandes. Aussi, ça l'offusquait d'entendre ses copains parler toujours de tout casser, alors qu'il savait qu'ils seraient rentrés dans un trou de souris dès qu'il y aurait eu du danger. Lui, il n'y avait pas été par quatre chemins. Quand la moutarde lui montait au nez...

Il fallait s'y attendre, ça ne lui avait pas plu du tout, au Petit Père Rigal, que Monsieur Hermès se trouve mal en pleine salle. Selon lui, une manière déplorable de se rendre intéressant. Et puis, quel mauvais effet sur la clientèle. Que n'allait-elle pas penser après ça? Il discréditait l'établissement. Puisqu'il n'était pas en mesure d'assurer son service, puisqu'il prétendait qu'il était malade, inutile de prendre des gants, il allait lui régler son compte en vitesse et l'envoyer ailleurs garder les petits cochons. Ça, Monsieur Hermès l'avait lu en clair sur sa vilaine bouille, dès qu'il avait repris le travail. Une vraie bouille de provocateur. Pas difficile d'exciter Monsieur Hermès à la rébellion, monté comme il était déjà. Bon! Puisque Rigal le cherchait, il le trouverait. Foin des conséquences! Le plus tôt serait le mieux. Sac à

malices, va ! s'il croyait qu'il ne perçait pas son jeu à jour ?
Cette façon perfide de se coller dans ses jambes comme un
roquet. Le Maître d'Hôtel ne lui laissait plus une minute de
répit. C'était le round final. Le personnel, sans rien dire, tout
en s'affairant autour des dîneurs, ne perdait rien du match.
Le loup et l'agneau. Le gagnant connu d'avance. Pas à
s'inquiéter. Le tout était de savoir à quels épices Monsieur
Hermès allait être mangé, voire, combien de jours il pourrait
tenir. La chèvre de Monsieur Seguin avait tenu toute la nuit.
Et, au matin, le loup l'avait mangée, disait l'histoire. Ça
serait inédit, tout de même, si Monsieur Hermès ne se laissait
pas dévorer tout cru. C'était comme si un espoir de victoire
s'était éveillé dans le cœur des commis et des chefs de rang.
Ce qu'ils n'osaient pas, eux ; ce qu'ils n'oseraient jamais, à
cause de leur femme, de leurs mioches, de la croûte à gagner,
de la peur du chômage, peut-être que ce grand escogriffe
d'Hermès allait l'oser en leur nom. Il devenait leur champion
sans qu'ils s'en rendent bien compte. Mais ils appréhen-
daient de voir commencer une partie qui ne pouvait que
tourner à son désavantage.

Ça s'était passé un soir, brusquement, comme ça, en plein
service, dans une salle bondée. Ça couvait depuis le matin.
Tout le monde sentait que le Petit Père allait frapper le grand
coup. Monsieur Hermès se tenait sur ses gardes, se sachant
condamné, mais résolu à se défendre. Les clients, il s'en
foutait. La Direction, il l'envoyait sur les roses. Il fallait qu'il
éclate. Il attendait seulement que le Petit Père mette le feu
aux poudres, tendu, fébrile, agissant dans une sorte d'état
second.

Comme Monsieur Hermès saisissait une pile d'assiettes
sales sur sa desserte, pour l'emporter à l'office, Rigal surgit
contre lui, l'air mielleux. Etait-ce pour maintenant ? Dressé
sur ses ergots, lui arrivant au coude, se dandinant sur ses
deux jambes inégales comme un jouet de caoutchouc sur
l'eau d'une cuvette, la tête inclinée sur l'épaule, un œil à
demi fermé, il était là, avec un sourire sardonique qui voulait
en dire long. Pas trop fatigué, jeune homme ? Pourquoi
répondre ? La voix de la sagesse lui soufflait : laisse tomber.
Il laissa tomber et se tut. Tout de même, il ne put dissimuler
un haussements d'épaules. Il prit sa pile et fit quelques pas

vers l'office. C'est alors que le lâche lui shoota violemment dans les chevilles ; de toutes ses forces. Son procédé favori. Vous allez vous presser un peu, oui ? Vous allez vous presser ? Enfer et damnation ! Tout ce qu'on voudrait, mais pas ça ! Ce fut plus fort que lui. Vlan ! d'un geste rageur, toute la vaisselle sur le parquet. Un fracas infernal qui s'entendit jusque dans le Hall où il réveilla une douairière qui somnolait. Toutes les têtes dressées instantanément. Les copains dans l'expectative, en arrêt, qui un plat, qui un couteau, qui un verre dans la main, le geste suspendu. C'était fait. Plus moyen de reculer. Autant aller jusqu'au bout. Sidéré, le Petit Père, ahuri, médusé ! C'était le moment d'en profiter. Le bénéfice de l'attaque. Vas-y mon pote ! Très dignement, Monsieur Hermès fit encore un pas vers lui puis, levant le bras, comme s'il allait lui donner une gifle d'un grand revers de battoir, il lui hurla dans les oreilles, sans se soucier de l'assistance : Tu veux que j'te la casse, ta sale gueule ? Hein, tu le veux ?

Ça, c'était du billard ! Il entendit le ricanement réjoui de Pézenas. Mais il fut sans doute le seul à l'entendre. Vlà le Directeur du Restaurant qui rappliquait. Autant rester sur ce succès. Avec une raideur offensée, marchant dans le gâchis éparpillé sur le parquet, il poursuivit son chemin vers l'office. Il n'y était pas depuis une seconde que le Petit Père vociférant y fit irruption suivi du Directeur. Monsieur Hermès se retourna menaçant. On pourrait lui faire ce qu'on voudrait, mais il n'accepterait pas de discuter. Pas d'excuses à faire, non plus. Il n'avait aucun regret. Si c'était à refaire, il recommencerait sans hésiter. Au contraire, ça lui procurait du soulagement d'avoir agi. Mais comme il lui semblait qu'il manquait encore quelque chose à son geste pour le parfaire, vite, il défit son tablier, le roula en boule dans ses mains tremblantes de colère et le jeta brutalement à la tête de Rigal qui écumait. Tiens, tête de lard ! Garde ça ! Et je t'emmerde !

Après, au vestiaire, pliant bagage, Monsieur Hermès se calma. Le Marin, Cambrecis, Monsieur Dominique lui-même vinrent le morigéner. Le Petit Père restant prudemment invisible. T'aurais pas dû faire ça. T'as entendu ce qu'ils ont dit ? Oui, il savait. On le sacquait. Sa dernière nuit à passer à l'Hôtel. Demain matin, on lui réglerait son compte et hop !

sur le pavé. Mais sous ces reproches qu'ils lui faisaient, en cet instant, il devinait bien qu'il avait fini par gagner leur estime. D'un seul coup, en se sacrifiant, c'était comme s'il les avait vengés de tout ce qu'ils avaient subi jusqu'ici. Ils lui savaient gré de cette audace dont il avait fait montre, et le lendemain, au moment de son départ, ils vinrent tous lui serrer la main, lui souhaitant bonne chance. Il en avait eu les larmes aux yeux. Hier, tout en furie et aujourd'hui, tout plein de gentillesse et de sensibilité. Il avait promis d'écrire. Il adresserait sa lettre à Monsieur Dominique qui donnerait de ses nouvelles aux autres. Enfin, il fit cadeau de son rondin à Fondant, le commis de Palisseau, qui voulait le lui acheter. Et il avait laissé dans sa mansarde, pour Pactot, ses plastrons, manchettes, cols et cravates. Il garderait seulement l'habit en souvenir.

Et maintenant, il était à la rue, sur le sable, sans savoir seulement ce qu'il allait devenir. Pas encore une épave, mais guère mieux. Il l'imaginait, ce matin, le Petit Père, ayant retrouvé son sang-froid et son prestige, mais questionnant du regard les visages hostiles de ses subordonnés, comme s'il lui avait été intolérable d'y lire leur désapprobation. Ça, il n'était pas beau à voir la veille au soir ! Il le reverrait toujours avec son crâne suant, ses yeux injectés, sa manchette gauche qui avait glissé. Eh bien ! il lui avait cédé la place. Il pouvait être satisfait. Faites des excuses à Monsieur Rigal, avait suggéré le Chef du Personnel, au moment où Monsieur Hermès passait à la caisse. Faites-lui des excuses et nous passerons l'éponge. Nous vous garderons à notre service. Vous prendrez huit jours de congé. Vous êtes fatigué. Vous irez voir vos parents et la semaine prochaine, à votre retour, vous partirez pour Londres, ainsi que cela a toujours été convenu. Non, très peu pour lui. Rien à faire. Fini, l'Hôtel. Il ferait n'importe quoi plutôt. Mais qu'on ne lui parle plus d'hôtellerie. Il en était dégoûté à tout jamais. Un métier... il fallait avoir tué son père et sa mère pour le faire. Et puis, il ne ferait jamais d'excuses à Rigal. Têtu comme une mule quand il s'y mettait. Donc, plus la peine d'insister.

Oui, et cependant, sur qui compter à présent ? Bien serviables, les copains du Resto, Monsieur Dominique en tête, mais ils n'allaient tout de même pas le prendre en nourrice pour ses beaux yeux. L'intérêt qu'ils lui portaient se bornait à des bonnes paroles. Et c'était bien naturel. Ils ne pouvaient pas faire davantage. Mais lui, en fait, où en était-il ? Déambulant le long du boulevard Haussmann, il examinait sérieusement la situation. L'air frais du matin lui déliait l'esprit. Il commençait doucement à réaliser. Rentrer à Portville ? Non, il n'y songeait pas encore. Il avait eu la veine de toucher quelques gros pourboires, la semaine dernière, et d'autre part, Pactot n'avait jamais voulu qu'il lui rembourse l'argent qu'il lui avait prêté. Il avait donc encore quelques économies devant lui. Le plus simple était d'aller voir ce vieux Félix. Il avait un grand lit dans sa carrée de la rue de la Harpe. Il lui en prêterait bien la moitié pour quelques jours, le temps d'aviser. Ce n'était pas un garçon à y recevoir des femmes. Il était trop bien pensant. Mais il n'allait pas tomber chez lui sans crier gare. D'abord une petite visite d'amitié. Cet après-midi, si tout s'arrangeait, il y porterait sa malle et sa valise. Et puis, demain, il irait se faire payer à déjeuner par tonton Nicolas. La situation n'était pas désespérée si on la regardait en face. Des gamines piaillaient sous un porche, rue Godot-de-Mauroy, une rue pleine de maisons de passe, selon Totoche. Je te tiens, je te tiens, par la barbichette ; la première, qui rira, aura la tapet-te ! Je te tiens, je te tiens, par la barbichette... Pas de responsabilités à cet âge-là. Des taloches, sans doute, à l'occasion. Mais sûres de trouver le couvert prêt à l'heure des repas et un plumard pour y dormir comme des bienheureuses... Je te tiens, je te tiens, par la barbichette... Pourquoi ne pouvait-il pas conserver de son enfance un souvenir qui eût pu, aujourd'hui, l'aider à surmonter son découragement. Ou alors, le parfum s'en était-il évaporé... Ce qui lui arrivait leur était indifférent. Toutes à leur jeu. Il ne les entendait déjà plus. On n'avait même pas le temps de fixer en soi une impression, une image, avec cette vie stupide. Tout passait si vite. Tant de choses qu'on laissait par force, à chaque instant, derrière soi... Et c'était réglé, s'il se forçait à penser à ces gamines, par exemple, ses yeux restaient ouverts et savaient le conduire, mais ne voyaient plus rien. Il avait déjà fait une centaine de mètres, depuis le porche, et il aurait été incapable de dire devant quelles boutiques il avait défilé, quelle sorte de passants il avait croisés. Distrayant, d'ailleurs, de marcher sans conscience, le cerveau disponible. On se trouvait, sans l'avoir prémédité, sur une place, dans un autre quartier et sans avoir senti la fatigue. Il irait à pied chez Félix Sanslesou. En empruntant un itinéraire inhabituel. Au gré de sa fantaisie. C'était si bon d'être libre enfin, sans lendemains... Dommage qu'il n'ait pas eu la présence d'esprit d'observer la tête qu'ils avaient faite, les messieurs et dames du restaurant, au moment où les assiettes s'étaient brisées ! Avaient-ils été offusqués ? Avaient-ils pris parti pour lui, entre eux ? De toute façon, maintenant, il ne les reverrait plus jamais. Ils appartenaient à une période de son existence sur laquelle il avait refermé la porte.

Voilà déjà huit jours que ça durait, cette mise en ménage avec Félix. Huit jours de vacances. Ah ! Paris, dans ces conditions, c'était le rêve ! La sainteté du travail, ils pouvaient en parler à leur aise, les gens ! Très peu pour lui ! N'empêche que tout le monde avait été rudement chic avec lui et que sans Félix et tonton Nicolas, il n'aurait pas pu s'en tirer. Y avait des moments où on pouvait se réconcilier facilement avec la vie. En premier lieu, il s'en était payé, du sommeil en retard, dans le lit de Félix. Le *Fleur de Lys*, dans la rue de la Harpe, drôle de crèche qu'il avait dégotée là ! La Maison Meublée était un couvent de religieuses à côté. Qu'est-ce que c'était que ces citoyens qui logeaient là ? Un ramassis invraisemblable. Des Chinois, des Kabyles, des Espagnols, des couples de femmes qui faisaient la tambouille toute la nuit. Des chambres où on aurait dit qu'on fumait l'opium. Des conciliabules, des parlotes à n'en plus finir, des rires grinçants dans les couloirs sombres. La Maison Meublée, le jour du moins, était quasiment déserte. A l'intérieur du *Fleur de Lys*, ça grouillait à toute heure de types en bras de chemise, de typesses en peignoir. Des putains ? Non, ça n'en avait pas l'air, positivement, bien que ça en fût plein, dans la rue, qui faisaient la retape. Non, pas des putains, plutôt des femmes qui auraient vécu à la colle et même qui devaient avoir une situation là ou là, parce qu'elles avaient un certain chic, malgré les billes un peu trop fardées qu'elles affichaient. Enfin, on ne savait pas au juste. Du reste, on n'y comprenait pas grand-chose, à cet hôtel. Une foule de gens entraient et sortaient sans que personne s'occupe jamais d'eux. On ne voyait ni les patrons ni le personnel. Si on sonnait, ça ne répondait pas. Quand faisaient-ils les chambres ? Mystère et protocole ! Il devait s'en passer derrière ces cloisons ! Mais pas mèche de jouer au voyeur. Trop de va-et-vient. Heureusement, il restait les chiottes. Toutes en longueur et spacieuses, avec un beau linoléum marron tout neuf. C'était là qu'il pouvait faire sa petite affaire parce que dans la chambre, impossible. La nuit, il y avait Félix dans le lit et le jour, si Félix sortait pour ses cours aux Sciences Po, il pouvait aussi revenir à l'improviste. Tandis qu'aux chiottes, la targette poussée, rien à craindre. Pardi, le lino était un peu dur ; un peu froid au ventre également. Mais, dans le fond, ça lui donnait des frissons qui excitaient son désir. L'inaction, l'ambiance du *Fleur de Lys* amplifiaient celui-ci. C'était beaucoup plus économique que de se chercher une poule.

Tout de même, ça n'allait pas pouvoir durer indéfiniment, cette petite vie de château. Le pognon foutait le camp à une vitesse grand V. Ça l'emplissait aussi de confusion, de profiter de la chambre de Félix. Restaient les repas. Fallait tout de même manger ! Tonton Nicolas l'avait déjà régalé trois fois. Mais impossible d'abuser. Autrement, il croûtait dans le resto de Félix, sur le Boul'Mich'. Tout ce qui se faisait de mieux comme gargote pour étudiants. Une cohue de filles et de garçons, mélangés aux mêmes tables. On y rencontrait des copains de Portville, venus comme Félix achever leurs études à Paris. Eh, salut ! Qu'est-ce que tu fous là, toi ? Ben tu vois ! On se reverra. A un de ces jours. Tu m'excuses, je suis avec des frangines ! Et voilà ! Ça n'allait pas plus loin, ces revoyures. Déjà plus rien à se dire, c'était net. Au cachet qu'on mangeait, dans ce bazar. A 4 fr. 75, sans vin. Cinq sous de pourboire. Ça faisait la thune. Pourtant, il n'était pas dégoûté. Un appétit d'ogre, il avait. Il fermait les yeux sur la qualité de la boustifaille. Il savait trop bien comment on les préparait, les céleris à la moutarde-poison, quelle sale barbaque nageait dans les ragougnasses. Après ça, on allait siroter un crème au Panthéon. Félix Sanslesou avait décidé de porter, lui aussi, une lavallière. Non pas bleue à pois blancs, comme celle de Monsieur Hermès, mais toute noire. Avec la serviette sous le bras, le chapeau mou et la canne, pas à tortiller, on ne pouvait ne pas les prendre pour des littérateurs. Félix Sanslesou, lui, écrivait des contes. Et qui ne plaisaient pas besef à Monsieur Hermès. Mais Félix prétendait qu'il connaissait le rédacteur en chef de *L'Echo de Paris* et qu'on lui avait promis qu'un de ses contes serait prochainement publié. Au contraire, Monsieur Hermès restait toujours en panne pour placer *La Joie du Cœur*. Je t'assure que tu devrais porter ça à Jean-Jacques Delorme, insistait Félix. Je suis sûr que ça lui plairait. Il paraît qu'il reçoit très bien les jeunes. Oui, évidemment, Félix avait raison. Il fallait qu'il tente sa chance. Ce n'était pas la gloire qui viendrait le relancer rue de la Harpe. Aide-toi, le ciel t'aidera. Delorme ne le mangerait pas.

Au préalable, Monsieur Hermès avait risqué une autre démarche, tâté d'une autre corde. C'était aussi Félix qui lui avait donné le tuyau. Faire des enveloppes à domicile. Dame, ça ne rapportait pas gros ! Tonton Nicolas s'occupait bien de lui trouver un emploi. Mais ça avait déjà raté plusieurs fois. Hier, tonton Nicolas lui avait parlé d'un marchand de charbon qui cherchait un jeune homme pour faire des écritures. C'était à voir. Il devait y aller le lendemain avec lui. Pour sûr, ce serait mieux que les enveloppes. Mais enfin, les enveloppes, lui assuraient la matérielle. Sept francs le mille. Il fallait bien une heure pour en faire un cent. En bossant comme une bourrique, il arrivait à gagner ses dix francs dans la journée. Il en avait des crampes dans la main, le soir venu. La crampe des écrivains, lui disait Félix Sanslesou, en ironisant. Tu parles ! Mais même plus du tout le temps d'écrire pour soi. Toutefois, ce n'était pas encore ça le plus pénible. Ce qui lui paraissait tellement désagréable, c'était de se rendre deux fois par semaine dans la boîte qui l'occupait. Quelque chose d'infâme, dans la rue d'Amsterdam. Il faisait la queue avec de pauvres diables dans son genre, des femmes sans âge ni couleur, des adolescents en papier mâché, de petits vieux miteux. Ça sentait la crasse et le pet. Ne poussez pas, voyons ! Et ces regards traqués, terribles, enfantins qu'ils avaient. Est-ce que j'ai cet air-là, se demandait Monsieur Hermès ? Il ne pouvait pas se décider à leur parler. Ils devaient le juger fier. Mais quoi ? Il ne valait pas mieux qu'eux. Des égaux dans la mouise, qu'ils étaient. Plus tard, quand il serait l'auteur célèbre de *La Joie du Cœur*, il pourrait raconter ça à de belles dames. Elles s'apitoieraient, lui découvriraient encore plus de talent, de mérite. Cette perspective l'aidait à supporter ces promiscuités. Pensez donc ! Avec toute cette vache enragée qu'il a mangée, c'est ça qui donne tant de vérité, tant d'humanité à ce qu'il écrit. Ecrire avec son sang, où est-ce qu'il avait lu ça ? Il faisait sienne la formule. Allons avancez, vous, là ! Qu'est-ce que vous attendez ? On n'est pas là pour s'amuser. Voilà, voilà Monsieur ! S'amuser ! En effet, tous autant qu'ils étaient, ils n'avaient pas des faces à s'amuser. Des mines plutôt rongées par l'angoisse du lendemain et l'ennui du quotidien. Monsieur Hermès remettait son travail. Le type pointait. Ça va ! Un deuxième le réglait. Il émargeait sur une grande feuille où il lisait son nom et son adresse, alignés parmi tant d'autres. Plus loin, un troisième lui tendait un sac, lui comptait des paquets d'enveloppes vierges. Combien ? Mettez-m'en 4 000 aujourd'hui. Tenez, voilà un nouveau cahier. C'était un gros répertoire d'adresses, comme un bottin. Y avait qu'à recopier. Bêtement. Monotonement. Une enveloppe, une adresse. Une enveloppe, une adresse. Jusqu'à plus soif. Du boulot de choix pour un bachelier. Excitant pour l'intelligence ! S'il faisait ça seulement pendant six mois, sûr, ça lui ramollirait le cervelet. Ah, ma mère, si tu voyais ton fils ! Madame Mère ? Pas de danger ! Elle était bien tranquille, là-bas, à Portville, secouant et tracassant sa femme de ménage, Ellénore, ou minaudant dans son salon (Premier et Troisième Lundis) voire faisant son persil avec Monsieur Papa, le dimanche après-midi à la terrasse du *Café des Négociants*. Un tilleul et un bock, garçon ! Prenaient pas autre chose. Auraient rien pris s'ils avaient pu. Payaient seulement ainsi le droit d'occuper un guéridon. Un des meilleurs, parce qu'ils arrivaient tôt. A l'abri des courants d'air et de la poussière. Et d'où on voyait le mieux le défilé des mornes promeneurs endimanchés. Bovins et ovidés. Quatre heures de croupissement viscéral. D'affilée. Sous l'œil fumassant du garçon. Foutront donc pas le camp ? Un guéridon qui ne lui aurait, pour ainsi dire, rien rapporté !

Sans compter qu'il fallait être à leurs petits soins. Du sucre pour Madame, garçon, avec un peu plus d'eau chaude et de la fleur d'oranger. Changez-moi mon bock. Trop de faux col ! Et puis quoi encore ? La lune ? Des rabougris du porte-monnaie. Mais qui ne se préoccupaient pas une seconde de savoir si leur fils ne s'esquintait pas à tout jamais le système digestif à force de rogner sur la dépense. Pourquoi ne leur dis-tu pas ce qu'il en est, s'inquiétait Félix Sanslesou ? Ça, il aimerait mieux crever ! Il essayerait de se débrouiller tout seul. C'était ça, son rêve, ne rien leur devoir. Se passer de leur concours. Ça les humilierait. Peut-être qu'après ça, ils comprendraient. Mais lui, il n'oublierait pas. Jamais ! Il avait la haine tenace. Sans doute, c'était pas beau beau, la rancune. Il avait lu que c'était le vice des faibles. Les forts, eux, vivaient au-dessus de ces mesquineries. Il était donc un faible, lui ? C'était gênant toutes ces formules qui dormaient dans les livres. Néanmoins, ça l'exaltait singulièrement de songer aux hommes qui avaient su mettre chaque fois leurs principes en pratique. Il aurait voulu les imiter. Un honnête homme ! Avoir une existence loyale, toute limpide et toute droite. Dût-il en souffrir. La joie nourrissante du pardon. La mansuétude. C'était ce que lui disait toujours Buddy à Portville. Y avait rien de supérieur à l'indulgence. Seuls, les êtres qui n'avaient pas vécu restaient intransigeants. Les êtres de qualité s'abstenaient de juger. Sévère envers soi-même, tolérant envers les autres. Quand il aurait triomphé, si jamais il triomphait, reviendrait-il donc vers ses vieux avec des paroles d'affection et d'apaisement ? Imiterait-il en cela le héros de sa pièce ? Faire le bien pour le mal ? jouer la grande scène de *L'Enfant Prodigue* ? Il voyait d'ici le tableau. La rémission des péchés, comme disait Monsieur le Doyen, autrefois, à Fontanières, pendant le catéchisme. La bénédiction paternelle, la brebis égarée... Mais ça le faisait quand même râler intérieurement d'imaginer que ça pourrait se passer comme ça. Car enfin, ce serait lui le pigeon. Monsieur Papa et Madame Mère seraient parvenus à leurs fins. Ce serait contraire à toute justice. Mais y avait-il une justice sur cette terre ? Est-ce que tout le monde ne semblait pas se liguer sournoisement contre ceux qui ambitionnaient de relever la tête ? Est-ce que les amis les plus sûrs ne vous trahissaient pas à un moment ou à un autre? Dès qu'on voulait faire quelque chose d'original? Tonton Nicolas lui-même, qui avait été si sport jusqu'ici, ne venait-il pas de passer dans le camp adverse? Je t'assure, tu devrais écrire à ta mère. Si ça te gêne, veux-tu que je le fasse pour toi? Il avait dû le lui défendre formellement. Depuis, il était dans la crainte que tonton Nicolas décide de passer outre. Non, il ne ferait pas ça. Ce ne serait pas chic de sa part. Mais s'il le faisait malgré tout? Revenir à Portville la queue basse? S'exposer aux sarcasmes de Monsieur Papa? Entendre, dix fois par jour, les : Ah, nous te l'avions bien dit! Pourquoi n'as-tu pas voulu nous écouter? Alors, finis, tous les beaux rêves. Madame Mère réaliserait hypocritement son vieux désir. Triomphant en même temps de Monsieur Papa, ayant arraché leur fils à l'hôtellerie qu'elle détestait en tant que branche commerciale, elle lui dégotterait une obscure place de scribouillard dans une administration quelconque où il pourrait végéter jusqu'à la fin de ses jours avec un fixe assuré et elle le garderait ainsi dans ses jupes, chez elle, près d'elle, le couvant comme un poussin, veillant tyranniquement sur son vestiaire, sur son alimentation, sur ses sorties, sur sa vertu. Il paraissait que c'était de l'amour. Pas commode de lutter contre des volontés aussi insidieuses. Un enfer pavé de bonnes intentions. Des pièges sous les fleurs. Et si on s'insurgeait, on se faisait tout de suite mal voir. Et même pas moyen de s'en prendre directement à ceux qui vous avaient mis au monde. Cette lèpre venait de plus haut. De plus loin. C'était la société qui machinait tout. C'était elle l'ennemie, la grande ennemie, la seule ennemie. Et malgré tout, pas moyen de se passer d'elle. Contraint de lui faire des sourires, pour vivre à peu près en paix. A croire que dès qu'on naissait, on vous plaçait le cordon ombilical dans les engrenages, et c'était cuit à jamais. Plus moyen de s'en dépêtrer. Même avec Félix Sanslesou, on ne pouvait pas s'entretenir aisément de ces choses-là. Il était aussi rigoriste que conformiste. Les individus admettaient très bien qu'on parle en termes grossiers d'une femme qu'on aurait aimée, d'un ancien ami, d'un parent, voire encore d'un frère ou d'une sœur. Mais les paternuches, ça, c'était sacré. Un sujet de conversation tabou. Impossible de dire la vérité sur leur compte, même si c'était tangible. Il fallait jurer de bien se tenir. Crache par terre et tends la main droite ! On était bien conditionné ! On s'élançait dans la vie, bien pourvu en sentiments de série. Solides à l'usage. Inusables même. Aussitôt qu'on essayait de voir les choses telles qu'elles étaient, d'émettre une opinion un peu sensée, un peu objective sur ses vieux, on était durement taxé. C'était comme si on avait blasphémé, comme si le ciel allait vous tomber sur la tête. Eux, à leurs vieux, ils passaient tout. Tout leur était permis. Ils tendaient toujours la joue pour se faire corriger, comme s'ils avaient quatre ans. Indélébilement marqués par les premières fessées. Et disant encore merci. Et ayant toujours peur de faire de la peine. Et ayant toujours besoin de permissions pour aller à droite plutôt qu'à gauche. Et subissant leurs caprices, leurs calomnies, leurs brimades, comme ils ne le supporteraient jamais plus de personne. Dans ces conditions, Monsieur Hermès préférait garder toute sa rancœur au fond de lui. A défaut d'autre chose, il la ruminait. Ça lui faisait du mal, et ça lui faisait du bien, en même temps. On penserait de lui ce qu'on voudrait. Qu'il était un sans cœur, un sans entrailles, un ingrat, un fils indigne. Il était disposé à tout encaisser. Il attendrait sa revanche aussi longtemps qu'il faudrait. Mais il la souhaitait éclatante. Qu'on joue seulement *La Joie du Cœur* ! Toutefois, même sur ce terrain, il était loin du compte. Qu'attendait-il pour la faire lire ? Puisque Sanslesou lui certifiait qu'elle était bonne. Mais il aurait préféré fonder ses espoirs sur un jugement plus autorisé que celui de Félix Sanslesou. Pour sa part, il n'en était pas tellement persuadé que c'était si bon que ça, ce qu'il avait écrit. Il ne s'aventurait même plus à se relire de peur de trouver son texte idiot. Il se contentait d'en évoquer les moins mauvais passages pour fortifier son optimisme.

Sur ces entrefaites, Monsieur Hermès reçut une lettre inattendue. De Monsieur Papa. Le coup de massue. Il aurait dû s'y attendre, pourtant ! Il avait fait ça en tartufe, le Chef du Personnel. Monsieur Papa avait dû lui passer les consignes à l'origine. Bref, les vieux savaient tout. Cependant, il n'avait pas été trop vache, le Chef du Personnel. Pas un mot sur l'algarade avec le Petit Père. Disait seulement à Monsieur Papa que son rejeton avait dû cesser de travailler à l'Hôtel. Rapport à son état de santé. Là-dessus, Monsieur Papa et Madame Mère avaient pensé le voir radiner à Portville. Mais rien. Alors, ils s'étaient émus. Les braves gens ! Ils y tenaient quand même un peu, au fruit de leurs amours ! Monsieur Papa avait pris la plume pour la circonstance, contre son habitude. La bafouille avait échoué à l'Hôtel. C'était Monsieur Dominique qui l'avait dirigée sur le *Fleur de Lys*. Ainsi, le sort en était jeté. Une mise en demeure pure et simple. Rentrer dare-dare au bercail. Ci-joint un mandat-poste pour le billet. En troisième. Et il avait horreur de voyager en troisième. Il décida immédiatement que, s'il lui restait un peu d'argent, il prendrait au moins des secondes. C'était très joli, le *Fleur de Lys*, les crèmes douteux au *Panthéon* ou à la *Chope Latine*, les enveloppes de la rue d'Amsterdam, les atermoiements rapport à *La Joie du Cœur* et les piétinants projets de revue. Mais il fallait regarder la situation en face. Après tout, sa présence à Paris n'était pas indispensable. Plus de crèche à lui. Vivant à demi aux crochets de Félix Sanslesou. Ses croquenots n'en pouvaient plus. Son costar dito. Il la revoyait, sa chambrette bien claire et bien meublée de Portville. Plus de soucis matériels. De quoi bouffer tous les jours. A satiété. Un bon pieu. La présence réjouissante des copains de toujours. Ça valait peut-être la peine de supporter les observations, les tiraillements, les criailleries de la famille. De loin, Madame Mère et Monsieur Papa semblaient moins odieux. Pour la place de scribouillard, il n'était pas inquiet. On lui en trouverait une rapidement. Qu'est-ce que ça pouvait lui faire ? C'était peut-être, au contraire, la solution rêvée ? Quelques vagues heures de présence dans un bureau, et tout le reste du temps à lui pour écrire. Il songeait déjà à d'autres pièces. Oui, une manière comme une autre de tirer son épingle du jeu. Une manière un peu lâche, sans doute. Mais pourquoi ne pas se payer de mots ? Que Sanslesou continue à lutter comme un perdu, s'il le voulait. Lui, il laissait tomber. Mais alors, *La Joie du Cœur* ? Sanslesou s'indignait. Il s'indigna tellement qu'il finit par convaincre Monsieur Hermès. Celui-ci céda. Il promit d'aller voir Jean-Jacques Delorme avant de quitter Paris. La perspective de regagner bientôt Portville, la certitude d'en avoir terminé avec cette existence besogneuse lui insufflait un semblant de courage. Il se répétait que ça ne lui ferait plus peur du tout d'affronter l'auteur dramatique. Dès demain il irait. C'était décidé. Il avait l'adresse.

Il n'en était pas revenu, Félix Sanslesou, de ce brusque revirement. Tout surpris d'avoir si rapidement emporté la décision. Mais quoi, raisonne donc, bon Dieu ! Est-ce que la place chez le marchand de charbon, ça n'avait pas foiré aussi ? Tonton Nicolas, bonne pâte, cherchait ailleurs, mais lui, Monsieur Hermès, il ne se faisait plus la moindre illusion. Non, il n'était pas possible de trouver une place à Paris, sans relations. La croix et la bannière. Il en savait quelque chose. Y avait qu'à écouter les zèbres qui venaient chercher des enveloppes en même temps que lui, rue d'Amsterdam. Parce qu'enfin, les enveloppes, ce n'était qu'un pis-aller, même pour eux ! Depuis des mois, ils faisaient des pieds et des mains, certains ! Je voudrais que tu voies un peu la touche qu'ils ont. Et ces yeux désespérés ! Si tu connais un truc plus déprimant que celui-là, tu me le diras ! Félix écoutait ça sans trop réagir. Ça lui passait un peu au-dessus des cheveux. Sa vieille lui envoyait tous les mois de quoi payer la cagna, les cachets et les inscriptions. Il n'avait pas tellement à se soucier de la matérielle. Alors, bien sûr, il avait beau jeu de les employer, les belles formules toutes faites. Pendant un temps, ça l'avait exalté d'entendre ça. Mais il s'en était lassé. Tandis que Félix continuait à se gargariser Encore plus chimérique que lui ! Et finissant par les prendre tout à fait au sérieux, les discours qu'il lui débitait. Non ? Sans blagues ! Il travaillait un peu du chapeau. Il aurait dû le présenter à Monsieur Dominique. Les deux auraient bien fait la paire. A mettre dans le même sac. D'où est-ce qu'ils tenaient ça, tous les deux ? Toujours un peu mystérieux, les origines des caractères. A croire qu'ils avaient eu le même père, le même curé, le même instituteur. Ce pauvre Félix était toujours débordé par mille occupations. Toujours par monts et par vaux. Et toujours à se plaindre. Avec une délectation de prophète manqué. J'ai fait mon devoir. Je tiens à faire mon devoir. J'ai ma conscience d'homme pour moi. On ne se perfectionne vraiment qu'en travaillant un peu plus chaque jour. Nous ne réussirons qu'en mettant nos efforts en commun. Tu sais que les journées sont trop courtes à Paris et que j'en ai dix fois plus à faire que je ne peux. Vois-tu, parfois, je pense que j'ai été mis sur la terre pour vivre un destin formidable. J'imagine qu'un Balzac ou qu'un Bloy ont dû éprouver ce que je ressens... C'était toujours le même ton propitiatoire, comminatoire. Tout à fait illuminé. Une façon casse-burettes de ressasser sa misère. Job sur son fumier. La complaisance même de l'apprenti-pestiféré. Un étalage de professions de foi où la pitié, la providence, la consolation, la lutte, la souffrance et autres fariboles proliféraient tour à tour. Mais quoi qu'il arrive, ajoutait-il, je ne serai pas un ami sans rigueur et sans constance ! Même quand je suis loin de toi, dans ce Paris infernal qui finira bien par nous reconnaître, je ne cesse de t'évoquer comme feraient des naufragés des mers arctiques. C'est que, vois-tu, comme eux, peut-être, j'ai bien souffert, non pas du froid et de la faim, mais moralement, par le manque de bases, de sécurité. C'est en luttant comme un forcené que j'ai pu maintenir presque aux yeux de tous l'illusion de ce que je n'étais plus. Tu te rends compte, n'est-ce pas, quand on ne veut pas déchoir, quand on veut poursuivre son idéal, malgré tout et malgré tous ! Tu m'es nécessaire pour ressaisir en toi un peu de mon rêve chancelant mais non abandonné. Il y a une sorte de télépathie entre nous. Tu connais ma vie, mes possibilités d'existence, la tâche écrasante que j'ai entreprise quasiment seul. Nous ne sommes plus dans un siècle où un Cyrano fait fortune. Il faut que chaque jour et à chaque heure, l'habileté se joigne à l'honnêteté. Je n'étais pas fait, au départ, pour vivre à notre époque. Mais, bast ! je ne suis pas de ceux qui abdiquent avant d'avoir régné. Je me recroqueville parfois. Mais c'est pour rebondir. Jamais je ne renoncerai. Tu me tortures quand tu parles de nos œuvres avec cette désinvolture. Si je ne parviens pas à ce que je veux ici, je partirai pour l'Indochine. En revenir riche ou y crever. Pas de milieu. Inutile de croupir dans la médiocrité, bonne seulement pour les résignés ou les crétins... Et ainsi pendant des heures ! Monsieur Hermès en avait le crâne farci. Mon œuvre, ton œuvre, notre œuvre, notre revue, ta revue... et pour finir, ce départ possible pour l'Indochine, ce plongeon aléatoire! Oui, c'était bien ainsi que ça finirait sans doute pour l'entreprenant Félix. Une plongée dans le monde des affaires. Adieu veaux, vaches, couvée!... Plus question de contes à placer en troisième page de *L'Echo de Paris*. Des additions, des bilans, des pourcentages, de l'agio. Monsieur, en réponse à votre honorée du tant, nous avons l'honneur de... Alors, pourquoi perdre son temps à faire des pétitions de principe ? Morbide manie de l'enflure! Et puis, toujours écartelé entre sa sœur qui s'en allait de la caisse et ce curé que Monsieur Hermès n'avait jamais vu, mais dont Félix Sanslesou lui parlait sans cesse. Malade, avec ça. Pour un oui ou pour un non, sur le flanc, avec des 39 de fièvre et obligé de renoncer à ses cours, de remettre ses rendez-vous. Sans doute, il avait du mérite de s'obstiner avec ces vents contraires. Mais à quoi ça le mènerait ? Ça, il fallait voir venir. C'était bien ce qu'il proclamait à tout bout de champ. La foi, ma foi, notre foi en l'avenir. Si la Providence me laisse la santé... Je ménage mes forces pour mener à bien une longue nouvelle que je prépare : *La Perle Grise*... Il voulait signer Jehan de Crotone ! Quel goût exécrable dans tout ça ! Il était encore plus pompier que lui ! Mais le plus troublant, le plus gênant, c'était peut-être cette façon dont il avait subitement pris feu pour lui. A bien y réfléchir, ça faisait assez peu de temps qu'ils se voyaient régulièrement. Pendant des années, ils étaient restés assez distants. Il n'y avait que depuis que Monsieur Hermès était à Paris qu'ils avaient sympathisé davantage. Mais il avait fallu cette cohabitation au *Fleur de Lys* pour les rendre inséparables. Or, ce n'était tout de même pas une raison pour parler de leur amitié comme d'un événement qui daterait dans le siècle. Castor et Pollux. Le parnasse et l'Olympe réunis. Sur ce thème-là, aussi, Félix était intarissable. Entre nous, c'est d'amitié intégrale qu'il s'agit, professait-il. Je bénis l'heureux instant qui fut l'étincelle où nos deux âmes prirent la flamme qui devait, qui ne doit plus s'éteindre. Deux amis la main dans la main sont forts comme une citadelle. Ne perds jamais ça de vue. Ah! trouver l'ami sûr (et j'attache à ce mot toute sa force extensive) a toujours été la recherche constante de ma vie. On n'ose pas affronter l'obstacle. On se refuse le coup de cravache que confère l'autorité d'une affection sincère. Et pour continuer ma comparaison équestre, concluait-il, il est des coursiers qui ont besoin de l'émulation admirative de leur cavalier pour arriver les premiers, haut la main. Oui, nous passerons, j'en ai parfois la vision intérieure... Au début, ça l'avait même un peu remué, tout ce verbiage, tout ce pathos. Maintenant, il se demandait comment il avait pu l'écouter sans rigoler. Cette tendance qu'avait Félix de lui prendre les mains, assis qu'ils étaient sur son lit, quand il se lançait dans un de ses morceaux oratoires : Mille neuf cent vingt-cinq a vu naître notre amitié. Elle l'a vue, aussi, dans un bond formidable de nos deux âmes l'une vers l'autre, grandir jusqu'à cette virilité qui lui convient... Que d'âmes, que d'âmes ! Pas possible, Félix avait dû apprendre *Jocelyn* par cœur ! Et ça continuait : Cette année sera comme le précurseur de notre gloire à venir. Nous allons la mettre debout cette revue. Puisque tu retournes à Portville, pourquoi ne la ferais-tu pas paraître là-bas ? La lumière peut aussi venir de la province. Ce sera le fruit de nos conversations. Ce fruit où nous mîmes la semence de toutes nos observations personnelles, de toutes nos souffrances aussi. Je souhaite que tout cela, plus tard, dans une envolée magnifique, soit pour toi la base de la réalisation momentanée de tes rêves qui sont aussi les miens, tu le sais !... Du bourrage de mou, quoi ! C'est qu'il avait l'air de s'y cramponner, le cochon, à cette revue. Pourquoi ne la montait-il pas lui-même, alors ? Il comptait peut-être sur la revue pour placer les succédanés de *La Perle Grise ?* Non, ça, c'était une vilaine pensée...

Tout de même, ça avait quelque chose d'excitant de brasser toute la journée des projets de cet acabit. Félix Sanslesou lui donnait généralement rendez-vous à la sortie de ses cours aux Sciences Po. Ils descendaient au sous-sol de la *Chope Latine*. Ils se collaient dans un recoin. Un recoin à eux. Leur recoin. Mais un recoin qui, à d'autres heures, était un recoin d'amoureux. Quand ils avaient envisagé de faire paraître la revue à Paris, ils avaient pensé réunir là leurs collaborateurs. C'était là qu'ils élaboreraient chaque numéro, qu'ils corrigeraient les épreuves, qu'ils écriraient leurs lettres, leurs articles, qu'ils recevraient ou éconduiraient les solliciteurs. La banquette était bonne. Les longues tables de marbre blanc, un peu démodées, mais d'aspect cordial. Les garçons pittoresques. Une odeur de bistro chatouillait agréablement les narines de Monsieur Hermès dès qu'il s'y installait. Une odeur indéfinissable, un peu fade, un peu sucrée, comme une odeur mêlée de lait rebouilli, d'anis et de levure. Félix et lui étalaient leurs serviettes, leurs papiers, se mettaient à discuter. Mensuelle ou hebdomadaire, la revue ? Combien de pages ? Quel format ? Seulement littéraire, ou littéraire et politique ? Monsieur Hermès voyait une grande partie du sommaire consacrée à la critique. Félix Sanslesou penchait plutôt pour les productions. Ne passons pas notre temps à couper les cheveux en quatre, affirmait-il, donnons des textes. Ils avaient passé des après-midi entiers à chercher le titre. *La Pléiade des Jeunes ?* Non. Un peu gauche. Un peu trop orgueilleux. *La Revue Verte ?* Faisait un peu trop penser à *La Revue Blanche. Sagesse ?* Oui, pas mal, mais pour des jeunes... Et puis, c'était se placer sous le patronage moral de Verlaine. Félix n'encaissait pas Verlaine. Pourquoi pas *Adolescence ?* Non, *Adolescence* était franchement mauvais. Il aurait fallu un titre qui exprimât une tournure à la fois moqueuse et intellectuelle comme *Figaro* ou *Candide*. Eh bien, *L'Ingénu ?* Ou tiens : *Scapin ?* Mais alors, ça ne dit pas assez. Il importe de frapper l'esprit du lecteur. *Le Pavé dans la Mare ?* Hum ! ça faisait un peu trop pamphlétaire. Non, pas de pavé dans la mare. Quelque chose de plus poétique. Ah ! Félix avait trouvé : *L'Albatros ?* Affreux ! Non, Monsieur Hermès avait une autre idée. Ça s'appellerait *Echafaudages*. Tu comprends, c'est dans des revues comme la nôtre que s'échafaude la littérature de l'avenir. Nous bâtissons. Les œuvres viendront après. Mais pas de maisons sans échafaudages au préalable (comme l'omelette, oui). C'est dans les échafaudages que les jeunes bâtisseurs de demain s'élancent pour poser, pierre sur pierre, l'édifice de la postérité. Tu vois l'image ? Félix n'était pas très emballé. Mais il ne voulait pas contrarier son ami. Monsieur Hermès était lancé, au contraire. C'était un enthousiaste. Et puis, suis-moi bien, il y a un double sens dans mon titre. Echafaudages, ça veut dire aussi : échafaud. Notre revue sera une sorte d'échafaud où nous ferons impitoyablement monter tous les faux écrivains, tous les minables de troisième zone qui veulent péter plus haut que leur cul. Nos critiques composeront un Comité de Salut Public. Impitoyables, je te l'assure, voilà ce que nous serons ! Nous ne nous laisserons acheter par personne. La grande presse est pourrie. Il est temps de réagir. Tu ne vois pas ça, toi, en noir sur blanc, sur la couverture : *Echafaudages* ? Hein ? Tu ne préférerais pas mettre des couleurs ? Non, ça c'est une vieille idée à moi. Tout sera en noir sur blanc. Un symbole. Ça fera très classique. Tu connais le maillot du Rugby-Club, à Portville ? Blanc, parements noirs, bas blancs avec revers noirs. J'ai jamais rien vu de plus chic. Ça sera épatant. Tu ne crains pas que ça semble un peu triste ? Que ça fasse un peu convoi funèbre ? Penses-tu ! Donne du papier, nous allons faire une maquette. Là, le titre, en gros. Comme ça, en haut. Dessous, qu'est-ce qu'on mettrait ? Ton nom, d'abord : le directeur. Oui ? Moi, j'avais pensé ne pas paraî-tre. Tu crois vraiment que ?... Indispensable ! Bon, si Félix pensait que c'était indispensable. A la réflexion, bien sûr, ça ne ferait pas si mal. Son nom étalé, là, sur la couverture, entre le titre et le sommaire. Un beau papier glacé, sur lequel les illustrations pourraient ressortir. Et les textes ? Félix ferait la critique des livres. Monsieur Hermès, sans contesta-tion possible, devrait garder la critique dramatique. C'était son fief. Restaient la musique, les arts, le cinéma. Je suis sûr que Buddy Gard pourrait rendre compte des films. Pour les arts, on ne voyait personne. Et si on demandait à Constant Fragonard pour la musique ? Pfff ! il est toujours en tournée, à l'étranger, avec son orchestre. Insaisissable. Et le père Fragonard qui voulait que Constant s'établisse médecin à Portville ! La médecine, te casse pas la tête, c'est comme le reste. Ça mène à tout à condition d'en sortir. Messieurs, il est l'heure. On va fermer. Comme si les bistros ne pourraient pas rester ouverts toute la nuit !... J'ai pas sommeil. Et toi ? La nuit était exquise sur le Boul'Mich'. La vie était belle. Discuter comme ça à perte de vue, avec un arrière-plan inexprimé, là, dans le fin fond du cerveau, de la gloire à venir. A combien considères-tu qu'on pourrait tirer au départ ? Ils s'acheminèrent en flâneurs vers le Luxembourg. Ça dépendra des abonnements. Plus beaucoup de passants sur les trottoirs. A mon avis, il y aurait d'abord lieu de faire insérer des annonces dans les journaux. Des autobus presque vides passaient avec un gros bruit familier. Il faut qu'on sache partout la parution prochaine d'*Echafaudages*. On ne pensait même pas à lever la tête et même si on l'avait levée, on aurait eu du mal à voir le ciel, mais on le devinait plein d'étoiles. Pour ça, les rédactions sont chouettes. On peut passer à peu près ce qu'on veut. Deux couples en tenue de soirée les dépassèrent. Dans les échos, ils mettent ça. Dites donc, mes chéries, si on allait aux *Noctambules ?* Un texte bien rédigé. Les chéries roucoulèrent avec ravissement. Tu ferais ça, toi. Les deux couples disparurent à l'angle, bras dessus, bras dessous. Ce qui manquera le plus, ce sont les collaborateurs, les poètes, par exemple. Il restait encore quelques consommateurs à l'intérieur du *D'Harcourt*. On pourrait demander à Delorme de nous donner quelque chose pour le premier numéro. Il y avait sans doute des cafés qui fermaient plus tard les uns que les autres. Il aurait mieux valu un romancier ou un essayiste. Félix, pour ça, était un dur de dur. Il était prêt à aller voir Maurras ou Montherlant, Bordeaux ou Ajalbert, un grand aîné, quoi ! Quand ce ne serait que Benoit ou Cocteau... Ça ne lui faisait pas peur. Si on était soutenu par un nom coté, tu verrais les autres rappliquer. Ils firent demi-tour, descendirent vers la Seine. Je ne suis pas inquiet, si nous demandons des manuscrits dans notre annonce, ça ne nous manquera pas. On en recevra des tonnes. Y aura plus qu'à trier dans le tas...

Parfait, parfait. Mais cette damnée missive de Monsieur Papa changeait tout. Pas de plaisanterie, il fallait rentrer. Ce que c'était, tout de même ! Depuis qu'il avait reçu ce rappel à l'ordre, il était comme délivré. Qui est-ce qui aurait dit qu'il tenait tellement à Portville ? Ça ne l'amusait plus du tout de rester à Paris. Même par cette belle nuit de mai. Etait-ce désir de se fuir ? C'était plutôt la vie qu'il avait menée pendant tous ces derniers mois qui avait enfin réussi à lui faire lâcher prise. Question santé, ça continuait à ne pas aller du tout. Véritablement déprimé. Besoin de se refaire. Aussi, peut-être ce retour n'était-il pas si mal combiné. A Portville, il pourrait se mettre au vert pendant quelques mois. L'été aidant... Là-bas, il réfléchirait à son aise à *Echafaudages*. Bon d'avoir du recul. Après, eh bien, s'il était dans de meilleures dispositions, il pourrait tâter de Paris à nouveau. Surtout si dans l'intervalle, sa pièce était montée. Ça, c'était vraiment la pierre de touche. La porte ouverte à tout. Donc, trêve de tergiversations. Etablir un emploi du temps précis de ce qu'il avait à faire jusqu'à son départ. Demain, pour commencer, il irait déjeuner avec tonton Nicolas, rue Affre. Il lui montrerait la lettre de Monsieur Papa. Dans l'après-midi, il irait sonner chez Jean-Jacques Delorme. Le soir, il prendrait le train de nùit, à Orsay. Après-demain matin, il serait à Portville. C'était donc la dernière nuit qu'il passait à Paris. Est ce que c'était une nuit comme toutes les autres ? Il aurait fallu, au contraire, qu'elle tranchât. S'ils avaient eu de l'argent, Félix et lui, ils auraient dû se saouler. Faire des choses extraordinaires. Mais il ne savait pas quoi. D'ailleurs, quand l'argent manquait, les distractions étaient forcément limitées. Et puis, sans savoir pourquoi, il se sentait légèrement triste. C'était tout de même une tranche de sa vie qui s'achevait. Ce soir, il était incapable d'en savourer chaque instant et cependant, il devinait que, dès qu'il aurait quitté Paris, ce serait trop tard. Après, dans des semaines, dans des mois, dans des années, il s'efforcerait sûrement de rassembler dans sa mémoire les moindres incidents de cette dernière soirée et il serait surpris de la banalité dont ils avaient été imprégnés. A cette heure-ci, là-bas, à Portville, Monsieur Papa devait lire son journal sous la lampe et Madame Mère faire ses comptes de ménage, pendant qu'ils entendraient le gros chat noir miauler dans le jardin obscur, déjà tout fleuri. Un air plus frais, mais en même temps plus chaud qu'ici, devait pénétrer par les fenêtres grandes ouvertes. Et peut-être déjà un premier moustique... Ecrire, télégraphier ? Non ! Mieux valait arriver sans crier gare. Pas de justifications à fournir. Les copains, il savait où les relancer. La *Taverne Anglaise* ne devait pas avoir changé de place. Après-demain, il reverrait la bonne trogne olivâtre de Paolo. On reparlerait du Rugby-Club. Buddy, Roudoudou, Jojo Légende, Cro-Magnon, Alèce, Coralie, Impéria, et bien d'autres nouvelles et nouveaux, sans doute, seraient là. Les serrer dans ses bras. S'esclaffer tous ensemble. On arroserait son retour. Quelle foire on allait faire ! Pas pour dire, mais ils étaient un peu plus marrants que Félix ! Pourvu que Victorin, le garçon, soit toujours là.

C'était leur garçon attitré. Celui qui les servait toujours dans l'encoignure où ils se plaçaient. Un peu plus déplumé que l'an dernier. Mais ce serait une occasion de plus pour se foutre de son mouchodrome. Si quoi que ce soit devait être changé du passé, il semblait à Monsieur Hermès que la joie de son retour ne serait pas aussi complète. Pourvu que les copains ne prennent pas en trop mauvaise part ce qu'il allait leur annoncer. Ils avaient quitté un joueur de rugby et ils retrouveraient un fondateur de revue. Non mais des fois, tu badines ! Monsieur Hermès revit, réentendit le rire grinçant de Paolo. Buddy, lui, serait plus compréhensif. Seulement, il allait se trouver tout petit garçon devant lui. De loin, Monsieur Hermès ne se laissait pas trop impressionner. Mais à l'idée de se retrouver bientôt en face de son vieil ami, ça lui remettait en tête les différences énormes qui existaient entre eux. Autant Monsieur Hermès, pendant toute sa jeunesse, avait affecté de mépriser les choses de la littérature, autant Buddy était considéré à Portville, depuis des années déjà, comme un amateur distingué des Belles-Lettres. Monsieur Hermès ne s'était mis à lire que depuis qu'il s'était mis dans la tête d'écrire des pièces. Mais il ne s'était guère mis dans la tête d'écrire des pièces que depuis qu'il habitait Paris et qu'il avait eu ainsi l'occasion d'aller au théâtre. Maigre bagage à côté de celui de Buddy qui avait tout lu, qui entamait des discussions passionnées avec de vieux érudits de la Société des Antiquaires, qui appartenait au Club littéraire du Gai-Savoir, qui collaborait au livret de la revue à grand spectacle de l'A. G. des étudiants et qui allait même jusqu'à faire des conférences. Une sur Maritain, une sur Valéry, une sur Gérard de Nerval. Trouvant en plus le temps de jouer au rugby et d'y briller, il s'amenait toujours à *La Taverne Anglaise* avec un gros paquet de bouquins et de journaux sous le bras. Ça avait une bonne odeur, tout ce papier. A l'époque, Monsieur Hermès n'en était guère curieux. Ça n'empêchait pas que Buddy veuille chaque fois l'intéresser à ses recherches. Il aurait été heureux, semblait-il, de pousser Monsieur Hermès dans la même voie que lui. Mais, au gré de Monsieur Hermès, Buddy s'attaquait à des livres trop difficiles. N'avait-il pas voulu lui faire décortiquer *Les Réflexions sur l'Intelligence*, par exemple ? Monsieur Hermès avait feuilleté la pavé, avait essayé d'en déchiffrer quelques paragraphes. Ça l'avait laissé tout pantois. Au moins, Gérard de Nerval était plus pittoresque. Un lascar qui se baladait sur les boulevards, paraît-il, en traînant une langouste au bout d'une corde, avec un lis blanc dans l'autre main. Un dingo, quoi ! La preuve, c'est qu'il avait fini par se suicider. Bref, ça le gênait un peu, Monsieur Hermès, de jouer à l'écrivaillon devant un copain aussi averti que Buddy. Enfin, il lui demanderait conseil. Buddy lui apporterait une aide autrement valable que celle de Félix. En somme, Félix n'avait pas tort. *Echafaudages* avait bien plus de chances de réussir à Portville. Là-bas, il connaissait des tas de gens. Ici, à Paris, il était noyé dans la masse. Pas d'entregent, pas de piston. Le mieux était de faire son trou en province, d'abord. Si le succès venait, Paris s'imposerait alors, de lui-même. En avant la musique...

VI

Hein ? Quoi ? Pardon Monsieur ? Qu'est-ce qu'elle voulait
encore celle-là ? Ah ! oui, ses jambes. Monsieur Hermès les
replia sous lui, laissa libre le passage du compartiment. La
femme sortit dans le couloir. Le train roulait. Il faisait nuit.
La veilleuse éteinte. Pas moyen de voir l'heure à sa montre.
Où pouvait-on être ? On avait sûrement passé Angoulême.
Ces tunnels, tout à l'heure, ceux de Poitiers ou de ? Il s'étira.
Pas compliqué, une nuit en chemin de fer et il avait la gueule
de bois. C'était cet air raréfié qui lui irritait les muqueuses. Il
avait soif. Ces grotesques qui dorment comme ça, tout fermé.
Baissent même les rideaux. Auraient sans doute peur que les
lumières des gares ne les réveillent. En revanche, il l'était,
lui, réveillé, et bien ! Comme si la poule n'aurait pas pu
l'enjamber au lieu de se buter dans lui. Toujours envie de
pisser, ces salopes-là. A force de se faire caramboler, sans
doute, ça leur élargit les tissus. Peuvent plus retenir. Inutile
d'essayer de se rendormir, d'ailleurs. Elle allait revenir des
goguenots, le dérangerait à nouveau. C'était le désagrément
de ces places, côté couloir. Tout le compartiment vous
passait dessus. Il aurait dû choisir la place contre la glace,
hier au soir. Il était assez en avance ! Toutefois, sa place
actuelle avait un avantage. Une fois assis, on reluquait
beaucoup mieux les jambes des femmes qui circulaient. Le
regard prenait le couloir en enfilade. Et puis, on pouvait
remuer librement, si on en avait envie ; aller et venir à sa
guise. Le pour et le contre. Impossible de réunir jamais tous
les avantages dans une même solution. La perfection, pas de
ce monde. Ce que ça cocottait, là-dedans ! Devrait parfumer

les wagons, la Compagnie. Comme dans le Métro. Ça en faisait des kilos de viande avachie rien que dans ce box. Huit sur huit. Complet. Par force qu'on s'agglutinait. Nombreux étaient les êtres qui fuyaient instinctivement leurs semblables. Ils donnaient à cette fuite l'apparence d'un hasard. Etrange, ce hasard qui lui avait donné ceux-ci comme compagnons de voyage plutôt que d'autres, que tant d'autres! C'était surtout notable quand on arrivait le premier. Cet instinct qu'ils avaient tous de se disperser, de s'écarter les uns des autres. Lui tout pareil. Comme s'ils sentaient mauvais. Comme si ça leur était intolérable de s'entendre parler, de se toucher. Commencent par occuper un compartiment vide. Les premiers. Ils ne se décident à envahir le vôtre que si vraiment ils n'ont pas pu en trouver un seul qui soit complètement libre. Pourtant, ils devraient bien savoir, par expérience, qu'au moment du départ du train tout sera plein et qu'il leur faudra avoir, de toute manière, les fesses coincées entre deux autres paires de fesses plus ou moins appétissantes. Des molles, des dures. Des larges, des mignonnes. Au petit bonheur la chance. On les voyait s'annoncer, les voyageurs. Avec leurs bagages. Quand ils étaient seuls, ils étaient à peu près tranquilles et posés. Dès qu'ils étaient plusieurs ensemble, des amis, une famille, ça s'énervait, ça se chamaillait, ça s'affolait. La sensation de l'arrivée d'un troupeau d'éléphants dans un village nègre. Et indécis, avec ça. Entrera, entrera pas? Que d'espoirs déçus! Des femmes délicieuses, parfois, avec un moutard, un mari, un amant et même seules. Ce sera-t-il pour moi? Oui? Non? Elle passait. Perdu. Perdu pour lui, gagné pour un autre, plus loin. Parfois aussi, on la voyait revenir, la jolie. Elle avait rien trouvé à son goût, ailleurs. C'était agréable, comme ça sautait dans la poitrine, après le petit coup de la déception. Comme si on respirait mieux. Pour ce qu'on allait en faire, cependant! Dire qu'il y avait des braques qui prétendaient qu'on s'offrait des rencontres baisatoires dans les trains. Lui, Monsieur Hermès, ou bien il savait pas opérer, ou bien il était passé à côté. Exactement comme pour les prétendues aventures avec les belles dames de l'étage, à l'Hôtel. Parce qu'en fait de conquêtes!... Pardon, Monsieur? Ah! Voilà la pisseuse qui avait fini son pissou. Elle avait pris son temps. Pas mal, de visage, entre parenthèses, autant qu'il pouvait deviner dans la demi-obscurité. Mais le mollet un peu maigre on aurait dit. Une jambe sans grâce. Il s'en foutait. Elle était sur sa banquette. Il pouvait pas la voir. La mieux, c'était celle du coin opposé au sien, là-bas. Du moins, telle qu'il avait pu la juger, au moment du départ, quand la lumière était encore allumée. Parce que maintenant, dans cette pénombre... Elle avait des guibolles rudement bien dessinées. Mes aïeux ! S'il l'avait eue dans son lit, celle-là, il lui en aurait bien glissé un coup dans le calcif. Oui, c'était dommage que ce maigriot vindicatif ait éteint presque tout de suite. C'était beau l'autorité. Il aurait jamais osé faire ça lui-même, même s'il en avait eu envie. Ils appelaient ça savoir se diriger dans la vie. Lui, il trouvait que ça pouvait s'appeler plutôt se conduire comme un mufle. Question de point de vue. Dans un moment, quand le petit jour poindrait, il pourrait la zieuter à nouveau. Elle dormait. Dans les bras d'un balourd. Ça avait l'air d'être son époux. On sent ces choses-là. Les femmes, ce qu'elles pouvaient prendre des attitudes, des expressions libertines dans leur sommeil ! La pudeur ? Un instinct purement moral. Purement : c'est encore à voir. Une fois qu'elles sont parties dans les rêves, s'en moquent bien que leur robe se retrousse. Celle-ci avait les genoux écartés. Tout à fait en position pour. La dame d'en face aurait pu lui voir ça comme elle aurait voulu, s'il avait fait un peu plus clair. Elle ronflait tout doucement. C'était pas choquant, non, plutôt attendrissant même. La bouche ouverte. Un air d'innocence. Ça rendait d'autant plus équivoque la vision offerte par la robe complice. Grâce à la soie des bas qui miroitait, on distinguait tout de même vaguement quelques contours. Curieux, le pouvoir de la soie sur l'épiderme ! Immédiatement l'imagination en branle. Glisser sa main sur cette soie. Ça glissait tout seul. Et puis, après, la peau. Le côté froid de la cuisse. Le côté tiède. Peu avant le départ, il y en avait une autre, beaucoup plus jeune, qui s'était assise juste en face de lui. Mais elle avait bientôt changé de place. La manie d'être dans le sens de la marche, sans doute. Alors elle s'était mise sur sa banquette, contre lui. De mieux en mieux. Aurait pu lui plonger dans le décolleté. Avait l'air d'avoir des nénés tripotables. En face, c'était bien. On voyait tout ce qu'on voulait voir. A côté, c'était plus émouvant. On voyait moins. Mais on sentait. Au moindre mouvement, il y avait contact. Et puis, pour risquer une avance, un frôlement, surtout dans le noir, du beurre ! Le pater n'y aurait vu que du feu. Mais la niaise avait une fois de plus permuté. Le pater entre elle et lui. Plus touche ! Eh bien, comme ça, il ne pourrait pas dire qu'il lui avait tapé dans l'œil. Si au moins, c'était parce qu'il ne lui disait rien, il l'excusait. Mais si elle avait fait ça par coquetterie, alors il fallait vraiment qu'elle soit conne. Se figurait-elle qu'il allait se dessécher sur pied, par amour pour elle ? Ça, il était têtu comme une mule. Si une femme prenait ses grands airs avec lui, eût-elle été fascinante, il répondait du tac au tac. Y avait des garçons que cette ruse émoustillait, il le savait. C'était pour ça que tant de filles l'employaient. Quand un garçon leur plaisait, elles faisaient semblant de ne pas le regarder pour mieux l'attirer. Avec lui, en tout cas, ça ne prenait pas. Ça n'avait jamais pris. Et ça ne prendrait jamais. Il en était sûr. Cousu de fil blanc. Il en avait même positivement horreur. Sincère dans ses sourires, dans ses regards, il s'estimait en droit d'exiger la même sincérité. Pourquoi finasser ? Ne serait-ce pas plus gentil si la fille laissait transparaître naïvement ses véritables sentiments ? Alors, il oserait. Mais puisqu'elles s'obstinaient toutes (oui, toutes, à moins d'être des putains) à feindre l'indifférence, il les prenait au mot. Ce n'était pas lui qui tomberait dans le panneau. Mais enfin, Monsieur, cessez vos manigances. Papa, ce Monsieur me presse le bras depuis dix minutes. Comment, jeune homme ? Vous n'avez pas honte de faire des propositions à ma fille ? Une mineure ? Toi, viens ici ! Saligaud ! Vous voulez que j'appelle le contrôleur ? Que je vous fasse coffrer ? Brrrr ! tout ça pour procurer des sensations agréables à une donzelle qui devait en griller d'envie... Tant pis pour elles ! Et puis, après tout, peut-être aussi qu'il ne plaisait pas. Inutile de s'en faire accroire. L'indifférence pouvait être sincère. Que disait-il ? Elle l'était sûrement. Y avait bel âge qu'il s'était rendu compte qu'il n'avait pas une frimousse à béguins. A quoi ça tient, ces succès-là ? Qu'est-ce que les femmes peuvent bien rechercher en vous ? Un je ne sais quoi, sans doute, qu'il n'avait pas. Car enfin, il n'était pas positivement laid. Il n'avait pas la bouche tordue comme Félix, le nez épaté comme Paolo, la pomme d'Adam proéminente comme Roudoudou, les paupières sans cils comme Jojo, du poil aux mains comme Buddy ou le cheveu rouge comme Constant. Ses traits étaient réguliers, ses yeux expressifs, son nez droit, ses lèvres sensuelles. Alors ? Eh bien non, ça ne rendait pas. Enfin, ça avait rendu quelquefois, tout de même, fallait pas non plus exagérer. Mais ça ne rendait pas à tous les coups. Pour ça, il enviait Fragonard et Paolo. Avec eux, pas d'histoires ! C'était automatique. Des touches, en veux-tu en voilà. Peut-être que ça les excitait, les femmes, de sentir que Paolo avait du sang nègre dans les veines (les grosses biroutes des négroïdes). Mais pour Fragonard, comment s'expliquer ? Le poil rouge, le teint rouge, des taches de rousseur partout. Un composé de Rubicon, de Poil de Carotte et de Boule de Son ! Là, ça devenait mystérieux. Peut-être sa musique ? Ou bien, c'était son fameux charme qui jouait ? Chaque fois que Monsieur Hermès s'interrogeait là-dessus, il se perdait en conjectures. Il n'en saurait jamais le fin mot. Mais à ce compte-là, évidemment, il ne devait pas avoir beaucoup de chances. Le charme ? comment savoir si on en avait ? Les femmes qui avaient prétendu l'aimer, lui en trouvaient, du charme, à les en croire. Les copains lui assuraient même qu'il en avait énormément, quand il voulait. Probable qu'il ne voulait pas toujours ou qu'il n'avait pas le charme spécial qu'il aurait fallu pour tomber les filles d'un regard, dans l'autobus. En fait d'autobus, comme de métro, il n'était pas prêt de reprendre ni l'un ni l'autre ! Opéra. Maillot. Champerret. Cluny. Villiers. Campo-Formio. Ménilmontant. Beaugrenelle. Réaumur. Buttes-Chaumont. Autant que de jours dans l'année, peut-être. Comme autant de villages où il aurait pu se fixer, se créer un milieu. Tout ce qu'on laissait derrière soi ! Peut-être viendrait-il un temps (quand il aurait acquis une expérience de grand-père) où il serait capable de profiter pleinement, sur l'instant, des moindres incidences de sa vie ? Ce qu'il y avait de choses dans le déroulé d'une seule journée ! Fou, ce qu'on pouvait y faire entrer. Ce qui était choquant, c'était d'être toujours contraint de le digérer dans le même sens. Qu'est-ce que ça aurait donné, si on avait pu la dégueuler, sa vie ? La pratique du souvenir devait en donner une idée. Remonter de fil en aiguille. De proche en proche. Ces dernières heures, par exemple ? Depuis le moment où le rapide avait démarré ? C'était si récent encore dans le temps et si loin déjà dans l'espace. Singeant Buddy, il avait décidé de se munir de nombreux journaux, afin de les porter ostensiblement à la main. Il avait acheté *Comœdia, Le Figaro* et *Les Nouvelles Littéraires.* Dis-moi ce que tu lis, je te dirai qui tu es. Ça lui donnerait le genre artiste. Tout de suite pas comme tout le monde. Surtout en secondes. Bientôt, dans tous ces journaux, on lirait peut-être son nom, à propos d'*Echafaudages* ou de *La Joie du Cœur.* Le théâtre ! Sa passion. La dernière fois qu'il y était allé, c'était avec Félix Sanslesou, justement. Au *Fémina.* Sur les Champs-Elysées. Il n'y avait pas encore huit jours. Le *Bel Amour* d'Edmond Sée était à l'affiche. Une pièce à la gomme. De l'abnégation, du sacrifice, des beaux sentiments. C'était ça qui plaisait à Félix. Il y allait de sa larme. Monsieur Hermès aussi avait été ému. Plus qu'il ne voulait le paraître. En fait de grands sentiments, alors, à tout prendre, il préférait *La Vierge au Grand Cœur.* Bien que Jeanne d'Arc ! Entre nous ! Mais, tout de même, Madame Simone vous arrachait les tripes. Il avait les programmes dans sa valoche. Avec tous les autres. Une petite collection, depuis plus d'un an qu'il était à Paris. Pourrait les faire relier, plus tard. Ça aussi, ça constituerait des souvenirs. Ce qu'il avait été à court, parfois ! Ces calculs diaboliques auxquels il avait dû se livrer pour équilibrer son budget de jour de sortie ! Tout ce temps qu'il avait perdu à supputer tout bas la nécessité de telle ou telle dépense. Ah, il ne risquait pas de faire de grands écarts ! Programme, voyez programme de la soirée ! Deux francs cinquante. Dix sous de pourboire. Vingt sous à l'ouvreuse. Il gardait son pardessus et son chapeau sur ses genoux, pour économiser le vestiaire. Pour peu qu'il ait pris sa canne et sa serviette, il était joliment embarrassé. Surtout quand il fallait se lever pour laisser passer des spectateurs. Bref, pas moyen de s'en tirer à moins de vingt balles, avec le coût de la place. Sans compter les imprévus. Ça n'avait l'air de rien. Mais ça chiffrait, tous ces petits faux frais. D'autant qu'il n'y avait pas que le théâtre. Il y avait aussi des dépenses inavouables. Madame Mère aurait sûrement tordu le nez, si elle avait su qu'il achetait régulièrement *Fantasio* (un franc cinquante) et *Mon Ciné* (quarante centimes). Il n'y avait d'ailleurs pas que devant Madame Mère qu'il avait mauvaise conscience. Il n'était pas tellement fier d'acheter ça. Même qu'il prenait soin d'éviter les kiosques où tout le monde pouvait voir ce qu'on choisissait. Préférait les marchands installés en boutique. Entrait quand c'était vide. Ça faisait un peu cucu la praline, un peu midinette, d'acheter *Mon Ciné*. Pas du tout intellectuel. Au contraire, *Comœdia, Les Nouvelles Littéraires,* ça pouvait aller. Ou, encore mieux, *Théâtre et Comœdia Illustré* (cinq francs) qu'il prenait aussi. Mais *Mon Ciné* ! Comme s'il avait lu des romans à vingt-cinq centimes ! *Vierge et flétrie. La nonne du building. Le journal d'une masseuse. La vague de luxure. L'arpète écuyère...* Quant à *Fantasio* ! c'était pour les petits vieux, les salingues qui suivent les lycéennes dans les rues désertes pour leur montrer leur quéquette. Il avait un peu honte de lire ça. A Félix, qui était au courant, il racontait qu'il y trouvait des échos pittoresques sur les coulisses, des articles savoureux signés Bing sur des personnalités à la mode, depuis Sylvain jusqu'au général Nollet, depuis Louisa de Mornand jusqu'à Morain, le préfet de police. En fait, ce qui attirait surtout Monsieur Hermès, c'étaient les petites femmes à poil, les dessins cochons, les photos de nus artistiques. Et il n'omettait pas de lire les réclames. Impuissants ! Pour cesser de l'être, sans échec possible, munissez-vous de *l'Erector.* Photos. Jeunes époux (enfin seuls !) avec récit. « La femme intime » sujet vécu. 20 francs. Discrétion. Vient de paraître : *Leurs pantalons.* Comment elles le portent. Interviews et indiscrétions. En vente partout. Mais il gardait cette lecture, ces visions pour ses moments de solitude dans sa chambre ou aux gogues. Ça l'aidait à mieux imaginer Lily. Dans le train, devant les gens, minute, pas question ! Pour compléter cette littérature journalistique, il achetait enfin des magazines sportifs. *Sporting* (hebdo) et *La Vie au Grand Air* (mensuel). *L'Auto ?* Non, il ne le lisait que par crises, par à-coups. C'était un journal qui bourrait les crânes. Seul *Sporting* était vraiment sérieux. Avec rien que des chroniqueurs compétents. Là, au moins, on connaissait les dessous du sport. Et on ne se gênait pas pour les dénoncer. On y démasquait les grandes combines du cyclisme ou de la boxe, on y vitupérait les amateurs marrons de l'athlétisme ou du rugby. Il aurait aimé y écrire. Il verrait ça dans quelques années. Quand il serait un auteur connu. Alors, il pourrait entrer en contact avec Alfred Spitzer, le patron du journal, l'homme qui faisait autorité dans le monde entier pour la course à pied, bien qu'il fît des fautes de français toutes les quatre lignes. Il pourrait suivre le Tour de France dans une voiture officielle. Tout comme Georges Carpentier ou Maurice Chevalier. Il s'y voyait déjà. Avec une combinaison blanche, de grosses lunettes d'automobiliste sur les yeux et distribuant des autographes aux arrivées d'étape... Il était loin du compte, encore. Sa visite à Jean-Jacques Delorme lui laissait tous les espoirs, mais il n'y avait encore rien de fait. Dans le quartier des Invalides, qu'il habitait, Jean-Jacques Delorme, l'auteur de *Non, je n'ai que du carreau!* Dans une cité moderne, au septième. Sacré ascenseur! Comme s'il n'avait pas déjà les boyaux assez tourmentés par l'émotion! Même en temps ordinaire, il avait horreur de l'ascenseur. Mais dans de telles circonstances, c'était pire! C'était une servante martiniquaise qui lui avait ouvert. En costume. Avec des couleurs criardes et sa bonne figure chocolat, bien épanouie. Elle l'avait fait entrer dans l'appartement. Rien que des petites pièces un peu trop meublées, mais luxueuses. Aussitôt, Jean-Jacques Delorme s'était trouvé devant lui. Il avait des cheveux noirs en huppe, une lippe un peu saliveuse. Il portait, sous une robe de chambre de velours cramoisi et ouverte, une chemise de dentelle à jabot, largement décolletée. On apercevait la peau blanchâtre et grasse de sa poitrine. De la dentelle aussi, aux poignets. Voilà donc comme on s'habillait quand on était un grand auteur dramatique! Tout à fait dix-huitième! La science de la mise en scène. Et exquis avec ça. Il l'avait mis à son aise. Simple et sans façon. Ayant vraiment l'air de s'intéresser à la petite histoire qu'il lui débitait, la gorge serrée. Ça semblait lui faire étrangement plaisir, à Delorme, qu'un jeune lui porte sa première pièce. Devait pourtant être habitué aux caresses du succès. Mais ça, c'était mieux que les applaudissements. C'était la gloire! Ça se peignait sur son visage, qu'il était content. Il ne traitait pas Monsieur Hermès en solliciteur, mais déjà en confrère, en ami. Il lui donnait

402

du : mon cher par-ci, mon cher par-là. Les jeunes... Voyez-vous, moi-même, quand j'ai débuté... Et des confidences, des conseils, des regrets, avec ce rien qu'il fallait de désenchantement et d'ironie, destiné à faire d'autant mieux ressortir l'extrême sagesse de l'aîné. Mais parfaitement, il allait la lire, sa pièce. Il en était même impatient. Le titre était bon. Il lui donnerait sincèrement son avis. Et si elle répondait à l'attente qu'il en avait, rien que par la bonne impression que lui faisait le jeune auteur, il mettrait tout en œuvre pour faciliter son entrée dans le cercle enchanté. Monsieur Hermès avait mis son adresse à Portville, sur la première page du manuscrit. Puisqu'il était contraint de quitter Paris, Jean-Jacques Delorme lui écrirait là-bas. Mais il faudra revenir. Ne restez pas loin de Paris. Ne vous enterrez pas en province, mon cher. Ce qu'il était chic, quand même, ce Delorme ! N'oublierait jamais cet accueil. Peut-être seriez-vous heureux de connaître ma femme ? Je m'excuse, elle est dans son boudoir, elle a une affreuse migraine et elle s'inquiète parce qu'elle joue ce soir. Elle a peur de ne pas être en forme. Bien sûr qu'il savait qui elle était, Madame Delorme ! Violette Soubois était une comédienne de qualité qu'il avait déjà applaudie. Il allait d'émerveillement en émerveillement. Delorme le poussa dans une petite pièce moins éclairée. Il y pénétra par une porte laquée, à glissière. Un brûle-parfum dégageait une odeur entêtante. De mimosa ou de jasmin ? Dans un angle, Madame Violette Soubois était étendue sur un divan vert d'eau, empaquetée dans des voiles roses qui s'harmonisaient bien avec sa blondeur d'Ophélie. Elle lui tendit la main. Une main sans os et sans couleur, qui tenait dans la sienne comme une alouette tiède. Il se demanda, une seconde, s'il devait la baiser. Mais il n'osa pas. Il ne savait où s'asseoir. On lui désigna un siège bas. Il y posa le bout du croupion. La grosse Martiniquaise apporta des gâteaux secs à brouter, des verres, des carafes rutilantes. Malaga ou Xérès ? Malaga ! Un vrai conte de fées ! Si les tartempions de l'Hôtel pouvaient le voir en ce moment ! Funérailles, quelle gloriole ! Il n'y avait donc pas que des salauds, dans l'existence ? On rencontrait donc encore quelquefois des gens désintéressés, obligeants, attentifs ? Bien sûr, Delorme et sa femme n'étaient pas des gens comme tout le monde ! Fallait

pas confondre. Mais tout de même, quel dadais il avait été !
Au lieu de perdre toute une année avec une Angélique ou une
Totoche, au lieu d'user sa salive en radotages avec Monsieur
Dominique ! Tonton Nicolas était bien brave, lui aussi, mais
enfin, ce n'était pas avec ses histoires de Cochinchine ou de
Pont-Sainte-Maxence qu'il allait l'aider à percer ! Oui, toute
une année perdue ! Il avait vécu plus d'un an à Paris, et pour
un peu, il aurait repris le train sans avoir eu l'astuce de faire
la connaissance de quelqu'un de marquant. Il était à battre.
Quand vous reviendrez, bientôt j'espère, téléphonez-nous.
Vous viendrez déjeuner. Il entendait ça à travers un brouillard délicieux, et pourtant c'était bien la réalité : c'était
Madame Violette Soubois qui prononçait ces paroles. Ah ! s'il
avait risqué cette visite plus tôt ! Quels changements cela
aurait pu apporter à son destin ! Tous les gens arrivés qu'il
aurait pu approcher, grâce aux Delorme ! Et puis, il aurait pu
sonner de la même manière chez d'autres auteurs. Il fallait
tout de même croire qu'il n'était pas aussi bête qu'il en avait
l'air, puisqu'on lui portait tant d'intérêt. Avec de telles
relations, finis les billets Delamare. Il aurait eu tous les
billets de faveur qu'il aurait voulus. Grâce aux Delorme, il
aurait pu pénétrer dans les coulisses, être présenté à des
acteurs, à des comédiennes... Au lieu de ça, il avait bêtement
moisi à l'Hôtel, esclave de sa gâche, de ses habitudes,
paralysé par sa maudite timidité. Maintenant, à force de
penser à tout ça qui aurait pu être, ça lui faisait quelque
chose d'avoir quitté Paris. Juste au moment où la chance
s'offrait... C'était tout frais encore. C'était aujourd'hui, c'était
hier, c'était cet après-midi. En sortant de là, grisé, il avait
rejoint Félix, qui l'attendait au *Fleur de Lys*. Félix l'avait aidé
à boucler ses bagages. Ils avaient pris un taxi pour les porter
à la consigne. Et ils s'étaient quittés comme ça, parce que
Félix était invité à dîner par son curé. Il n'avait même pas eu
le temps de lui raconter sa visite aux Delorme. Il avait dîné
dans une crémerie de la rue de l'Université. Et, en attendant
l'heure de son train, comme il était désœuvré, il était
remonté à pied jusqu'à l'Opéra, histoire de garder un dernier
souvenir de Paris. Le Pont de la Concorde. La Concorde. La
rue Royale. Le boulevard des Capucines. Il était neuf heures.
Les gens allaient au spectacle. Les terrasses étaient bondées.

Il faisait déjà chaud. Toute cette agitation autour de lui, toutes ces lumières, ces lieux de plaisir, ces femmes élégantes, ces appels des taxis, il lui semblait que tout ça s'orchestrait pour lui rendre un dernier hommage. Et, tout en déambulant, il revivait l'heure qu'il avait passée chez Jean-Jacques Delorme, se répétant tout bas les paroles que l'auteur et que sa femme lui avaient adressées. Ce qu'il pouvait manquer de réflexes, parfois! Sans doute, il n'était pas majeur. Encore un an avant de l'être. Monsieur Papa aurait pu exiger son retour. Mais pourquoi ne pas lui raconter une craque? Se mettre de mèche avec tonton Nicolas? Lui faire croire, par exemple, qu'il avait trouvé un emploi qui lui plaisait, qu'il faisait un essai? Demander un délai? Il l'aurait sûrement obtenu. Et puis, qui sait? S'il avait franchement exposé sa situation à Delorme, peut-être celui-ci aurait-il pu lui trouver quelque chose? Une place de secrétaire, n'importe quoi. Un bachelier, tout de même! Il n'en manquait pas d'écrivains qui avaient débuté comme ça. Trop tard, maintenant. Le sort en était jeté. Il rentrait à Portville. Comme consolation, il pourrait toujours raconter à Buddy Gard comment il avait été reçu chez les Delorme. Ça le poserait un peu. Bien que Buddy, dans le fond, n'eût pas une telle admiration pour les gens de théâtre. Lui, sorti de Valéry, de Gide, d'Apollinaire, de Max Jacob, il n'y avait plus personne! Est-ce qu'il n'allait pas se rendormir de la nuit? Ça finissait par le fatiguer, cette cogitation interminable, par lui donner mal au cœur. On brasse des pensées, des pensées, comme une machine qui tournerait sans cesse, et puis on ne peut plus trouver le sommeil. Il se crée une sorte d'extra-lucidité. On fait balle à tout coup. Les sens s'exaspèrent. On ressent tout. Et chaque sensation se métamorphose en idée. Vivement l'aube! Alors, ses paupières s'alourdiraient. Il s'engourdirait dans une somnolence délicieuse, dont il sortirait dix fois plus vaseux encore à l'arrivée, mais à laquelle, malgré tout, il n'essayerait pas d'échapper. Ta, ta, ta... Rran!... Rran, rran, rran! Ta, ta... Rran, rran, rran! Ta, ta... Comme un rythme. Ça aussi, ça empêchait de dormir. Même si on avait voulu perdre connaissance, on ne pouvait pas. Ça obsédait. Et sur ce fond, la pensée tournait en rond comme une folle. Tout de même, dans quelques heures, ça y serait, il foulerait les trottoirs de Portville. Savoir s'il y aurait un beau soleil ou si une petite pluie l'accueillerait ? La petite pluie classique de Portville, portée par le vent d'ouest, comme de l'embrun, pour la plus grande joie des habitants, que la moindre baisse de température confinait chez eux mais que la pluie faisait sortir, radieux et pullulants, comme des canards. Allons, il était lancé sur une nouvelle piste. Impossible de rester une seconde la tête vide. Ça l'attendrissait, d'ailleurs, ce retour à Portville. A mesure qu'il s'approchait, toute sa vie d'autrefois l'envahissait, par petits morceaux, par pans entiers. Ses amis, les lieux qu'ils fréquentaient ensemble, tout ça se remettait à vivre mieux dans sa mémoire, à se repréciser. On avait beau dire, ça comptait l'absence. Il suffisait que quelques mois s'écoulent pour ce qui était tellement familier, tellement précis, peu à peu s'estompe. Maintenant, c'était vers ceux de Portville qu'il allait. Hier, il était à Paris, dans un tout autre milieu de gens (restreint, en vérité) et c'était fini. Ce milieu allait, à son tour, s'enfoncer dans le passé. Il n'était pas retourné à l'Hôtel. Trop de mauvais souvenirs, là-bas. Il n'avait même pas revu Monsieur Dominique. Constant Fragonard absent de Paris. Angélique résignée à entendre encore longtemps, sans doute, le roulement des trains dans la tranchée des Batignolles, à voir se succéder à la Maison Meublée des locataires parmi lesquels elle trouverait peut-être de nouveaux amoureux. Ils n'étaient pas épais, ceux qui l'avaient aidé à vivre sa dernière journée parisienne. Les Delorme, Félix Sanslesou, tonton Nicolas. Le pauvre vieux, il était tout marri parce que Monsieur Hermès partait sans être venu voir sa bicoque de Pont-Sainte-Maxence. Son dada ! A dada, à dada ! Est-ce que c'était le sort commun ? Est-ce que c'était une règle inévitable ? En était-on vraiment réduit à s'accrocher à des petites manies, dès qu'on devenait vieux ? A dada ! A gaga ! Toujours ce rythme du train. Qu'est-ce qui causait ça ? C'était lisse, pourtant, les rails ! Il est vrai qu'il y avait une étroite séparation entre chaque rail. Les roues, en passant dessus. Oui, ça devait être ça. Indéfiniment. Quand le train traversait une gare ou des embranchements, au moins, ça rompait cette monotonie. Un fracas du tonnerre ! Toujours un peu l'impression qu'on déraillait à ce moment-là. A croire que le train entier allait s'écrabouiller. Quelle ferraille dans les oreilles ! Mais c'était emballant, en même temps. Ça procurait aux sens une satisfaction brutale. Plus il y avait d'aiguillages, plus ça durait, plus la sensation s'implantait. Ça finissait toujours trop tôt. C'était surtout à la sortie de Paris que ça l'avait frappé. Juvisy, Brétigny, Etampes. Le train doit sûrement ralentir. On croirait, au contraire, qu'il va plus vite. D'autant plus impressionnant qu'il fait nuit. Le déplacement d'air fait voler la poussière, les brindilles, les vieux papiers. On passe. On est passé. Parfois, on entend seulement une sonnerie grêle qui se meurt tout de suite, étouffée. Il en avait marre d'être assis. Les gens qui ont de grosses fesses, au moins, ça leur sert de coussin. Mais lui, il n'avait pas de fesses. Il les sentait, ses os, contre la banquette. Mais s'il se levait pour aller se dégourdir les articulations dans le couloir, c'est pour le coup qu'il ne pourrait plus roupiller. Non, il valait mieux essayer de l'apprivoiser, le sommeil. Dans l'angle opposé, la femme avait croisé ses jambes. On les voyait mieux. Les yeux s'habituaient à l'obscurité. Monsieur Hermès la préférait ainsi, la femme, les jambes croisées. Elle avait abandonné l'épaule de son mari, dormait contre l'appui-tête. Et dans la glace, il pouvait distinguer le reflet de son visage. Tout à l'heure, quand la clarté s'insinuerait dans le compartiment, quand il ferait jour, il verrait ses compagnons de voyage sortir de leur abrutissement, un peu hébétés, comme des boxeurs qui ont été mis K.-O. Ils s'ébroueraient, s'étireraient, se défriperaient. Certains continueraient à dormir ou à faire semblant jusqu'à l'arrivée. D'autres, au contraire, iraient se laver, se coiffer. Son voisin, le père présumé de la jeune mijaurée, se rechausserait. Elle envelopperait ses pantoufles dans un papier de journal et serrerait le paquet dans leur sacoche d'où elle l'avait extirpé au départ. Menus gestes rituels... Chaque fois qu'ils prenaient le train, ce devait être pareil. Une habitude. Pourquoi pas ? Et la femme du coin, là-bas, la dormeuse aux belles jambes ? Il l'imaginait, sortie du sommeil, se dressant pour prendre sa valise dans le filet. Son mari, aussitôt, l'aiderait. Laisse, ma jaboune, tu vas te faire mal. C'était joli à voir, une femme de dos, debout, qui tendait les bras. Ça mettait les muscles des jambes en valeur. Sa robe serait froissée, un peu relevée par la pose et démasquerait la saignée du jarret. Assise, de nouveau, elle saisirait son peigne et démêlerait ses boucles en tenant sa glace de l'autre main et en penchant un peu la tête. Le geste même qu'avaient toujours eu à leur réveil les femmes dont il avait pénétré l'intimité, Madame Elvas, Angélique, Totoche... A propos d'Angélique, flûte! il avait oublié chez Sanslesou, au *Fleur de Lys,* le médaillon de mosaïque dont elle lui avait fait cadeau. Tant pis! N'allait pas revenir à Paris pour ça. Peu probable non plus que Sanslesou le lui envoie par la poste. Perdu! Le dernier souvenir, le seul aussi, qu'il avait d'elle. C'était mieux ainsi... Même pas une photo d'elle. Il aurait pu la mettre avec celles qu'il avait de Nita et d'Alice Elvas, dans sa malle. Elle avait encore remué, la femme du coin. Son sommeil troublé. Peut-être un cauchemar. Mauvaise digestion? Trop dîné hier au soir. Une gourmande. Une goulue. Avait d'ailleurs tendance à l'embonpoint. Ça se devinait. Ces blondes, ça s'empâte vite. La taille noyée dans la graisse. Mais des cuisses splendides. Tout à fait le type de femme d'Alice. Pas les plus excitantes. Que ferait-elle après avoir arrangé ses cheveux? Avant de se farder, elle s'enlèverait le plus gros de la poussière avec un mouchoir fin humecté de salive, là, autour de la bouche, sous les oreilles, sur les paupières. Un peu de poudre. Du rouge. Ensuite, elle se tournerait vers son coin, le dos aux gens et tirerait ses bas. Ce geste qu'elles ont, quand elles soulèvent un côté de leur jupe et qu'elles fixent la jarretelle, en pliant sur la hanche et en cabrant la jambe. Cette évocation lui donnait envie de faire l'amour... Les yeux battus qu'elle aurait, à cause de la fatigue du voyage, les lèvres gonflées. Comme si elle avait baisé. Lui faire des suçons dans le cou. En respirant, il la chatouillerait. Elle aurait de petits rires bêtes. La main dans le corsage. Défaire le bouton du soutien-gorge. La détente de l'élastique. Et là, tout de suite, dans la paume, le fruit, les fruits tièdes. Il dormait, le mari. Confiant. Inconscient. Sans se douter... Les musulmans n'avaient pas tort de soustraire leurs épouses à la vue des autres mâles. Ce n'était pas la première fois qu'il réfléchissait aux profanations visuelles ou cérébrales auxquelles les femmes étaient exposées. Cependant, lui-même, quand il avait eu une femme à lui, ça ne l'avait jamais inquiété. A ce moment-là, il ne pensait pas que des garçons puissent regarder Alice, Angélique ou Totoche avec convoitise et les déshabiller mentalement. Et les femmes, s'en apercevaient-elles ? Il ne leur avait jamais posé la question. Que venait-on de passer ? Brûlée, la station ! Assez importante, pourtant, on aurait dit. La campagne était plate. Etait-on déjà dans la zone des vignobles ? Non, pas encore. Pas avant l'aube. S'il faisait soleil... On le verrait se lever sur les rangs de vigne, régulièrement taillés. Un air plus frais. L'approche du fleuve, de l'océan. Il se souvenait. Il y avait longtemps de ça. Quand il habitait Paris avec ses parents, avant la guerre. Il venait en vacances, à Fontanières, chez sa grand-mère, avec Madame Mère. Ils prenaient le même train de nuit. Une fois, le train avait stoppé un peu avant Portville, dans la campagne. Le rapide qui était parti de Paris dix minutes avant le leur avait déraillé. Une chance ! Ils auraient pu le prendre, tout aussi bien. La campagne était perdue dans le brouillard. On n'y voyait pas à cent mètres. Les bruits étaient amortis. La loco sifflait pour demander la voie. Ça avait quelque chose de lugubre. Tous les voyageurs étaient aux portières. On colportait l'événement de wagon en wagon. Toujours des gens bien renseignés. Ça avait éveillé sa curiosité, de voir un déraillement. Il avait sept ans. Y avait-il eu des morts ? Puis on était reparti. A allure réduite. Une avance coupée d'arrêts. Toujours rien en vue. Le brouillard dans les cépages, ouatant les lointains boisés. Des cheminots sur le ballast, regardant glisser leur convoi. Après une dernière station, ils avaient enfin défilé devant le train déraillé. Les wagons couchés sur une haie, tout déglingués, les vitres brisées, vides. L'un d'eux avait percuté dans le flanc d'un autre. Les voyageurs qui avaient eu la poisse de se trouver là ! Quelle bouillie, sans doute ! Mais on ne voyait plus personne. On avait déjà dû enlever tous les blessés, tous les cadavres. Ça avait un peu déçu l'enfant. La locomotive s'était couchée également et s'était mise de travers. Ses grosses roues en l'air, ridicules. Elle fumait encore un peu. Le tender était défoncé. Son eau et son charbon s'étaient répandus. Des personnages s'affairaient autour, des employés en veste de satinette noire, en casquette, des messieurs en pardessus et chapeau mou, des papelards dans les mains. L'enquête. Deux gendarmes étaient de faction. A Portville aussi, il y avait trois ans, le tram avait manqué un virage dans la grande descente de la gare et était venu s'écraser contre les maisons. Tous ceux qui n'avaient pas sauté à temps avaient été mis en marmelade. De la cervelle, du sang, partout. Il avait été voir ça avec les copains. Le frisson dans le dos. Pourquoi est-ce que des gens plutôt que d'autres se trouvaient pris dans de telles catastrophes ? A croire que c'était réservé à certains. Lui, par exemple, il n'avait jamais été accidenté. Un hasard ? Une providence ? Souvent, quand il montait en auto, prenait le train, ou allait au stade pour jouer avec l'équipe du Rugby-Club et qu'il s'agglutinait comme tout le monde dans l'autobus qui l'y conduisait, il s'était demandé si l'accident ne serait pas pour cette fois. Mais non ! Ça ne s'était jamais produit. Il était toujours passé à côté. Est-ce qu'il vivrait toute son existence sans connaître cette sensation ? Après tout, il devait y avoir une majorité de gens qui mouraient sans avoir été accidentés. Ça ne les empêchait pas de clamecer en fin de compte. Savoir s'il rendrait l'âme dans son lit ? Tué sur le coup dans une catastrophe, ça ne devait pas être plus terrible qu'autre chose. Vite fait, en tout cas. Ce qui serait stupide, ce serait d'être défiguré, estropié. Vivre ensuite avec un moignon, avec la gueule de travers. Comme ces mutilés de la face qui avaient rapporté du front des visages effrayants. Allons ! ses pensées n'étaient guère joyeuses. Comment avait-il mis ce sujet sur le tapis ? Allait-il s'assoupir enfin, cesser de remuer des idioties dans sa caboche ? Ne plus penser à rien. Rien. Rien. Rien. Compter jusqu'à mille. Non, je ne penserai pas. Non, je ne penserai pas. Il haussa les épaules. Ça ne faisait que l'énerver davantage. Il n'y couperait pas de sa nuit blanche. La femme du coin avait de nouveau décroisé les jambes. C'était peut-être une mauvaise position qui provoquait son cauchemar. A supposer qu'il puisse la revoir demain, à Portville, qu'il l'aborde, qu'il fasse sa connaissance en cachette du mari, qu'il la courtise ? Que de temps gâché, sans doute, avant qu'il puisse coucher avec ! A condition qu'elle y consente ! Que la vie était mal faite. Puisqu'il avait envie de coucher ainsi, avec l'une, avec l'autre, probable qu'elles avaient des envies toutes pareilles. Alors ? Pourquoi toutes ces simagrées ? Est-ce que ça ne serait pas plus simple de se le dire gentiment et de passer tout de suite à l'acte ? Quel ennui dans tous ces mots qu'il fallait prononcer avant ! Quelle perte de temps ! Quel besoin de retarder l'instant fatal ! Du moment qu'on sait à l'avance ce qui va arriver, pourquoi différer la petite secousse ? C'était pour ça, sans doute, qu'il avait toujours fini par préférer l'imaginaire Lily. Celle-ci, au moins, elle ne l'avait jamais fait attendre. Toujours là, toujours prête. Suffisait d'appuyer sur un bouton, de solliciter sa cervelle. Et docile avec ça. Conforme à son caprice, à son exigence. Même quand une femme réelle se donnait, fallait encore achever de la convaincre à force de caresses et de baisers, endormir ses scrupules, défaire son linge, s'inquiéter de la mettre en état de grâce. Bien sûr, il y avait des mâles qui se désintéressaient totalement de leur partenaire. Ils pinaient, prenaient leur plaisir sans chercher à favoriser en même temps celui de la femme. Lui, il pouvait pas. Question d'amour-propre. Les femmes qu'il avait eues, il avait toujours voulu qu'elles puissent être contentes de lui. Il se donnait du mal pour elles. Il était fier qu'elles prennent leur pied. Il avait son petit orgueil. Il aimait s'entendre dire qu'il savait bien leur faire ça, qu'il était un bon petit queutard. Mais, en réalité, c'était lui qui se sacrifiait. Tandis que s'il était seul, eh bien, personne pour le gêner. Lily n'était pas un rêve encombrant. Elle disparaissait comme elle était venue. Elle ne parlait pas. Ou ne disait que ce qu'il voulait lui faire dire. Elle n'avait pas de volonté à elle. Elle n'avait que les désirs qu'il lui voulait, que les pudeurs qu'il lui prêtait. Non, aucune femme jamais, ne remplacerait Lily. Avec aucune il ne pourrait sauter aussi facilement du sentimental à l'érotique. Il frotta ses mains l'une contre l'autre. Poissées par la nuit. Devait avoir besoin aussi de se faire les ongles. S'il allait se laver ? Mais jamais de savon dans les cabinets. Et l'eau seule, ça ne suffisait pas. Prendre un savon dans sa valise. Où était-il ? Peut-être dessous ? Il faudrait tout défaire. Il réveillerait les gens. Ils grogneraient. Il verrait ça quand il ferait jour. Il n'y en avait plus pour longtemps, maintenant. Il se sentait réellement vaseux, tout d'un coup. Comme après une nuit de veille à l'étage. L'Hôtel ! Comme ça lui semblait loin, déjà ! Est-ce que ça avait seulement jamais existé ? Un cauchemar, voilà ce que ça avait été. Du reste, tout ce qui lui était arrivé d'agréable ou de désagréable depuis qu'il était en âge de se souvenir, ça n'avait jamais laissé d'autres traces en lui. Un songe délicieux ou un cauchemar. Rien n'avait donc de réalité ? Cependant, ce coussin contre lequel il avait les fesses ? Le feutre de l'appui-tête ? La vitre elle-même ? Pas du vent ! Des hommes avaient tissé ce drap, avaient garni ces coussins, avaient fabriqué la pâte du verre dans lequel on avait taillé cette vitre. Des mains d'hommes avaient touché tout cela, qui le protégeait aujourd'hui, qui lui servait ! Mais lui-même, avait-il aussi une réalité ? Voilà qui était terrible. La réalité des objets, il pouvait y croire, dans une certaine mesure. A condition de ne pas trop appuyer. Mais de sa propre réalité, il n'arrivait pas à être convaincu. Qui était-il ? Et comment prendre conscience de ce qu'il pouvait être ? Parfois, il lui semblait que c'était dans des moments comme ceux où il évoquait Lily qu'il approchait le plus de sa vérité. Néanmoins, le reste aussi de son existence pouvait avoir une valeur. Laquelle ? Ce qui serait merveilleux, ce serait d'être assez maître de soi pour paraître exactement celui qu'on souhaite d'être. N'avait-il pas une occasion inespérée de mettre ce beau principe en pratique ? L'année dernière, ses copains, quand ils l'avaient vu quitter Portville, avaient certainement conservé de lui une image précise. Pour eux, sans aucun doute, il était ceci ou cela, n'était pas ceci ni cela. Voilà ce dont il fallait profiter. Se remontrer à eux sous un jour absolument nouveau. Les obliger à réformer leur jugement. Faire qu'ils se disent : Tiens, il n'est plus le même ! Après tout, les expériences qu'il avait faites pouvaient l'avoir mûri. Un Hermès tout transformé qui leur reviendrait. Mais pour s'imposer de cette façon, ça nécessitait un comportement solide. Au lieu d'agir selon son instinct, agir selon des consignes fixées à l'avance. Même si ces consignes étaient en opposition avec ce qu'on se sentait être. Mais serait-il heureux dans la peau de ce pantin ? Et tiendrait-il la gageure ? S'il venait à trébucher devant le premier obstacle ? Non. Ce qui serait mieux, évidemment, ce serait d'avoir l'art de faire accepter son personnage naturel. Mais pas à la portée du premier venu. Chassez le naturel, il revient au galop. Hélas ! Il ne reviendrait que trop vite. Il ne comptait pas sur son naturel pour forcer l'estime d'autrui. Il ne croyait pas valoir grand-chose au naturel. En revanche, s'il réussissait à se truquer... Est-ce que Buddy, Paolo, Jojo, Roudoudou n'étaient pas déjà quelque peu truqués ? Il n'y avait qu'à les imiter. Pour être tout à fait sûr de son ascendant sur les individus, il faudrait pouvoir être toujours le même. Et les faits montraient qu'il n'était justement jamais le même. Transparent avec celui-ci, opaque avec celui-là. Puis, le lendemain, opaque avec celui qui, la veille, l'avait vu transparent, transparent avec celui qui l'avait vu opaque. Généreux, par exemple, l'était-il ? Oui, dans un sens, non, dans l'autre. Avec Régine, il avait été généreux. Idiotement. Half and half avec Totoche. Et avaricieux avec Angélique. Tout aussi idiotement. Même quand sa générosité était une affaire de principe (ainsi pour les pourboires à donner) il se prenait en défaut. Il pouvait graisser la patte à un garçon de café, comme ça, pour la beauté du geste. Puis, tout aussitôt après, refuser deux sous à un mendiant. Etait-ce dû à l'humeur ? Des chances ! Mais l'humeur elle-même, d'où lui venait cette saute ? D'une conception momentanément bilieuse de la vie ? Le foie qui fonctionnait mal ? Il était bien évident qu'à l'Hôtel, sans aller chercher plus loin, dès qu'il se sentait en sueur et qu'il avait de la braise dans les latoches, son humeur s'en ressentait. Difficile de prendre sur soi. Il en allait de même pour tout un chacun. Ainsi, il avait peut-être été injuste envers ses supérieurs et ses camarades. Il les avait souvent maltraités en paroles. Il avait été partial. Mais s'était-il jamais mis dans leur peau ? Il les traitait de vaches ou de couillons. N'était-ce pas un peu court ? C'était une réaction sans grand fondement. Lui-même, était-il parfait ? S'était-il suffisamment demandé ce qu'ils pouvaient penser de lui, à leur tour ? Comme lui l'avait fait pour eux, ils avaient pu le juger sur des apparences. Dans ce cas, ils s'étaient fourré le doigt dans l'œil jusqu'au cou. Mais lui aussi. Alors, à quoi bon épiloguer ? Impossible de revenir là-dessus. Il ne saurait jamais ce qu'avaient pu cacher les dehors de Monsieur Rigal ou de Monsieur Dominique. Peut-être que la méchanceté de l'un, la médiocrité de l'autre, avaient leurs excuses, leurs prétextes. Inversement, quoi qu'il fasse désormais, aussi longtemps qu'ils se souviendraient de lui, ils conserveraient dans leur esprit l'image d'un certain Monsieur Hermès, à laquelle ils ne feraient plus de retouches. Renoncer à se casser la tête. Tout ça, désormais, c'était du passé. Ce qui avait de l'importance, uniquement, c'était qu'il serait à Portville dans quelques heures, et que, là, une nouvelle vie commencerait pour lui. A cette idée, il se colla contre le dossier de la banquette, instinctivement, comme pour retenir le train. Il filait si vite ! Il s'en balançait, le mécano. Il avait un horaire à respecter. Etre à l'heure dite en gare. Connaissant que ça. Ne pouvait pas entrer dans les détails, s'occuper des caprices de chacun. Après avoir garé sa loco, il casserait la graine et irait se pageoter tranquillement. Au lieu de ça, Monsieur Hermès se voyait débarquant dans le petit matin frileux de Portville. Le pont métallique sur le fleuve. Les morutiers à l'ancre. Les eaux limoneuses. Les trams jaunes de chrome, avec leur trolley, comme des antennes d'insectes. Comment Monsieur Papa et Madame Mère allaient-ils le recevoir ? Les explications qu'ils allaient exiger ! Il y aurait un bon café au lait, bien fort et bien sucré, avec des tartines grillées et beurrées. De longtemps, il n'en aurait pas pris de semblables. Et Madame Mère lui aurait préparé ses pantoufles. Minou viendrait se frotter dans ses jambes, lui monterait sur les cuisses, se pelotonnerait contre son ventre, comme autrefois. Tu n'es pas trop fatigué ? Si tu te couchais ? Sa chambre. Ses petites affaires. Son lit de milieu. Rien n'aurait changé. Seulement... Car il y avait un seulement ! Voilà où le bât blessait. Il l'entendait d'ici, la voix solennelle de Monsieur Papa. Et maintenant, que vas-tu faire ? As-tu une idée ? Pas moyen d'y échapper. Il allait falloir faire quelque chose. Fatalement. Mais quoi ? Et ce vacarme obstiné du train à travers la campagne nocturne. Sur le bi du bout du banc, sur le bi du bout du banc, sur le bi du bout du banc, sur le bi du bout du banc... Comme ça, sans défaillance. Et quand il s'enfilait dans une tranchée, dans une forêt, le vent claquait contre les parois métalliques... ça grondonnait furieusement par en dessous... Les voyageurs ne se frappaient pas pour si peu. Ils pionçaient de bon cœur, affaissés, entassés, remuant mollement comme des paquets de gélatine. En confiance. C'était peut-être ça, la sagesse. Se confier à la vie, à son courant, comme ces bienheureux à la marche fixée du rapide. Ils ne songeaient pas à des tamponnements possibles. A rien! Au matin, ils savaient qu'ils seraient à Portville. Passeraient sans étonnement du sommeil à l'état de veille, repris par leurs petites préoccupations au point même où elles les avaient laissés. L'état de veille!... Encore des mots! Eux, ils ne cherchaient pas midi à quatorze heures. Etre réveillé, c'était une expression qui voulait dire quelque chose dans leur cervelle. Se secouer, se rajuster, refermer leurs bagages, préparer leur billet, reviser l'emploi du temps de leur journée, ordonner les paroles qu'ils allaient prononcer à l'arrivée. Voyons, si j'allais faire pipi avant qu'on soit à quai? Qu'ai-je fait de mon bulletin de bagage? Pourvu que ces butors n'aient pas trop mécanisé mon carton à chapeaux? Peut-être que tantine sera venue à la gare? A quelle heure la correspondance pour Marseille? Je ne me souviens plus si le tram s'arrête ou non au coin de la rue du Bien-Etre? Oui, eh bien, ça lui paraissait piteux. Donner un sens à sa vie! Donnaient-ils un sens à leur vie, tous ces fossiles-là? Aujourd'hui était comme hier. Demain serait comme aujourd'hui. Une embolie, un accident mortel ne changerait rien à rien. Un robinet qu'on fermerait brusquement. Le cœur cesserait de battre. L'esprit ne serait plus picoté par mille soucis journaliers. Morts! Serait-ce si fâcheux? D'ailleurs, facile à dire, de donner un sens à sa vie! Mais lequel! Si Monsieur Papa était si impatient de le voir embrasser une carrière, était-ce dans le but de l'aider à donner un sens à sa vie? Une carrière, une épouse, des moutards, une maison... Pourquoi est-ce que tous les êtres copiaient les uns sur les autres? Même les plus extravagants d'entre eux, aventuriers, têtes brûlées, anticonformistes, un jour ou l'autre, ils finissaient comme ça. La situation assise, le mariage, la famille, les biens au soleil... Inhérent à la condition humaine? Ou une leçon bien apprise? Et dont personne n'osait ni ne semblait vouloir s'affranchir? Parbleu, jusqu'à son départ pour Paris, l'existence avait coulé tout doux pour lui. Au jour le jour. Des angoisses, certes. Mais mesurées. Parce qu'il avait mal chiadé sa compote de botan'. Parce qu'il avait peur de sécher en cosmo, s'il était interrogé. Parce qu'il n'était pas sûr de faire une bonne partie le dimanche suivant, à cause de Lily. Parce qu'il se sentirait peu à son avantage si Madame Mère voulait, à toute force, lui faire porter ce pardessus retapé de Monsieur Papa. Parce qu'il avait envie de se payer le cinéma et qu'il n'aurait pas d'argent avant la fin de la semaine. Parce que Paolo lui avait recommandé de ne pas répéter le mot jouir devant Madame Mère, vu qu'elle lui demanderait peut-être où il l'avait appris. Des flopées de raisons du même tonneau. Mais la vie, dans tout ça ? Y avait réellement qu'à partir de son séjour à la Maison Meublée qu'il s'était interrogé. Interrogations sans réponses. Avait-il fait un seul pas en avant, depuis ? Non. Il avait lamentablement marqué le pas. Et maintenant ? Où en était-il ? De quoi se sentait-il capable ? De quoi avait-il envie ? Imiterait-il les autres ? Reprendre l'existence terre à terre de Portville. Manger, dormir, passer ses soirées à la *Taverne Anglaise*. Jusqu'à quand ? Une fois leurs études achevées, les amis se disperseraient. Et lui ? Travailler ? On revenait toujours à ça. Pas moyen d'y couper. En serait-il ainsi jusqu'à... Faire des pieds et des mains. Découvrir saint Pierre pour couvrir saint Paul. Jojo disait toujours : faisons le bilan ! Il était vite fait, son bilan, à lui ! Il n'avait rien su mener à bien jusqu'ici. Tout avait plus ou moins foiré. L'hôtellerie, les liaisons, le sport même. Etait-ce pour ça qu'il était sur la terre ? User sa jeunesse à faire des projets. A s'échiner en vue de. Et puis, à la balançoire ! Comme un nigaudème, il se laissait rouler. C'était ça le plus dur à encaisser. Il avait beau se chercher des excuses, les faits étaient là. S'il s'était distingué à l'Hôtel, cela aurait pu lui valoir des satisfactions, mais il n'avait fait qu'accumuler les maladresses, les impairs, que décourager ceux qui avaient misé sur lui. Il aurait voulu devenir un rugbyman accompli, un as en la matière, et ça, il fallait s'y résigner une fois pour toutes, il n'y parviendrait jamais. Les femmes ? Sur ce terrain-là, non plus, il n'avait pas été brillant. Alors ? Y avait-il la plus petite chance que les projets nouveaux qu'il avait en tête aboutissent jamais ? Ou seraient-ils pareillement voués à l'échec ? Et si oui, y avait-il un intérêt quelconque à s'attacher à une existence qui le réduirait à la médiocrité ? Moi, je veux vivre ma vie, déclaraient les uns et les autres. Avec le plus grand sérieux. Mais est-ce qu'une vie uniquement ruminante ne serait pas également fructueuse ? Une vie où tout se passerait en dedans ? Une vie qui échapperait au contrôle d'autrui ? En surface, extérieurement, on serait comme le commun des mortels. On accomplirait les mêmes singeries, on débiterait les mêmes sornettes, on afficherait les mêmes crédulités. Et puis, par là-dessous, en secret, on se livrerait à ses passions. C'était déjà pas si mal d'avoir acquis la certitude que la vérité n'est pas dans l'accomplissement machinal des actes. La difficulté à se tenir en selle dans une existence double serait assez considérable, cependant. S'il s'en tenait à son propre cas, notamment, comment bien cacher son jeu s'il n'était pas maître de ses révoltes ? Très joli de se composer un univers second, mais si à chaque instant il se laissait aller à son impétuosité ? Il se trahirait. Ses artifices seraient démolis par des sursauts. La locomotive siffla dans la nuit. Le vacarme ambiant s'amplifia puis le rapide s'engouffra sous un tunnel. Ce fut une plongée dans le noir absolu. Ça le fit songer aux bruits sourds qui ponctuaient ses insomnies à la Maison Meublée. A cause de la chaleur du compartiment, il avait ce soir les pieds cuisants. Comme autrefois, à l'Hôtel. Il y avait des mois qu'il n'avait plus connu cette sensation pénible. Un bruit, une sensation, et ça suffisait pour que tout un morceau du passé ressuscite. S'il devenait aveugle un jour, ce serait une obscurité comparable à celle-ci qu'il connaîtrait. Donc, pas malaisé à imaginer. Toutefois, là, il savait qu'après le tunnel, la clarté lunaire de la campagne environnante lui restituerait le sentiment rassurant de sa vue. Mais quand on était réellement aveugle, et sans aucun espoir d'amélioration, c'est alors qu'on devait commencer, par force, à envisager les choses sous un autre angle. D'abord, une poussée de désespoir. C'était la première réaction inévitable. Puis ça devait s'atténuer. On devait prendre son parti. Comme de tout. S'acclimater. Demander secours à la vigilance des autres sens. A l'ouïe, à l'odorat, au toucher. Ainsi, une voix de femme, un parfum, une chair duveteuse procuraient sans doute au fond de soi une émotion bien plus troublante, bien plus aiguë que lorsqu'on pouvait voir. Déjà, présentement, il lui semblait qu'il était bien plus attentif à la présence vivante de ses voisins endormis. Avec un peu de recueillement il serait sûrement arrivé à différencier leurs respirations. Ah! voilà qu'on sortait du tunnel. Il resta un moment à réadapter son regard sur les contours environnants. Puis deux troufions bleu horizon tanguèrent dans le couloir, secoués comme des chiffes et s'accrochant à la main courante de cuivre le long des glaces. Puisqu'il avait plaqué l'Hôtel, vaudrait peut-être autant qu'il renonce au sursis qu'il avait obtenu et qu'il fasse son service mirlitaire dès l'entrée de l'hiver. Comme ça, il en serait débarrassé. Et puis, ce serait un nouveau répit qu'il s'accorderait. Aurait dix-huit mois de plus devant lui avant de songer à une situation. S'il prenait cette décision, Monsieur Papa lui ficherait la paix pendant les vacances. Juin, juillet, août, septembre, octobre. La plus belle saison. Les courses de toros. Le bord de la mer. En novembre, il partirait. Dans quelle garnison l'enverrait-on? Ferait-il son service dans une région où on joue au rugby? Faudrait qu'il voie s'il n'y avait pas moyen de choisir son arme. Où aimerait-il aller? Pendant ce temps, pourrait peut-être faire jouer *La Joie du Cœur.* Demanderait des perms pour aller à Paris, surveiller les répétitions. En revanche, il faudrait reporter cette idée de revue à plus tard. Encore un coup d'épée dans l'eau. Le destin s'ingéniait à vous mettre des bâtons dans les roues. Mauvaise plaisanterie! Et il y en avait qui cherchaient à se définir, à s'analyser! A quoi ça les avançait? La vie était ce qu'elle était. Tout le reste? Des slogans! La vie, affirmait Buddy, c'est une mascarade. Oui, si l'on veut. Et c'était aussi tout un tas d'autres choses. Il y avait ceux qui voulaient vous persuader qu'elle était une monstruosité et ceux qui étaient sûrs qu'elle était une illusion. Chacun avait son point de vue et s'y cramponnait. La vie est un choix. La vie est un songe. La vie est un non-sens. La vie est un pari. La vie est un kaléidoscope. La vie est une gageure. La vie est une évidence. La vie est un voyage. La vie est une salle d'attente. La vie est une défécation. La vie est une eau qui s'écoule. La vie est un jeu. La vie est une habitude. La vie est une vallée de larmes. La vie est une longue suite de délices. La vie est un tire-bouchon, une bobine, un calendrier, une route, une marée, un sablier... On n'en sortait pas. La vie, la vie, la vie... Trente-trois, trente-trois, trente-trois, toussez, toussez plus fort, encore plus fort. C'était la chanson du train. Trente-trois, trente-trois, trente-trois... Pourquoi se laisser enfermer dans un moule, un moule, un moule ?... Ce serait bon, maintenant, de sombrer dans le néant, que tout se défasse dans le cerveau, plus de nœuds, plus de carrefours, comme si de l'eau vous entrait dedans... entrait dedans, entrait dedans, entrait dedans... oui... les genoux de la femme du coin... se laver les mains... si on déraillait... déraillait, déraillait... ce serait bon de dérailler... la vie était un déraillement... la vie était un gouffre... un gouffre, un gouffre... s'enfoncer... s'enfoncer... comme si le corps était piqueté par mille épingles... délicieusement, délicatement... comme si on était submergé par sa propre chair... une chair qui vous envahirait la bouche, le nez, les yeux... on finirait par disparaître tout entier dans sa propre enveloppe... dans sa propre épaisseur... Alice Elvas... les arènes de San Sebastien... la mer violacée vue de Monte Igueldo... dodo... dimini mini... mini minette... Angélique... sa robe rouge... et des jasmins dans les cheveux... avec elle sur l'Alcala... et c'était plein de brouillard... respirer le brouillard... ouvrir les lèvres... là... un gros matelas de brouillard qui s'infiltre partout... et ce brouillard c'est soi-même... les bras, les jambes qui se détachent du tronc... qui deviennent du brouillard, à leur tour... se perdent au loin... flotter... léger, léger... de plus en plus léger... immatériel... instant suave... Nita, mon amour... mon doux chéri... la tête, là... viens plus près... encore... encore... tu m'aimais donc ?...

En captivité (1940-1944).

DU MÊME AUTEUR

Derniers volumes parus

449. Anne Brontë : *Agnès Grey*.
450. Stig Dagerman : *Le serpent*.
451. August Strindberg : *Inferno*.
452. Paul Morand : *Hécate et ses chiens*.
453. Theodor Francis Powys : *Le Capitaine Patch*.
454. Salvador Dali : *La vie secrète de Salvador Dali*.
455. Edith Wharton : *Le fils et autres nouvelles*.
456. John Dos Passos : *La belle vie*.
457. Juliette Drouet : *« Mon grand petit homme... »*.
458. Michel Leiris : *Nuits sans nuit*.
459. Frederic Prokosch : *Béatrice Cenci*.
460. Leonardo Sciascia : *Les oncles de Sicile*.
461. Rabindranath Tagore : *Le Vagabond et autres histoires*.
462. Thomas de Quincey : *De l'Assassinat considéré comme un des Beaux-Arts*.
463. Jean Potocki : *Manuscrit trouvé à Saragosse*.
464. Boris Vian : *Vercoquin et le plancton*.
465. Gilbert Keith Chesterton : *Le nommé Jeudi*.
466. Iris Murdoch : *Pâques sanglantes*.
467. Rabindranath Tagore : *Le naufrage*.
468. José Maria Arguedas : *Les fleuves profonds*.
469. Truman Capote : *Les Muses parlent*.
470. Thomas Bernhard : *La cave*.
471. Ernst von Salomon : *Le destin de A.D.*
472. Gilbert Keith Chesterton : *Le Club des Métiers bizarres*.
473. Eugène Ionesco : *La photo du colonel*.
474. André Gide : *Le voyage d'Urien*.
475. Julio Cortázar : *Octaèdre*.
476. Bohumil Hrabal : *La chevelure sacrifiée*.
477. Sylvia Townsend Warner : *Une lubie de Monsieur Fortune*.
478. Jean Tardieu : *Le Professeur Frœppel*.
479. Joseph Roth : *Conte de la 1002ᵉ nuit*.
480. Kôbô Abe : *Cahier Kangourou*.
481. Rainer Maria Rilke, Boris Pasternak, Marina Tsvétaïeva : *Correspondance à trois*.
482. Philippe Soupault : *Histoire d'un blanc*.
483. Malcolm de Chazal : *La vie filtrée*.
484. Henri Thomas : *Le seau à charbon*.
485. Flannery O'Connor : *L'habitude d'être*.
486. Erskine Caldwell : *Un pauvre type*.

567. Alejo Carpentier : *Le recours de la méthode.*
568. Michel de Ghelderode : *Sortilèges.*
569. Mercè Rodoreda : *La mort et le printemps.*
570. Mercè Rodoreda : *Tant et tant de guerre.*
571. Peter Matthiessen : *En liberté dans les champs du Seigneur.*
572. Damon Runyon : *Nocturnes dans Broadway.*
573. Iris Murdoch : *Une tête coupée.*
574. Jean Cocteau : *Tour du monde en 80 jours.*
575. Juan Rulfo : *Le coq d'or.*
576. Joseph Conrad : *La rescousse.*
577. Jaroslav Hasek : *Dernières aventures du brave soldat Chvéïk.*
578. Jean-Loup Trassard : *L'ancolie.*
579. Panaït Istrati : *Nerrantsoula.*
580. Ana Maria Matute : *Le temps.*
581. Thomas Bernhard : *Extinction.*
582. Donald Barthelme : *La ville est triste.*
583. Philippe Soupault : *Le grand homme.*
584. Robert Walser : *La rose.*
585. Pablo Neruda : *Né pour naître.*
586. Thomas Hardy : *Le trompette-Major.*
587. Pierre Bergounioux : *L'orphelin.*
588. Marguerite Duras : *Nathalie Granger.*
589. Jean Tardieu : *Les tours de Trébizonde.*
590. Stéphane Mallarmé : *Thèmes anglais pour toutes les grammaires.*
591. Sherwood Anderson : *Winesburg-en-Ohio.*
592. Luigi Pirandello : *Vieille Sicile.*
593. Apollinaire : *Lettres à Lou.*
594. Emmanuel Berl : *Présence des morts.*
595. Charles-Ferdinand Ramuz : *La séparation des races.*
596. Michel Chaillou : *Domestique chez Montaigne.*
597. John Keats : *Lettres à Fanny Brawne.*
598. Jean Métellus : *La famille Vortex.*
599. Thomas Mofolo : *Chaka.*
600. Marcel Jouhandeau : *Le livre de mon père et de ma mère.*
601. Hans Magnus Enzensberger : *Le bref été de l'anarchie.*
602. Raymond Queneau : *Une histoire modèle.*
603. Joseph Kessel : *Au Grand Socco.*
604. Georges Perec : *La boutique obscure.*
605. Pierre Jean Jouve : *Hécate suivi de Vagadu.*
606. Jean Paulhan : *Braque le patron.*

607. Jean Grenier : *Sur la mort d'un chien.*
608. Nathaniel Hawthorne : *Valjoie.*
609. Camilo José Cela : *Voyage en Alcarria.*
610. Leonardo Sciascia : *Todo Modo.*
611. Théodor Fontane : *Madame Jenny Treibel.*
612. Charles-Louis Philippe : *Croquignole.*
613. Kôbô Abé : *Rendez-vous secret.*
614. Pierre Bourgade : *New York Party.*
615. Juan Carlos Onetti : *Le chantier.*
616. Giorgio Bassani : *L'odeur du foin.*
617. Louis Calaferte : *Promenade dans un parc.*
618. Henri Bosco : *Un oubli moins profond.*
619. Pierre Herbart : *La ligne de force.*
620. V.S. Naipaul : *Miguel Street.*
621. Novalis : *Henri d'Ofterdingen.*
622. Thomas Bernhard : *Le froid.*
623. Iouri Bouïda : *Le train zéro.*
624. Josef Škvorecký : *Miracle en bohême.*
625. Kenzaburô ÔÉ : *Arrachez les bourgeons, tirez sur les enfants.*
626. Rabindranath Tagore : *Mashi.*
627. Victor Hugo : *Le promontoire du songe.*
628. Eugène Dabit : *L'île.*
629. Herman Melville : *Omou.*
630. Juan Carlos Onetti : *Les bas-fonds du rêve.*
631. Julio Cortázar : *Gites.*
632. Silvina Ocampo : *Mémoires secrètes d'une poupée.*
633. Flannery O'Connor : *La sagesse dans le sang.*
634. Paul Morand : *Le flagellan de Séville.*
635. Henri Michaux : *Déplacements dégagements.*
636. Robert Desnos : *De l'érotisme.*
637. Raymond Roussel : *La doublure.*
638. Panaït Istrati : *Oncle Anghel.*
639. Henry James : *La maison natale.*
640. André Hardellet : *Donnez-moi le temps suivi de la promenade imaginaire.*
641. Patrick White : *Une ceinture de feuilles.*
642. F. Scott Fitzgerald : *Tous les jeunes gens tristes.*
643. Jean-Jacques Schuhl : *Télex n° 1.*
644. Apollinaire : *Les trois Don Juan.*

Achevé d'imprimer par Dupli-Print,
à Domont (95), le 2 janvier 2015.
Dépôt légal : janvier 2015.
Premier dépôt légal : décembre 1981.
Numéro d'imprimeur : 2014122068.

ISBN 978-2-07-026518-2/Imprimé en France

281285